ELISAB[
Das K

CW00802701

Buch

Für den Anwalt Joachim Vernau stehen alle Zeichen auf Erfolg. Er wird die aufstrebende Politikerin Sigrun von Zernikow heiraten und damit nicht nur Eingang in die Berliner Gesellschaft finden, sondern auch Partner in der angesehenen Kanzlei von Sigruns Vater Utz werden. Mit einer großen Verlobungsparty soll er in die Familie eingeführt werden. Aber als plötzlich eine ukrainische Frau erscheint, die von Utz die Unterschrift auf einem Blatt voller kyrillischer Buchstaben fordert, bekommt die Fassade der Anständigkeit erste Risse. Denn Utz soll mit dieser Unterschrift bestätigen, dass seine Familie während des Zweiten Weltkriegs eine ukrainische Zwangsarbeiterin als Kindermädchen beschäftigt hat, um ihr jetzt eine Entschädigung zu ermöglichen. Utz streitet alles ab und lässt die Frau rausschmeißen. Der Auftritt wäre schnell vergessen, doch die Ukrainerin wird kurze Zeit später tot aus dem Landwehrkanal gezogen. Obwohl Vernau ahnt, dass er so seine Zukunft in der Familie aufs Spiel setzt, beginnt er, unbequeme Fragen zu stellen. Und schon bald wird klar, dass die von Zernikows nicht nur einen dunklen Fleck auf ihrer weißen Weste haben. Denn die Geschichte der ukrainischen Zwangsarbeiterin scheint wahr zu sein, und Joachim findet eindeutige Spuren eines äußerst lukrativen Handels mit Kunstwerken, die von den Nationalsozialisten enteignet worden waren ...

Autorin

Elisabeth Herrmann, geboren 1959 in Marburg/Lahn, kam erst auf Umwegen zum Schreiben. Nach einer abgebrochenen Lehre als Bauzeichnerin arbeitete sie zunächst als Betonbauerin und Maurerin, ehe sie auf dem Frankfurter Abendgymnasium ihr Abitur nachholte und ein Studium absolvierte. Heute arbeitet sie als Fernsehjournalistin für den RBB und lebt in Berlin.

Elisabeth Herrmann

Das Kindermädchen

Roman

GOLDMANN

FSC

Mix
Produktgruppe aus vorbildlich
bewirtschafteten Wäldern und
anderen kontrollierten Herkünften

Zert.-Nr. SGS-COC-1940
www.fsc.org
© 1996 Forest Stewardship Council

Verlagsgruppe Random House FSC-DEU-0100
Das FSC-zertifizierte Papier *München Super* für Taschenbücher
aus dem Goldmann Verlag liefert Mochenwangen Papier.

4. Auflage
Taschenbuchausgabe November 2007
Wilhelm Goldmann Verlag, München,
in der Verlagsgruppe Random House GmbH
Copyright © 2005 by Rotbuch/EVA Europäische
Verlagsanstalt Hamburg.
Umschlaggestaltung: Design Team München
Umschlagfoto: Plainpicture/whatapicture
KS · Herstellung: Str.
Satz: deutsch-türkischer fotosatz, Berlin
Druck und Bindung: GGP Media GmbH, Pößneck
Printed in Germany
ISBN: 978 3 442 46455 5

www.goldmann-verlag.de

Für Shirin

Die Tage unserer Jahre, ihrer sind siebzig Jahre, und,
wenn in Kraft, achtzig Jahre,
und ihr Stolz ist Mühsal und Nichtigkeit,
denn schnell eilt es vorüber, und wir fliegen dahin.

DIE BIBEL, PSALM 90

Die Flugzeuge.

Mit zitternden Händen versucht sie, das Schwarzpapier dort zu befestigen, wo es sich am Fenster gelöst hat. Das Sirenengeheul kündigt sie an, die zehnten Reiter der Apokalypse. Noch ist es mehr zu ahnen, das dunkle Dröhnen, doch es kommt näher. Vielleicht Richtung Neukölln. Vielleicht wird es auch Spandau treffen. Oder Köpenick. Vielleicht aber auch den Grunewald dieses Mal, diese Straße und dieses Haus. Wo Olga jetzt sein mag? Nicht nachdenken. Bloß nicht nachdenken. Vielleicht hilft Wachs.

Sie löscht die Kerze und taucht den Finger in die heiße Flüssigkeit. Damit bestreicht sie den Holzrahmen und versucht erneut, das Fenster korrekt zu verdunkeln. Der Sirenenton jagt den Schrecken in den Körper, der nur noch einen Impuls kennt: fliehen, sich verkriechen, Schutz suchen. Beten.

Vor dir sind tausend Jahre wie ein Tag. Lehre uns, Herr, unsere Tage zu zählen. Du warst unsere Zuflucht, von Geschlecht zu Geschlecht.

»Paula?«

Die Tür zu dem kleinen Kabuff über dem Ofen wird aufgerissen. Im Licht einer Kerze erscheinen die angststarrten Züge eines Kindes.

»Paula!«

Flink klettert der Junge in den engen Raum, der sogar für ihn zu niedrig zum Stehen ist.

»Du sollst schlafen.«

Sie lächelt, als sie sein Gesicht unter den verstrubbelten Haaren sieht. Er stellt die Kerze ab und kriecht neben sie. »Was machst du da?«

»Ich stricke.«

Er deutet auf die vielen Päckchen mit Verbandmull. Eines ist geöffnet, sie hat gerade den weißen Strang zu einem Ärmel verarbeitet, als der Alarm begann.

»Das ist verboten. Ich muss das melden.«

Sie lacht und fährt ihm mit der Hand durch die Haare. Vor zwei Jahren, als sie in dieses Haus gekommen war, wäre ihr bei diesen Worten himmelangst geworden. Das war die Zeit, in der er sie kaum angesehen hatte und die einzigen Worte, die er an sie richtete, Befehle waren. Ihm fehlt der Vater. Die Mutter hat keine Zeit, sich um ihn zu kümmern. Sie ist oft außer Haus. Manchmal bringt sie die Männer auch mit, dann versucht sie, den Jungen abzulenken.

Der Junge hatte sie dafür gehasst, weil sie wusste, was seine Mutter tat. Er hatte sie gehasst, bis er das Fieber bekommen hatte und ihm nichts mehr helfen konnte. Nur noch nasse Umschläge und eine kühle Hand auf der Stirn. Ihre Hand, nicht die der Mutter. Als die Krise kam, hatte sie sich zu ihm gelegt und ihn festgehalten.

Er war nicht gegangen. Seitdem ist er ihr Sohn. Jetzt ist sie vierzehn und er elf, und die tausend Tage sind wie ein dunkler Tag. Herr, wann geht er vorüber?

»Der letzte Winter war kalt.«

Sie schiebt seinen Pyjamaärmel hoch und probiert die Länge an. »Du sollst nicht frieren dieses Mal.«

»Sie kommen«, sagt er.

Beide blicken auf das verdunkelte Fenster. Sie legt das Strickzeug zur Seite und zieht ihn an sich. Augenblicklich schmiegt er sich an ihre Schulter. Er tut es nur, wenn die Flieger kommen. Wenn es dunkel und die Mutter nicht zu Hause ist. Er ist kein zärtliches Kind. Manchmal kneift er sie, oder er boxt sie leicht. Das ist seine Art zu zeigen, dass er sie mag.

»Der Mai ist schon fast vorbei«, sagt er.

Sie nickt. Sie weiß, was die Leute flüsterten. Sie hat gute Ohren. Keiner zeigt seine Angst, aber ernst sind sie geworden, die Deutschen. Die Invasion muss direkt bevorstehen.

Sie weiß nicht genau, was das ist, die Invasion. Es muss der Auslöser für die längst überfällige Vergeltung sein, mit der man den Feind bestrafen will. Der Luftterror wird mit jedem Tag schlimmer. Die Verdunkelungen machen die Menschen nervös und trübsinnig. Der Junge erzählt flüsternd von Luftüberlegenheit, als ob er wüsste, wie frevlerisch allein schon das Denken dieses Wortes ist. Mit der Invasion soll alles anders werden. So wie ein Gewitter erst unangenehm ist und dann die Luft reinigt. Wir werden sie hereinlassen, sagt der Junge, sie werden sich sicher fühlen, und dann werden wir sie vernichten.

Der Sirenenton mahnt durchdringend und unmissverständlich. Sie versteht nicht, warum nicht wenigstens der Junge in den Keller darf. Warum die Freifrau es einen Tag lang gestattet und den anderen Tag verbietet. Der Sirenenton ist anders heute. Sie weiß nicht, ob es nur das Blut ist, das in ihren Ohren rauscht, oder der Wind in den Bäumen im Garten oder ob die Flugzeuge tatsächlich wiederkommen.

Lass sie woanders hinfliegen, Herr. *Wir vergehen durch deinen Zorn, werden vernichtet durch deinen Grimm, und wir beenden unsere Jahre wie einen Seufzer.* Sende das Feuer in die Hölle, aus der es kam, aber nicht hierher, nicht hierher, Herr. *Herr, wende dich uns doch endlich zu. Hab Mitleid mit allen Knechten!*

»Hör doch auf mit dem Beten! Wenn nicht bald was passiert, wird es in diesem Jahr für uns wieder zu spät sein.«

Zu spät für den Frieden, von Sieg redet keiner mehr. Nur der Junge glaubt noch daran. Kinder und Verrückte.

»Wir müssen Luft bekommen, um im Osten wieder stärker einzugreifen.«

»Ja,ja.«

9

»Und endlich die Vergeltungswaffen einsetzen. Mit der Invasion wird alles anders. Erst lassen wir sie rein, und dann …« Er fährt mit dem Zeigefinger über seine Kehle. Ihre Hand schnellt vor und hält ihn fest.

»Nicht«, sagt sie.

Der Bäcker am Roseneck hat seine Uk-Stellung verloren und muss die Uniform noch einmal anziehen. Im Weltkrieg ist er verwundet worden, und dazu ist er noch Jahrgang 84. »Die nehmen mich doch nicht mehr«, hatte er gesagt.

Jetzt ist er auf der Krim. Seine Frau hat es ihr erzählt. Eine robuste, zuversichtliche Frau. Sie hat sich heimlich mit der Schürze die Augen ausgewischt. Sind denn alle taub und blind?

Die Russen stehen schon in Rumänien, im Generalgouvernement und vor Ungarn und der Slowakei. Man muss nur den Wehrmachtsbericht hören, dann kann man sich denken, wie das alles enden wird. Noch vor einer halben Stunde haben sie gemeldet, das Reichsgebiet sei feindfrei. Und jetzt das.

»Dieses Mal kommen sie von Potsdam«, flüstert er.

Die Luft beginnt zu vibrieren.

Hoffentlich hat Olga dort einen Graben. Olga ist so zart und dünn, und sie hat doch ihrer Mutter versprochen, auf sie aufzupassen, Olga ist doch ein halbes Jahr jünger, ein Kind fast noch, Olga, die jetzt einen ganzen Hof versorgt, das schafft sie doch gar nicht. Aber er soll nett sein, ihr Bauer. Und eine Kirche haben sie da auch. Nur evangelisch, aber sie darf zum Gottesdienst.

»Die kommen hierher!«

Herr, du warst unsere Zuflucht, von Geschlecht zu Geschlecht. Von Jahr zu Jahr säst du die Menschen aus, sie gleichen dem sprossenden Gras. Am Morgen grünt es und blüht, am Abend wird es geschnitten wie Gras …

»Hör auf! Hör auf!«

Er reißt ihre betenden Hände auseinander und zieht die Pappe vom Fenster weg. Sofort bläst sie die Kerze aus. Tanzende Lichter senken sich aus dem tiefschwarzen Himmel herab und beleuchten den Garten wie ein stilles Feuerwerk. Weihnachtsbäume.

»Ist das schön!«

Er schaut verträumt durch das schuhkartongroße Fenster nach oben, wo das Verderben in den leuchtendsten Farben direkt auf sie zukommt. Das Dröhnen wird immer lauter, bis sie auftauchen wie riesige schwarze Hornissen.

Er weicht zurück. Dann öffnet er den Mund und will etwas sagen. In diesem Moment zerreißt ihr die Detonation fast das Trommelfell. Die Wände zittern und neigen sich auf sie zu. Staub und Putzbrocken regnen auf sie nieder.

»Raus!«, brüllt sie und kann sich selbst kaum hören. In fliegender Hast klettert sie aus dem Bett, springt hinunter in die Küche und hilft ihm, ihr zu folgen. Sie spürt die Scherben unter ihren Füßen und rennt zum Fenster, das kein Glas mehr hat. Sie beugt sich hinaus und sieht auf die Straße. Durch den dichten Staub erkennt sie den Widerschein eines Feuers. Zwei Häuser weiter muss es sein, oben auf der Ecke.

Wieder beginnt der Boden zu vibrieren.

»Es werden immer mehr!«, schreit er.

Sie nimmt seine Hand und hastet den Flur entlang. Das Haus scheint unversehrt, nur die Scheiben sind alle zu Bruch gegangen.

Der nächste Flieger ist so tief, dass er fast das Dach streift. Vielleicht stürzt er ab, genau hier, und verwandelt alles in eine Flammenhölle.

Sie rennen in das riesige Treppenhaus und jagen die Stufen hinunter, bis sie vor der Kellertür stehen. Sie ist abgeschlossen. Es heult. Ein grauenhafter Ton, etwas so Fürchterliches hat sie noch nie gehört. Als ob im Himmel die Hölle los sei. Es wird lauter und lauter, sie hält den zitternden Jungen fest an sich gepresst und duckt sich, macht sich so klein wie möglich, noch kleiner, fast unsichtbar, dann kommen der unglaubliche Schlag und die Druckwelle.

Das Haus ächzt und jammert in allen Fugen, aber es hält. Es ist ein gutes Haus, kräftig und solide. Es kann einiges aushalten. Aber nicht genug, wenn der nächste Einschlag es trifft.

»Wir dürfen da nicht rein«, sagt der Junge und klappert mit den Zähnen. Er kauert auf dem Boden. Die Angst übermalt sein Kindergesicht mit Blässe. Die Augen hat er aufgerissen, sie kennt den Blick, er ist überall gleich, wenn das Grauen kommt.

Sie zieht ihn hoch und packt ihn an den Schultern.

»Du musst.«

Sie läuft durch das Erdgeschoss hin zu dem kleinen Raum neben der Eingangstür, in dem die Besen, Putzeimer und Gartengeräte stehen. Mit einer Axt kommt sie wieder. Sie schiebt den Jungen zur Seite und holt aus.

Um sie herum geht die Welt unter. Die Kampfverbände fliegen Richtung Norden, vermutlich werden sie dieses Mal Moabit und den Wedding heimsuchen. Was hier herunterkommt, sind nur die Vorboten. Nur ein kleiner Vorgeschmack dessen, was den Menschen dort noch bevorsteht. Hoch im Himmel beginnt wieder das Heulen. Sie schlägt zu, noch einmal und noch einmal, dann tritt sie gegen die Tür, die sich mit einem Mal nach innen öffnet. Das Heulen pfeift und singt in ihren Ohren, sie reißt den Jungen hinter sich, beide fallen die Treppe hinunter, und in diesem Moment schlägt es ein.

Sie wirft sich über ihn und wartet. Er liegt unter ihr, sie erstickt ihn fast, er keucht vor Angst und Atemnot, doch sie bleibt auf ihm liegen und wartet.

Nichts geschieht. Das Dröhnen lässt nach, sie fliegen weiter. Gott sei den armen Seelen gnädig.

Sie öffnet die Augen.

Langsam steht sie auf und klopft sich den Staub aus dem Nachthemd. Hustend richtet sich der Junge auf. Beide starren durch das Kellerfenster in den Garten. Oder in das, was von ihm übrig geblieben ist.

Die Bombe liegt in den Kartoffeln. Ein 50-Tonnen-Ungeheuer. Dunkel, rauchend, und in seinem runden Bauch lauert der Tod.

Wie lange sie so stehen, weiß sie nicht. Sie kann den Blick nicht von dem Monster abwenden, gleichzeitig hat sie Angst, es zu provozieren. Sie spürt mit einem Mal die Ungeheuerlichkeit dieser Gnade, dass sie die Bombe sehen können und nicht sterben.

Der Junge klettert auf den Waschtisch und sieht hinaus. »Das ist ja ein Ding! Der Zünder funktioniert nicht.«

Sie geht zum Ofen und holt mit zitternden Fingern die Streichhölzer herunter, die immer neben dem Holz liegen. Dann zündet sie eine Kerze an und sieht sich um.

Heute war der Keller verschlossen. Nur die Freifrau weiß, warum. Einmal, als sie nicht schlafen konnte, hat sie einen Wagen mit laufendem Motor gehört. Sie war zum Fenster geschlichen und hatte vorsichtig durch die Vorhänge gespäht. Es war niemand zu sehen gewesen. Doch dann war eine Gestalt aus dem Haus gekommen, und sie war hastig zurückgetreten.

»Die Tommys«, sagt der Junge und schüttelt den Kopf. Dann springt er herunter und stellt sich neben sie. »Was ist das?«, fragt er.

Mehrere Kisten und zwei große, mit Decken verhüllte Gegenstände stehen in der Ecke vor den Regalen mit der Marmelade und den eingekochten Früchten.

Er nimmt die Kerze und geht darauf zu.

»Lass das«, sagt sie. »Das darfst du nicht.«

Doch er hat schon eine der Decken zurückgeschlagen. »Oh.« Er klingt enttäuscht. »Nur ein Bild.«

Er bedeckt es wieder. Dann setzen sich beide auf den Boden und warten auf die erlösende Entwarnung. Als es endlich so weit ist, schleichen sie schweigend nach oben.

Vor seinem Zimmer legt sie noch einmal den Arm um seine Schulter. Mehr wagt sie jetzt nicht mehr.

Er senkt den Kopf und stößt mit der Stirn sanft an ihren Bauch. »Wären wir tot, wenn die Bombe explodiert wäre?«

Sie greift ihm unters Kinn, hebt sein Gesicht zu sich hoch und leuchtet ihn mit der Kerze an. »Nein«, sagt sie. »Die Kellermauern sind viel zu dick.«

Er nickt, als ob er ihr glauben würde.

1

Ich kam immer zu spät zu Beerdigungen.

Die Trauergäste verließen gerade die Kapelle des Dahlemer Waldfriedhofes. Sigrun erschien als eine der Letzten und warf einen suchenden Blick Richtung Ausgang. Ich trat ein paar Schritte vor, sie entdeckte mich und winkte mich unauffällig heran.

»Das war nicht nett von dir.« Ärgerlich zog sie mich in die Kapelle. Vorne am Sarg stand die Familie des Verstorbenen. Schwerer Lilienduft mischte sich mit dem Geruch brennender Kerzen.

»Ich kannte ihn doch kaum«, flüsterte ich.

»Ich auch nicht«, gab sie zurück. »Aber er war der letzte Freund meiner Großmutter.«

Sie schob mich zur Seite, denn einer der Sargträger hatte sich aus dem Halbschatten gelöst und nahm ein großes Kissen hoch. Gemessenen Schrittes trug er es an uns vorbei. Auf dem Samt glitzerte es in allen Farben.

»Seine Orden«, wisperte Sigrun. »Sie haben sogar die Ehrennadel fürs Blutspenden draufgesteckt.«

Sie, das waren die Lehnsfelds, die heute den Patriarchen der Familie zu Grabe trugen: Abel von Lehnsfeld, verschieden im einundneunzigsten Jahr seines Erdendaseins, hochdekorierter Wehrmachtsoffizier, herausragender Gründervater der Bundesrepublik Deutschland, Freund der Künste und honoriger Wohltäter. Draußen, uns den Rücken zugekehrt, murmelten sein direkter Nachfahre Abraham und dessen Sohn Aaron mit dem Pfarrer. Abrahams Weib Verena stand wie immer stumm daneben.

Sigrun schnupperte hinüber zu einer abseitsstehenden Gruppe. Zigarettenrauch wehte herüber. »Eine«, flüsterte sie. »Nur eine einzige.«

Sie hatte sich das Rauchen abgewöhnt, weil es nicht zu einer erneut kandidierenden Stellvertretenden Bürgermeisterin von Berlin und Senatorin für Familie und Soziales passte. Es fiel ihr schwer. Ich reichte ihr ein Pfefferminzbonbon. Sie wickelte es aus und steckte es in den Mund. Dabei grinste sie mich fröhlicher an, als es auf einer Beerdigung schicklich gewesen wäre.

»Du bist zu spät.«

Utz, mein Fast-Schwiegervater, war unbemerkt zu uns getreten. Er hakte sich in Sigruns anderen Arm ein und zog sie in den Trauerzug. Wohl oder übel ließ ich sie los.

»Ich arbeite zu viel.«

Ich war immer noch in der Probezeit. Nicht nur in seiner Kanzlei, auch in seiner Familie. Utz tätschelte seiner Tochter die Hand. Es war eine liebevolle Geste, die verbarg, dass sie ihn vorsichtig und unbemerkt stützte. Er war über siebzig, und seine aufrechte Haltung und das immer noch volle, von grauen Strähnen durchzogene Haar machten ihn zu einer bemerkenswerten Erscheinung. Er hätte ein Patriarch sein können, wenn ihn nicht etwas daran gehindert hätte, sich zur vollen Größe zu entfalten.

Und dieses Etwas rollte nun auf uns zu: seine Mutter, Sigruns Großmutter.

Irene von Zernikow, geborene Freifrau von Hollwitz, brachte ihren Rollstuhl in Position. Und das bedeutete für sie: in die erste Reihe. Über ihr hochgetürmtes schlohweißes Haar hatte sie einen schwarzen Schleier geworfen. Sie saß kerzengerade, ihre magere Gestalt eingehüllt in ein schwarzes Wollkleid, dazu trug sie schwarze Handschuhe. Sie musste ungefähr im gleichen Alter wie der Verstorbene sein. Mit ihren über neunzig Jahren hätte sie zerbrechlich wirken können, wäre da nicht das eiskalte Desinteresse an den Menschen und dem Geschehen um sie herum, das ihr eine Aura der Unantastbarkeit verlieh, die manche mit Stärke verwechselten. Sie grüßte niemanden, auch nicht Utz, ihren eigenen Sohn. Nur Sigrun bekam die Winzigkeit eines Nickens ab. Mir fuhr sie fast mit dem Rollstuhl über die Schuhspitzen.

»Es ist erstaunlich, wie sie das trägt«, flüsterte Sigrun. »Abel war der Letzte von der alten Garde. Jetzt ist niemand mehr da, der die Erinnerung teilt.«

Hinter dem Rollstuhl der Freifrau stand, bemerkenswert unsichtbar, Walter. Walter war Mädchen für alles in diesem merkwürdigen Haus, in das ich durch Sigrun hineingeraten war. Sein Vater war bei der Reichsbahn gewesen, und deshalb pflegte er zu den seltenen Gelegenheiten, bei denen seine Meinung gefragt war, immer das Gleiche zu sagen: Der Zug fährt auf Gleisen, und die verlässt er nicht.

Im Übrigen wurde er nicht sehr häufig gefragt.

Die Freifrau hob den linken Zeigefinger. Das Zeichen genügte, und Walter schob den Rollstuhl sanft an. Der Trauerzug setzte sich in Bewegung. Utz und Sigrun hielten den Kopf gesenkt. Ich tat das Gleiche, bis ich aus den Augenwinkeln eine Bewegung bemerkte.

Am Wegrand stand eine alte Frau. Sie musterte den Zug sorgfältig, als ob sie nach jemandem suchen würde. Sie wirkte arm und deplatziert, während die Generation der glücklichen Erben schweigend an ihr vorbeidefilierte. Ein Zaungast. Es war ein prominenter Friedhof, eine der ersten Adressen sozusagen, falls man auf so etwas Wert legte. Das lockte bei größeren Beerdigungen auch Neugierige an. Die Frau zog sich zurück, als wolle sie die Trauernden durch ihre Anwesenheit nicht stören.

Der Trauerzug hielt langsam auf ein bereits ausgehobenes Grab am Ende einer langen Reihe zu. Dutzende Kränze mit malerisch drapierten Schleifen waren schon hierhergebracht worden. Es sah ganz nach dem Gegenteil einer schnellen, unauffälligen Beerdigung aus. Auch der Pfarrer blätterte jetzt sehr konzentriert in seiner Bibel, obwohl doch alles Wichtige bereits in der Kirche gesagt worden war. Dachte ich. Dann sah ich die Blaskapelle und ließ alle Hoffnung fahren.

Die Freifrau bemerkte die Musikanten und entfernte als einzige Reaktion ihr Hörgerät. Sie reichte es Walter, der es ohne mit der Wimper zu zucken einsteckte. Während die Sargträger Abel langsam in das ausgehobene Grab hinunterließen, legte sie den Kopf zurück und schlief ein.

Utz senkte den Blick und faltete die Hände. Der Pfarrer trat an das Grab und räusperte sich. Der letzte Akt am Ende eines langen Lebens hatte begonnen.

2

»Und, wie war's?«

Jeder, der in die Kanzlei wollte, musste an Connie vorbei. Sie hatte das Büro im ersten Stock gleich links neben der Tür. Heute trug sie eine pinkfarbene Escada-Jacke, die sie für acht Euro bei ebay ersteigert hatte.

»Wie Beerdigungen so sind«, antwortete ich. Ich mochte Connie.

Sie wusste das und vertiefte instinktiv ihr Lächeln. Es war ihr ganz persönlicher Reflex. Junggeselle, heiratsfähig, obere Gehaltsklasse.

»Ich war noch nie auf einer«, sagte sie. »Ich meine, es ist noch nie jemand gestorben, den ich kannte.«

»Doch. Abel von Lehnsfeld.«

»Den kannte ich nicht. Nicht richtig, meine ich. Außerdem war er alt.«

Selektives Wahrnehmungsvermögen. Ich beugte mich über ihren Schreibtisch und tippte auf ihren Terminkalender. »Denk an die Testamentseröffnung. Morgen, fünfzehn Uhr.«

»Kommt Aaron auch?«

Junggeselle, heiratsfähig, oberste Gehaltsklasse, vor allem nach dem Ableben des Großvaters. »Ich habe extra seine Lieblingskekse besorgt. Schokocremewaffeln. Magst du probieren?«

Sie zog die Schublade auf, in der sie ein halbes Dutzend Packungen gehortet hatte. Vermutlich alle in der Hoffnung, Aaron eines Tages damit zu füttern.

»Nein danke«, sagte ich. »Post? Anrufe?«

Sie stand auf und drückte sich mit wiegenden Hüften etwas zu nahe an mir vorbei. »Post, ja, Anrufe, nur einer. Von deiner Mutter. Sie will wissen, was mit Reinickendorf ist.«

Ich hatte keine Zeit, um mich jetzt mit meiner Mutter und ihrem Problem, nach Reinickendorf zu kommen, auseinanderzusetzen. Früher, als meine Kanzlei noch in einer Kreuzberger Einzimmerwohnung war und ich sehr, sehr wenig zu tun hatte, war das kein Problem gewesen. Jetzt hatte ich sehr, sehr viel Arbeit. Ich arbeitete dermaßen viel, dass ein Nachmittag beim Bridge unter Jahresurlaub lief und mehr als eine Beerdigung pro Quartal nicht drin war. Aber das verstand meine Mutter nicht.

Auf dem Weg zu meinem Büro nickte ich Hogersand, Versicherungen und Offshore-Trusts, und Meinerz, Verbindungsmann zu Londoner Steuerberatungskanzleien, zu. Sie waren zwanzig Jahre älter als ich, strebsam, klug, in ihren Äußerungen zurückhaltend und genau die Mischung aus Vaterfigur und Gentleman-Verbrecher, die ich mir für ein Vermögen ab zehn Millionen aufwärts wünschen würde.

Harry Baumgarten kam mir entgegen. Er hatte die Stirn in Falten gelegt und sah erst auf, als er kurz davor war, mit mir zusammenzustoßen.

»Wie war's?«, fragte er hastig. Bei Harry musste alles schnell gehen. Die Gespräche, die Prozesse, die Karriere.

»Wie Beerdigungen so sind«, erwiderte ich.

Harry nickte schnell. »Die Testamentseröffnung. Du bist morgen dabei.« Er kniff die Lippen zusammen. Ich war ein Pflock, den das Schicksal vor seinen Füßen in die Erde gerammt hatte. Ohne mich säße er morgen dabei. Ohne mich wäre er vielleicht in ein paar Jahren Partner von Utz, statt in eine freudlose Zukunft als unentbehrliche rechte Hand zu starren. Ich vermutete, dass Harry nicht mehr lange bei uns bleiben würde.

»Tja, dann komm mal mit in mein Büro. Warum soll ich die ganze Arbeit alleine erledigen?«

Er lief voraus und riss die Tür zu seinem Arbeitszimmer auf. Ich folgte ihm. Es war ähnlich geschnitten wie die anderen Räume im ersten Stock: quadratisch, holzgetäfelt, mit einem wunderschönen Ölbild an der Wand hinter dem Schreibtisch, die hervorragende Kopie eines impressionistischen Seerosenteiches.

Harry legte einige Handakten auf einen Stapel und reichte sie mir. »Lass Georg Kopien machen, und schließ sie ein. Sind ein paar heikle Sachen dabei.«

»Heikel?«, fragte ich.

Er legte mir ungerührt eine weitere Akte dazu. »Lehnsfeld ist immer heikel.«

Das Telefon klingelte. Harry hob ab und reichte mir mit einem säuerlichen Lächeln den Hörer. Es war Connie.

»Kannst du mal kommen?«, fragte sie. »Es steht schon wieder jemand im Garten.«

Immer wieder verirrten sich Touristen und Neugierige in den Garten. Die Zernikow'sche Villa war eine der wenigen, die die Modernisierungswut der siebziger Jahre des zwanzigsten Jahrhunderts unbeschadet überlebt hatten.

1896 als eines der ersten großen Anwesen in der neu geschaffenen Kolonie Grunewald errichtet, ruhte es in einem zweitausend Quadratmeter großen Park, der wohl eher aus Desinteresse denn Fürsorge nie verändert worden war und deshalb langsam ein Fall für die Denkmalpflege wurde. Spaziergänger und Führungen durch die ehemalige Villenkolonie machten hier mit

Vorliebe Halt. So hatte ich eines stillen Nachmittags am offenen Fenster durch die penetrante Stimme eines vor Sozialneid fast vergehenden Stadtbilderklärers erfahren, dass dieses Haus, ebenso wie das ganze Viertel, durch eine der größten Grundstücksspekulationen der wilhelminischen Epoche entstanden war.

Jetzt war die Villa alt, fraß Unsummen und keuchte das Geld durch die Ritzen und Schornsteine, die berstenden Rohre und das immer wieder undichte Dach geradezu asthmatisch aus. Nie im Leben wäre ich freiwillig hierhergezogen. Man saß, in familiärem wie auch in städtebaulichem Sinn, immer auf dem Präsentierteller. Schließlich wurde hier nicht nur gearbeitet. Wir wohnten auch hier.

Es kam nicht oft vor, dass wir ungebetene Gäste hatten. Aber sie wurden immer frecher. Weder durch verschlossene Tore, hohe Hecken noch schmiedeeiserne Jugendstilzäune ließen sie sich zurückhalten.

Doch die Frau, die sich durch den Garten schlich, wollte nicht in unseren Garten. Sie kümmerte sich nicht um den Park, sondern stand unter einem der Bürofenster und versuchte vergeblich, einen Blick hineinzuwerfen. Ich ging auf sie zu und rief sie an. Erschrocken drehte sie sich um. Sie war klein, steinalt und wirkte sehr, sehr arm.

»Pascholsta«, sagte sie und drückte eine dunkle Plastikhandtasche an die Brust. »Ich suche Utz.«

Ich blieb erstaunt stehen. »Herrn von Zernikow?«

Sie nickte. »Ist er da?«

Deutsch kam ihr schwer über die Zunge. Eine Russin, vermutete ich.

»Was wollen Sie von ihm?«

Sie kramte in ihrer Tasche und zog einen Zettel hervor, den sie mir überreichte. Es war ein mehrfach gefaltetes Papier, ein Durchschlag, wie er bei uns im Computerzeitalter schon lange nicht mehr erstellt wurde. Die Buchstaben waren kyrillisch.

»Was ist das?«

»Bescheinigung«, sagte die Frau. »Soll er unterschreiben.«

»Das wird er vermutlich nicht tun. Um was geht es denn?«

Ich faltete den Zettel zusammen und reichte ihn ihr. Doch sie weigerte sich, ihn anzunehmen.

»Um Natalja«, flüsterte sie. Sie war nervös. »Natalja Tscherednitschenkowa. Es ist wichtig.«

»Warum?«

Sie lächelte und zeigte dabei vier einsame Vorderzähne. »Eine Sache zwischen Utz und Natalja.«

Ich kannte wenige Leute, die Utz beim Vornamen nannten. Eine alte Russin wäre die Letzte, von der ich diese Anrede erwartet hätte.

»Geben Sie ihm«, bat sie mich. »Es ist wichtig.«

»Brauchen Sie Hilfe, Herr Vernau?« Walter stand an der Ecke. Er trug noch den schwarzen Hut von der Beerdigung, also musste auch die Freifrau gerade eingetroffen sein.

»Nein«, rief ich zurück. »Die Dame wollte gerade gehen.«

Ich bot ihr meinen Arm an und geleitete sie zur Gartenpforte. Dort blieb sie stehen. »Darf ich … das Haus sehen?«

Ich sah zur Eingangstür. Walter stand dort wie ein Zerberus, die Arme vor der Brust verschränkt, und beobachtete missbilligend den ungebetenen Besuch.

»Nur einen Blick«, sagte sie. »Ich will es Natalja erzählen.«

Ich ließ die rätselhafte Fremde los und nickte Walter zu. Unwillig trat er einen Schritt zur Seite. Sie ging in die Eingangshalle und sah sich konzentriert um. Als ob sie jede Einzelheit fotografisch in ihrem Gedächtnis speichern wollte. Die schweren Kristalllampen, die breite Treppe, die alten Teppiche. Die großformatigen Landschaftsbilder an der Seidentapete, die jugendstilverglasten Fenster. Dann fiel ihr Blick auf Walters Kabuff neben dem Eingang und den Überwachungsmonitor. Sie tastete sich rückwärts zur Tür.

»Danke«, sagte sie. »Es ist tatsächlich so schön, wie Natalja immer erzählt hat.«

»Natalja?«

Aaron von Lehnsfeld stand hinter uns. Ich war verblüfft, wie leise er sich uns genähert hatte.

Die Frau drehte sich rasch zu ihm um. Ihre Schultern strafften sich, ihr Blick wurde streng. »Natalja Tscherednitschenkowa. Kennt man den Namen nicht mehr? In diesem Haus?«

Es kam zum ersten und meines Erachtens auch einzigen Moment der minimalen Verbrüderung zwischen Walter, Aaron und mir. Wir sahen uns ratlos an.

»Sollten wir den Namen denn kennen?«, fragte ich.

Walter trat auf sie zu. »Ich denke, Sie sollten gehen. Die Besichtigung ist beendet. Falls Sie nichts dagegen haben, Herr Vernau.«

Er funkelte mich böse an, griff nach dem Arm der Frau und führte sie hinaus. Aaron war bereits die Treppen hochgesprungen und lief in den zweiten Stock. Also hatte er einen Termin bei der Freifrau und würde ihr vermutlich brühwarm von diesem merkwürdigen Besuch erzählen.

»Was wollte die denn?« Walter zog den Staubmantel aus.

Ich musterte unentschlossen den Zettel in meiner Hand, dann steckte ich ihn ein. »Keine Ahnung.«

Von oben war ein Quietschen zu hören. Ein Schatten glitt hinter eine Tür, die sich leise schloss.

»Ich sehe gleich nach ihr«, sagte Walter und verschwand in seinem Reich.

Ich tastete nach dem Zettel. Die Russin war die Frau, die ich auf dem Friedhof gesehen hatte.

Am Abend erzählte ich Sigrun von ihr. Wir standen nebeneinander vor dem Spiegel im Badezimmer und mussten uns beeilen, denn wir hatten Karten für die Oper und wollten Utz gegen sieben Uhr abholen.

»Vielleicht spioniert sie für die Russenmafia, ob sich ein Einbruch lohnt. Und du hast sie hereingelassen?«

»Nur ins Entree.«

Sie drehte sich zu mir um. »Das reicht ja schon. Jeder, der den Kasten von vorne betritt, denkt doch gleich, wir sind die Rockefellers.«

Ich grinste. »Stimmt das etwa nicht?«

Sigrun bekam ihre winzig kleine Falte zwischen den Augenbrauen. »Das weißt du genau. Es ist mir ein Rätsel, warum wir noch nicht pleite sind. Aber offensichtlich hat Omi immer noch einen Trumpf in ihrer Aussteuertruhe. Ich sage dem Personenschutz Bescheid. Sie sollen die Augen offen halten.«

Als Senatorin und Stellvertretende Bürgermeisterin stand Sigrun ein vom Land Berlin bezahlter Wagen mit Fahrer sowie eine Rundumbewachung zu.

Sie putzte sich mit Leidenschaft die Zähne und sagte dabei: »Morgen kommen die Leute von der Berliner Tageszeitung. Bist du dabei?«

»Wann?«

»Zwischen drei und vier.«

»Geht nicht.« Ich suchte meine Manschettenknöpfe. »Die Testamentseröffnung für die Lehnsfelds.«

Sigrun spuckte ins Waschbecken. »Es wäre mir aber wichtig.«

»Und deinem Vater ist es wichtig, dass ich dabei bin. Es ist ein umfangreicher Nachlass, und es gibt schon jetzt Probleme damit.«

»Und das ist ein verdammt wichtiger Wahlkampf, und ich will das Innere.«

Sie stellte sich auf die Zehenspitzen und begutachtete ihr strahlend weißes Gebiss.

»Inneres«, stöhnte ich und hielt ihr die manschettenknopflosen Ärmelenden entgegen. »Ich habe dir schon hundert Mal

gesagt, das Ressort bekommt keine Frau. Familie, Kultur, Justiz –
kein Problem. Aber an das Innere lassen sie dich nicht ran.«

Sigrun fädelte mir die Manschettenknöpfe ein. »Schon möglich. Wenn ich noch nicht mal von meinem eigenen Lebensge-
fährten unterstützt werde …«

»Was soll ich denn auf diesen Fotos?«

»Sie würden zeigen, dass ich in der Lage bin, eine politische
Karriere und ein glückliches Privatleben unter einen Hut zu bekommen.«

»Reicht es nicht, wenn wir das wissen?«, fragte ich sie leise.

»In diesem Fall nein.«

Ich versuchte es mit der Krawatte. »Fünf Minuten. Zwischen-
durch. Und nur, wenn es sich einrichten lässt.«

Sie schenkte mir ein strahlendes Lächeln. »Mehr will ich doch
gar nicht.«

Ich hätte sie gerne geküsst, aber wir hatten nicht die Zeit. »Porsche, Jaguar, Mercedes?«

Sie lächelte. »Mercedes. Heute Abend sind wir brav.«

3

Immer noch tiefschwarz wie eine Pinguinfamilie und mit einem
sehr ernsten Ausdruck im Gesicht traten erst Abraham, dann seine Frau Verena und zum Schluss Aaron in den Konferenzraum.
Connie hatte Kaffee gekocht und die Schokoladenwaffeln angerichtet. Harry ordnete die Akten. Vielleicht hoffte er, doch noch
bei dieser Sitzung dabei sein zu können. Selbst Meinerz streckte
seinen hageren Kopf herein, um dem hohen Besuch seine Auf-
wartung zu machen. Es nutzte ihnen nichts. Wenig später erschien Utz und schickte beide mit einer Kopfbewegung hinaus.

»Bitte, nehmt Platz«, sagte er.

Die Lehnsfelds setzten sich. Ich wartete, bis Utz sich am Kopfende des Tisches platziert hatte, und nahm mir dann den Stuhl zu seiner Linken.

»Sind alle so weit?«

Die Pinguine nickten. Dann verlas Utz eine hochkomplizierte Nachlassregelung, nach der Abraham mit der Villa in Dahlem und sämtlichem Mobiliar bedacht wurde, zudem mit den Früchten einer konservativen Anlagestrategie und dem Ferienhaus in den Schweizer Bergen.

Verena ging leer aus. Abraham legte ihr die Hand auf den Arm, sie senkte den Blick und blieb eine Weile so sitzen. Schließlich unterschrieb Abraham und sah Utz zufrieden an. »Ich danke dir.«

Er stand auf, Verena stand auf, Aaron blieb sitzen.

»Habe ich etwas vergessen?«, fragte Abraham sichtlich irritiert.

Utz räusperte sich. »Dein Sohn. Er hat auch etwas geerbt.«

Abraham und Verena setzten sich wieder.

Utz' Blick heftete sich auf Aaron. »Dein Großvater hat dir ein Haus in Grünau vermacht. Ein schönes, aber baufälliges Anwesen.«

Aaron nickte. Er wusste also schon davon. Vermutlich hatte Utz doch ein wenig geplaudert am Rande der Trauerfeier. Der Junge machte jedenfalls ein wichtigtuerisches Gesicht und freute sich sichtlich, mehr zu wissen als sein Vater.

»Noch ein Haus?«, fragte Abraham. Er warf einen missbilligenden Blick zu Verena, als ob sie für diese Überraschung verantwortlich wäre. Verena hob die Schultern und enthielt sich, wie immer, jeden Kommentars.

Utz holte einige Unterlagen aus seiner Ledermappe, die er umständlich vor sich sortierte. »Es ist ein kriegsbedingt verlorenes Anwesen, das erst jetzt wieder – eventuell – restituiert werden könnte. Sagen wir es so, Aaron: Dein Großvater hat dir kein Haus, sondern lediglich den Anspruch darauf vermacht.«

Abraham griff nach dem Bauplan. »Ein vager Anspruch auf ein baufälliges Haus. Wie baufällig?«

»Ziemlich.« Utz breitete die Unterlagen vor Aaron aus. Grundbuchauszüge, diverse amtliche Schreiben. »Aber das scheint mir noch das geringste Problem zu sein. Der Erblasser hat mich zu Lebzeiten mit der Vertretung seiner Interessen beauftragt. Es ist ein komplizierter Fall, aber das Haus lag ihm sehr am Herzen.«

Aaron warf nicht mehr als einen flüchtigen Blick auf die Unterlagen. »Wie viel ist es wert?«

Utz hob die Hände. »Schwer zu sagen. Wenn wir Pech haben – gar nichts.«

»Nichts?«

»Anders gesagt – es ist nicht klar, ob es euch, ob es dir überhaupt gehört.«

Abraham sah stirnrunzelnd von den Grundbuchauszügen auf. »Hier ist mein Vater als rechtmäßiger Besitzer eingetragen.«

Utz nickte. »Das ist richtig. Aber sieh dir bitte das Datum an.«

»1933«, murmelte Abraham. Dann raffte er die Unterlagen zusammen und schob sie zurück zu Utz. »Damit wollen wir nichts zu tun haben. Ich will diesen Ärger nicht.«

Aarons Hand krachte auf die Papiere. »Moment! Das ist mein Haus. Ich will es haben.«

»Du schlägst es aus.«

»Ich nehme es«, sagte Aaron leise.

Spannungsgeladenes Schweigen breitete sich aus. Verena räusperte sich kurz, dann lehnte sich Abraham zurück. »Du weißt wie immer nicht, was du sagst. Eine baufällige Villa und ein Anspruch der Jewish Claims Conference. Dafür hast du nicht das Geld und nicht die Ausdauer. Du überblickst das doch gar nicht.«

»Aber du, ja? Du hast das Haus ja noch gar nicht gesehen.«

»Du etwa?«

Aaron warf Utz einen schnellen Blick zu. Utz tat so, als ob er nichts gehört hätte.

»Ja«, sagte Aaron. »Opa hat mir einen persönlichen Brief hinterlassen. Er will, dass ich mich um das Haus kümmere.«

Abraham beugte sich vor. »Er wollte, dass du … Du sollst dich um etwas kümmern?«

Ich konnte Abrahams Verblüffung verstehen. Aaron sah mit seinen fast dreißig Jahren blendend aus. Aber er hatte ein lächerliches Abitur an einem Internat abgelegt, das auf Fälle wie ihn spezialisiert war. Im Moment versuchte er sich in seinem dritten Grundstudium, das wohl auch nur den einen Sinn hatte, ihn von der Straße fernzuhalten, wie es meine Mutter ausgedrückt hätte. Niemand mit Verstand würde dem Jungen zutrauen, dass er sich um mehr als den Ölstand seines Lexus kümmerte. Ein Haus war geradezu absurd.

Das wusste auch sein Vater. Also wandte er sich an Utz. »Wie sind die Chancen bei diesen Ansprüchen?«

Utz räusperte sich und griff nach seinem Füllfederhalter. »Nicht schlecht, soweit ich das bis jetzt beurteilen kann. Nur …« Sein Blick fiel auf Aaron. »Das Gebäude soll wohl wieder einer öffentlichen Nutzung zugeführt werden. Es muss renoviert und dann an eine gemeinnützige Einrichtung verpachtet werden.«

»Gemeinnützig?«, piepste Verena. Sie sah sich offenbar mit einer völlig neuen Variante gesellschaftlichen Daseins konfrontiert. »Gemeinnützig?«

»Das ist doch alles Unsinn.« Abraham stand auf und marschierte ärgerlich zum Kopfende des Raumes. »Aaron, du übernimmst dich. Lass es sein. Es ist wie immer ein Kuckucksei, das er uns ins Nest gelegt hat. Eine 1933 gekaufte Villa. Von wem eigentlich gekauft?«

Utz studierte die Unterlagen. »Von einem Felix Glicksberg, Zuckerfabrikant.«

»Glicksberg«, wiederholte Abraham. »Mein Gott, Aaron, verstehst du nicht?«

»Doch«, erwiderte der Sohn. »Ich verstehe. Du willst die Ausschreibung für die Jüdische Bibliothek in Madrid gewinnen. Es würde deine Chancen um einiges mindern, wenn die Öffentlichkeit erfährt, dass der Vater eines international renommierten Stararchitekten sich im Zuge der Machtergreifung der Nationalsozialisten bereichert hat.«

»Ja«, sagte Abraham. »Das wäre sehr unglücklich. Aber das ist es nicht allein. Ob du es glaubst oder nicht, ich will tatsächlich nichts damit zu tun haben.«

»Hast du auch nicht. Das ist mein Erbe. Und ich will es behalten.«

Ich wunderte mich, dass Aaron den Rat seines Vaters so vehement ausschlug. Ein kurzer Blick auf die Unterlagen zeigte, dass außer der Arbeit auch die Kosten enorm sein würden. Aaron wusste wirklich nicht, was auf ihn zukam. Vermutlich war er noch dümmer, als bisher zu befürchten war. Ich stand auf und öffnete das Erkerfenster, damit etwas frische Luft in den Raum hereinströmte. Sigruns Wagen stand in der Einfahrt. Das war ungewöhnlich. Doch dann fiel mir ein, dass sie heute den Termin mit der Zeitung hatte. Hinter mir breitete sich Stille aus.

Aaron saß ungerührt am Tisch. Ganz lässig, ganz Herr der Lage, die ihm mit Sicherheit in kürzester Zeit über den Kopf wachsen würde.

Verena sah verstohlen auf ihre Armbanduhr. Solche Sitzungen waren nicht ihre Sache. Sie gehörte auf Polo- und Golfplätze und ertrug diese eigenartige Testamentseröffnung nur, weil sie ihren Mann so selten zu Gesicht bekam.

Utz war beinahe unsichtbar. Er sagte nichts, er rührte sich nicht, er wartete darauf, dass eine Entscheidung gefällt wurde. Erst dann würde er wieder in Erscheinung treten. Das einzige Geräusch kam von einer dicken Fliege, die traumselig an mir vorbeiflog und Kreise unter dem Kronleuchter drehte.

Abraham räusperte sich. »Also. Wie viel könnte der Kasten wert sein?«

»Schwer zu sagen«, meinte Utz. »In diesem Zustand zählt wahrscheinlich mehr der Grundstückswert. Der könnte enorm sein, wenn er nicht an diese Auflagen gebunden wäre. Ich würde sagen, im Moment ist das Grundstück nicht verkäuflich.«

Abraham griff nach Verenas Hand. »Ich zahle dir aus meinem Erbe eine Million, wenn du das Haus ausschlägst.«

Ich blickte zu Aaron, gespannt auf seine Reaktion.

»Nein.«

»Eins Komma fünf Millionen.«

Verena hielt den Atem an. Abraham hielt sie immer noch fest. »Nein«, antwortete Aaron.

Abraham ließ Verena los. »Ich gebe es auf. Was willst du?«

»Das Haus. Es ist, wie soll ich sagen, meine familiäre Verpflichtung, es anzunehmen.« Sein Gesicht verzog sich zu einem schiefen Lächeln.

In diesem Moment war ich froh über meinen Entschluss, niemals Kinder in diese Welt zu setzen. Aaron spielte mit seinem Vater, aber niemand im Raum außer ihm wusste etwas von den Spielregeln. Wollte er sich für etwas rächen? Wollte er seinen Vater erpressen? Es war offensichtlich, dass sich nicht einmal Abraham und Verena das Verhalten ihres Sohnes erklären konnten. Und sie hatten ihn schließlich gemacht.

Abraham stand auf. »So sei es. Es geschieht gegen meinen ausdrücklichen Wunsch.«

Er ging langsam um den langen Tisch herum und blieb einen Moment dicht hinter seinem Sohn stehen. Dann beugte er sich zu ihm. »Es wird dir kein Glück bringen.«

Verena nickte uns mit einem unsicheren Lächeln zu und erhob sich ebenfalls. Beide gingen hinaus. Als sie die Tür hinter sich geschlossen hatten, schob Utz Aaron die Unterlagen zu. »Bitte sehr.«

Aber Aaron reichte sie ihm zurück. »Ziehen Sie diesen Fall für mich durch. Ich will das Haus. Koste es, was es wolle.«

Utz deutete auf mich. »Herr Vernau wird das übernehmen. Es wird ein langer, schwieriger Prozess mit ungewissem Ausgang. Das können Jüngere besser.«

Aaron grinste mich an. »Gut. Wann kann ich eigentlich anfangen zu renovieren?«

»Ich muss mich erst einarbeiten. Geben Sie mir ein paar Tage. Vorläufig würde ich jedoch nichts unternehmen, was den Liegenschaftsfonds überraschen würde.«

»In Ordnung.«

Utz schraubte den Federhalter auf. »Sie nehmen das Erbe also an?«

»Ja.«

»Dann bitte ich Sie, hier zu unterschreiben.«

Ich hob die Hand. »Einen Moment noch. Sie wissen, was gemeinnützig bedeutet?«

»Klären Sie mich auf.«

»Behindertenverbände, Sportvereine, Tierheime, Frauenhäuser zum Beispiel.«

»Frauenhäuser«, grinste Aaron. »In meinen Kreisen nennt man das anders.«

Er unterschrieb, dann griff er zu seiner Jacke, die er über einem Stuhl abgelegt hatte. »Sie machen das schon. Ich melde mich.«

Damit ging auch er.

Utz ordnete die Unterlagen und steckte sie in seine Ledermappe. Dann stand er langsam auf.

»Was war das?«, fragte ich. »Aaron von Lehnsfeld, Bewahrer des Erbes und Schützer der Witwen und Waisen?«

»Das war der Weggang eines Kindes von den Eltern«, sagte er leise. Wie ein Zuschauer in einem leeren Theater, der noch einmal auf die Bühne blickt, musterte er den Tisch und die verschobenen Stühle.

»Es sind immer die Kinder, die gehen«, sagte er.

4

Sigrun saß mit dem Reporter am Tisch im Garten, der Fotograf langweilte sich und trank schwitzend ein Glas Weißweinschorle. Ich schaute auf die Uhr, kurz nach drei. Gerade noch rechtzeitig.

»Wie schön, dass du kommen konntest!« Scarlett O'Hara stand auf und umrundete den Tisch mit ausgebreiteten Armen. Sie flog Rhett Butler an die Brust, schmiegte ihr Köpfchen an seine Schulter und flüsterte: »Noch eine Minute länger und ich jage dem Dicken den Korkenzieher in die Brust.«

Der Dicke griff nach seiner Kamera und schoss nicht gerade motiviert ein paar Bilder von uns. Dann wischte er sich stöhnend den Schweiß von der Stirn.

Wir gingen gemeinsam zum Gartentisch, und ich begrüßte den Reporter. Er stand auf und reichte mir höflich die Hand. »Brettschneider, von der Berliner Tageszeitung. Und das ist mein Fotograf Alexander Dressler.«

Der Fotograf schaute missmutig in sein leeres Weinglas.

»Möchtest du auch einen?«, fragte Sigrun.

»Lieber Wasser, danke.«

»Wo kann man denn hier mal …?«, fragte Dressler.

Ich sprang auf und zeigte ihm den Weg. Dann wartete ich im Haus, bis er fertig war. In der Küche schenkte ich mir ein Glas Wasser ein. Durch das Fenster konnte ich sehen, wie Sigrun und Brettschneider sich verabschiedeten. Sie begleitete ihn nach vorne und verschwand aus meinem Blickfeld.

»Schöne Wohnung.« Dressler lehnte im Türrahmen. Den rechten Arm hatte er zum Abstützen erhoben, unter seiner Achsel blühte ein ausgedehnter Schweißfleck. Ich nickte ihm zu und stellte das Glas in die Spülmaschine.

»Zahlt man da eigentlich Miete?« Er stellte sich neben mich ans Fenster. Dann begutachtete er die Espressomaschine, die maßgefertigte Edelstahlküche und den riesigen Kühlschrank. »Oder gibt's das alles umsonst?«

»Ich weiß nicht, was Sie meinen«, erwiderte ich und ging zur Tür.

Aber Dressler machte keine Anstalten, mir zu folgen. Stattdessen holte er eine Packung Zigaretten aus seiner Hosentasche und zündete sich eine an. Dabei beobachtete er mich aus zusammengekniffenen Augen. »So ein Glück hätte ich auch gerne mal. Die einzige Tochter aus steinreichem Haus, die alteingesessene Kanzlei des Herrn Papa, eines der letzten Anwesen im Grunewald im Originalzustand. Es passt alles wie aus dem Bilderbuch.«

Ich verschränkte die Arme vor der Brust. »Möchten Sie mir sagen, was Sie bedrückt, bevor ich Ihnen den Weg nach draußen zeige?«

Dressler zog an seiner Zigarette. Die Asche fiel auf den gefliesten Boden. »Das würde ich gerne, aber ich weiß es nicht. Es ist alles ein bisschen zu schön. Zu sauber. Eine wunderbare Show, aber ich glaube sie nicht. Ich rieche es, ob es jemand ehrlich meint. Bei ihr rieche ich nur ein teures Parfüm.«

»Kann es sein, dass Sie neidisch sind?«

Dressler warf die Kippe in den Ausguss und ließ Wasser darüberlaufen. Die Glut erlosch mit einem leisen Zischen. »Neid? Neid kenne ich nicht. Aber ich kann ziemlich sauer werden. Wenn man mich verarschen will. Guten Tag.«

Er drückte sich an mir vorbei und hinterließ neben dem Zigarettengestank einen üblen Schweißgeruch.

Ich folgte ihm nach draußen und sah, wie er sich knapp von Sigrun verabschiedete. Brettschneider beobachtete ihn dabei argwöhnisch. Sigrun winkte ihnen zu, als sie davonfuhren.

»Wie ist es gelaufen?«, fragte ich.

»Gut.«

Sie wollte an mir vorbei ins Haus, ihre Tasche holen. Ihr Wagen wartete schon. Ich hielt sie zurück.

»Was ist mit dem Fotografen?«

Sie blieb stehen. »Was soll mit ihm sein?«

»Hast du irgendetwas gesagt oder getan, das ihn verärgert haben könnte?«

»Dressler? Der ist immer so. Warum?«

»Nichts«, antwortete ich. »Erkläre mir bitte, warum es unbedingt die Berliner Tageszeitung sein musste.«

Sigrun richtete zärtlich meinen Krawattenknoten und fuhr mir sanft über die Haare. »Weil ich jetzt vom Büro aus mit zwei Redakteuren der dir genehmen intellektuelleren Blätter ein Hintergrundgespräch führe. Unter drei.«

Unter drei bedeutete nach den Statuten der Berliner Pressekonferenz absolute Verschwiegenheit, definitiv nicht zur Veröffentlichung bestimmt.

»Und was wirst du ihnen beichten?«

»Meine ganz geheimen Sehnsüchte.«

»Das Innere.«

»Genau. Das macht dann die Runde. Und Brettschneider wird verrückt, wenn er davon erfährt, weil er es nicht von mir hat. Natürlich wird er seine Geschichte nicht bringen, ohne gewisse Spekulationen über meine Zukunft zu verbreiten. Also wird er das, was ihm die anderen hinter vorgehaltener Hand flüstern, in seinem Artikel bringen. Und zwar unter der Rubrik: Wie aus gut unterrichteten Kreisen verlautete …«

Ich nahm sie in den Arm und zog sie an mich. »Wie nennt man das?«

Sie küsste mich flüchtig auf die Wange. »Lancieren. Aber Vorsicht. Das kann nicht jeder. Nur bedingt zur Nachahmung empfohlen. Du musst dich ganz auf dein Netzwerk verlassen können.«

Sie befreite sich aus meiner Umarmung. »Ich muss los.«

Ich ging in den Garten, um den Tisch abzuräumen. Das Mädchen kam nur vormittags. Drei leere Flaschen. Côte Chalonnaise. Und das als Schorle.

5

Sigrun war Frühaufsteherin. Aus einem mir nicht geläufigen Grund erwartete sie Ähnliches von mir. So standen wir um kurz nach sechs nebeneinander im Badezimmer und putzten uns die Zähne. Wir putzten uns länger gemeinsam die Zähne, als wir miteinander schliefen.

»Der Artikel erscheint schon Sonnabend«, gurgelte sie.

Sie band ihre schulterlangen Haare nach oben und ließ dann den Bademantel fallen. Was ich sah, machte mir bewusst, dass wir uns die letzten zwei Wochen kaum gesehen hatten.

»Bist du heute Abend zu Hause?«

Sigrun schlüpfte in die Dusche. »Fraktionssitzung.«

Fraktionssitzungen endeten normalerweise um zehn, wenn man nicht den Rest des Abends seine Hausmacht stärken, die Netzwerke knüpfen und gegnerische Lager knacken musste. Sigrun stand im Moment auf dem Prüfstand. Sie war die Quotenfrau, die plötzlich ernst genommen werden wollte. Sie war kein Darling mehr, sie musste kämpfen. Jede Fraktionssitzung ein Shakespeare'sches Drama, jeder Ortsverband ein römischer Senat. Das Lächeln guter Freunde ein geschliffener Dolch im Gewand. Es hatte sie verändert. Es hatte uns verändert.

Das Wasser prasselte an das Glas.

Sigrun stieg aus der Dusche und trocknete sich ab. Sie war wunderschön. Ihre schlanke, kräftige Gestalt ließ sie größer wirken, als sie eigentlich war. Sie hatte zarte Schultern und einen atemberaubenden Schwanenhals. Ich hatte Sehnsucht nach ihr und nach dieser Halsgrube, in die ich mich schmiegen wollte, um ihren Maiglöckchenduft einzuatmen. Sigrun lächelte. »Nicht jetzt. Es ist kurz vor halb.«

Sie hob ihren Bademantel hoch und wollte an mir vorbei. Ich griff nach ihr, zog sie an mich und küsste sie.

Sie war in Eile und erwiderte meinen Kuss nur flüchtig.

»Ich hab keine Zeit«, flüsterte sie.

Ich ließ sie los.

Sie ging ins Schlafzimmer und zog sich an. Ich stieg unter die Dusche. Eiskaltes Wasser betäubte das Verlangen und den leisen Schmerz. Er war schnell vorbei. Aber er kam immer öfter.

In der Kanzlei versammelten wir uns im Konferenzraum. Die anderen waren schon da bis auf Meinerz, der einen Termin in London hatte. Mit großer Aufmerksamkeit ließ Utz sich die Tagespläne vortragen, machte hier und da Anmerkungen. Wer einen Gerichtstermin hatte, wurde noch einmal genauestens von ihm instruiert. Gegen acht wurden wir entlassen.

»Joachim, noch eine Minute.«

Die anderen gingen hinaus, Harry warf mir noch einen aufmunternden Blick zu, den ich definitiv nicht nötig hatte.

Als sich die Tür hinter den anderen geschlossen hatte, bat mich Utz, noch einmal Platz zu nehmen.

»Es hat in der Kanzlei gestern einen Vorfall gegeben. So wurde mir berichtet.«

»Einen Vorfall?« Ich wusste nicht, was er meinte.

»Walter hat mir erzählt, eine Russin hätte sich auf unser Grundstück geschlichen.«

»Ja.« Die alte Frau hatte ich bereits völlig vergessen. »Ich habe sie auf der Rückseite des Hauses gefunden. Sie wollte dich sprechen.«

»Aus welchem Grund?«

Ich versuchte, mich so genau wie möglich zu erinnern. Dann fiel mir der Zettel ein, der jetzt in meinem Hemd in der Wäschetonne lag.

»Sie hatte ein Papier bei sich, das sie dir geben wollte. Ich hole es. Eine Minute.«

Ich rannte die Treppen hinunter, aus dem Haus, den Kiesweg

entlang, sprang über die Bodendecker und Rabatten, verfluchte die Stufen vor dem Wirtschaftseingang und lief in unsere Wohnung. Das Mädchen war noch nicht da gewesen. Ich fand das Hemd im Schlafzimmer, nahm den Zettel und rannte zurück.

In der Kanzlei stieß ich mit Georg zusammen, der am Kopierer stand. Das Papier riss ein.

»Oh, das tut mir leid«, entschuldigte er sich. »Kann ich das kleben?«

»Nein danke.«

»Dann sollte ich es vielleicht kopieren?«

Das Papier wirkte unendlich dünn. Ein zarter Hauch, wie man ihn nur gelegentlich in den Fingern hielt, wenn man eine neue Uhr auswickelte. Ich reichte es ihm. Wenn Utz die Russin so wichtig war, dann sollte man auf dieses Papier besser aufpassen.

Georg gab mir das Original und die noch warme Kopie zurück. Dann warf ich einen Blick in den Konferenzraum und sah, dass Utz bereits gegangen war.

Ich fand ihn in seinem Büro, einem dunkel getäfelten Raum mit einer verglasten, deckenhohen Bibliothek. Direkt hinter dem Schreibtisch hing ein Bild der Berliner Sezession. Ich interessierte mich nicht für Kunst, eine Einstellung, die bei ihm einen kurzen, aber heftigen Anflug von Bedauern hinterlassen hatte.

»Hier.« Ich reichte ihm das Original. Die Kopie legte ich vor mich auf den Schreibtisch.

Utz griff vorsichtig nach dem Schreiben, um es nicht endgültig zu zerreißen, und begutachtete es gründlich. »Was ist das?«

»Ich weiß es nicht. Wir müssen es übersetzen lassen. Vielleicht eine Forderung.«

»Eine Forderung?«

»Die Russin wollte, dass du es unterschreibst.«

Utz vertiefte sich wieder in die fremden Buchstaben. Aber er wurde offenbar genauso wenig schlau aus ihnen wie ich. Dann tat er etwas Seltsames. Er hielt das Schreiben gegen das Fenster.

Anschließend ließ er sich von mir das schwere, in einem Marmorklotz versenkte Feuerzeug von dem Rauchertisch geben und hielt die Flamme so nahe an das Papier, dass es zwar erhitzt wurde, aber nicht verbrannte. Er hob es wieder gegen das Licht. Mit einem resignierenden Kopfschütteln ließ er es sinken.

»Was machst du da?«, fragte ich.

»Kinderkram«, brummte er. »Ganz alter Kinderkram.« Er faltete das Papier sorgfältig zusammen. »Erinnere dich bitte genau daran, was sie gesagt hat. Sie wollte zu mir. Wie war ihr Name?«

»Den hat sie nicht genannt.«

»Sie muss doch irgendetwas gesagt haben. Sie kann doch nicht erwarten, dass ich ein Dokument in einer fremden Sprache einfach so unterschreibe.«

Ich setzte mich auf. »Sie sagte, es sei eine Sache zwischen dir und ... einer Frau.«

Ich beobachtete ihn scharf. Soweit ich wusste, hatte es in seinem Leben an Versuchungen nicht gemangelt. Er hatte keiner nachgegeben. Er war jemand, hatte mir Sigrun erzählt, der wohl nur einmal lieben konnte. Deshalb hatte er nicht wieder geheiratet, deshalb hatte er auch nur ein Kind.

»Natalja«, sagte ich. »Natalja, so war der Name.«

Für den Bruchteil einer Sekunde blitzte etwas in seinen Augen auf. Dann senkte er den Blick auf das Papier und schüttelte den Kopf. »Es wird ein Bettelbrief sein. Vergessen wir das alles.«

Er zerriss das zarte Papier und warf die Fetzen achtlos in den Papierkorb. Dann entließ er mich mit einem knappen Nicken und vertiefte sich in eine Handakte.

Ich stand auf und griff nach der Kopie. Ich hielt sie ihm entgegen, doch er schaute nicht mehr hoch.

In meinem Büro erledigte ich einige dringende Telefonate mit Mandanten und einer neuen Staatsanwältin, dann nahm ich mir

Aarons Haus vor und stellte fest, dass ein Plan fehlte. Ich musste das Grundbuchamt kontaktieren. Das Telefon klingelte.

»Eine ziemlich penetrante Person«, erklärte Connie am anderen Ende der Leitung. »Sie sagt, du seist ihr Gegner in einem Strafprozess. Hast du was angestellt?« Sie kicherte.

»Wer ist es denn?«

»Sie heißt Marie-Luise Hoffmann und vertritt angeblich jemanden, der gegen einen unserer Mandanten klagt.«

»Stell sie durch«, sagte ich.

Es klickte. »Hallo? Ist da jetzt endlich jemand?«

»Joachim Vernau«, sagte ich.

Am anderen Ende der Leitung atmete jemand überrascht aus. Dann war es still.

»Hallo?«, fragte ich, »du wolltest mich sprechen?«

Marie-Luise fasste sich. »Dein zickiger Kollege, mit dem ich bereits das Vergnügen hatte, erklärte mir, dass du seit neuestem für so was zuständig bist. Meine Mandantin wurde von euch übers Ohr gehauen. Es geht um den Nachlass des ehemaligen Burgschauspielers Gustav Weinert. Seine kinderlose Witwe wird von euch vertreten, und ich habe dir die freudige Mitteilung zu machen, dass meine Mandantin beim Nachlassgericht beantragt, ebenfalls Erbin zu werden.«

Ich musste lächeln. Marie-Luise konnte allein mit ihrer Stimme Glas ätzen. »Gibt es außer deiner Unterstützung irgendetwas, das diese Hoffnung nähren könnte?«

»Muss ich das jetzt im Einzelnen erklären? Ich schicke dir den ganzen Wust zu und mache einen Termin vor dem Erbschaftsgericht. Ende, aus, Banane.«

»Wie hoch ist der Streitwert?«

»Schätzungsweise zwei Millionen, dazu einige Immobilien.«

»Wir sollten uns sehen.«

Marie-Luise schwieg. Ich spielte mit der Kopie, die vor mir lag. »Bei der Gelegenheit musst du mir einen Gefallen tun.«

»Ich muss?«

»Ich faxe dir was rüber, du wirfst einen Blick darauf und sagst mir, was es ist.«

»Und wenn nicht?«

Ich legte die Kopie in das Faxgerät. »Dann werde ich gnadenlos sein. Und du weißt, das kann ich gut.«

»Ich kann es besser.«

»Tu mir den Gefallen. Okay? Ich lade dich zum Essen ein. Und dabei besprechen wir die ganze Erbschaftsgeschichte. Ich sage dir offen und ehrlich, was sie erwarten kann. Wenn nicht …«

»Was, wenn nicht?«

»Kann ich es auch auf die lange Bank schieben. Möglich, dass sich dann unsere Erben mit ihren Erben auseinandersetzen.«

»Schwein.«

»Bitte.«

»Hör zu, ich habe kein Problem damit, dich im Gericht zu sehen. Ich links, du rechts. Wie im richtigen Leben. Mehr aber auch nicht. Behalte dein Fax. Wenn ich schon so dämlich bin, warum brauchst du dann ausgerechnet meine Hilfe?«

»Weil du Russisch kannst.«

»Das hat mir noch nie geholfen. Ich pfeife auf deine Ratschläge.«

»Verjährungsfrist, Rückabwicklung, DNA-Analyse. Ich schätze, bis zu einer gerichtlichen Verhandlung lassen sich damit gut und gerne drei Jahre und mehrere laufende Meter Akten füllen.«

Sie kannte mich immer noch gut genug, um zu wissen, dass ich Recht hatte. Ich war der Meister der Eingaben, der Hohepriester der verzögernden Beweisführung, der Schrecken des BGH, der Zauberer, der unwiderlegbare Einsprüche wie weiße Kaninchen aus dem Hut zauberte.

»Also?«

»Hinten die 2.«

40

Ich sah auf das Display meines Telefons und wählte ihre Nummer. »Nächste Woche? Ich lade dich ein.«

»Nicht nötig«, erwiderte sie. »Schon vergessen? Wir werden gewinnen.« Sie legte auf.

Draußen vor der Tür glitt ein Schatten vorbei. Ich sah zu spät hoch, um ihn zu erkennen.

Mein Blick fiel auf den dritten von Connies gelben Zetteln, auf denen immer das Gleiche stand: *Mutter – Reinickendorf.* Ich hatte keine Ahnung, wann ich das noch erledigen sollte. Morgen vielleicht. Sigrun war nicht da, sie hatte mehrere Wahlkampfveranstaltungen, und ich musste mich mit der Hinterlassenschaft des Burgschauspielers vertraut machen. Aber morgen Nachmittag hätte ich vielleicht zwei Stunden Zeit.

Ich vermerkte den Termin im Kalender, zerknüllte den gelben Zettel, kickte ihn in den Papierkorb und fühlte mich besser. Fast wie ein Sohn.

Die Kopie fiel aus dem Faxgerät und segelte mit einigen eleganten Kapriolen auf den Teppich. Ich hob sie auf und legte sie in meine Schublade.

6

Meine Mutter wohnte immer noch am Mierendorffplatz. Sie hatte die Wohnung nach dem Tod meines Vaters nicht aufgegeben, obwohl sie viel zu groß wurde und die Altbaudecken immer höher wuchsen. Vielleicht kam es mir auch nur so vor, weil meine Mutter immer kleiner wurde.

Ich klingelte, und nach einer halben Ewigkeit öffnete sich die Tür einen winzigen Spalt.

»Joachim!«, rief sie und warf die Tür wieder zu. Es scharrte und klapperte, dann hatte sie die Sicherheitskette entfernt und öffnete.

»Das ist ja eine Überraschung!«, rief sie aus und strahlte, als sei ich gerade wegen guter Führung vorzeitig aus der JVA entlassen worden. »Komm rein, komm rein. – Nein, lass das doch!«

Ich hatte mir die Schuhe ausgezogen. Ich hatte das immer so gemacht, noch als ich hier gewohnt hatte, und erst recht seit dem halben Leben, das ich nicht mehr hier wohnte. Der Flur war vollgestellt mit einem Sammelsurium aus Absonderlichkeiten, die ein Haufen ungeordneter und ungeputzter Schuhe krönte. Es sah noch schlimmer aus als beim letzten Mal.

»Arbeitet Frau Huth nicht mehr für dich?«

»Doch. Natürlich. Jetzt sogar vier Mal die Woche.«

Ich ging ins Wohnzimmer, wo die soeben Erwähnte schnell eine geleerte Tüte mit Salzbrezeln zwischen die Seiten des Telefonbuchs legte und sich aus dem Sessel wuchtete. Um und auf dem Couchtisch lagen alte Fernsehzeitschriften, Wollknäuel, heruntergefallene Karten, der Quelle-Katalog und eine angebrochene Schachtel Pralinen.

»Herr Vernau!«, rief sie aus. »Ich mach Kaffee.« Sie watschelte an mir vorbei in die Küche.

Meine Mutter sah ihr lächelnd hinterher. »Eine Seele«, sagte sie.

Ich war anderer Meinung, erwiderte aber nichts und suchte mir einen von Frau Huth nicht kontaminierten Sessel aus. Beim Hinsetzen stach mich eine Stricknadel.

Mutter ließ sich mir gegenüber auf der Couch nieder. Sie hatte rote Augen und trug einen ihrer geblümten Kittel, auf dem sich noch das Frühstücksei von vorgestern befand.

»Wie geht es dir?«, fragte ich.

Sie zuckte mit den Schultern. »Ich hatte dich angerufen. Aber du hast dich ja nicht gemeldet.«

Ich dachte an die gelben Zettel und hatte ein schlechtes Gewissen.

»Martha ist tot.«

Ich wusste nicht, ob es sich nun um die Katze des Nachbarn, die Frau des feschen Offiziers im Ruhestand aus dem dritten Stock oder um etwas Ernstes handelte.

»Martha. Meine Bridge-Freundin.«

»Ach, Martha. Das tut mir leid.«

Bridge bedeutete Mutter alles. Sie zog ein zusammenge-knäueltes Taschentuch hervor und tupfte sich die Augen ab. Soweit ich wusste, war Martha die, die immer gemogelt hatte. Aber daran wollte ich sie jetzt nicht erinnern.

»Sie sagte noch: Was hast du in den Kaffee getan? Dann war sie weg. Genau da, wo du jetzt sitzt.«

Frau Huth rempelte mit dem Ellbogen die Tür auf und trug das Tablett zum Tisch.

»Gehirnblutung«, ergänzte sie nicht gerade zartfühlend. »Genau da, wo Sie jetzt sitzen. Milch und Zucker?«

Sie goss Kaffee in eine Tasse, in der sich die Sedimente von schwarzem Tee wie Jahresringe übereinanderlegten.

»Milch. Danke.«

Frau Huth hob die Büchsenmilch an die Nase, roch daran und schenkte ein. Ich kostete. Beide Frauen fixierten mich scharf. Obwohl der Kaffee definitiv nach Beimischungen schmeckte, holte ich von irgendwoher ein zufriedenes Lächeln. »Gut. Sehr gut.«

Erleichtert ließ sich Frau Huth in den Sessel sinken. »Am Kaffee kann es nicht gelegen haben. Grete macht sich Vorwürfe. Es hätte halt nicht so passieren dürfen. Trinkt ihren Kaffee, sitzt hier im Sessel …«

»Ich würde gerne mal die anderen besuchen«, sagte meine Mutter. »Reinickendorf ist einfach zu weit weg, jetzt, wo das mit meiner Hüfte sich so verschlimmert hat.«

»Seit wann hast du Hüftprobleme?«

»Seit einiger Zeit. Seit du zum letzten Mal hier gewesen bist.« Mutter zog einen Teebecher heran, der seit Tagen halb voll hier stehen musste, und nippte mit entsagungsvoller Miene daran.

»Du meinst, ich soll dich fahren.«

»Nur wenn du Zeit hast natürlich. Er ist doch Anwalt …«, wandte sie sich erklärend an Frau Huth, die, soweit ich wusste, über meinen beruflichen Werdegang von der Einschulung an bis ins Detail bestens informiert war.

Reinickendorf.

Besuche bei alten Damen, die sich stundenlang beim Karten-spielen immer die gleichen Geschichten erzählten, zwischen-durch in meine Richtung nickten und »Jaja, der kleine Joachim« kicherten. Während ich mit einer Tasse Kaffee, die schmeckte wie eine Mischung aus Zichorie und Laxoberal, das dritte Stück Frankfurter Kranz vertilgte.

In diesem Moment klingelte mein Handy. »Vernau?«

Es war Connie. »Ich sollte dich dran erinnern, wenn eine halbe Stunde vergangen ist«, sagte sie. »Zeit zum Aufstehen, Duschen und Ins-Büro-Kommen!«

»Ach du lieber Himmel«, antwortete ich und tat leicht nervös. »Danke. Ich bin schon unterwegs.«

»Überstürze bloß nichts. Ist sie hübsch?«

Ich sah zu meiner Mutter und stellte mir diese Frage zum ers-ten Mal in meinem Leben. Wie würde sie heute wohl aussehen, wenn sie sich ein bisschen mehr um sich kümmerte. Sie war so unscheinbar geworden. Grau. Nicht nur die Haare. »Unter Be-rücksichtigung sämtlicher Begleitumstände – ja.«

»Okay. Ich ruf in zehn Minuten noch mal durch.«

Ich stand auf. Beide Damen starrten mich an.

»Willst du schon gehen? Es ist doch Sonnabend, hast du denn nicht frei?«

Ich hatte Connie um den Telefonservice gebeten, weil ich in Eile war. Ich wollte nur kurz vorbeischauen und nach dem Rech-ten sehen. Der Stapel unerledigter Akten wurde auch dadurch nicht kleiner, dass ich ihn ständig von der einen auf die andere Schreibtischseite schob.

»Wir haben doch noch Kuchen!«, rief meine Mutter. »Hüthchen hat doch gebacken. Extra für dich.«

Frau Huth nickte milde.

»Komm. Ein Stück.«

Ich setzte mich wieder auf die Stricknadel. Frau Huth holte unter der Couch eine Tupperware-Dose hervor und öffnete sie. Der Anblick hätte zartere Gemüter augenblicklich ins Jenseits befördert. Vermutlich war es in Marthas Fall der Kuchen und nicht der Kaffee gewesen.

»Wie ist denn das passiert?«

Beide Frauen beugten die Köpfe über die Dose. Der Apfelkuchen war gerade dabei, den Aggregatzustand zu wechseln. Frau Huth fuhr hoch und blickte mich vorwurfsvoll an. »Schließlich wollten Sie schon letzte Woche kommen.«

Meine Mutter kratzte auf dem Schimmel herum. »Vielleicht, wenn man ihn abnimmt …«

»Grete!«, empörte sich Frau Huth. Nun stahl sich doch etwas von haushälterischem Ehrgefühl in ihre Haltung. »Der kommt weg!«

»Ich muss sowieso gehen«, sagte ich. »Danke für den Kaffee.«

»Aber wir haben noch Kekse«, meinte meine Mutter schwach. Ich nahm sie zum Abschied in den Arm. Sie war dünn geworden. Kein Wunder, wenn der Kuchen nicht gegessen wurde, sondern unter der Couch verschimmelte.

»Wie geht es deiner Freundin?«, fragte sie.

Sie konnte Sigrun einfach nicht mit ihrem Namen anreden. »Sie hat viel zu tun. Wahlkampf.«

»Ihr beide habt immer viel zu tun.« Sie sah mir nachdenklich in die Augen. »Arbeitet nicht so viel. Ihr seid doch noch jung. In dem Alter soll man das Leben genießen. Ach!«

Sie griff mir ins Haar. Es ziepte fürchterlich. Mutter lächelte. »Schon wieder ein graues Haar. Ich lege es zu deiner ersten Locke. Und dem Milchzahn. Die Zeit, es ist unglaublich.«

45

Ich nahm sie noch einmal in den Arm. »Ist alles in Ordnung?«

Sie nickte. »Ja. Geh nur. Mach dir keine Sorgen.«

Ich versprach ihr, in den nächsten Tagen anzurufen, um den Bridge-Ausflug zu organisieren. Das schien sie zu freuen. Noch mehr freute sie sich offenbar, dass ich extra in die Küche ging, um Hüthchen auf Wiedersehen zu sagen.

Frau Huth hatte gerade meine Kaffeetasse mit kaltem Wasser abgespült und zu dem mehr oder minder sauberen Berg Geschirr gestellt, der sich neben der Spüle türmte. Ich trat neben sie und sah sie freundlich an. »Vielen Dank für den Kaffee.«

Sie lächelte unsicher.

»Und in Zukunft ziehe ich Ihnen für jede nicht gespülte Tasse und jeden Krümel auf dem Teppich einen Ihrer 320 monatlichen Euro ab, die Sie hier fürs Saubermachen bekommen. Und nicht dafür, dass sich diese Wohnung in ein Biotop verwandelt. Haben wir uns verstanden?«

Frau Huth sagte nichts, weil sie einen Keks im Mund hatte. Sie rieb sich nur hektisch die dicken Finger an ihrem Rock ab, der dadurch auch nicht sauberer wurde.

»Und wenn ich meine Mutter das nächste Mal sehe, will ich, dass sie anständige Kleider anhat. Klar?«

Frau Huth nickte und schluckte.

Mutter brachte mich noch zur Tür. Ich zog die Schuhe an und kochte innerlich vor Wut. »Du musst ihr sagen, dass sie sauber machen soll. Sie wird dafür bezahlt.«

Mutter lächelte. »Jaja.«

»Wenn du es nicht machst, tue ich es«, drohte ich ihr. Ich war mir sicher, dass das kurze Gespräch in der Küche Frau Huths und mein kleines Geheimnis bleiben würde.

»Nicht«, sagte Mutter. »Bitte nicht. Mach dir keine Sorgen.«

»Brauchst du die noch?«

Ich griff nach einem zerfledderten Exemplar der Berliner Tageszeitung, das im Flur auf der Kommode lag. Sie war von heute und warb für »Das politische Interview« auf Seite drei.

»Nimm ruhig. Wir haben sie schon durch.«

Ich gab ihr noch einen flüchtigen Abschiedskuss. Im Treppenhaus hörte ich, wie sie wieder die Kette vorlegte.

7

Einen Packen Zeitungen unterm Arm, ging ich an Harrys Zimmer vorbei. Georg, unser Mädchen für alles, arbeitete sich dort gerade durch Gesetzbücher, Lose-Blatt-Sammlungen und Aktenordner. In der Hand hielt er einen Hefter, in den er stirnrunzelnd Notizen kritzelte.

»Was machen Sie denn hier?«

Er fuhr herum. »Herr Vernau. Sie haben mich erschreckt. Ich muss noch eine BGH-Entscheidung für die Sache von Herrn Meinerz durchgehen.«

»Für Montag?«

Georg nickte. »Eben. Es ist Herrn Meinerz erst gestern Abend eingefallen.«

Es war nicht üblich, dass so kurz vor der ersten mündlichen Verhandlung noch an der Beweisführung gearbeitet wurde. Schon gar nicht von einem Rechtsreferendar. Ich hatte das Gefühl, dass Georg es hier nicht einfach hatte. Aber er erledigte klaglos auch die seltsamsten Aufträge, die ihm normalerweise mit Vorliebe von Harry erteilt wurden.

Sein Blick fiel auf die Zeitungen. »Ich habe es schon gelesen. Das freut mich für Frau von Zernikow.«

»Nur Zernikow«, sagte ich freundlich. »Ohne von.«

Sigrun hatte den adeligen Wurmfortsatz quasi mit einer Operation im Dienste der Demokratie entfernen lassen. Sie hatte es getan, als sie die Politik entdeckte und lange bevor wir uns kennen gelernt hatten. Mittlerweile glaubte ich, dass sie es heimlich bereute.

»Ja, natürlich. Richten Sie ihr bitte aus, dass ich sie wählen werde. Mit beiden Stimmen. Sie ist eine der wenigen glaubwürdigen Politiker. Meine Frau meint das übrigens auch.«

Es war mir neu, dass Georg verheiratet war. Er wirkte so jung. Vielleicht lag es aber auch nur daran, dass ich mittlerweile über vierzig war und Georg Ende zwanzig. Sie wurden nicht jünger, all die Menschen am Anfang ihres Lebens, ich wurde einfach nur älter. »Das freut mich«, sagte ich. »Ich werde es ausrichten.«

In meinem Büro schlug ich die Zeitungen auf. Sigruns Taktik war aufgegangen. Die gut unterrichteten Kreise wussten, dass der Regierende Bürgermeister beabsichtigte, nach gewonnener Wahl Sigrun die Senatsverwaltung für Inneres anzubieten. Für ihre Parteifreunde war Sigrun die beste Frau für dieses Amt.

Es war ein gelungener Coup. Aber er würde ihr nichts nutzen. Sie war die beste Frau, aber das war nichts gegen eine ganze Reihe nicht ganz so guter Männer.

Ich blätterte die Berliner Tageszeitung durch. Brettschneider war kein politischer Journalist. Ihm fehlten die Verbindungen. Doch auch er hatte von dem jüngsten Gerücht gehört und flocht es geschickt in seinen Text ein. Dressler hatte unter dem wohltuenden Einfluss des Côte Chalonnaise brillante Fotos geschossen. Scarlett und Rhett waren *das* Paar. Wir konnten zufrieden sein.

Ich wollte die Zeitung gerade zuschlagen, als mein Blick auf ein Foto fiel. Eine alte Frau starrte in die Linse eines grottenschlechten Passbildautomaten.

Russin im Landwehrkanal ertrunken.

Olga W. war am gestrigen Morgen tot von einem Spaziergänger gefunden worden. Wem in der Nacht etwas aufgefallen sei, der wurde gebeten, sich an die nächste Polizeidienststelle zu wenden.

Ich überflog die anderen Zeitungen. Ohne Foto, zwei, manchmal drei Zeilen. Nur im Tagesspiegel stand, dass Olga W. auf Einladung der Maria-Hilf-Gemeinde in Spandau nach Berlin gekommen war. Sie war keine Russin, sondern Ukrainerin. Sie war eine ehemalige Zwangsarbeiterin.

Ich trat auf den Flur. Georg arbeitete noch immer in Harrys Zimmer. Ich schloss die Tür. Dann rief ich die Telekom an und ließ mich mit der Maria-Hilf-Kirchengemeinde verbinden. Es klingelte mehrere Male. Gerade als ich annahm, dass niemand zu erreichen sei, meldete sich ein Mann mit einer ruhigen, angenehmen Stimme.

»Ich rufe an wegen Olga W.«

Der Mann verstand sofort. »Es ist so furchtbar. Vorgestern sitzen wir noch alle zusammen, und jetzt dieser Unfall. Sie hat bei einem Gemeindemitglied gewohnt. Die Frau steht immer noch unter Schock.«

»Sie haben Olga nach Berlin eingeladen?«

»Ja. Wir wollten gemeinsam an einer Gedenkfeier in Siemensstadt teilnehmen. Außer ihr haben noch fünf weitere ehemalige Zwangsarbeiter diese Strapaze auf sich genommen. Es ist nicht leicht für sie. Die Erinnerungen sind für die meisten doch recht schmerzlich.«

Ich dachte an Utz. »Kannte sie jemanden in Berlin? Hatte sie Verwandte oder Freunde hier?«

»Wer sind Sie? Sind Sie von der Presse?«

»Nein. Ich …« Mein Blick fiel durch das Fenster hinaus auf den Rasen und den blühenden Rhododendron. »Ich bin ihr in einem Garten begegnet.«

»Olga liebte Blumen«, sagte der Mann. Dann schwieg er.

Ich sollte das Gespräch beenden und diesen freundlichen Menschen nicht noch länger behelligen. Olga und ich hatten uns durch Zufall kennen gelernt, es war eine mehr als flüchtige Begegnung. Ich hätte sie bereits vergessen, wäre ich nicht auf dieses Foto gestoßen.

»Ich bin Pfarrer«, sagte der Mann schließlich. »Dieser Tod berührt mich sehr. So fern der Heimat, in einem Land, das ihr so viel Leid angetan hat. Sie kam in gutem Glauben und mit dem Willen zur Versöhnung. Nein, ich glaube, sie kannte niemanden mehr hier. Das heißt …« Er stockte. »Das ist tatsächlich etwas rätselhaft. Sie hatte wohl doch eine Verabredung.«

Hoffentlich nicht mit Utz von Zernikow. Hoffentlich nicht die Neuauflage eines sechzig Jahre lang vergessenen Techtelmechtels.

»Jemand hat ihr einen Wagen geschickt.«

»Ein Taxi?«

»Nein, einen Wagen.«

»Hatte sie vielleicht noch etwas zu erledigen? Behördengänge? Beglaubigungen?«

»Auch nicht. Sie war anerkannt.«

»Anerkannt?«

»Das heißt, die Ukrainische Nationalstiftung und der Deutsche Stiftungsfonds haben ihren Fall geprüft und ihr eine Entschädigung zugestanden. Es sind wirklich keine Reichtümer, die ausgezahlt werden, ein paar tausend Euro nur. Und ein paar Euro mehr Rente. Soweit ich weiß, wurde das schon vor mehr als zwei Jahren erledigt. – Wer sind Sie?«

Ich legte auf.

Olga W., eine Spaziergängerin am Landwehrkanal, eine ehemalige Zwangsarbeiterin, die mit ihrer Vergangenheit Frieden geschlossen hatte, deren Akten bearbeitet, deren Ansprüche getilgt waren, war tot.

Der Tod war bisher ein gnädiger Gast in meinem Leben gewesen. Er hatte mir, bis auf meinen Vater, niemanden geraubt. Er hatte Abel von Lehnsfeld sanft mit sich geführt und schlich nun leise an der Zimmerflucht der Freifrau entlang. Er war gegenwärtig, aber nicht aufdringlich.

Bei Olga W. aber hatte er hart und plötzlich zugeschlagen. Niemand hatte damit gerechnet. Der Gemeindepfarrer klang ehrlich betrübt. Diese Fast-Unbekannte hatte hier jemanden, der ihren Tod betrauerte. Das berührte mich.

Aber es betraf mich nicht. Ich konnte die Kopie beruhigt dem Reißwolf anvertrauen.

Ich zog die Schublade auf und suchte sie. Ich suchte lange. So lange, bis mir klar wurde, dass irgendjemand das bereits für mich erledigt hatte.

8

Sigrun steckte in Mariendorf-Süd. Ich wollte mit ihr reden und dachte, es wäre eine gute Idee, sie abzuholen.

Gegen halb zehn traf ich im *Gartenkrug* ein, einer Kneipe direkt an einer der neuen Ausfallstraßen aus Berlin, die die Wende immer noch nicht verkraftet hatten. Kleine Einfamilienhäuser trotzten dem immer stärker werdenden Verkehrsaufkommen. Auf teuren Grundstücken in der Vorwendezeit erbaut, hatten ihre Besitzer nun neben dem Solidaritätszuschlag einen weiteren Grund, dem alten Westberlin nachzutrauern. Die Häuser waren nichts mehr wert, solange der gesamte Südverkehr Berlins durch die Vorgärten brauste.

Ich betrat leise den Veranstaltungsraum. Mariendorf-Süd war eine Hochburg von Sigruns Partei, der Ortsverband fest in der Hand des konservativen Flügels. Sie hatte lange mit dem Vorsitzenden schachern müssen, bis sie endlich zu einem jener Diskussionsabende eingeladen wurde, auf denen sie sich den Mitgliedern präsentieren konnte. Ihr Vortrag beschäftigte sich zwar mit Bildungschancen, hatte aber in den letzten Tagen von ihrer Hand noch einen innenpolitischen Schliff bekommen.

Meyer, der Ortsverbandsvorsitzende und familienpolitische Sprecher der Fraktion, thronte mit zusammengekniffenem

Mund am Kopfende der hufeisenförmig aufgestellten Tische. Neben ihm saß Sigrun und lauschte scheinbar interessiert den endlosen Ausführungen eines Parteifreundes, der sich nicht mit ihrer Bildungsoffensive anfreunden konnte. Als ich eintrat, lächelte sie mich kurz an. Dann hörte sie weiterhin aufmerksam zu. Sie nickte freundlich, notierte sich einige Aspekte, auf die sie in ihrer Antwort eingehen würde, trank einen Schluck Wasser und strich sich verstohlen mit der Hand über die Schläfe. Es war stickig in dem Raum, einige der Anwesenden rauchten, und es roch nach schalem Bier. Ich beschloss, draußen zu warten, nickte ihr kurz zu und ging hinüber in die Gaststube. Mit einem kleinen Bier setzte ich mich hinaus auf die Veranda.

Es dauerte eine knappe halbe Stunde, dann war die Veranstaltung beendet. Einige verließen eilig den *Gartenkrug,* andere standen noch in kleinen Gruppen zusammen. Sigrun stellte sich zu ihnen. Sie hatte mich entdeckt, wurde aber von Meyer noch mit kritischen Stellungnahmen eingedeckt. Als sie endlich zu mir kam, war es halb elf.

»Du holst mich ab?« Sie gab mir einen schnellen Kuss auf die Wange.

Ich winkte die Bedienung heran, und Sigrun bestellte eine Weinschorle. Meyer kam an unserem Tisch vorbei, begrüßte mich und ging dann die Stufen der Veranda hinunter.

»Hast du ihn jetzt endlich auf deiner Seite?«, fragte ich.

Sigrun sah ihm hinterher und runzelte die Stirn. »Ich weiß es nicht. Könnte sein.« Die Weinschorle wurde unsanft vor ihr abgestellt und schwappte über.

»Manchen von denen ist schon eine Familiensenatorin suspekt. Andere können sich sogar eine Bundeskanzlerin vorstellen. Das Dumme ist, ich kann mich ja gar nicht innenpolitisch profilieren. Noch nicht. Das muss alles bis nach den Wahlen warten.« Sie tupfte die Feuchtigkeit auf dem Tisch nervös mit einer Serviette auf. Ich wusste, dass sie in letzter Zeit wenig gegessen hatte.

»Hast du Hunger?«

»Nein.« Sie lächelte mich an. »Erst im September.«

Ich trank mein Bier aus. »Die Russin ist tot.«

»Welche Russin?«

»Die bei uns im Garten war. Sie ist – war – gar keine Russin, sondern Ukrainerin. Aus Kiew.«

»Hm.« Sie rieb sich nachdenklich die Schläfe. »Warum ist sie tot?«

»Sie ist ertrunken.«

»Also ein Unfall.«

»Möglich.«

»Und?« Sie trank einen Schluck Schorle.

»Sie war eine ehemalige Zwangsarbeiterin. Sie ist von einer Kirchengemeinde nach Berlin eingeladen worden.«

»Merkwürdig. Was hatte sie dann bei uns zu suchen?«

»Das frage ich mich auch.«

»Zwangsarbeiterin.« Sigrun schüttelte den Kopf. »Ich sehe da überhaupt keine Verbindung. Sie wollte doch zu meinem Vater, nicht wahr?«

Ich nickte.

Sie fuhr über den Rand ihres Glases. »Nein. Da gibt es keine Zusammenhänge. Mein Vater war im Mai '45 elf Jahre alt. Und mein Großvater war in Belgien stationiert. Omi hat das Haus gehalten, so gut es ging. Niemand hatte Verbindungen zur Industrie oder zur Landwirtschaft. Selbst das Gut in Pommern war eher ein Familienbetrieb.«

Die verlorenen Latifundien des freifräulichen Familienzweiges waren schon mehrere Male und immer voller Wehmut zur Sprache gekommen.

»Hat sie denn gar nicht gesagt, was sie wollte?«

»Sie hat davon gesprochen, dass Utz etwas unterschreiben sollte. Einen Zettel. Nicht für sie, sondern für eine Frau namens Natalja. Ich habe ihm den Zettel gegeben.«

»Und?«

»Er hat ihn weggeworfen.«

»Na also.« Erleichtert trank sie ihr Glas aus.

»Aber ich hatte das Gefühl, der Name Natalja würde ihm etwas sagen.«

»Das bildest du dir ein.« Sie nahm meine Hand. »Vergiss das alles. Ein Verwechslung. Oder, schlimmer noch, eine Betrügerin. Vielleicht wollte sie Geld. Oder sie hat das Haus ausgekundschaftet. Wir werden es nie erfahren.«

Ich winkte der Bedienung zu, um zu zahlen.

Sigrun beugte sich näher zu mir. »Aber wenn dir arme, alleinstehende Frauen am Herzen liegen und du etwas für die Barmherzigkeit tun willst ...«

»Was?«

Sigrun lehnte sich wieder zurück. Die Bedienung trat an den Tisch, kassierte, und Sigrun verschränkte die Arme vor der Brust.

»Was?«, fragte ich noch einmal.

»Ich will heiraten.«

»Wen?«, fragte ich und erntete einen bitterbösen Blick. »Wann?«

»Demnächst. Vor den Wahlen.«

»Das ist kein Grund.«

Sie trommelte mit den Fingerspitzen auf die Tischplatte. »Nach den Wahlen auch nicht. Wir hatten es schon ziemlich lange vor. Ich könnte den Status einer verheirateten Frau gut gebrauchen. Also?«

»Der Grund überzeugt mich immer noch nicht.«

»Wie wäre es damit: weil ich dich liebe?«

Ich sah sie lange an. Wir hatten diese Worte seit Ewigkeiten nicht benutzt. Wir waren einfach zu beschäftigt. Die Liebe war da, doch nicht die Zeit, sie auch zu zeigen.

»Okay«, sagte ich. »Unter einer Bedingung.«

»Und die wäre?«

»Wir ziehen aus.«

Sigrun öffnete den Mund und machte ihn wieder zu. Ungläubig schüttelte sie den Kopf. »Warum eine andere Wohnung? Unsere ist doch schön.«

»Ja«, antwortete ich. »Aber sie ist mir ein bisschen zu familiär. Es ist nicht mein Haus, verstehst du?«

»Es ist doch völlig unwichtig, ob du uns ein eigenes Haus kaufen kannst oder nicht.«

»Eben. Für den Anfang reicht ja auch eine Wohnung. Wenn dir das als Senatorin nicht zu wenig ist.«

Sie schnaubte ärgerlich. »Natürlich nicht. Muss es gleich sein, oder kann ich noch in Ruhe packen?«

»Es hat Zeit. Wir müssen nichts überstürzen. Ich will nur nicht dort alt werden, verstehst du?«

»Und ich will heiraten.«

»Eine Hand für die andere«, sagte ich leise und hielt ihr meine hin.

Sie überlegte. Dann reichte sie mir ihre. »Okay. Hast du morgen Abend schon was vor?«

»Nein. Warum?«

»Weil wir uns verloben«, sagte sie.

Am nächsten Abend kam Sigrun wirklich unerwartet früh von einem Feuerwehrfest zurück, duschte, nebelte sich mit *Apergé* ein und tauschte ihr Kostüm gegen das kleine Schwarze mit Großmutters Perlen.

Sie machte Ernst.

»Drüben?«, fragte ich, und sie nickte.

Drüben hieß: in einem Esszimmer, für das sechsköpfige Familien einen Wohnberechtigungsschein brauchten. Drüben hieß: Schweizer Leinen, französisches Kristall, russisches Porzellan. Drüben hieß: altes Europa.

Utz hatte das volle Programm geordert. Ein extra aus einem Sterne-Restaurant in Mitte abberufener Meisterkoch hatte sich in die Küche gestellt. Walter, der sich in allen Lebenslagen auskannte, servierte. Die Freifrau saß am Kopfende und nickte dann und wann ein, während Utz sein wohlgefälliges Auge auf Sigrun und mir ruhen ließ. Ich hatte das Gefühl, er wusste, was an diesem Abend geschehen würde.

»Na«, fragte er nach dem gebratenen Rotbarbenfilet auf Korianderlinsen, »wann ist es denn nun so weit?«

Ich hüstelte etwas verlegen.

Utz blickte zu Walter. »Ich hätte gerne noch eine Flasche von dem 96er Riesling. Im Keller.«

»Mein Herr.« Walter verschwand.

In diesem Haus gab es Kommunikationsebenen, die ich niemals verstehen würde. Ich flüsterte Sigrun zu, dass ich verehelicht eine ähnliche Anrede wünschte, und sie trat mir ans Schienbein.

Utz widmete seine ungeteilte Aufmerksamkeit wieder mir. »Ich bin alt«, sagte er. »Und ich werde müde. Nicht so müde wie meine Frau Mutter …«

Die Freifrau gab einen herrlich sonoren Schnarcher von sich.

»… aber die Kräfte schwinden. Ich will mein Haus bestellen. Du weißt, dass ich meine Vorbehalte gegen dich hatte. Das ist kein Wunder, denn deine Ansichten und dein Benehmen waren – nun ja, etwas unausgereift. Doch Sigrun …«, ein liebevoller Blick senkte sich auf den Scheitel der errötenden Tochter, »… hat sich nicht beirren lassen. Eine Zernikow, wie sie im Buche steht. Starrsinnig, rechthaberisch und doch mit einem Blick fürs Wesentliche. Sie hat früh erkannt, was in dir steckt. Früher als alle anderen.«

»Früher«, murmelte die Freifrau und erwachte kurz. Ihre schwimmenden grauen Augen suchten das Weinglas. Es war leer.

»Walter holt noch eine Flasche.« Utz tätschelte beruhigend

ihre Hand. Sie nickte wohlwollend und lehnte sich wieder in ihren Hochlehnstuhl zurück. Mit geschlossenen Augen vermied sie es, Aufmerksamkeit zu erregen, und bekam trotzdem alles mit. Ich hielt sogar ihre Schnarcher für ausgesprochen überlegt platziert.

»Früher sogar als ich.« Utz nickte mir zu. »Aber noch bin ich nicht so starrsinnig, dass ich Irrtümer nicht einsehen kann. Also. Ich will einen Partner haben, einen Schwiegersohn und demnächst auch einen Enkel. Ist das ein Angebot?«

»Falsch«, antwortete ich. »Eine Forderung.«

Utz lachte, auch Sigrun stimmte etwas gequält mit ein. »Wir sind doch hier nicht auf einem Kamelmarkt«, sagte sie.

Es klopfte. Der Koch trat ein. Ich war erleichtert über die Unterbrechung der Verhandlungen.

»War alles recht?«, erkundigte er sich mit österreichischem Zungenschlag. Utz nickte.

Das Abräumen des Geschirrs, das Auftragen des nächsten Ganges – Bresse-Taubenbrust in Baumkuchenmantel mit Gänseleber – und das geräuschvolle Erwachen der Freifrau gaben mir Gelegenheit zu einer flüsternden Kurzberatung mit Sigrun.

»Was will er denn?«, fragte ich sie.

»Sein Haus bestellen«, antwortete Sigrun. »Er will wissen, dass ich in guten Händen bin, wenn er einmal geht.«

»Aber doch nicht in seinem Alter.«

»Doch. Immer. In jedem Alter. Es muss alles Hand und Fuß haben.«

Ich lächelte. »Reicht dir das denn? Nur Hand und Fuß?«

In ihren Augenwinkeln glitzerte ein Lächeln.

Der Koch verschwand in seinen Feierabend, verkündete noch etwas von einem Dessert, das nach Birnenchips an Mousse von der Blüte klang und später von Walter serviert würde, und Utz wollte wissen, was wir denn zu flüstern hätten.

»Nichts, was du nicht wissen dürftest. Wir haben uns verlobt.«

Sie lächelte mich an. »Er hat mir soeben Hand und Fuß angeboten.«

Diese Interpretation überraschte mich nun doch. Aber ich hatte nicht die Zeit, es mir anders zu überlegen. Utz strahlte übers ganze Gesicht, umrundete den Tisch und drückte mich an seine Brust.

»Das freut mich«, sagte er. »Meinen herzlichen Glückwunsch. Sohn.« Dann umarmte er seine Tochter.

Die Freifrau blickte verwirrt und wurde kurz informiert. »Verlobt?«, fragte sie, »Doch nicht etwa mit dem da?«

»Mutter!«, rief Utz.

Sigrun lachte. »Doch, Omi. Aber mach dir keine Sorgen. Meinen Namen werde ich behalten.«

»Dein Name«, erwiderte die Freifrau empört. »Dein schönerrr Name! Verhunzt hast du ihn, der wird nicht mehr besserrr!«

Sie rollte das R wie ein Ufa-Filmstar. Sigrun bestritt vehement, dass sie jemals auf einer Bühne gestanden hatte. Doch die Art, wie sie urplötzlich ins Deklamieren geriet, erinnerte an vergessene Diven.

Walter kam herein. Ich wurde das Gefühl nicht los, dass er die ganze Zeit hinter der Tür gelauscht und auf einen strategisch günstigen Zeitpunkt zur Rückkehr gewartet hatte. Er wurde umgehend zurück in die Küche geschickt.

»Champagner!«, rief Zernikow hinterher. Seine Lebensgeister schienen zur Höchstform aufzulaufen.

Walter kam mit dem Champagner, und als die Gläser gefüllt waren, entstand einen Moment lang Schweigen. Sigrun blickte mich an. Utz schien auf etwas zu warten. Walter hielt sich im Hintergrund, das Glas umklammert, und hing an meinen Lippen. Die Freifrau beugte sich sogar vor, um besser zu hören. Mir fiel nichts ein.

»Also …«, sagte Sigrun.

Alle hoben die Gläser und fixierten mich. Die Zeit schien stehen zu bleiben. Utz hob die Brauen. Die Freifrau justierte ihr Hörgerät. Sigrun sah mir in die Augen, und tief in ihnen drin glitzerte nun das Eis der Antarktis.

»Also …«, sagte ich und hob ebenfalls das Glas. »Auf uns.«

Die Erleichterung war greifbar. Sigrun hing an meinem Hals und küsste mich, wie sie mich noch nie vor ihrem Vater oder in sonstiger Öffentlichkeit geküsst hatte. Die Alte schüttelte den Kopf und sagte mit Grabesstimme: »Eine Verlobung!« Utz war das pure Wohlgefallen, und Walter kam, als Sigrun mit dem Knutschen fertig war, mit hochrotem Gesicht auf mich zu. »Also, Herr Vernau, meinen Allerherzlichsten! Welche Weichenstellung!«

Dabei knallte er die Hacken zusammen und bot mir sein Glas zum Anstoßen. »Fräulein Zernikow!« Bei Sigrun kondolierte er mit einer knappen Verbeugung.

»Eine Hochzeit!«, rief die Freifrau nun. Es klang, als kämen zu Pest und Cholera nun auch noch die Hunnen. »In diesem Hause!«

Zernikow geriet ins Planen, Sigrun ins Schwärmen. »Wie wäre es, wenn wir die Verlobung an meinem Geburtstag bekannt geben?« Sie strahlte mich an.

»Wann ist das noch mal?«

Ihr Lächeln erlosch. »In zwei Wochen. Ich würde mich freuen, wenn du ihn nicht wieder vergisst.«

»Das wird er nicht«, schaltete sich Utz ein. »Dafür werde ich sorgen.« Er zwinkerte mir zu.

»Und die Hochzeit?«, fragte ich. Verlobt sein konnte man meines Wissens ziemlich lange. Und man trug nur in den seltensten Fällen seelische Schäden davon.

»Im August«, antwortete Sigrun wie aus der Pistole geschossen.

Sommer. Gelbe Felder, singende Lerchen am prallblauen Himmel. Blütenkränze auf lockigem Haar.

»Während der parlamentarischen Sommerferien.«

9

Marie-Luise fuhr noch immer einen Volvo. Ob es derselbe wie damals war, wusste ich nicht. Aber sie hatte sich in Schale geworfen und trug ein graues Kostüm, mittelhohe Pumps, das Haar hochgesteckt, frisch gewaschen und gefärbt. Sie sah irgendwie besser aus, als ich sie in Erinnerung hatte. Sozialisierter.

Als sie aus dem Auto stieg, ließ sie die Schlüssel fallen. Diese Geste war mir so vertraut, dass ich lächeln musste. Marie-Luise ließ immer alles fallen: Schlüssel, Gläser, Servietten, rohe Eier. Sie war und blieb ein Schussel. Sie ging in die Knie, fand den Bund unter dem Auto, dann sah sie mich. Ich saß am Fenster des Restaurants, in dem wir uns verabredet hatten. Sofort drehte sie sich um und schloss den Wagen ab. Dann stakste sie über den Gendarmenmarkt.

Der Kellner begleitete sie zu unserem Tisch. Ich stand auf und reichte ihr die Hand. Nach kurzem Zögern ergriff sie sie.

»Schön, dich zu sehen.«

Sie setzte sich. »Das Vergnügen ist definitiv nicht meinerseits. Danke, ich esse nichts.« Sie drückte dem verblüfften Kellner die Speisekarte in die Hand.

»Und der Herr?«

Ich bestellte einen Teller Spaghetti. Der Mann ließ uns allein.

»Du siehst gut aus«, sagte ich. »Verändert.«

An ihren Ohren baumelten immer noch in Altsilber gefasste, türkise Absonderlichkeiten. Sie hatte einen Hang zu tragfähigen Weltanschauungsobjekten.

»Zwecklos. Keinen Honig, bitte. Beschränken wir uns aufs Geschäftliche, okay?«

Ich holte die Akten aus der Tasche, während der Kellner das Mineralwasser öffnete. Dabei hatte ich Mühe, ein Grinsen zu unterdrücken.

Ich hatte die Witwe kontaktiert und sie so schonend wie möglich auf die Existenz eines weiteren Familienmitgliedes vorbereitet.

Auf dem Sterbebett hatte Gustav Weinert seinen Fehltritt ausgerechnet der Krankenpflegerin anvertraut. Die hatte sich an die erstbeste Illustrierte gewandt und die Geschichte Gewinn bringend verkauft. Das hatte die uneheliche Tochter auf den Plan gebracht. Ein Gentest bewies das Übrige. Die Tochter leckte Blut und hatte nun vor, sich Villa, Aktien, Ferienwohnung und Barvermögen anzueignen. Warum sie damit ausgerechnet bei Marie-Luise gelandet war, würde mir ein Rätsel bleiben. Sie war alles andere als eine gewiefte Prozessanwältin mit praktischen Kenntnissen im Erbrecht. Bisher hatte sie sich einigermaßen mit Feld-, Wald- und Wiesenfällen über Wasser gehalten.

Aber erstaunlicherweise hatte sie gut und gründlich gearbeitet. Die Schriftsätze waren präzise und, sofern das bei ihr möglich war, zurückhaltend im persönlichen Ausdruck. Ich hatte beim Lesen das Gefühl, dass ihr jemand geholfen hatte.

»Wenn du vorhast, sie als Erbin durchzusetzen, gibt es den Pflichtteil. Mehr nicht.«

»Zu wenig.« Marie-Luise zeigte eine eisige Miene, die sie sich wohl aus einer der Gerichts-Soaps im Fernsehen abgeguckt hatte. »Villa, Ferienhaus, eins Komma zwei Millionen in Aktien und fünfhunderttausend in bar.«

Das Essen wurde gebracht, und ich widmete mich ein paar Minuten lang den ausgezeichneten Spaghetti Vongole. Für eine Anwältin der Entrechteten war Marie-Luise ganz schön gierig. Ich bot das Ferienhaus.

»Villa, Aktien und die fünfhunderttausend dazu.« Sie musterte mich kalt.

Ich schüttelte den Kopf. »Ich weiß nicht, was du unter Verhandlungen verstehst. Ich biete etwas, du bietest etwas. Und so kommen beide gut aus der Sache heraus.«

»Irrtum. Meine Mandantin ist im Recht, deine im Unrecht. So sieht's aus. Wir kriegen alles.«

Ich blickte noch einmal in meine Akten, schüttelte sorgenvoll den Kopf und klappte dann den Deckel zu. »Nicht, wenn es um Erpressung geht.«

Ich reichte ihr ein Blatt. Die Witwe war nicht dumm. Sie konnte Bankauszüge lesen und hatte mir einige Kopien gemacht. »Die Aufstellung der Summen, die im Laufe der letzten zwanzig Jahre bereits gezahlt wurden.«

Marie-Luise überflog die Zahlen und gab sie mir zurück. »Und? Ein Vorschuss, okay. Das hat nichts zu sagen.«

Ich wartete eine Sekunde, aber Marie-Luise machte keine Anstalten, das Papier zu ihren Unterlagen zu nehmen. Ich steckte es wieder zurück. »Für mich sieht es eher so aus, als habe sie den alten Herrn bis aufs Hemd ausgenommen. Du gehst mit dem Pflichtteil raus. Mehr nicht.«

Sie packte sichtbar erbost die Unterlagen in ihren Aktenkoffer.

Ich schob den Teller zur Seite. »Wollen wir nicht endlich mal vernünftig miteinander reden?«

Sie sah aus dem Fenster, dann drehte sie sich zu mir. »Weißt du, was mich am meisten ankotzt? Dass ich tatsächlich mal an dich geglaubt habe.«

»Marie-Luise, das hier ist ein Fall. Und keine Petition an den Obersten Gerichtshof für Menschenrechte.«

Sie wollte aufstehen, doch dann fiel ihr offenbar etwas ein. Sie öffnete wieder ihren Aktenkoffer und holte ein Fax heraus. Mit einem Blick erkannte ich, dass es das russische Papier war. Mist, damit hatte ich nicht gerechnet.

»Ich weiß nicht, ob du das hier noch brauchst.«

»Nein«, sagte ich vielleicht etwas zu schnell. »Die Sache hat sich erledigt.«

Ich wollte nach dem Fax greifen, doch sie zog es weg. »Na wunderbar, dann kann ich es ja behalten.«

»Nein«, sagte ich. »Gib es mir bitte.«

Sie reichte es mir. Ich zerriss es in kleine Fetzen und warf sie in den Aschenbecher. »Es ist zwar völlig unwichtig«, sagte ich, während es verbrannte, »aber was stand denn drin?«

»Ach, nichts«, antwortete sie. »Nur dass die Familie deiner Freundin etwas bestätigen soll. Aber wenn du sagst, dass es sich erledigt hat …«

»Was bestätigen?«

Sie lächelte mich an. »Kalter Kaffee. Schnee von gestern.« Sie nahm ihren Koffer. »Und wenn es so unwichtig ist, hast du sicher auch kein Problem damit, dass du gerade nur eine Kopie zerrissen hast. Das Originalfax bewahre ich auf. Für den Fall, dass du vorhast, mich über den Tisch zu ziehen. Ich finde dieses Schreiben nämlich im Gegensatz zu dir hochinteressant.«

Ich sah ihr hinterher, wie sie zu ihrem Wagen stöckelte und davonbrauste.

Marie-Luise hatte sich mehr verändert, als ich es für möglich gehalten hatte. Sie hatte mich dazu gebracht, einen großen Fehler zu machen. Ich war erpressbar, und ich wusste noch nicht einmal, womit.

Irgendwann musste ich Utz die Sache mit dem Fax beichten. Am Ende einer kurzen Arbeitsbesprechung erschien mir die Gelegenheit günstig. Doch er hatte anderes vor. Ehe der richtige Moment für mich gekommen war, sagte er: »Es wird Zeit«, und trat an seinen Safe.

Der Safe lag hinter einem speziell für diesen Zweck angefertigten Gemälde. Ein Expressionist, ich hätte ihn der Künstlergruppe der Blauen Reiter zugeordnet. Oder ein Brücke-Maler. Es zeigte eine Sichtachse des Wörlitzer Parks bei Dessau und war, ohne Namen, nur mit der Jahreszahl 1937 datiert.

»Signiert wäre es ein Vermögen wert«, sagte Zernikow, als er den Mechanismus in Gang setzte, der das Bild von der Wand wegklappte. »Der Maler ist wenig später emigriert. Mein Vater hatte einen Blick für Kunst. Diese Art von Kunst. Alles, was später als entartet galt. Er hat vielen geholfen. Bilder gekauft, versteckt. Das hier war eine Auftragsarbeit. Der Mann durfte nicht mehr arbeiten. Deshalb hat er es auch nicht signiert.«

Es war eine Herbststudie des Parks, rotgolden belaubte Bäume um einen stillen, dunklen See. Der Himmel war bedeckt und dämpfte die Stimmung zu einer sanften Abendruhe. Nur am Horizont lichteten sich die Wolken zu einem hoffnungsverheißenden Rot.

»Viel haben wir nicht behalten. Aber das hier haben die Amis nicht von der Wand gekriegt. Gott sei Dank haben sie es nicht zerstört. Ich hänge daran. Erinnert mich an ihn.«

Das Bild schwang vor, und wir wandten uns dem Safe zu. »Umdrehen«, befahl Utz. Ich hörte, wie das Rad leise klickte, als es beim Wählen der Zahlenkombination einrastete.

»Fertig.« Er öffnete die Stahltür, die ungefähr fünfzig mal fünfzig Zentimeter groß war. Im Safe lagen nur Akten. Ich konnte nichts entziffern, denn Utz schrieb alles, was ihm wichtig war, in Sütterlin. Ich glaubte, *Lehnsfeld* auf einem Seitenfalz zu entziffern, wollte aber auch nicht zu neugierig daraufstarren.

»Es gibt verschiedene Formen der Verschwiegenheit.« Utz entnahm dem Safe einige Akten. »Die, zu der das Gesetz uns verpflichtet. Mit ihr verdienen wir unser Geld. Und die, die wir der Familie schulden. Und den Freunden, die zu unserer Familie gehören. Sie gibt uns Ehre und Würde. Doch sie ist kein leicht verdientes Brot.«

Er reichte mir eine Akte. Ich öffnete den Deckel und überflog die obersten Blätter. Ein Verfahren gegen Aaron von Lehnsfeld, der entgegen der Auflagen des Liegenschaftsfonds mit Bauarbeiten an seiner Villa in Grünau begonnen hatte. Schönen Dank. »Wieso hat dieser Trottel angefangen zu bauen?«

Utz seufzte. »Bauen ist etwas übertrieben. Einen Tag nach der

Testamentseröffnung hat er einen Bagger gemietet und mit zwei Hilfsarbeitern angefangen, die Kellerwand einzureißen. Jetzt wird natürlich der sofortige Baustopp angeordnet. Du bekommst von mir den Auftrag, die Sache wieder in Ordnung zu bringen. Sonst nehmen sie dem Jungen das Haus weg.«

»Vielleicht will er das ja. So viel Aufsehen erregen wie möglich, um seinen Vater unter Druck zu setzen. Nur ein Idiot baggert Wände ohne Baugenehmigung an. Er wurde doch explizit auf diese Gefahr hingewiesen.«

»Ich weiß es nicht, ich weiß es nicht.« Utz setzte sich hinter seinen Schreibtisch. »Ich weiß nicht, was in diesen Köpfen vorgeht. Kinder. Du glaubst, du kennst sie, und dann stellst du fest, dass sie dir fremd geworden sind.«

Er sah auf einen silbernen Rahmen, der auf seinem Schreibtisch stand. Das Bild zeigte Sigrun mit ihrer Mutter. Sigrun trug Zöpfe, eine Zahnspange und weiße Kniestrümpfe. Sie saß auf einer Schaukel und jauchzte vor Vergnügen. Die schöne blonde Frau hinter ihr schubste sie gerade an. Es war ein heiteres Bild, aufgenommen kurz vor Reginas Tod. »Kennst du sie wirklich?«

Ich trat an den Tisch heran. »Sigrun? Ich will es doch hoffen.«

»Ihr wollt doch Kinder, oder?«

Ich hatte erwartet, dass Sigrun mit ihm darüber gesprochen hätte. Wir waren uns einig, keine Kinder zu bekommen. Nicht jetzt, nicht später. »Es muss ja nicht sofort sein«, sagte ich unsicher.

Utz nickte. »Aber ihr habt auch nicht mehr viel Zeit. Sigrun ist siebenunddreißig.«

»Ich weiß«, antwortete ich. »Sie ist alt genug, selbst zu entscheiden.«

»Gewiss.« Er deutete auf die Akte. »Denke daran: Verschwiegenheit.«

»Selbstverständlich«, erwiderte ich. »Soll ich sie dir abends wieder zurückbringen?«

»Nein. Schließ sie vorerst in deinen Schreibtisch ein. Du bekommst auch einen Safe. Aber nicht so einen schönen!«

Er lachte, ich lachte auch. Utz schloss den Tresor und klappte das Bild wieder darüber. Er strich noch einmal über den Rahmen und schaute dann auf die schwarzen Spuren auf seinen Fingern.

»So was«, murmelte er. »Walter soll mal wieder sauber machen.«

10

Ich war schon im Bademantel und trug das Handtuch um die Schulter, als es klingelte. Es war spät, und ich dachte, Sigrun hätte ihren Schlüssel vergessen, und öffnete die Tür einen Spaltbreit. Jemand trat sie mir mitten ins Gesicht.

Ich lag auf dem Rücken und rang nach Luft. Blut lief mir aus der Nase. Ich dachte an den Teppichboden und daran, dass er neunundsiebzig Euro den Quadratmeter gekostet hatte. Die Tür wurde zugeschlagen. Mein Angreifer rammte mir mit voller Wucht seinen Stiefel in die Nierengegend. Über mir stand breitbeinig eine dunkle Gestalt.

»Zernikow.«

Das war eine Feststellung. Ich wollte mich gerade wundern, dass es eine Frauenstimme war, die da ihren Weg in mein Großhirn fand, als die Dame mit dem rechten Bein ausholte und mir genau dorthin trat, wo es Männer am meisten schmerzt.

In mir explodierte ein Feuerwerk. Das war ernst. Bis zu diesem Moment hatte der Schmerz mich noch verblüfft. Nun registrierte ich, dass es jemand auf mich abgesehen hatte. Jetzt kam die Panik.

Sie riss mich am Bademantelrevers hoch, spuckte mich an und schrie irgendwelche Worte, die ich nicht verstand. Der Tonfall aber war eindeutig: *Du hast mich ins Knie gefickt, Zernikow!*

Kaum dass ich den Namen verstanden hatte, holte sie aus und verpasste mir eine Rechte, dass meine Kieferknochen knackten. Ich versuchte rückwärtszurobben, aber ihre Schenkel hielten mich eisenhart umklammert.

Nein!, versuchte ich zu schreien. Es klang wie »Ngmmm!«.

Sie ließ mich los, mein Kopf knallte auf den Boden. Ich wunderte mich, dass ich noch am Leben war. Irgendwie musste ich sie davon überzeugen, dass hier ein Irrtum vorlag. Ich war nicht Zernikow. Und ich wollte im Moment auch nicht mit ihm tauschen.

Ich versuchte, meinen Kiefer zu bewegen. Die Frau stand auf und ging an mir vorbei ins Wohnzimmer. Ich blieb wimmernd im Flur liegen. Dann kam sie wieder zurück und fasste mich unter die Schulter. Ich schrie auf vor Schmerz. Sie schleifte mich an die Heizung. Ich hörte es noch klirren, als sie meinen Arm hob, dann hatte sie mich mit einer Handschelle an die Leitung gefesselt. Das Nächste, was ich mitbekam, war ein Eimer Wasser, den sie über mir ausschüttete. Mittlerweile machte ich mir keine Gedanken mehr um die Auslegware. Ich hatte einfach nur noch Angst.

»Sieh mich an, Schwein.«

Aha, man spricht Deutsch. Nicht akzentfrei, aber es schien einen Weg der Verständigung zu geben. Wie durch ein Wunder hing das Handtuch immer noch um meine Schulter. Ich zog es mit der freien Hand hervor und wischte mir das Blut aus den Augen.

Sie war Anfang, Mitte dreißig. Schulterlange braune Haare, eine schmale Taille und ein rundes, ebenmäßiges Gesicht. Ich hatte sie noch nie in meinem Leben gesehen.

Ich bin nicht Zernikow, wollte ich sagen. »Ichmmchommm« kam heraus.

Sie nahm mir das nasse Handtuch ab, holte aus und schlug es mir mit voller Kraft ins Gesicht. »Du hast keine Sprache mehr?«, raunzte sie mich an.

Ich fühlte mit der Zunge, ob ich noch alle Zähne im Mund hatte, und gab mir unendlich viel Mühe. »Ich – bin – nicht Zernikow!«

Sie nahm das Handtuch wieder hoch. Mir wurde speiübel. Von einem nassen Handtuch erschlagen – das konnte nicht mein Ende sein. Ich schüttelte den Kopf, auch wenn es schmerzte, als ob in meinem Schädel Zimmermannsnägel Polka tanzten. »Nicht Zernikow!«, rief ich. »Vernau. Joachim Vernau! Und wer sind Sie?«

»Milla, Tochter von Natalja Tscherednitschenkowa.« Sie ließ das Handtuch sinken. »Wo ist Zernikow?«

Eine Begegnung mit ihr würde Utz nicht überleben. »Was wollen Sie von ihm?«

Sie kniete sich vor mir nieder und fixierte das, was von meinem Gesicht übrig geblieben war. Ich musste fürchterlich aussehen, denn sie verzog den Mund. »Ich wollte nicht glauben, was die Alten sagen. Doch es ist wahr. Ihr alle habt das Zeug zum Mörder.«

Ich brachte mich in eine halbwegs aufrechte Position. Sie schien verhandlungsbereit. »Wieso Mörder?«

Sie hob die Hand und griff mir ans Kinn. Es schmerzte höllisch. Dann wendete sie meinen Kopf von der einen zur anderen Seite und musterte, was sie angerichtet hatte. »Es tut weh?«

Ich nickte.

Sie holte aus und verpasste mir zwei schallende Ohrfeigen. »Das soll es auch«, sagte sie.

Als sie wieder ausholte, schnellte ich mit meinem freien Arm vor, riss sie herum, dass ihre Knochen knackten, schlug ihren Kopf an den Heizkörper und drückte sie mit Knie und Arm in den Schwitzkasten. Ich hielt sie eisern fest. Sie bekam keine Luft mehr, japste, strampelte und gab langsam nach. Ich ließ erst eine Winzigkeit locker, als ich spürte, dass sie kurz vor dem Ersticken war. Sie röchelte und zuckte mit den Beinen. Ich drückte sie mit dem ganzen Körper in die Enge und hatte einen Moment lang ein äußerst ungutes Gefühl. *A tergo* an der Heizung sozusagen.

»So«, sagte ich. »Jetzt bleiben wir so lange, bis meine Frau nach Hause kommt. Die wird die Polizei rufen, und dann ist Ruhe im Karton. Kapiert?«

Sie erschlaffte. Ich hielt sie nach wie vor fest genug, dass sie nicht entkommen konnte.

»Was heißt das?«, fragte sie. »Ruhe im Karton? Wollt ihr mich auch umbringen?«

»Auch?«, fragte ich. »Ich habe noch niemanden umgebracht. Aber einmal ist immer das erste Mal.«

In diesem Moment klingelte das Telefon. Ich hörte meine Stimme auf dem Anrufbeantworter, dann piepste es, und es rauschte in der Leitung.

»Joachim?«

Mutter.

»Joachim, bist du da? Wir wollten doch eine Spazierfahrt mit dem Auto machen. Meldest du dich?« Sie horchte noch ein bisschen im Äther herum und legte dann auf.

»Meine Mutter«, sagte ich. »Weiß Ihre eigentlich, was Sie hier tun?«

Wir schwitzten beide wie die Schweine. Sie stöhnte und sagte etwas.

»Was?«

»Olga war die einzige Freundin meiner Mutter. Die letzte, die sie noch kannte aus Prowery. Was habt ihr mit ihr gemacht?«

Jetzt wusste ich es. Die Frau. Die Russin. »Nichts. Sie war kurz hier und ist wieder gegangen. Wo ist der Schlüssel?«

Sie antwortete auf Russisch.

»Wo?«

»Hinten links.«

Ich musste sie loslassen, um an ihre Hosentasche zu kommen. Sie wusste das auch. Patt.

»Hören Sie«, sagte ich. »Ich mache Ihnen einen Vorschlag: Sie schließen jetzt wieder auf, und dann setzen wir uns hin, und Sie erzählen mir, warum Sie so böse auf uns sind.«

»Gut, gut«, röchelte sie.

Ich ließ sie los und suchte in ihrer Tasche nach dem Schlüssel. Als ich ihn gefunden hatte, schubste ich sie sanft fort und öffnete die Handschelle.

Milla Tscherednitschenkowa drehte sich nicht um. Sie blieb vor der Heizung hocken. »Was habt ihr mit Olga gemacht?«, fragte sie erneut.

Ich ging hinüber zum Telefon. Sollte sie jemand anderen mit ihren Geschichten belästigen, ich rief jedenfalls die Polizei.

»Guten Abend«, sagte ich, als jemand am anderen Ende abhob. »Ich möchte einen Einbruch melden.«

»Auflegen«, sagte sie hinter mir.

»Ihren Namen bitte?«

Da sagte sie: »Pascholsta.«

Ich drehte mich um. Und legte auf. Jeder hätte das getan. Jeder, der die kleine schwarze Pistole in ihrer Hand gesehen hätte.

Ich fragte sie, ob ich ins Bad dürfte. Irgendwie musste ich Zeit gewinnen. Als ich mich im Spiegel sah, erkannte ich mich selbst nicht mehr. Auch Milla wirkte etwas derangiert. Über ihrem rechten Jochbein bildete sich eine Schwellung. Vermutlich dort, wo sie die Heizung geküsst hatte. Ich wusch mich vorsichtig. Als ich fertig war, fragte ich, ob sie etwas zu trinken wolle.

»Wasser.« Sie deutete auf den Zahnputzbecher. Ich füllte ihn und reichte ihn ihr vorsichtig hinüber. Währenddessen fuchtelte sie auf unverantwortliche Weise mit der Pistole herum.

»Legen Sie doch das Ding weg«, sagte ich. »Sie machen sich unglücklich.«

Sie trank das Glas in einem Zug leer. »Sechsunddreißig Jahre lang hat mich meine Mutter belogen.«

Ich füllte den Becher erneut. Vielleicht wollte sie ja nur reden. Ich beobachtete sie im Spiegel. Sie trank wieder und ließ dann die Hand sinken. In der anderen hielt sie immer noch die Waffe. Ich kannte das Fabrikat nicht. Eine russische vermutlich, irgendwo am Ostbahnhof gekauft.

»Warum?«, fragte ich.

»Weil sie sich schämte.«

Ich bewegte mich vorsichtig in den Flur, und sie folgte mir. Wir gingen wieder ins Wohnzimmer.

Sie setzte sich mir gegenüber und ließ jetzt endlich die Waffe sinken. Leider nur so weit, dass die Mündung direkt auf meinen Unterleib zielte. So richtig entspannen konnte ich mich nicht.

»Sie schämte sich, weil sie Zwangsarbeiterin bei den Deutschen war. Sie schämte sich, weil sie in den Gulags dafür büßen musste. Sie schämte sich, weil sie sich nicht umgebracht hat, statt bei den Deutschen zu arbeiten, so wie Stalin es befohlen hatte. Sie schämte sich, als sie zurückkehrte und ihre Zähne und ihre Jugend verloren hatte. Sie schämte sich, dass die Nachbarn uns nicht grüßten und ich so lange keinen Studienplatz bekam. Und mit allem zusammen hat sie sich vor ihrer eigenen Tochter geschämt.«

»Dafür sprechen Sie ein hervorragendes Deutsch«, sagte ich. »Aber was hat das mit Utz von Zernikow zu tun?«

»Meine Mutter war sein Kindermädchen.«

»Wie schön«, sagte ich. Die Worte waren kaum gesprochen, da bereute ich sie schon.

Ihre Augen verengten sich. »Schön? Mit zwölf im Viehwaggon verschleppt, in Fabriken halb tot geschunden, als Arbeitskraft missbraucht und verachtet? Schön?«

»Es tut mir leid«, antwortete ich.

»Meine Mutter hat für eure Taten gebüßt, und ihr lebt wie die Made im Speck. Ich bin so wütend. Ihr Kindeskinder.«

»Ist Ihre Mutter auch wütend?«

Sie schluckte. »Nein. Sie nicht.«

»Seit wann wissen Sie die Wahrheit?«

»Sie hat erst mit mir gesprochen, als Olga tot war. Als sie getötet wurde. Sie war der einzige Mensch, der die Wahrheit wusste.«

»Die Polizei geht von einem Unfall aus.«

»Polizei. Deutsche Polizei. Ertrunken soll Olga sein?« Sie stieß einen Laut aus, der ein Lacher hätte sein können, wenn er nicht so verächtlich gewesen wäre. »Olga war Achte bei der Spartakiade 1952. Auf zweihundert Meter Schmetterling.«

»Sie war alt.«

»Sie ist jeden Tag im Dnjepr geschwommen. Am liebsten, wenn sie vorher ein Loch ins Eis hacken musste.« Sie hob die Waffe. »Ich habe genug vom Reden. Führen Sie mich zu Zernikow.«

»Und dann?«

»Dann wird er meiner Mutter eine Bestätigung schreiben.«

»Und dann?«

»Ich weiß nicht. Vielleicht fahren wir spazieren. An einen hübschen Kanal?« Sie lächelte, als ob das eine bezaubernde Idee für zwei so nette Menschen wie uns wäre.

In diesem Moment klingelte es an der Haustür. Sie sprang auf und hantierte hektischer, als mir lieb war, mit der Pistole. Dabei zischte sie mir Anweisungen zu, die ich nicht verstand.

»Ruhig! Ganz ruhig!« Ich hob die Hände. »Das ist bestimmt nur meine Frau. Sie wird den Schlüssel vergessen haben.«

Jemand trat donnernd von außen an die Tür. Dann rief eine Männerstimme: »Polizei hier. Hallo! Ist alles in Ordnung?«

»Ich muss hingehen«, sagte ich zu ihr.

Milla atmete schnell und werkelte wie verrückt an ihrer Pistole herum. Ich trat einen Schritt auf sie zu.

»Öffnen Sie bitte! Wir brechen sonst die Tür auf!«

Wie durch ein Wunder gelang es ihr, den Hahn zu spannen. Nun war sie eine tickende Zeitbombe.

»Milla, lassen Sie mich hingehen. Ich schicke sie wieder weg, okay?«

»Polizei? Deutsche Polizei?«

»Ich verspreche Ihnen, ich werde mich um alles kümmern.«

Sie zielte auf mein linkes Ohrläppchen. »Versprechen? Wie soll ich das glauben?« Sie schrie fast. An der Haustür begann ein Heidenlärm. Ihre Hand zitterte stark.

»Ich gebe Ihnen mein Wort. Mehr bekommen Sie nicht. Nicht heute Abend, nicht morgen, gar nicht. Sie haben wenig in der Hand. Aber ich kann Ihnen vielleicht helfen, die Wahrheit herauszufinden.«

»Dann versprechen Sie das. Schwören Sie.«

Ich nickte.

»Schwören! Dass er unterschreibt!«

Ich hob die Hand und sagte: »Ich schwöre«, dann ging ich in den Flur. Dem Geräuschpegel nach versuchten die Herrschaften gerade, die Tür aufzubrechen. Ich lugte durch den Spion. Draußen standen tatsächlich zwei Uniformierte. Ihren Wagen hatten sie in zweiter Spur abgestellt, das blaue Licht rotierte noch. Ich öffnete.

»Ist alles in Ordnung?« Ein junger Mann, Polizeiobermeister, musterte mich. »Sie hatten angerufen.«

»Es war ein Irrtum. Ich habe sofort wieder aufgelegt.«

»Trotzdem. Dürfen wir eintreten? Frau Senatorin Zernikow steht unter erweitertem Personenschutz. Das Telefon ist direkt mit unserer Wache verbunden. Deshalb nehmen wir jeden Anruf ernst.« Er sah mich genau an. »Jeden.«

Ich gab die Tür frei. Mehr konnte ich nicht machen. Ich beschloss, mich außerhalb der Schusslinie zu halten. Die beiden Männer traten ein. Sie sahen sich im Flur um und gingen dann ins Wohnzimmer. Nichts geschah. Alles blieb ruhig.

Schließlich siegte meine Neugier. Ich lugte um die Ecke und sah Milla zitternd auf der Couch sitzen und in ihrer Handtasche wühlen.

»Beruhigen Sie sich«, sagte POM 1 freundlich zu ihr. »Wir tun Ihnen ja nichts. Wir wollen nur Ihren Pass sehen.«

Sie reichte ihm ihre Papiere, und er blätterte desinteressiert darin herum.

»Ist das da Blut?«, fragte POM 2. Er deutete auf den dunklen Fleck vor der Heizung und das zusammengeknüllte, ehemals weiße Handtuch. Die Frage war überflüssig, denn er sah dabei in mein Gesicht.

»Wir hatten eine kleine interne Auseinandersetzung«, antwortete ich.

POM 1 wandte sich an Milla. »Sind Sie verletzt?«

»Nein«, antwortete sie. »Nur im Herzen. Hat versprochen, mich zu heiraten. Holt mich nach Deutschland und hat andere Frau. Schwein.«

Ich holte tief Luft. Das war unglaublich. Dann blinzelte Milla mir einen Sekundenbruchteil zu. Sie hatte Recht. Ich musste mich ganz, ganz ruhig verhalten.

»Die Frau Senatorin ist nicht zu Hause?«

»Nein«, sagte ich. »Gott sei Dank. Es wäre ein wenig … kompliziert, ihr die Lage zu erklären.«

POM 1 zückte das unvermeidliche Notizbüchlein. »Nur für die Akten«, sagte er zu Milla. Dann wandte er sich an mich. »Wie kam es zu dem Anruf?«

»Äh …« Ich kratzte mich an der Stirn. »Sie ist über mich hergefallen, und, na ja … Sie hat mir was verpasst.«

POM 2 nickte. »Hat ja keinen Unschuldigen getroffen, was?«

»Normalerweise«, setzte POM 1 hinzu, »trifft es ja die Frauen. Schön, dass man auch mal das umgekehrte Beispiel zu sehen kriegt.«

Ich lächelte unfreundlich, so weit das mit meinem Gesicht möglich war. »Freut mich, dass ich Ihren Abend gerettet habe. Milla, wolltest du nicht gehen?«

»Sind noch nicht fertig«, erwiderte Milla in plötzlich hunds-

74

miserablem Deutsch. »Wollten noch sprechen über Rückreise und Spesen, Jojo Cherie.«

Ich war sprachlos.

POM 1 und 2 sahen sich an. »Wir sollten gehen. In Privatangelegenheiten mischen wir uns ungern ein. Die Rechnung für den Einsatz geht an Sie.«

»Moment!«, rief ich. »Ich hatte aufgelegt!«

»Umso schlimmer.« POM 1 zückte wieder das Büchlein.

»Sie geben also zu, dass Sie die Polizei im Scherz alarmiert und zur Deckung Ihrer Identität aufgelegt haben?«

Ich resignierte. »Kein Problem. Rechnung geht an mich.«

POM 2 tippte sich zum Abschied an die Mütze. »Wir bleiben auf Streife, Fräulein Tsche …, Tsche …«

»Tscherednitschenkowa«, lächelte Milla zuckersüß zurück. »Vielen Dank. Und machen Sie keine Sorge.«

Ich hörte die Tür von außen zufallen.

»Danke«, knurrte ich sie an. »Das war wirklich sehr nett. Ich höre sie schon lästern auf der Wache: Holt der Kerl sie nach Deutschland und hat hier schon eine! Ob wir Frau Senatorin mal ein Wörtchen stecken sollen?«

»Ich habe andere Probleme.«

Ich auch. Aber erst einmal musste ich das Problem mit Frau Kalaschnikowa lösen. »Hör mal zu. Bis eben hattest du die besseren Karten. Aber jetzt steht es fifty-fifty. Die beiden Feministen von eben wissen, wer du bist. Wenn mir was passiert, bist du dran. Also Schluss jetzt.«

»Was ist mit deinem Versprechen?«

»Ich kümmere mich darum.« Ich schob sie in den Flur. »Wo wohnst du? Auch in der Spandauer Kirche?«

»In einer Kirche?«

»In der Kirchengemeinde Maria-Hilf?«

Sie nickte.

»Okay, ich fahre dich.«

Ich wollte verhindern, dass sie sich die ganze Nacht vor unserem Haus herumtrieb. Wir gingen zur Garage. Als ich den Porsche herausholte, hatte ich das Gefühl, sie war zum ersten Mal beeindruckt.

Ich fand die Kirche am Rande der Spandauer Altstadt. Es war eine Fußgängerzone, deshalb konnte ich nicht ganz heranfahren. Sie blieb noch einen Moment sitzen.

»Ich habe nur dein Versprechen.«

Verschwiegenheit. Würde. Ehre. Versprechen. Mir wurde das langsam zu viel. Aber ich nickte.

»Vergiss es nicht.«

Sie stieg aus. Ich sah ihr nach, bis ich sicher war, dass sie die Kirche erreichte und auf das danebenliegende Gemeindehaus zuging. Dann fuhr ich zurück.

Mein ganzer Körper war ein einziger Schrei nach Aspirin. Zu Hause entsorgte ich das Handtuch, räumte auf und legte einen dieser unsäglichen persischen Mottenfänger vor die Heizung über den Blutfleck. Irgendwann tanzten kleine glühende Kreise vor meinen Augen. Ich fiel ins Bett.

11

Trotz des Berufsverkehrs kam ich noch rechtzeitig kurz vor neun im Amtsgericht an. Als Georg mich sah, sprang er diensteifrig auf, doch sein Gruß blieb ihm buchstäblich im Halse stecken. Ich wusste, wie ich aussah. Der morgendliche Blick in den Spiegel war erschreckend gewesen. Meine Nase hatte sich dunkelviolett verfärbt, am Kinn breitete sich ein beeindruckendes Hämatom aus. Meine Augen waren immer noch verschwollen. »Ich bin die Treppe runtergefallen«, sagte ich.

Georg nickte. »Ich habe mir schon Sorgen gemacht. Sie sind doch sonst so ein pünktlicher Mensch.«

Hinter uns klackerten Absätze wie Maschinengewehre. Frau Hoffmann war im Anmarsch. Ich drehte ihr den Rücken zu. Sie hielt inne, dann kamen ihre Schritte näher.

»Guten Morgen.« Marie-Luise stand hinter mir und wartete.

Ich drehte mich um. »Guten Morgen. Bevor du noch irgendeine weitere Bemerkung machst, ich bin die Treppe hinuntergefallen. Okay?«

Sie musterte mich, dann nickte sie. »Die Treppe. Mmhh. Passiert meinen Mandantinnen öfter. Mal tritt sie die Treppe in die Milz, oder das Stuhlbein springt ihnen an die Nase.

Bei dir würde ich tippen, deine Kaffeemaschine hat dir einen Kinnhaken versetzt, und der Toaster ist dir direkt ins Gesicht gesprungen. Muss ja ein verdammt schlechter Morgen für dich gewesen sein.«

Hinter mir gab Georg ein prustendes Geräusch von sich, das ich nicht einordnen konnte. Ich drehte mich zu ihm um, aber er schnaubte nur in ein Papiertaschentuch und sah mich aus seinen blauen Kuhaugen an. Es klingelte.

»Ich glaube, wir sind an der Reihe. Ist das dein Sozialfall?«

Ich wies mit dem Kopf in Richtung einer blond gefärbten, dauergewellten Person, die sich zur Feier des Tages in ein schneeweißes Kostüm gezwängt hatte, das ihr mindestens eine Nummer zu klein war. Sie blickte unsicher zu uns herüber.

Marie-Luise nickte. »Ich wünsche dir alles Gute. Nicht für den Prozess. Eher im Umgang mit deinen Haushaltsgeräten. Oder mit deiner Frau.«

Die Sitzung begann, und wie erwartet sorgte die Liste mit den bereits gezahlten Summen für erhebliches Aufsehen. Richter Kaminski klopfte mit dem Hammer und rief dann Marie-Luise und mich zu sich an den Tisch.

»Warum erfahre ich erst jetzt von diesem Papier?«

Ich versuchte, trotz meines lädierten Gesichts wie ein Unschuldsengel zu blicken. »Die Anwältin der Gegenseite ist von mir darüber informiert worden. Zudem habe ich ihr eine Kopie vorgelegt und ein sehr großzügiges Angebot unterbreitet.«

Ich legte Georgs Schriftsatz dazu.

Kaminski musterte Marie-Luise. »Stimmt das?«

»Ich bitte Sie«, sagte sie empört. »Der Mann zeigt mir in einem Restaurant einen Zettel, und ich soll glauben, was er mir erzählt?«

»Haben Sie die Prüfung der Zahlungsbelege angeordnet?«

Marie-Luise atmete hörbar aus. Dann sagte sie tapfer: »Nein.«

Kaminski lehnte sich zurück. »Dann tun Sie es. Bitte bald. Und langweilen Sie mich das nächste Mal nicht mit diesen Mätzchen. Das gilt auch für Sie.«

Ich hob entschuldigend die Hände. Kaminski gab uns zu verstehen, dass wir beide nun unerwünscht waren. Wir gingen zurück zu unseren jeweiligen Tischen.

»Die Verhandlung wird vertagt auf … Mittwoch in drei Wochen. Es sei denn, Frau Hoffmann, Ihre Mandantin zieht die Klage zurück.«

Das in Weiß gekleidete Ungeheuer begann einen aufgeregten, geflüsterten Disput. Marie-Luise sah hasserfüllt zu mir herüber. Dann stand sie auf.

»Wir werden die angeblichen Zuwendungen selbstverständlich genau überprüfen lassen. Die Klage wird nicht zurückgezogen.«

Weiß vor Wut packte sie ihre Unterlagen und stürmte hinaus. Ich konnte sie erst auf der Treppe einholen »Du hast verdammt schlechte Karten. In jeder Beziehung.«

»Ich werde die Überweisungen unter dem Mikroskop …«

»Vergiss die Überweisungen. Das Fax. Bei den Zernikows haben Zwangsarbeiter gearbeitet. Stimmt das?«

Sie hob die Augenbrauen. »Das fragst ausgerechnet du mich?«

»Stimmt es oder stimmt es nicht?«

»Fünfhunderttausend, das Ferienhaus und zweihunderttausend in Aktien.«

»Grober Undank«, erwiderte ich. »Erpressung. Anklage. Vielleicht zwei Jahre auf Bewährung.«

»Verdammte Scheiße«, fluchte sie. »Was soll das?«

»Nichts weiter als eine kleine Rechtsbelehrung. Außerdem bin ich nicht erpressbar.«

»Hab ich das jemals versucht?«

Ich sah ihr tief in die Augen. Sie schluckte.

»Ich will das Originalfax. Und alle existenten Kopien.«

Sie drehte sich um und stieg die Stufen hinab.

»Hallo?«, rief ich ihr hinterher.

Auf dem letzten Absatz drehte sie sich um. »Wir sollten uns sehen. Ich ruf dich an.«

Sie lächelte honigsüß. Und genau dieses Lächeln verhieß nichts Gutes.

Die Fahrt in die Guntherstraße verlief schweigend. Georg musterte mich zwar verstohlen, hatte aber den Leitgedanken der Kanzlei genug verinnerlicht, um keine dummen Fragen zu stellen.

Connie war dafür umso direkter. »Was ist denn mit dir passiert?«

»Und was mit dir?«, fragte ich sie, um abzulenken.

Sie hatte sich die Haare kinnlang abschneiden lassen. Damit nicht genug, zierten mehrere blonde, rote und blaue Strähnen den neuen Pagenkopf. Sie trug falsche Wimpern und ein knallenges weißes T-Shirt, auf das in gotischen Lettern das Wort *Büroschlampe* gedruckt war.

»Das kommt aus London«, erklärte sie. »Und dein neuer Look? Erinnert mich ein bisschen an den Streetgang-Schick von São Paulo. Brauchst du grünen Tee?«

»Ich brauche Kaffee«, knurrte ich und nahm die Post.

»Für die Augen«, erklärte sie. »Herr von Zernikow will dich sprechen.«

Ich ging in mein Büro und nahm wenig später von Connie zwei ausgedrückte Teebeutel entgegen, die ich auf meine Augen legte. Ich sah hinterher aus wie vorher, aber die Schmerzen ließen etwas nach. Wortlos stellte Connie ein Glas Wasser vor mich und legte zwei Aspirin daneben. Ich versuchte mich zu sammeln und ging hinüber.

»Um Gottes willen!«, begrüßte mich Utz. »Was ist passiert?«

Ich schloss die Tür. »Ich hatte gestern Abend Besuch.«

»Einbrecher? Hast du die Polizei …«

»Keine Polizei«, schnitt ich ihm das Wort ab. »Darf ich?«

Ich ließ mich in den Chesterfield-Sessel vor seinem Schreibtisch sinken. Den Teebeutel drückte ich mir abwechselnd aufs eine, dann aufs andere Auge. Sollte er ruhig mitbekommen, was ich für seine Familienehre durchmachte. Als die Spannung den Höhepunkt erreichte, sagte ich: »Nataljas Tochter war bei mir.«

»Wessen Tochter?«

Ich musterte ihn durch die Schlitze meiner verschwollenen Augen. Er wirkte klar und gefasst. »Nataljas Tochter, Milla Tscherednitschenkowa.«

»Eine … eine Frau hat dich so zugerichtet?«

Ich warf ihm einen scharfen Blick zu. Mein vermutlicher Nasenbeinbruch war eine Tatsache. Ob das nun eine Frau, ein Mann oder ein Rudel Kühlschränke auf Raubzug verursacht hatte.

»Was hast du Sigrun erzählt?«

»Dass mir jemand den Porsche klauen wollte und ich die Kerle in die Flucht geschlagen habe. Ich habe sie nicht gerne angelogen. Aber ich glaube, wir sollten sie aus der Sache heraushalten.«

Utz sah mich lange an. »Welche Sache?«

Ich versuchte, die ganze Geschichte möglichst auf den Punkt zu bringen. Es fiel mir nicht leicht. Als Utz das Wort Zwangsarbeiterin hörte, zuckte er zusammen.

»Aus meiner Sicht solltest du ihr ein paar nette Zeilen schreiben und diese Tatsache ohne Wenn und Aber zugeben. Sie hat zwar keine rechtlichen Möglichkeiten, aber sie ist ziemlich sauer.«

»Nein«, hörte ich Zarah Leander hinter mir. Mir fiel der Teebeutel aus der Hand. Die Freifrau saß in ihrem Rollstuhl im Erker und hatte alles mitbekommen.

»Mutter!«, rief Utz. »Wie oft soll ich dir noch sagen, dass das mein Zimmer ist?«

Sie musterte ihn. »Dies ist das Zimmer deines Vaters, vergiss das nicht. Ich sitze hier, so lange ich will.«

... hierrr, so lange ichchch will. Es klang, als habe sie diesen Satz für die Reinhardt-Bühne einstudiert.

»Geh nach oben«, herrschte er sie an, wobei er ihr Gebrechen völlig ignorierte.

Ich konnte Utz verstehen. Es war unheimlich, wo und wie die Freifrau mit ihrem lautlosen Rollstuhl überall auftauchte. Mich hatte sie einmal abends fast zu Tode erschreckt, als ich über Akten brütete und plötzlich hinter mir einen Schnarcher hörte. Sie hatte sich herangeschlichen und war mitten in ihrer Observation eingeschlafen.

»Sollen wir später noch einmal ...?« Ich erhob mich.

»Nein. Mutter. Bitte. Ich mag das nicht.«

Die Freifrau rollte näher. Ich wäre am liebsten gegangen. Das Alter hatte sie fast durchsichtig werden lassen. Dennoch hatte sie sich unter all den Falten, Runzeln und Flecken eine unglaubliche Willensstärke bewahrt.

»Und ich mag es nicht, wenn du mir widersprichst«, sagte sie. »Meine Antwort ist: Nein. Auf Wiedersehen, Herr Vernau. Grüßen Sie Ihre reizende Frau Mutter von mir.«

Ich starrte Utz an. Die Freifrau hatte meine Mutter noch nie zu Gesicht bekommen.

Utz umrundete den Schreibtisch und schob seine Mutter zur Tür. »Es ist mein Zimmer«, sagte er.

»Es ist das Zimmer deines Vaters!«

Utz ließ den Rollstuhl los, drückte auf eine Taste seines Telefons und sprach mit Walter. Als er wieder hochsah, war sie verschwunden. Wir suchten beide nach ihr, im Erker und hinter den Vorhängen, dann ging ich in den Flur und sah, wie sich die Türen des Aufzuges schlossen. Wir waren allein.

»Es wird immer schlimmer«, sagte er. Er trat zu einem Beistelltisch, auf dem liebevoll eine Flasche Whiskey nebst wunderschönen Gläsern dekoriert war. »Auch einen?«

Ich schüttelte den Kopf. Er goss sich zwei Fingerbreit ein und nahm einen tiefen Schluck. »Weißt du, was ich glaube?«

Ich schüttelte den Kopf.

»Vielleicht ist es ein groß angelegter Betrug. Jemand will mich erpressen. Ich war bei Kriegsende zwölf Jahre alt. Wie soll ich mich da schuldig gemacht haben?«

»Sie sagt, sie wäre dein Kindermädchen gewesen.«

»Ich hatte viele Kindermädchen. Deutsche, Polinnen, vielleicht war sogar eine Russin darunter. Ich kann mich kaum noch erinnern. Dieser ganze Krieg …« Er trank das Glas aus.

Ich räusperte mich. »Soweit ich weiß, bist du weder schadenersatzpflichtig noch moralisch für irgendetwas zur Verantwortung zu ziehen. Das erledigt alles der Stiftungsfonds. Du musst nur unterschreiben.«

»So einfach wird es nicht gehen. Natalja Tscherednitschenkowa ist im November 1944 in Berlin gestorben.« Er knallte das Glas auf den Tisch. So plötzlich also kam Erinnerung wieder.

»Sag ihr, sie bekommt nichts von mir. Ich lasse mich nicht zum Narren halten. Die Frau, die angeblich ihre Mutter war, ist tot. Es fällt mir schwer, daran zu denken, und es geschieht nicht ohne Schmerzen, aber es gibt sie nicht mehr. Also kann ich ihr auch nicht mehr helfen.«

Er drehte sich mit seinem Ledersessel und blickte zum Fenster hinaus. Er hatte Recht, ihr konnte er nicht mehr helfen. Aber es war sein Garten gewesen, in dem eine andere Frau gestanden hatte, die jetzt tot war.

Ich ließ mich wieder über die Telekom mit der Maria-Hilf-Gemeinde verbinden. Utz hatte eine Frau mit dem Namen Natalja Tscherednitschenkowa gekannt. Diese Frau war tot. Gestorben 1944. Dann konnte sie also auch keine Tochter haben. Erst recht keine namens Milla.

Dieses Mal war eine ältere Dame am Apparat. »Nein, der Herr Pastor ist nicht im Hause.«

»Kann ich dann bitte mit Milla Tscherednitschenkowa sprechen?«

»Mit wem?«

Ich wiederholte den Namen.

»Das tut mir leid. Aber es gibt hier keine Frau Tscherdni …«

Ich wurde ungeduldig. »In Ihrem Gästezimmer. Seit heute Nacht. Ich habe sie doch selbst vor Ihrer Haustür abgesetzt.«

»In unserem Gästezimmer? Wir haben kein Gästezimmer.«

Ich legte auf.

In letzter Zeit ließ ich mich ziemlich oft von Frauen aufs Glatteis führen. Wie auf Bestellung öffnete sich die Tür, und die nächste trat ein.

Connie. Sie hielt einen kleinen gelben Zettel in der Hand. Ich warf meinen Stift auf die Unterlagen. Mutter hatte mir jetzt gerade noch gefehlt.

Ich streckte resigniert die Hand aus, doch Connie warf einen betrübten Blick auf den Zettel, schloss leise die Tür und blieb stehen.

»Das KaDeWe«, las sie vor.

»Wie?«

»Das KaDeWe.«

»Was will das KaDeWe?«, fragte ich unter Aufbringung sämtlicher Ruhe, zu der ich noch fähig war.

Connie las wieder die Notiz vor, die meines Wissens nicht mehr als sechs Buchstaben enthielt, und streckte sie mir dann entgegen. »Immerhin steigert sie sich. Das letzte Mal war es noch Tengelmann, stimmt's?«

Connie hatte Recht. Meine Mutter machte Karriere.

Ich liebe das KaDeWe.

Aber zum Einkaufen bin ich nie hingegangen. Ich liebe seinen Mythos, denn ich bin mit ihm aufgewachsen. Es ist ein Stück übrig gebliebenes Westberlin, an das ich mich von Zeit zu Zeit gerne erinnere. Es ist nicht viel von diesem Westberlin übrig geblieben, und ich habe manchmal Sehnsucht nach ihm. Dann gehe ich ins KaDeWe. Nur dann.

Aber nicht, wenn man die eigene Mutter wie ein Häuflein Elend vor einem Schreibtisch sitzen sieht, hinter dem ein gelangweilter Sachbearbeiter am Kugelschreiber kaut und vor sich eine Rügenwalder Teewurst liegen hat.

»Das ist alles?«, fragte ich. Ich hatte zumindest mit einem warmen Schal gerechnet. Oder einem Paar Handschuhe. Irgendetwas Praktisches, das man im Winter gebrauchen könnte. Meine Mutter kaufte immer antizyklisch. Beschaffte es sich, müsste ich jetzt wohl eher sagen.

»Diebstahl ist Diebstahl«, antwortete der Unmensch und legte den Kugelschreiber weg. »Sie können Sie jetzt mitnehmen. Die Personalien haben wir ja. Wird teuer, die Stulle.«

Ich verließ das Büro mit Mutter im Schlepptau. Während wir mit der Rolltreppe in den vierten Stock zum Parkhausübergang fuhren, nahm ich sie ins Gebet. Was sie sich dabei gedacht hätte, wie peinlich das sei, wie das überhaupt passiert wäre und so weiter und so fort. Sie schwieg. Erst als sie im Auto saß, merkte ich, dass sie die ganze Zeit lächelte.

»Also. Warum?«

»Fahr mich doch einfach nach Hause, mein Junge.«

Ich fuhr los und lieferte sie mit kreischenden Bremsen am Mierendorffplatz ab. Sie stieg aus, kam aber noch mal zu mir ans Autofenster. Sie drückte mir einen dicken Kuss auf die Stirn und sah nach oben in den dritten Stock. Die Gardine bewegte sich.

»Hüthchen wollte nicht glauben, dass wir eine Spazierfahrt machen. Jetzt habe ich die Wette gewonnen.«

Sie drehte sich um und wollte gehen, aber ich hielt sie am Ärmel fest.

»Willst du mir damit sagen, du hast die verdammte Teewurst nur deshalb geklaut, damit ich dich nach Hause bringe?«

Sie nickte. »Du bist ja so schwer zu erreichen«, sagte sie. Dann winkte sie mir noch einmal zu und ging ins Haus.

12

Ich stand am Küchenfenster und hörte den Wetterbericht. Seit fast zwei Monaten hatte es nicht mehr geregnet. Das Hoch hieß Nina und brachte heiße Luft subtropischen Ursprungs nach Europa. Der einzige Trost war, dass wir nicht alleine schwitzten. Es sollten über vierunddreißig Grad werden. In Brandenburg hatten Soldaten auf einem Truppenübungsplatz gezündelt und einen Waldbrand entfacht. Die Ozonwerte stiegen in den roten Bereich.

Fünf nach sechs waren die Nachrichten beendet. Ich war nackt. Es war warm. Das Fenster stand offen. Ich stand reglos da, einen Becher Kaffee in der Hand, und sah hinaus in einen gepflegten Privatpark, der gerade gewässert wurde. Ich hörte »Zombie« von den Cranberries. Ich hatte mich zu diesem Lied einmal fast in die Ohnmacht gevögelt.

Es war ein Moment zum Springen. Man müsste nur woanders landen, nicht auf diesem englischen Rasen. Ich schaute nach oben. Der Himmel war fahlblau. Nirgendwo eine Wolke.

»Mach doch den Krach aus!«

Sigrun stand in der Tür. Am zurückliegenden Wochenende hatten wir uns in wachem Zustand siebenundzwanzig Minuten gesehen. Das war die Zeit im Badezimmer gewesen. Sie sah verschlafen aus. Ich nahm die Fernbedienung, und schon schallte gedämpft die sonore Stimme eines Nachrichtensprechers durch den Raum. Info-Radio oder Paradiso. Etwas anderes konnte Sigrun morgens nicht ertragen.

»Willst du zuerst duschen?«, fragte ich sie.

Statt einer Antwort ging sie wortlos ins Bad und knallte die Tür hinter sich zu.

Ich hörte das Wasser laufen und stellte mir vor, wie sie unter dem Strahl stand und sich einseifte mit ihren energischen, Zeit sparenden Bewegungen. Es war wenig Erotik bei dieser Vorstellung im Spiel.

Chris de Burgh. Jetzt spielten sie tatsächlich Chris de Burgh. Ich machte das Fenster zu und ging ins Gästebad.

Da Marie-Luise sich nicht gemeldet hatte, rief ich sie an. Sie bestellte mich ins Kriminalgericht. Ich nutzte die Gelegenheit, einen Schriftsatz persönlich abzugeben und der neuen Staatsanwältin guten Tag zu sagen. Dann entdeckte ich Marie-Luise auf dem Weg zur Kantine im ersten Stock.

Sie stand am Ende des Ganges und unterhielt sich mit einem älteren Kollegen, der immer noch nicht begriffen hatte, dass man jenseits der fünfzig langsam beginnt, die Haare etwas kürzer zu tragen. Seine waren grau, kraus und abstehend, allerdings erst unterhalb einer fortgeschrittenen Halbglatze. Er wirkte wie einer dieser schlitzohrigen Mönche, die gerade wieder eine neue List erfunden haben, die Fastenzeit auszutricksen. Doch sein Blick auf Marie-Luise wirkte alles andere als zölibatär. Er dozierte, sie hörte zu, er legte die Hand auf ihren Oberarm, sie quittierte dieses Zeichen väterlicher Zuneigung mit einem zauberhaften, schelmischen Neigen des Köpfchens. Beide gingen ein paar Schritte und hielten dann wieder an. Der Meister und Margarita, vertieft in juristische Planspiele zur Rettung der Welt.

Sie sahen mich nicht. Ich schlenderte langsam auf sie zu. Marie-Luise drehte mir den Rücken zu und wagte zarten Widerspruch. Der Mönch schüttelte streng den Kopf.

»... auf gar keinen Fall. Keinen Fußbreit Boden lassen! Lass dir die Vermögensaufstellung geben, und zieh ihr das letzte Hemd aus. Lern endlich mal, hart zu sein!«

»Verzeihung«, unterbrach ich die konspirative Unterhaltung.

Marie-Luise erkannte mich und wurde rot. »Ist ja ein Ding«, sagte sie und klappte nervös den Aktendeckel zu. Aus den Augenwinkeln konnte ich den Namen der Schauspielertochter erkennen.

»Erst sehen wir uns jahrelang nicht und dann alle zwei Tage. Darf ich vorstellen? Eckhardt Schmiedgen.«

Schmiedgen brauchte man niemandem vorzustellen. Er hatte sich in den frühen Siebzigern seinen Ruf als Strafverteidiger der verfolgten Linken aufgebaut. Als die internationale Solidarität abbröckelte, machte er bei den Grünen einige Jahre als justizpolitischer Sprecher Furore. Seine Kanzlei lief gut. Nachdem er seinen Ämtern, aber nicht der Partei den Rücken gekehrt hatte, kämpfte er wieder an vorderster Front für die Entrechteten. Für die Enterbten nur, wenn sie ihn bezahlen konnten. Schmiedgen drückte mir vielbeschäftigt die Hand.

»Joachim Vernau«, sagte Marie-Luise. Es klang wie: »Er trägt Calvin-Klein-Unterhosen, isst Hamburger-Royal-TS und liest John-Sinclair-Romane.«

Schmiedgen nickte. »Kanzlei Zernikow, stimmt's? Die Kollegin hat mir von Ihrer Strategie erzählt. Grober Undank. Damit kommen Sie nicht durch.«

Ich hob die Augenbrauen und sah amüsiert auf die Kollegin herab. Ich würde ihr den Absatz über die anwaltliche Schweigepflicht noch einmal faxen. Sie schickte Schmiedgen ein anbetendes Lächeln.

»Aber nicht schlecht«, fuhr er fort. »Nicht schlecht. Wir sollten mal zusammen essen gehen.«

Marie-Luise sackte das Kinn hinunter. Ich hätte es ihr am liebsten mit einem liebevollen Klaps wieder an die richtige Stelle geschoben. Schmiedgen nahm sie in die Arme, küsste sie solidarisch dreimal auf die Wangen und eilte davon. Marie-Luise starrte ihm hinterher. Sie hatte vermutlich auf eine pointiertere Reaktion gehofft.

»Du hast es gehört«, fuhr sie mich an. Sie wollte die Akten in ihre Tasche packen, dabei rutschte die Hälfte der Blätter heraus und segelte anmutig wie Schwalben über den Fußboden.

»Ach, Scheiße«, sagte sie. Ich half ihr beim Einsammeln und vermied es auffällig, einen Blick darauf zu werfen.

»Im Moment rutscht mir alles aus den Händen. Autoschlüssel, Gläser, Akten. Versteh ich nicht. Also?«

»Er will nur mit mir essen gehen. Du musst nicht eifersüchtig sein.«

Sie zeigte mir einen Vogel.

»Ist er der Grund für dein plötzliches Interesse an Strafrecht? Er hat übrigens die letzten vier Prozesse keine Bewährungsstrafe rausholen können. Beim Fußball nennt man das einen schlechten Lauf.«

Sie kruschte die Papiere in ihre Aktentasche und wollte an mir vorbei.

Ich hielt sie am Ärmel fest. »Wir hatten eine Abmachung.«

»Ach ja?« Sie drehte sich weg und sah hinunter ins Treppenhaus. Schmiedgen hatte gerade den unteren Absatz erreicht und zog mit Leibeskräften die schwere Tür auf. Er drehte sich noch einmal um und winkte ihr zu. Sie hob die Hand. Als er verschwunden war, ließ sie sie sinken.

»Da bin ich anderer Meinung. Das ist ein Dokument. In diesem Dokument geht es um Zwangsarbeit, wie du ja mittlerweile weißt. Kein nettes Wahlkampfthema für deine Zukünftige. Aber vielleicht für die Opposition?«

Ich verstand. »Was du hast, ist die Kopie einer Kopie einer Kopie. Vergiss es einfach.«

Sie schüttelte langsam den Kopf, und diese Bewegung kannte ich nur zu gut. »Du verlangst von mir, das Schicksal einer Zwangsarbeiterin zu vergessen, die im Hause deiner Zukünftigen gearbeitet hat, die in gut sechs Wochen eine Wahl gewinnen will, nach der sie als erste Innensenatorin Berlins nach Hause geht? Kann es sein, dass ich da ein paar höchstpersönliche Interessen entdecken muss? Hat sie dich geschickt?«

»Nein«, antwortete ich. »Mich hat niemand geschickt. Aber es ärgert mich, dass ich dir vertraut habe.«

Sie sah mich lange an, und ich hielt ihrem Blick stand. Vertrauen war etwas, mit dem man sie ködern konnte.

»Freitagabend bei mir. Neun Uhr. Früher schaffe ich es nicht. An die Adresse wirst du dich wohl noch erinnern.«

Sie nahm ihre Tasche und ging den Gang hinunter. Mein Blick fiel auf ihren Hintern. Ich hätte heute Morgen nicht die Cranberries hören sollen.

13

In der Kanzlei rief mich meine Mutter an. Sie hatte ein böses Schreiben vom KaDeWe bekommen und fragte, ob ich sie im Falle einer Anklage vertreten würde. Ich beruhigte sie. Dazu würde es nicht kommen. Sie war, soweit mir bekannt war, nicht vorbestraft.

»Oder?«

Sie schnaufte ins Telefon. Je länger sie sich mit der Antwort Zeit ließ, desto unbehaglicher wurde mir zumute. »Mutter?«

»Nein«, antwortete sie schließlich. »Ich glaube nicht.«

Ich riet ihr, mich zurückzurufen, wenn sie ihr Sündenregister überprüft hatte, und bat Connie, die nächste Stunde niemanden zu mir durchzustellen.

Ich widmete mich Aarons Bausünde und kam jetzt endlich dazu, den ganzen Rückübertragungsfall ungestört durchzuarbeiten.

Felix Glicksberg, ein jüdischer Zuckerfabrikant, war rechtzeitig unmittelbar nach der Machtergreifung der Nazis nach Mexiko ausgewandert. Er hatte die Villa in Grünau an Abel von Lehnsfeld verkauft, zu einem unverschämt günstigen Preis. Aber immerhin waren die dreißigtausend Reichsmark geflossen und quittiert. Die Summe war gerade hoch genug, um nicht als Raub deklariert zu werden.

Abel von Lehnsfeld konnte sich jedoch nicht lange an dem Schnäppchen freuen. Die Russen komplimentierten ihn unmittelbar nach Kriegsende aus der Villa hinaus. 1953 ging der Besitz in Volkseigentum über und wurde seitdem von einem antifaschistischen Ruderclub genutzt. Dieser Club hatte sich als hartnäckig erwiesen und das Haus über die Wende hinaus gehalten, geriet dann jedoch in Zahlungsschwierigkeiten. Die Lehnsfeldschen Restitutionsansprüche gaben ihm den Rest. Er musste weichen, und Lehnsfeld erhielt sein Eigentum zurück. Seitdem waren acht Jahre vergangen.

Doch wieder machte die Geschichte der glücklichen Heimrückführung einen dicken Strich durch die Rechnung. Glicksbergs Erben tauchten auf. Ihnen kam der damalige Kaufpreis verdächtig gering vor, und sie wandten sich an die Jewish Claims Conference.

Man einigte sich letzten Endes auf den größten gemeinsamen Schaden: Glicksbergs Nachfahren bekamen weder Geld noch Haus, Abel erhielt zwar das Anwesen inklusive des mehrere Hektar großen Seegrundstücks, doch er musste sich an die Auflagen halten. Gemeinnützigkeit. Nicht gerade der Lehnsfeld'sche Wappenspruch.

Bis jetzt war das alles eine Angelegenheit unter dreien gewesen. Doch nun trat das Land Berlin auf. Eine Weile dräute das Damoklesschwert der Rückabwicklung über dem zerbrechlichen Deal. Dann nämlich träte der Rechtsstand vom Datum vor dem Verkauf in Kraft, was den Erben den Zugriff auf das Grundstück wiederum gestatten würde. Es kam jetzt sehr darauf an, dass Aaron sich still, leise und vor allem gemeinnützig verhielt.

Nach zwei Stunden und mehreren Kopfschmerztabletten fühlte ich mich genug vertraut mit dem Fall, um die Lehnsfelds zu kontaktieren. Soweit ich wusste, hatte Aaron kein eigenes Büro. Deshalb war ich nicht erstaunt, Verena am Apparat zu haben.

»Ich muss mit Aaron sprechen. Wie kann ich ihn erreichen?«

»Wegen dieser Villa?«, fragte sie zurück. »Können Sie nicht irgendetwas unternehmen? Er muss sich das aus dem Kopf schlagen. Mein Mann ist außer sich. Nächste Woche hat er den Termin in Madrid, und wenn er die Ausschreibung gewinnt …«

»Wenn Aaron sich ruhig verhält, ist die ganze Sache in ein paar Wochen erledigt.«

»Ich weiß nicht, was in dem Jungen vorgeht.« Sie seufzte. »Er wohnt jetzt am Potsdamer Platz. Und er braucht Geld. Immer mehr Geld. Ich gebe ihm ja schon, was ich habe. Mein Mann darf das nicht erfahren, er hat ihm doch genug angeboten. Manchmal glaube ich, er will seinem Vater bewusst schaden. Warum? Was hat er ihm getan?«

»Große Kinder, große Sorgen«, gab ich aus dem reichen Born eigener Erfahrungen zum Besten. »Wie kann ich ihn erreichen?«

»In unserer Stadtwohnung. Im Beisheim-Center. Aber wir haben da nur ein Parkside-Apartment.«

Nur ein Parkside-Apartment. Und mit viel Glück käme demnächst dann wohl »unser Häuschen im Osten« dazu.

Sie gab mir die Nummer. Ich bedankte mich, legte auf und wählte selbst. Er war nicht zu Hause. Ich hinterließ eine Nachricht auf dem Anrufbeantworter, dass er sich umgehend bei mir melden sollte.

Ich ging hinüber zu Connie, die sich gerade der Hege und Aufzucht kompliziert auszusprechender Grünpflanzen auf dem Fensterbrett widmete.

»Mir fehlen noch Grundbuchauszüge zu einer Akte.«

Sie stellte die Gießkanne ab. »Welche?«

Connie war die Einzige, die über alles, wirklich alles informiert war.

»Lehnsfeld. Die Rückübertragung.«

Connie schüttelte den Kopf. »Ich glaube, wir haben den Vorgang bereits vollständig aus dem Katasteramt gezogen. Warte.«

Sie ging in Utz' Büro. Die Tür ließ sie offen. Das machte sie nur, wenn der Alte nicht da war.

»Kommst du mal?«

Es war ungewöhnlich, das Zimmer zu betreten, ohne seine Gestalt hinter dem Schreibtisch wahrzunehmen. Die Nachmittagssonne fiel schräg auf den Schreibtisch und ließ das dunkle Holz geheimnisvoll glänzen. Die Sichtachse des Wörlitzer Parks lag im Halbdunkel. Ich konnte kaum glauben, dass die Amis dieses Bild übersehen hatten. Vermutlich war der Chef ein Kulturbanause gewesen, und der Rest der Kompanie hatte sich nicht getraut, ihn darauf hinzuweisen.

Sie reichte mir einen Ordner und wandte sich dann wieder zum Schrank. »Schau doch mal nach. Wenn es da nicht drin ist ...«

Ich legte ihn auf Utz' Schreibtisch ab. In diesem Moment klingelte Connies Telefon. Sie lief in ihr Büro und sprach mit einem Anrufer, der offensichtlich in Schwierigkeiten zu sein schien, denn sie redete beruhigend auf ihn ein. Ich schlug den Ordner auf und suchte die einzelnen Register ab. In der Mitte fand ich, was ich suchte. Ich wollte die Stelle markieren und sah mich um nach einem Stück Papier, das ich zwischen die Seiten klemmen konnte. Doch Utz' Schreibtisch war tipptopp aufgeräumt. Connie telefonierte immer noch. Ich bückte mich und holte einen von Utz' gelben Notizzetteln aus dem Papierkorb. Da sah ich es.

Sein Papierkorb war genauso aufgeräumt wie sein Schreibtisch. Er hatte nur am Vormittag im Haus gearbeitet, und er gehörte nicht zu den Menschen, die viel wegwarfen. Da lag sie, unschuldig, zerknüllt, in Gesellschaft mehrerer gelber Zettel und einer Zigarrenbanderole, links in der Ecke des englischen Lederkorbs und wartete auf den Abtransport. Die Kopie. Meine Kopie. Die, die aus meinem Schreibtisch verschwunden war.

Ich schaute hinüber zu Connie, die sich sichtlich Mühe gab mit dem Anrufer. »Wir schicken Ihnen sofort jemanden. Nein, Herr von Zernikow kann im Moment nicht persönlich kommen, frühestens in einer Stunde. – Ja. – Nein, ich verstehe schon, dass es dringend ist. Möchten Sie mit einem seiner Mitarbeiter sprechen?«

Sie sah in meine Richtung, ich schüttelte energisch den Kopf, und Connie zuckte mit den Schultern.

Leise schlich ich an Connie vorbei und ging im Erdgeschoss auf die Toilette. Sie war kleiner als die in meiner Etage, hatte aber einen entzückenden Vorraum, der von einem ovalen Fenster erhellt wurde.

Ein Blick in die abgetrennte Kabine, und ich wusste, dass ich allein war. Ich sah in den Spiegel.

Ich war ertappt und bestohlen worden. Welches war der größere Vertrauensbruch? Dass ich eine Kopie gemacht hatte oder dass man mir diese Kopie gestohlen hatte?

Die Toilettentür ging auf, und Walter betrat den kleinen Vorraum. Er stutzte, dann ging er zum Waschbecken. »Guten Tag, Herr Vernau.«

Beide wuschen wir in epischer Sorgfalt unsere Hände.

»Wie geht es der Freifrau?«, fragte ich. Es war das einzige Thema, das mir auf die Schnelle einfiel.

»Gut«, antwortete Walter.

Dann nickte er mir zu, betrat die Kabine und riegelte sie ab, bevor ich mir über die Reihenfolge seines Tuns Gedanken machen konnte.

Das Apartment der Lehnsfelds lag direkt gegenüber vom Sony-Center im dritten der insgesamt acht Stockwerke. Irgendwie freute mich das. Also war doch etwas gespart worden. Die oberen Stockwerke begannen bei einem Quadratmeterpreis von sechstausend Euro. In der Einfahrt zur Tiefgarage sprach ich mit einem Monitor. Der Portier sah aus wie ein Fernsehmoderator und winkte mich, nachdem er sich von der Rechtmäßigkeit meines Besuches überzeugt hatte, vorbei. Ich durfte hinein.

Aaron erwartete mich an der Tür und ließ mir den Vortritt. Durch einen halogenbeleuchteten Flur gelangte man direkt in einen großen Raum. Vor dem Fenster mit Blick auf die Fensterfront des Mariott stand ein monumentaler Schreibtisch.

»Moment.« Er verließ den Raum und kam wenig später mit einem Stuhl wieder. »Ich hatte noch keine Zeit, mich um die Einrichtung zu kümmern. Ich dekoriere gerade um.«

Er grinste mich an, und ich nickte ihm zu.

»Meine Mutter hätte mir zwar liebend gerne das Chippendale-Esszimmer vermacht, aber es entspricht nicht ganz meinem Stil. Nehmen Sie Platz. Einen Kaffee?«

»Gerne.«

Er hüpfte wieder hektisch nach draußen, und ich hörte, wie in der Küche mit Geschirr geklappert wurde.

Zwei Bilder lehnten umgedreht an der Längswand, so dass man das Sujet nicht sehen konnte. Gegenüber stand eine Vitrine, die mit einigen Scherben und Fayencen bestückt war. Ich sah sie mir genauer an. Sie wirkten alt und echt.

»Milch? Zucker?«, fragte er von der Tür.

»Nur Milch, danke.«

Er balancierte ein Tablett aus ziseliertem Silber, auf dem alt-englische Kaffee- und Milchkännchen und zwei Bone-China-Tässchen arrangiert waren. Das Geschirr stand in starkem Kontrast zu der leeren Strenge dieser Räume.

»Das Service meiner Großeltern«, erklärte Aaron. »Von einigen Dingen kann ich mich einfach nicht trennen.«

Er reichte mir ein Tässchen, das bedenklich auf dem Unterteller wackelte. Ich stellte es schnell auf dem Schreibtisch ab.

»Sie haben ja mitbekommen, dass mir mein Großvater sehr nahe stand.«

Ich nickte, öffnete die Aktentasche und holte die Unterlagen heraus. »Die Villa«, begann ich.

Aaron nickte. »Eben. Mein Erbe. Mein Vater hat versucht, mich zu bestechen.« Er hob die Kaffeetasse andeutungsweise in Richtung der Wände. »Er ist ein Opportunist. Im Moment schwitzt er gerade in Madrid. Völlig unnötig. Er gewinnt die Ausschreibung sowieso. Er gewinnt immer.«

Aaron trank wieder in kleinen Schlückchen und spreizte kaum merklich den kleinen Finger ab. Einen Moment lang überlegte ich, ob er vielleicht schwul war. Dann verwarf ich den Gedanken sofort wieder. Aaron hatte reihenweise Perlenketten tragende Twinsetträgerinnen gefällt. Wenn er jetzt beschloss, schwul zu werden, war das keine Angelegenheit von Dauer, nur ein weiterer Stolperstein in der dornenreichen Beziehung zu seinem Vater.

»Es ist gut, dass Sie sich ruhig verhalten«, antwortete ich. »Sie können gerne an die Öffentlichkeit gehen, sobald Sie rechtmäßiger Besitzer des Grundstückes sind. Doch noch ist es nicht so weit. Was war das letzte Woche?«

Er setzte vorsichtig das Tässchen ab und legte die Fingerspitzen zusammen. »Ich bin der Bauherr. Also wollte ich anfangen.«

»Wer ist der Architekt? Wo sind die Umbaupläne? Wurden sie

dem Bauamt vorgelegt und genehmigt? Welche Absichten haben Sie für die Nutzung?«

Er sah mich groß an und zuckte dann mit den Schultern. »Es ist doch nichts passiert. Ich habe nur einen Bagger ausprobiert. Ich wollte mal sehen, wie so ein Ding funktioniert.« Er grinste. »Ein bisschen buddeln.«

»Herr von Lehnsfeld«, sagte ich. »Wir sind nicht auf dem Spielplatz. Hier. Einstweilige Verfügung, sofortiger Baustopp, Androhung von Bußgeld in fünfstelliger Höhe, eventuell Entzug der Nutzungsrechte und Rückabwicklung des Kaufs. Wissen Sie, was Ihnen bevorsteht?«

Er drehte sich auf seinem funkelnagelneuen Chefsessel einmal um die Achse. Offensichtlich wusste er es nicht. »Gehört mir das Ding nun oder nicht?«, sagte er.

»Nicht ganz.«

»Ein bisschen schwanger gibt es nicht. Für was beschäftige ich eigentlich so hochbezahlte Leute wie Sie?«

»Wir brauchen Zeit. Haben Sie Geduld.«

»Wie lange? Wie viel?«

»Monate«, antwortete ich. »Vielleicht Jahre.«

Er schlug mit der Faust auf den Tisch und sprang hoch. Einen Moment befürchtete ich, er würde sich auf mich stürzen. »Jahre? Monate? So viel Zeit habe ich nicht! Ich will jetzt anfangen! Haben Sie verstanden? Jetzt! Ich will da rein! Ich will in mein Haus!«

Er schlug wieder auf den Tisch. Mein Tässchen fiel um und kullerte herunter. Ich konnte es gerade noch auffangen.

»So einfach geht das nicht.« Schwer, das jemandem zu erklären, für den das ganze Leben bisher einfach gewesen war. »Ihr Haus ist weg, wenn Sie nicht stillhalten. Man nimmt es Ihnen, verstehen Sie?«

Er hielt inne. Dann strich er sich die Haare aus der Stirn. »Noch Kaffee?«, fragte er, als hätten wir gerade Streuselkuchenrezepte ausgetauscht. »Ich habe auch noch Schokocremewaffeln. Ihre Sekretärin bombardiert mich geradezu damit. Irgendwo muss sie mal aufgeschnappt haben, dass ich das Zeug mag. Ich hasse es. Ich hasse alles, was süß ist.«

Er zog eine Schublade auf und holte eine Packung Waffeln heraus.

Ich lehnte ab. »Ich setze einen Widerspruch gegen die einstweilige Verfügung und die Bußgelddrohung auf. Ich kann davon ausgehen, dass Sie in oder um das Haus herum vorläufig nichts verändern werden? Herr von Lehnsfeld?«

Er hörte gar nicht zu. Sein Blick hinaus aus dem Fenster führte so weit weg wie seine Gedanken.

»Aaron?«

Er wachte auf. »Ja, natürlich, machen Sie das. Aber begehen kann ich das Grundstück, oder ist das auch verboten?«

Begehen. Aaron am Ufer des Langen Sees, dem Grünauer Sonnenuntergang hinterhersehend. Ein Romantiker mit starkem Hang zur Cholerik.

»Ich denke, dagegen wird niemand Einspruch erheben. Es ist üblich, dass auch Architekten und Statiker Zugang erhalten. Sie müssen irgendwann ein Sanierungskonzept vorlegen.«

»Ja, natürlich. Sanieren. Die Wände. Und den Keller. Vor allem der Keller. Ich glaube, er ist feucht. Da muss man anfangen. Gleich.«

»Nein. Nicht gleich. Später.«

Ich legte ihm eine Vollmacht vor. Er unterschrieb sie. Dann packte ich meine Unterlagen ein und stand auf.

»Was haben Sie eigentlich vor?«, fragte ich. »Wird das hier Ihr Büro?«

Aaron lächelte. »Immobilien. Bauträger. Fondsauflagen. Oder Kunsthandel. Risiko und Rendite sind in beiden Bereichen ähnlich. Ich habe mich noch nicht entschieden.«

Ich nickte bedächtig und versuchte dabei, mein Erstaunen zu verbergen. »Dann viel Erfolg.«

»Ich bringe Sie hinaus.«

Vor der Vitrine blieb ich einen Moment stehen. »Scherben«, sagte ich. »Die bringen Glück. Da haben Sie ja schon mal die besten Voraussetzungen.«

Plötzlich wich alle Blasiertheit aus Aarons Gesicht und machte einem Kinderlächeln Platz. Er öffnete eine Vitrinentür und holte die Reste eines Tellers hervor. »Die habe ich selbst geborgen. Beim Tauchen. Ich tauche für mein Leben gerne. Ich bin ein Schatzsucher, verstehen Sie?«

Ich wollte die Scherbe in die Hand nehmen, doch er zog sie schnell zurück. »Neunhundert vor Christus, Alexandria.«

Vorsichtig legte er sie wieder an ihren Platz.

Ich bewunderte zwei kleine Amphoren und einige Majolika-Teller. »Keine Korallen?«, fragte ich.

Aaron verschloss die Vitrine mit einer raschen Bewegung. »Ich mache das nicht zum Vergnügen«, erklärte er.

Ich fuhr in die Tiefgarage.

Auf der Wilhelmstraße sah ich noch einmal die funktionale Fassade hoch bis zum dritten Stock. Hinter zentimeterdicken Panzerglasscheiben blieb er zurück, der einsame Taucher, der nach Scherben suchte, und das noch nicht einmal zum Vergnügen.

14

Die Mainzer Straße in Friedrichshain war friedlich geworden. Vor ein paar Jahren hatten hier erbitterte Straßenschlachten um die letzten besetzten Häuser getobt. Es hatte nach Kohle gerochen, nach Abwasser, Staub und Aufbruch. Jetzt hatten die Häuser neue Besitzer und niedlich sanierte Fassaden. Hoffnungsvoll gepflanzte kleine Bäume und ein nettes Sammelsurium aus Kleingewerbe, Dönerbuden und Zeitungsläden verbreitete die selbstzufriedene Atmosphäre von »Unser Kiez ist schön geworden«.

Und ruhig. Meine Schritte hallten an den Wänden. Die Straße war eine Schlucht geblieben, Mietskasernen in Berliner Traufhöhe, Gründerzeit vom Fließband.

Ich klingelte. Es war noch nicht ganz dunkel. Doch bis auf das flackernde Blau der Fernsehbildschirme in den Wohnzimmern und einige trübe Küchenlampen waren kaum Fenster erhellt. Hier ging man früh arbeiten oder gar nicht.

Das Treppenlicht ging an, und ich hörte Schritte, die lauter wurden. Sie riss die Türe auf und sah statt einer Begrüßung auf ihre Armbanduhr.

»Wir gehen da rüber.«

Sie wies auf den Döner-Imbiss schräg gegenüber, in dem sich ein einsamer Libanese vor einem Fernseher langweilte.

Als wir eintraten, stieg mir sofort der Duft von gebratenem Fleisch in die Nase. Gegrilltes Lamm. Die Steaks in der Auslage leuchteten blutrot. Weiße Bohnen mit Petersilie, gebratene Zucchini- und Auberginenscheiben, Spieße, Koteletts und Paprika. Mich überfiel augenblicklich Heißhunger.

Wir waren die einzigen Gäste. Ich bestellte ein Bier, gemischte Vorspeisen und eine Grillplatte, Marie-Luise ein Mineralwasser.

Wir nahmen an einem kleinen Kunststofftisch Platz, der sofort gefährlich zu wackeln anfing. Marie-Luise zog ein Päckchen Zigaretten heraus und bot sie mir an. Sie wusste, dass ich nicht rauchte. Als ich den Kopf schüttelte, zündete sie sich eine an, inhalierte tief und lehnte sich so weit es ging zurück.

Sie trug ein olivgrünes Tanktop und eine ausgeleierte schwarze Jogginghose. Die Haare hatte sie am Hinterkopf zusammengebunden. Sie wirkte, als habe sie gerade locker einen Fünfzehn-Kilometer-Lauf hinter sich, und dies sei nur der Boxenstopp. Das Tanktop war sehr eng. Wie sie so nach hinten gelehnt auf dem Stuhl hing, der eine Arm lässig nach unten baumelnd, das

Kreuz durchgedrückt, so dass niemandem entgehen konnte, dass sie keinen BH trug, wirkte sie wie eine Amazone in entspannter Lauerstellung. Ich hatte zum ersten Mal Schwierigkeiten, locker zu bleiben.

»Ist lange her«, sagte sie. »Erstaunlich, was du auf dich nimmst, wenn du was willst.«

Es klang, als wütete hier eine gefährliche Epidemie. Marie-Luise, die immune Pest-Ärztin, empfängt den verschreckten Bourgeois mit der Langeweile derer, die schon alles gesehen haben.

»Ich bin mir nicht sicher, wer hier von wem etwas will«, sagte ich.

Der Libanese balancierte vorsichtig ein Tablett, auf dem zwei kleine Schnapsgläser, eine Flasche Bier und eine Büchse Mineralwasser standen.

»Willkommen«, sagte er und deutete auf den Schnaps. Er schenkte das Bier ein, dann deckte er den Tisch. Marie-Luise zog sich einen goldbeschichteten Pappaschenbecher heran.

»Auf uns«, sagte sie. »Und das, was wir lieben.«

Ich trank, und sofort trieb das Zeug mir die Tränen in die Augen. Es schmeckte wie Kartoffelschnaps und wirkte wie ein Bolzenschuss. Um wieder zu Atem zu kommen, griff ich das Bier und trank es in einem Schluck bis zur Hälfte aus.

Marie-Luise musterte mich schweigend, dann griff sie in die Hosentasche und holte den Zettel hervor. »Dann woll'n wir mal, bevor du hier noch umkippst. Du weißt, was das hier ist?«

»Du hattest noch nicht die Güte, mich aufzuklären.«

»Wo hast du es her?«

In meinem Magen verbrannten gerade einige Klafter Holz. Ich löschte den Brand mit der zweiten Hälfte Bier direkt aus der Flasche. Jetzt ging es mir gut. »Sagen wir, es ist mir zugeflogen.« Haha. Noch so ein Schnaps, und ich konnte mit meinen Witzen im Wintergarten auftreten.

Marie-Luise hob die Augenbrauen und wartete, dass mir etwas Besseres einfiel. Als nichts kam, widmete sie sich mit einem Seufzer wieder dem Papier. »Das ist die Kopie eines Schreibens der ukrainischen Nationalstiftung ›Verständigung und Versöhnung‹ mit Sitz in Kiew.«

Ich wartete. Wie ich sie kannte, würde sie von alleine weiterreden. Nach drei Sekunden sagte sie: »Das ist einer der nationalen Verfolgtenverbände, die bei den Verhandlungen mit der Stiftungsinitiative der deutschen Wirtschaft eine Art Unterhändlerfunktion eingenommen haben. Sie sind bevollmächtigt, die Höhe der Entschädigungszahlungen an ehemalige Zwangsarbeiter auszuhandeln.« Sie hielt kurz inne. »Sie sind aber auch diejenigen, die die Spreu vom Weizen trennen müssen. Sie entscheiden, wer diese Entschädigung bekommt und wer nicht.«

Sie trank einen Schluck Mineralwasser. Ein Tropfen lief ihr den Hals hinab in den Ausschnitt. Es sah scharf aus und erinnerte an eine spanische Sektreklame. Warum machte sie das?

»Wie, wer nicht?«, fragte ich. Am liebsten hätte ich ihr meine Serviette zum Abtrocknen gereicht. Sie wischte sich den Tropfen weg und verrieb den Rest beiläufig über dem Ausschnitt. Ich fragte mich, wo sie das gelernt hatte. Von mir nicht.

»Nur wer belegen kann, dass er Zwangsarbeit geleistet hat, bekommt auch eine Zahlung. Nicht immer lässt es sich einwandfrei klären. Wer ist diese Frau?«

»Natalja?« Wie durch Zauberhand war meine leere Bierflasche durch eine volle ersetzt worden, daneben wieder ein Glas mit Kartoffelschnaps. »Ich weiß es nicht«, sagte ich. »Es könnte sein, dass sie in der Nazizeit im Haushalt der Zernikows gearbeitet hat. Ich bin mir aber nicht sicher.«

Marie-Luise stieß einen leisen Pfiff aus, dann trank sie ein Fingerhütchen von ihrem Schnaps. »Zwangsarbeiter im eigenen Haus«, sagte sie. »Sauber, sauber.«

»Übertreibst du jetzt nicht ein bisschen? Sie war das Kindermädchen. Das hat ja wohl nichts mit Zwangsarbeit zu tun.«

»Es war en vogue, wenn man das so sagen kann«, antwortete sie. »Vor allem in kinderreichen Familien, wenn die Männer gerade an der Front verheizt wurden. Und – in den Familien hochrangiger Nazis. Es gab einfach nicht mehr genügend Arbeitskräfte. Vor allem nicht für derart unwichtige Dinge wie Kinderaufzucht und Haushalt. Die Damen der besseren Gesellschaft hätten sich für Adolf zwar den Arm ausgerissen, haben aber in den seltensten Fällen zum Putzlappen gegriffen. Das haben sie lieber den Polinnen und Ukrainerinnen überlassen.«

Glücklicherweise kam jetzt die Vorspeise. Sie hätte gereicht, eine vierköpfige Familie eine Woche lang durch den Winter zu bringen. Ich begann mit den Bohnen und wies mit der Gabel auf das Papier. »Was steht da jetzt?«

»Es ist eine Anfrage, ob diese Natalja Tscherednitschenkowa tatsächlich bei den Zernikows gearbeitet hat, da kein Arbeitsbuch vorliegt und der Name auch nicht in der Zentraldatei gespeichert ist. Entweder ist sie unmittelbar nach Kriegsende als Kollaborateurin in die Straflager nach Sibirien gekommen, oder sie wollte diesem Schicksal entgehen und hat das Buch vernichtet. Dann helfen nur noch glaubwürdige Zeugenaussagen, um ihre Ansprüche durchzusetzen.«

Marie-Luise bestellte noch ein Mineralwasser, ich bekam mein drittes Bier. Ich hatte seit Wochen nicht mehr so gut gegessen. Mein einziger Wunsch war, nicht satt zu werden. »Wenn Zernikow oder seine Mutter nun bestätigt hätten, dass diese Natalja für sie gearbeitet hat …«

»Geschuftet«, unterbrach mich Marie-Luise. »Unter zum Teil unzumutbaren Bedingungen. Verschleppt, in ständiger Todesangst, als Untermensch gebrandmarkt …«

»Wenn sie das also unterschreiben, hätte das für ihn oder seine Mutter irgendwelche Folgen gehabt? Juristisch gesehen, meine ich. Finanzielle.«

»Nein«, antwortete sie. »Ich vermute mal, die Freifrau hat sich ordentlich entnazifizieren lassen. Sie kann nicht mehr zur Rechenschaft gezogen werden. Und ihr Sohn auch nicht. Dein zukünftiger Schwiegervater, wie man so hört.«

Sie sah mir mit zusammengekniffenem Mund dabei zu, wie ich mit einem Stück Fladenbrot den Teller auswischte. »Und wer zahlt?«

»Der Stiftungsfonds. Die Wirtschaft, wenn du so willst. Ein Teil derer, die sich ihr unvorstellbares Vermögen auf dem Rücken der Zwangsarbeiter zusammengerafft haben. Aber leider nur ein Teil.«

Ich sah sie fragend an.

»Viele fühlen sich einfach nicht mehr verantwortlich. Erben, die sich in den Vorwurf der Sippenhaft versteigen. Nach dem Motto, es ist mir egal, woher das Geld kommt, von dem ich lebe, ich bin ja nur der Sohn. Oder der Enkel. Du erinnerst dich?«

Sie spielte auf einen Schweizer Milliardär an, der sich mit diesem Argument lange Zeit geweigert hatte, in den Fonds einzuzahlen. Sein Großvater hatte sein unvorstellbares Vermögen in der Rüstungsindustrie verdient und hatte zum engeren Kreis der Kunstfreunde um Hitler gehört.

»Zernikow ist auch ein Sohn.«

Sie zündete sich die nächste Zigarette an. »Und er hat sich geweigert zu unterschreiben. Stimmt's?«

Ich war nun an dem Punkt angelangt, wo ich sie entweder einweihen musste oder alles auf sich beruhen lassen konnte.

Marie-Luise nahm mir die Entscheidung ab. Sie wies auf mein blaues Auge. »Hat das was damit zu tun?«

»Es war die Treppe. Ende.« Zum ersten Mal seit Tagen dachte ich wieder an Milla und an meinen halbherzigen Schwur. Ich fragte mich, wo sie geblieben war. »Utz hat sich strikt geweigert, diesen Brief auch nur zu lesen.«

»Warum?«

»Er hatte das Gefühl, jemand will sich an ihm bereichern.«

Marie-Luise starrte mich mit großen Augen an. »Bereichern?«, fragte sie.

»Natalja ist tot. Seit sechzig Jahren. Vielleicht benutzt jemand ihren Namen, um an Geld zu kommen.«

»Wer soll so etwas machen?«

»Der Überbringer der Nachricht vielleicht. Hintermänner.«

Sie sah mir wohl an, dass ich mit dieser Antwort nicht zufrieden war. Ich schob den schwarzen Peter gerade auf Olga, und das passte nicht zusammen. Ihre Armut und ihre Bescheidenheit, die Bitte, Utz diesen Zettel zu geben. Ein Zettel, der offiziell vernichtet war und dessen Kopie Utz aus meinem Schreibtisch gestohlen hatte. Von Olgas Besuch war nur noch das zerknitterte Thermofax in Marie-Luises Hand übrig.

»Wer hat denn diese Nachricht überbracht? Kann man mit ihm reden?«

»Mit ihr«, sagte ich. »Es war eine Frau.«

»Dann sollten wir sie umgehend fragen, was es mit dieser Bescheinigung auf sich hat.«

»Das geht nicht.«

»Warum nicht?«

Ich holte tief Luft. »Weil sie auch tot ist.«

Marie-Luise riss die Augen auf. »Bitte? Seit wann?«

»Ein Unfall. Am gleichen Abend.«

»Das ist … erstaunlich.« Sie zündete sich die dritte Zigarette an.

Der Libanese stellte die Grillplatte vor mich hin. Sie sah köstlich aus, doch ich konnte nicht mehr. Ich war satt. Ich bat ihn, mir alles einzupacken, und bestellte das nächste Bier.

Marie-Luise runzelte die Stirn. »Vielleicht denkst du mal nach, statt dich zu besaufen.«

»Da gibt es nichts nachzudenken. Es war eine Verwechslung. Oder die Stiftung hat sich geirrt. Und die Frau, die gestorben ist, war nur der Bote.« *Geben Sie ihm Bescheinigung. Es ist wichtig.*

Eine Sache zwischen Utz und Natalja. Das war keine Verwechslung. Und Marie-Luise kannte mich immer noch gut genug, um zu wissen, dass ich es selbst nicht glaubte. Ich streckte die Hand nach dem Fax aus. »Gib es mir.«

»Was hast du vor?«

»Ich werfe es weg. Vergiss einfach, dass ich dir das Schreiben jemals gefaxt habe.«

»Warum?«

»Was?«

»Warum hast du es mir gefaxt?«

Ich hielt immer noch die Hand auf. Marie-Luise faltete langsam das Papier zusammen und steckte es sich in den Ausschnitt. Vielleicht hielt sie das für den Ort, an den sich meine Hand am wenigsten verirren würde. Sie hatte den Kartoffelschnaps unterschätzt. Und die Enthaltsamkeit. Und Zombie am Morgen, wenn man nicht mehr wusste, wohin mit dem Testosteron.

»Weil du Russisch kannst.« Ich grinste sie mit dem dreckigsten Lächeln an, das ich auf Lager hatte. Aber es schreckte sie nicht im Mindesten.

»Ist das alles?«

»Alles«, antwortete ich. »Also her damit.«

Sie lehnte sich wieder zurück. Und zwar so, dass jetzt nicht nur ihre Brüste das Tanktop spannten, sondern auch der Zettel unter dem Stoff genau zu sehen war. Würde ich sie nicht so gut kennen, könnte man diese Geste glatt für die Aufforderung halten, ihr das Shirt vom Leib zu reißen und sich zu holen, was man …

Ich riss mich zusammen und trank. Es war kaum noch zum Aushalten. Ich schlief jede Nacht neben einer nackten Frau, und vor mir räkelte sich gerade ein antifaschistisches Pin-up, und ich durfte nicht. Ich durfte einfach nicht. Weder da noch da.

»Du willst es doch«, sagte sie.

Mir wurde nicht nur die Kehle eng. »Was?«, fragte ich heiser.

»Du willst es wissen. Was dahinter steckt. Es macht dich wahnsinnig, wenn man dir nicht die Wahrheit sagt. Du hast nur ein Problem: Du weißt nicht, wie man damit umgeht. Manche Wahrheiten überfordern dich einfach.«

Einen Moment lang fürchtete ich, sie wüsste alles. Doch dann lächelte sie nur hinterhältig und fächelte sich Luft zu. »Und wenn es ganz eng wird und du in deinem neuen Leben so gar niemanden mehr hast, mit dem du reden kannst, kommst du zu mir.«

»Ich wüsste nicht, wann das in den vergangenen sechs Jahren passiert sein sollte.«

»Jetzt zum Beispiel.«

Sie legte die Arme auf den Tisch. Das gewährte wieder tiefe Einblicke. Ich zwang mich, ihr in die Augen zu sehen.

»Brauchst du wirklich immer noch jemanden, der dir sagt, was richtig und was falsch ist? Wirst du eigentlich nie erwachsen, Joachim?«

Beziehungsgespräche hatten mir gerade noch gefehlt. Vor allem Gespräche über Beziehungen, die ein halbes Dutzend Jahre zurücklagen.

»Etwas stimmt da nicht. Das rieche ich. Und du weißt es auch. Aber du kannst noch nicht einmal mit ihr darüber reden. Was für ein armes kleines Leben in einem so großen schönen Haus.«

Ich winkte dem Libanesen zu. »Zahlen, bitte.« Dann sah ich sie an. »Es war ein Fehler, dir in dieser Sache zu vertrauen. *Du* musst erst mal erwachsen werden, Marie-Luise. Der Klassenkampf ist vorbei.«

Sie lächelte. »Immer noch der weiße Ritter unter dem Banner der größtmöglichen Freiheit für das Individuum. Danke. Ich kenne deine Sprüche. Aber hier geht es um mehr. Möglich, dass du diesen Haufen Großbourgeoisie schützen willst. Aber diese Betrügernummer zieht nicht bei mir. Ich habe mich erkundigt. Das Dokument ist echt. Hieb- und stichfest sozusagen.«

Der Libanese brachte die Rechnung mit zwei Kartoffelschnäpsen, die ich jetzt bitter nötig hatte. »Wem hast du es gezeigt?«

Sie zuckte mit den Schultern. »Irrelevant.« Sie kritzelte etwas auf den Kassenbon.

Ich kippte den ersten Schnaps. »Die Kopie einer Kopie einer Kopie.«

»Eines Dokumentes eines Dokumentes eines Dokumentes«, sagte sie. »Natalja Tscherednitschenkowa lebt. Voilà. Artekovskaja Uliza, Kiew.«

Ich sah erst in ihr Gesicht, dann las ich die Adresse, die sie auf die Rückseite der Rechnung geschrieben hatte. »Das muss nichts bedeuten.« Ich trank den zweiten Schnaps. Die Schrift verschwamm vor meinen Augen.

Marie-Luise nahm die Rechnung, zündete sie an und verbrannte sie über dem Pappaschenbecher. Der Libanese äugte misstrauisch hinüber.

»Woher hast du die Adresse?«

»Unwichtig.«

»Alte Familienbande in Moskau?«

Sie verengte die Augen. »Provoziere mich ruhig. Mach, was du willst. Aber bevor wir gehen, will ich dir ganz kurz sagen, was ich von der Sache halte.«

In diesem Moment baute sich der Libanese in entschlossener Haltung vor unserem Tisch auf. Marie-Luise legte ein Zwei-Euro-Stück auf den Tisch, ich suchte in meiner Hosentasche nach einem Schein. Als das Geld zusammen war, lächelte er uns kurz an und ging wieder zurück zum Tresen.

Marie-Luise schaute ihm nach. Zwei junge Männer warteten auf eine Bestellung zum Mitnehmen. Der Libanese säbelte an seinem Dönerspieß herum. Niemand achtete auf uns.

Leise sagte sie: »Eine ehrenwerte Familie hat ein kleines dunkles Geheimnis. Tief begraben unter den Sedimenten der jüngeren deutschen Geschichte. Und plötzlich taucht jemand auf und erinnert sie daran. Peinlich, peinlich. Immerhin ist das senile Oberhaupt eine geborene Freifrau. Immerhin hat der greise Senior eine der angesehensten Kanzleien der Stadt. Und schließlich steht seine Tochter, der jüngste Spross, im Scheinwerferlicht der Öffentlichkeit. Innensenatorin will sie werden. Wie unangenehm, da an diese Lappalie erinnert zu werden. Dieses Kindermädchen. Und wie angenehm, wenn plötzlich ein Unfall passiert, der das Problem aus der Welt schafft.«

»Du bist verrückt. Niemand wird dir glauben.«

Sie spielte an ihrem Ausschnitt herum.

»Das ist nichts wert«, sagte ich. »Die Kopie einer …«

»… Kopie einer Kopie. Ich weiß. Du bist betrunken.« Sie erhob sich.

»Willst du schon gehen?« Es war gerade mal halb elf. Ich verhedderte mich mit den Stuhlbeinen, so dass ich beinahe das Gleichgewicht verloren hätte. Marie-Luise griff mir unter die Arme. Mir wurde heiß. Sehr heiß.

»Seit wann verträgst du denn nichts mehr?«

Ich beeilte mich, mein Gleichgewicht wieder zu finden. Gemeinsam gingen wir zur Tür und traten hinaus auf den Gehsteig. Der ausglühende Sommerhimmel leuchtete mit einer unglaublichen Intensität. Das dunkle Ocker im Westen traf die samtblaue Nacht des Ostens in der Mitte, sie wölbte sich über den Dächern wie ein Theatervorhang, vor dem sich die klare Silhouette der Stadt erhob. Die Straßenlaternen funkelten wie Diamanten, und die Baumwipfel klebten als dunkelgrüne Scherenschnitte auf einem verlaufenden Horizont, der hellblau begann und weit oben im Schwarz endete. Und es duftete süß, wie Lindenblüten. Oder Flieder. Oder wie Marie-Luises Haare.

»Marie-Luise.«

Sie drehte sich um und sah mich an. »Fahr nach Hause, Joachim.«

»Und wie soll das jetzt weitergehen?«

»Was?«

»Mit dem Zettel und mit uns und allem.«

108

»Mit uns – gar nicht. Mit der Kopie – weiß ich nicht. Und sonst?«

Oben in ihrer Wohnung brannte Licht.

»Du denkst, eine wie ich kriegt keinen mehr ab. Nach dir kann nur noch die Wüste kommen, mit Disteln im Haar und zerrissenen Kleidern, stimmt's? Irrtum. Ich bin nicht allein. Ich werde geliebt. Du auch?«

Vielleicht sollte ich sie küssen, damit sie endlich aufhörte, dieses wirre Zeug zu erzählen. Ich wollte nach ihr greifen, da kam der Libanese. Er brachte leider keinen Kartoffelschnaps auf die Straße, noch nicht einmal das Wechselgeld, sondern meine in Alufolie eingepackte Grillplatte. Ich stand da wie ein Pizzabote. Sie drehte sich um und ging über die Straße.

»War das alles?«

Ich lief hinter ihr her. Vor ihrer Haustür holte ich sie ein, und sie ließ natürlich wieder die Schlüssel fallen.

»Lass mich in Ruhe«, sagte sie irgendwo im Dunkeln. Dann tauchte sie plötzlich vor mir auf. Ihr Gesicht war ganz nahe. Ich konnte die goldenen Pünktchen in ihren Augen sehen. Obwohl es so dunkel war. Und in ihrem Ausschnitt leuchtete etwas weiß, mit dem sie Sigrun das Leben zur Hölle machen konnte. Ich war so ein Idiot.

»Was hast du vor?«

»Geh zu Zernikow und sag, er soll unterschreiben.«

»Das kann ich nicht.«

»Dann habe ich dir nichts mehr zu sagen.« Sie drängte an mir vorbei und schloss die Tür auf.

Ich musste sie aufhalten. Wenn sie jetzt da hineinging, war etwas verloren. Ob für mich, für Utz, für Sigrun, für das Gute im Menschen schlechthin – keine Ahnung. Ich hatte genug Kartoffelschnaps intus, um die schwärzeste Seele zu desinfizieren.

»Hilf mir«, sagte ich. Ich wusste nicht, wobei. Aber Frauen hören so etwas gerne.

Langsam ging die Tür zu. Aus. Ende. Mir wurde schwindelig. Die Grillplatte wurde kalt. Dann stand Marie-Luise im Türrahmen und musterte mich.

»Bitte«, sagte ich. Mehr gab es nicht. Natürlich könnte ich noch auf die Knie fallen.

»Ich kenne jemanden, der uns weiterbringt.«

Hoffentlich kein Paartherapeut.

»Ich melde mich nächste Woche. Früher geht es nicht. Ich hab viel zu tun.«

Sie nickte mir noch einmal zu. Sehr distanziert, sehr professionell. Die Tür fiel krachend ins Schloss.

Der Libanese von gegenüber hatte wieder nichts zu tun. Er sah zu mir und winkte herüber. »Frauen«, rief er. »Kann man nix machen.«

15

Der Gestank ist nicht das Schlimmste am Knoblauch. Den müssen andere ertragen. Das Schlimmste ist der Durst danach. Ich hätte mich ohne Verlängerungsschlauch direkt an den Wasserhahn hängen können.

Harry überließ mir eine Klinikpackung Fisherman's Friends, Connie kam mit dem Servieren von Eiswasser kaum noch nach, und ich versuchte herauszufinden, was in unserem Garten los war. Einige Irre warfen unter ohrenbetäubendem Lärm Eisenstangen aufeinander. Es folgte infernalisches Gebrüll. Entweder übten sie gerade für die Highland-Games, oder sie erlegten sich gegenseitig. Jetzt kam ein Mann im Arbeitsoverall um die Ecke, stellte sich hinter den Goldregen und fing an zu pinkeln. Ich öffnete das Fenster.

»Was wird das hier eigentlich?«

Er ließ sich nicht im Mindesten stören. »Geburtstag. Zweihundert Gäste. Vier Pavillons und ein Küchenzelt. Hoffentlich regnet es bald.« Mit einem herzhaften Ruck schloss er seinen Reißverschluss. »Sie sind wohl nicht geladen, wa?«

Sigruns Geburtstag. Auch das noch.

Connie kam mit einem ihrer gelben Zettel herein. »Probier Petersilie«, riet sie mir. »Schön klein kauen. Das hilft. Manchmal. Und dann ruf Herrn Mittelhöfer an. Er hat schon vier Mal nach dir gefragt.«

»Wer bitte?«

»Ein Pfarrer«, antwortete sie sanft und legte den Zettel vor mir auf den Tisch. »Er sagt, es sei wichtig.«

»Es geht um Frau Tscherednitschenkowa.« Die Stimme von Pfarrer Mittelhöfer kam mir vage bekannt vor. »Kann ich eine Minute mit Ihnen sprechen?«

»Bitte«, antwortete ich und sah auf meine Armbanduhr. Zehn vor zwölf. Ich musste ein Geschenk für Sigrun besorgen.

»Kennen Sie die Dame?«

»Die alte oder die junge?«, fragte ich.

»Frau Milla Tscherednitschenkowa. Die Jüngere. Sie hat mich gebeten, mich mit Ihnen in Verbindung zu setzen. Ich soll Ihnen nur eine Frage stellen, mehr nicht.«

»Und die wäre?«

»Hat er schon unterschrieben?«

Genervt zerknüllte ich den Zettel. Das Thema war erledigt. Nur Marie-Luise lief noch als Einzel-Kamikaze gegen Besserverdienende durch die Gegend. Ansonsten wusste ich nicht, warum alle Welt der Meinung war, dass man sich an mir schadlos halten könnte. »Nein. Und das wird er auch nicht. Nicht, bevor die Mutter Ihres zart besaiteten Schützlings persönlich vor ihm steht.«

»Ihre Mutter ist sehr krank. Sie kann diese Reise nicht unternehmen.«

»Dann tut es mir leid.«

111

Draußen schepperte es grauenvoll. Vermutlich war das Festzelt gerade zusammengebrochen.

»Kümmern Sie sich um die Frau, Herr Vernau«, sagte der Pfarrer. »Ich unterliege dem Beichtgeheimnis. Aber eines kann ich Ihnen sagen: Kümmern Sie sich um sie.«

»Um welche, bitte?«

»Die Jüngere«, antwortete er geduldig. »Ich weiß, Sie haben mit all dem eigentlich gar nichts zu tun. Aber Sie waren nach Olgas Tod so besorgt ...«

Ich setzte mich auf. »Sie müssen mich verwechseln.«

Doch Herr Mittelhöfer hatte die Gabe, Hartnäckigkeit mit Sanftmut zu paaren. Seine Stimme war die eines Heiligen. »Auch arme Kirchengemeinden verfügen über ISDN. Ich habe mir natürlich Ihre Nummer notiert.«

Fehler, Fehler, Fehler.

»Milla ist sehr aufgeregt. Sie haben ihr doch versprochen, sich um ihre Angelegenheit zu kümmern. Sie wartet jetzt seit fast einer Woche. Es liegt mir fern, in Ihre Familieninterna einzugreifen, aber klären Sie das bald. Milla Tscherednitschenkowa ist nicht gut auf die Familie Zernikow zu sprechen. Ich persönlich halte sie für unberechenbar.«

Ich sah wieder auf die Uhr. Gleich zwölf. Ich hatte einfach keine Zeit mehr für diese Sache. »Ich überlasse solche Klärungen lieber der Polizei«, sagte ich. »Richten Sie ihr das aus.«

»O nein, o nein«, sagte der Pfarrer schnell. »Bitte, tun Sie das persönlich. Meine Mission ist erfüllt.«

Feigling. »Wo erreiche ich sie denn?«

»Das darf ich Ihnen nicht sagen.«

Meine Geduld war am Ende. »Dann sagen Sie ihr, von Seiten der Zernikows besteht kein Interesse an einem weiteren Kontakt.«

»Oh.«

»Und ich habe einen wichtigen Termin.«

Herr Mittelhöfer schwieg.

»Also dann …«

»Ich könnte Ihnen übrigens eine sehr preiswerte Pension empfehlen. Sehr preiswert.«

Einen kurzen Moment lang dachte ich, der Pfarrer hätte ein
mentales Problem. Doch dann begriff ich. »Wo?«, fragte ich und
zog Papier und Stift heran.

»Ganz zentral, und trotzdem sehr ruhig. Fast schon familiär.«

»Wo?«

»In der Meinekestraße. Pension Adler. Nur für den Fall, dass
Sie überraschend Besuch bekommen. Sehr sauber, die Zimmer.
Und bei Osteuropäern sehr beliebt. Wir empfehlen das Haus ger-
ne weiter.«

»Vielen Dank«, sagte ich und legte auf.

Ich ließ Connie außen vor und ließ mich über die Telekom
verbinden. Es klingelte sehr lange. Endlich meldete sich eine me-
lancholieverhangene Stimme. »Pension Adler, was kann ich für
Sie tun?«

Narkoleptikerin im klinischen Stadium.

»Frau Tscherednitschenkowa«, verlangte ich.

Ich wurde ohne Antwort verbunden und ließ es vierzehn Mal
klingeln, bevor die Telekom die Verbindung trennte. Ich wählte noch einmal. »Haben Sie eine Ahnung, wo Frau Tscherednitschenkowa jetzt sein könnte?«

Am anderen Ende der Leitung setzte tiefe Nachdenklichkeit
ein. »Nein«, seufzte es schließlich.

»Dann möchte ich ihr bitte eine Nachricht hinterlassen.« Ich
nannte ihr meinen Namen und die Telefonnummer, die sie verdächtig schnell und ohne Nachfragen zur Kenntnis nahm. Vermutlich schrieb sie nicht mit.

»Isst dass Ihre Frreundinn?«

Ich fuhr hoch. Neben dem Stuhl, auf dem eben noch Georg
gesessen hatte, lauerte die Freifrau.

»Frrau Tscherednitschenkoff?«

Es klang wie ein Peitschenknall.

Ich legte auf. »Nein«, sagte ich. »Aber der Name scheint Ihnen bekannt zu sein.«

Sie legte den Kopf nach Rabenart von der einen auf die andere Seite. Dabei beobachtete sie mich mit der Kaltblütigkeit einer ehrgeizigen Wissenschaftlerin im Tierversuchslabor.

»Ich habe gefragt.«

»Und ich habe geantwortet«, erwiderte ich.

Ihre blau geäderten, schmalen Finger klopften ungeduldig auf die Lehne des Rollstuhls. Sie trug einen riesigen Amethystring, eingefasst in antikem Silber. Der Ring schlackerte um ihren Finger und wäre von jeder anderen, die nicht so sehr auf Besitzstandwahrung achtete, schon längst verloren worden.

»Mein Frreund, Sie sind nicht ehrlich. Ich kann das riechen.«

Aha. Wir wollten eine Aussprache.

»Sie können mirr glauben, ich werde allesss tun, um diese Verrbindung zu verhindern.«

»Und warum, wenn ich fragen darf?«

Sie zog die schmalen, mit einem dunklen Strich nachgezeichneten Augenbrauen nach oben.

»Sie prüfen sich selten, nicht wahr?« Mit einem Mal sprach sie normal. Das rollende R, die übertemperamentvolle Betonung war wie weggeblasen. »Sie passen nicht zu uns. Sigrun ist eine starke Frau. Sie braucht einen starken Mann.«

»Und der bin ich nicht?«

Ihr Blick glitt an mir hinunter und machte erst an der Schreibtischkante halt, die alles unterhalb der Gürtellinie verdeckte. Er war so offenkundig abschätzend, dass ich eine Ahnung davon bekam, wie sie wohl in jüngeren Jahren gewesen sein musste. Eine Frau, die nicht wartet, sondern nimmt.

»Ich bezweifle nicht, dass Sie Sigruns Ansprüchen auf gewissen Gebieten genügen.«

Ich musste lächeln. Niemand soll behaupten, Neunzigjährige wüssten nichts mehr vom Sex. »Was irritiert Sie dann so?«, fragte ich.

Die Freifrau hatte Männer ihr Leben lang wohl nur nach ihren Kenntnissen auf ebenjenen unaussprechlichen Gebieten ausgesucht. Doch jetzt schüttelte sie den Kopf.

»Das Bett, pah. Was ist ein großer Schwanz? Den haben viele. Gut, solange man jung ist. Aber später? Wenn das Ding da kleiner wird? Und solche Anrufe häufiger?«

Sie wies verächtlich auf das Telefon. »Zeigen Sie mir den Schwanz, der eine Ehe mit einer Zernikow wert ist.«

»Ich möchte Sie ungern erschrecken.« Ich grinste sie an. »Außerdem verbindet Sigrun und mich mehr als nur das Bett.«

Sie lehnte sich zurück. »Tradition? Herkunft? Sie haben ja noch nicht einmal gedient.«

»Ich bin Berliner«, antwortete ich, nicht im Mindesten von schlechtem Gewissen geplagt. »Außerdem hätte ich eh den Kriegsdienst verweigert.«

Sie lächelte und zeigte ihr tadelloses, strahlend weißes, nach feinster amerikanischer Handwerkstradition gefertigtes Gebiss. »Das habe ich mir gedacht. Aber ich habe Sie heute Nacht gesehen. Ich sehe alles. Ich schlafe nicht, verstehen Sie? Ich schlafe nie. Und deshalb sehe ich alles.«

Ich machte mich so desinteressiert wie möglich an den Papieren auf meinem Tisch zu schaffen. »Und? Gibt es Grund zur Klage?«

»Hören Sie gut zu, junger Mann. Wenn Sie nicht aufhören …«

Ich sollte nicht erfahren, mit was ich aufhören sollte, denn in diesem Moment kamen Schritte über den Flur, dann erschien Walters drahtige Gestalt im Türrahmen.

»Gnädige Frau!« Er trat auf ihren Rollstuhl zu. »Möchten Sie wieder nach oben?«

Die Freifrau reagierte nicht. Walter nickte mir höflich zu. Er drehte den Rollstuhl um und schob sie hinaus.

»Frau von Zernikow?«

Sie schien mich nicht mehr zu hören. Oder sie wollte es nicht.

Ich lief ihr nach. »Sie kannten sie. Natalja Tscherednitschenkowa.«

Sie sah mich mit müden, halb zugefallenen Augen an. Ihre eben noch straffen, entschlossenen Züge hatten sich entspannt. Sie war wieder die alte, nicht mehr ganz zurechnungsfähige Frau mit den plötzlichen Schlafattacken.

»Grüßen Sie Ihre Frau Mutter«, flüsterte sie.

Walter wollte sie wegschieben, doch ich stellte mich ihr in den Weg. »Natalja Tscherednitschenkowa«, sagte ich.

Walter traute sich offenbar nicht, in die noch ungeklärten Autoritätsverhältnisse des Hauses einzugreifen und mich zurechtzuweisen. Er versuchte, mit dem Rollstuhl um mich herum zu fahren.

»Nach Hause«, flüsterte sie.

E. T. hätte geweint. Ihr Kopf fiel zurück. Sie war eingeschlafen. Oder sie tat so.

»Sie entschuldigen.« Walter rempelte mich unsanft an und schob sie an mir vorbei. Am Ende des Ganges holte er den Fahrstuhl, eine mahagonigetäfelte, messingverzierte Kabine mit einer samtbezogenen kleinen Sitzbank. Er sah sich noch einmal um, wohl um sich zu versichern, ob ich immer noch in meiner Bürotür stand, dann schob er die Freifrau schnell hinein und drückte einen der Knöpfe. Bis die Tür sich schloss, starrte er mich an. Es war Hass in seinen Augen.

Meine Mutter sollte ich grüßen. Es war verhältnismäßig ruhig gewesen die letzten Tage. Zu ruhig. Ich sollte einmal nach dem Rechten sehen.

Connie kam den Gang herunter. »Du bist noch hier?«

Ich sah auf die Armbanduhr und fluchte leise vor mich hin. Wir hatten einen Termin beim Senator für Stadtentwicklung und Bauwesen.

Bis zum Abend kühlte es kaum ab. Als ich kurz vor sieben wieder zurück war, lag eine drückende Schwüle über dem Garten, der sich im Laufe des Tages in eine Art Tausend-und-eine-Nacht-Spielplatz verwandelt hatte. Weiße Zelte verbreiteten eine orientalische Atmosphäre, kleine Stehtische waren überall im Park verteilt. Äußerst attraktive Mädchen mit weißen Schürzen ordneten Gläser auf Tabletts. In einem lang gestreckten Zelt war bereits für das Buffet eingedeckt. Die Bain-Maries liefen warm, Köche mit hohen weißen Mützen gaben ihrer Brigade bellende Anweisungen. Von den Arbeitern war nichts mehr zu sehen. Ich vermutete, sie würden bis Sonnenaufgang mit dem Abbau warten, um es dann noch mal richtig krachen zu lassen.

Ich ging in die Wohnung und stellte mich unter die Dusche. Nachdem ich mich rasiert und mir zum vierten Mal an diesem Tag die Zähne geputzt hatte, zog ich einen dunklen Anzug an, dazu ein weißes Hemd und eine Krawatte. Ich war gerade fertig, als Sigrun völlig außer Atem ins Schlafzimmer platzte.

»Mist!« Sie lief zum Fenster und sah hinaus. »Warum gibt es immer Leute, die zu früh kommen? Schau dir das an! Die Kaufmanns. Immer dasselbe. Immer zu früh. Weißt du, was ich glaube?«

»Nein«, antwortete ich wahrheitsgemäß und versuchte, die Manschettenknöpfe einzupulen.

»Sie klauen. Beim letzten Mal hat eine Champagnerschale gefehlt.«

Ich trat neben sie und lugte durch die Gardinen. Die Kaufmanns, ein Paar mittleren Alters, umgeben von einer Aura dekorativen Wohlstands, standen am Zelteingang und steckten die Köpfe zusammen. »Wie sollen die das denn gemacht haben?«

»Keine Ahnung. Na endlich. Wurde auch Zeit.« Eine der

zarten Elfen bot den beiden etwas zu trinken an. Sigrun wendete sich seufzend ab. »Ich brauche mindestens zwei Stunden, bis
ich wieder unter Leute kann. Ich ertrage diesen Fraktionsvorsit-
zenden nicht. Jetzt musste ich dieses Gesicht schon den ganzen
Nachmittag ansehen, und in einer halben Stunde taucht er hier
auf und küsst mir die Hand.«

»Warum hast du ihn dann eingeladen?«

Sigrun sah mich nur mitleidig an. »Bring mir was zu trinken.«

Sie zog sich aus. Ich holte Eis und goss ihr einen Whiskey ein.
Als ich ihn ihr brachte, nahm ich sie in die Arme und küsste sie.
»Herzlichen Glückwunsch.«

In diesem Moment fiel es mir ein. Ich hatte die Ringe vergessen.

Sie machte sich los und trank einen Schluck. »Ist was? Du bist
so blass.«

Ich suchte nach Worten, um ihr meine desaströse Lage zu erklären, doch sie wendete sich nur müde ab. »Geh schon mal raus.
Ich brauche noch ein paar Minuten für mich.« Sie wirkte mit
einem Mal unendlich erschöpft.

»Sigrun, es tut mir leid.«

Sie antwortete nicht. Der Moment erschien mir äußerst un-
günstig für Geständnisse über vergessene Verlobungsringe.

Inzwischen waren noch mehr Gäste eingetroffen. Vor der Auffahrt drängelten sich dunkle Limousinen, aus denen Fahrer eil-
fertig heraussprangen, die Türen öffneten und nach erfolgter
Lieferung weiterfuhren. Ich erkannte Mitarbeiter mehrerer Bot-
schaften, Politiker der beiden großen Volksparteien, Manager,
Klienten, Kollegen sowie zwei Schauspieler der Berliner Vor-
Wende-Ära. Immer wieder flammten Blitzlichter auf. Ich entdeckte Dressler, der gerade schwitzend einen Film wechselte.

»Mein lieber Herr Vernau!«

Das Trillern dieser Stimme kannte ich. Vor mir stand Verena

118

von Lehnsfeld und begrüßte mich überschwänglich, wobei sie mehrmals ihren Lippenstift an meine Wange schmierte. »Wo ist Sigrun?«

Ich deutete aufs Haus. Aus dem Wagen entknotete sich gerade Aaron, der mit einem breiten Lächeln auf mich zukam, mir an den Oberarm griff und sich an die nächststehende Serviererin heranmachte. Hoffentlich war sie volljährig. Verena griff nach meinem Arm und lächelte breit in die andere Richtung. Ich folgte ihrem Blick und sah direkt in Dresslers Linse. Das Blitzlicht flammte auf. Ich wandte mich ab.

»Und Ihr Mann?«

Dressler fand andere Opfer. Sie knipste das Lächeln aus und wirkte betrübt.

»Madrid. Die Anhörungen ziehen sich in die Länge. Wie das so ist.« Eine Sekunde lang biss sie sich auf die Lippen, dann hakte sie sich plötzlich bei mir ein.

»Also: Heute Abend weiche ich Ihnen nicht mehr von der Seite. Sigruns Einverständnis vorausgesetzt.«

»Verena«, begann ich und zog sie, einer Eingebung folgend, hinter den Rhododendron. »Ich brauche Ihre Hilfe. Dringend.«

Sie hatte zur Feier des Tages tief in die Schmuckschatulle gegriffen. Kostbar eingefasste schwarze Perlen an den Ohrläppchen, eine fingerdicke venezianische Goldkette um den Hals, an den Armgelenken mehrere klimpernde Reifen von einem Gewicht, das einer ungeübten Trägerin an diesem Abend mindestens eine Sehnenscheidenentzündung beschert hätte. Woran mein Blick aber begehrlich haften blieb, war etwas anderes.

»Ja, bitte?«, fragte sie. Ich hatte sie wohl etwas intensiver beäugt als beabsichtigt. Ich nahm ihre rechte Hand, betrachtete sie und gab ihr einen Kuss darauf. Nicht gerade *comme il faut,* aber etwas, was Damen eines gewissen Alters durchaus genießen. Dabei ließ ich meinen Blick verstohlen in ihr Dekolleté fallen, gerade lang genug, dass sie ihn bemerken konnte.

Nicht neu der Trick, aber unschlagbar. Er wirkt immer. Verena lächelte mit einem Mal wissender, als mir lieb war. »Herr Vernau, Joachim …«

Ich beugte mich über ihre Hand. »Ich brauche diesen Ring.«

Sie zuckte zurück, als hätte ich angekündigt, ihn mit dem Finger abzuhacken. Erst blickte sie auf das mit Smaragden überladene Ungetüm, dann auf mich. »Ich verstehe nicht …«

Ich zog sie noch ein bisschen tiefer ins Gebüsch. Dabei legte ich ihr vertraulich den Arm um die Schulter und versicherte ihr, dass sie die Einzige wäre, der ich mich anvertrauen könnte. Was in gewisser Weise auch stimmte. Es schien zumindest etwas besänftigend zu wirken. Sie lief nicht schreiend davon und alarmierte auch nicht den Wachdienst.

»Ich habe es vergessen. Sigrun wird mir den Kopf abreißen. Das ist heute Abend nicht irgendein Geburtstag.«

»Doch nicht etwa der fünfunddreißigste? Der vierzigste? Ein schreckliches Datum. Es geht bergab, in jeder Beziehung.« Sie warf einen wehmütigen Blick in ihren Ausschnitt. Ich tat es ihr nach, und augenblicklich lächelte sie.

Ich riss mich scheinbar zusammen und sah ihr zur Abwechslung tief in die Augen. »Ich brauche kein Geburtstagsgeschenk. Ich brauche etwas für eine Verlobung.«

»Eine Verlobung!«, platzte es aus ihr heraus. »Ihre? Mit Sigrun?« Instinktiv huschte ihr Blick an mir vorbei auf der Suche nach bekannten Gesichtern, denen sie diese Neuigkeit brühwarm mitteilen konnte.

»Sie wird rasen, wenn ich keinen Ring habe. Es gibt Mord und Totschlag. Ich werde geteert und gefedert vom Hof gejagt.«

»Ein Skandal!«, rief sie mit glitzernden Augen, denen irgendwie das Mitgefühl für meine Situation zu fehlen schien.

»Eine Hinrichtung. Tun Sie mir das nicht an.«

Sie rief sich zur Ordnung und blickte streng. »Wissen Sie eigentlich, was der Ring wert ist?«

»Für mich ist er unbezahlbar. Sie retten ein Leben damit.« Ich führte die wichtigere Hand erneut an die Lippen. Dieses Mal ohne Dekolletéblick. Als ich sie sinken ließ, musterte Verena die Smaragde mit einem rätselhaften Blick.

»Sardinien. 1994. Eleonora.«

Eine wunderschöne Arbeit. Die Steine strahlten in dem gesamten Spektrum der Grüntöne, sie waren etwas altmodisch gefasst, aber das machte dieses Schmuckstück nur noch wertvoller.

Verena deutete auf die anderen Ringe an ihren Händen, einen nach dem anderen. »Geschäftsreise nach Danzig, 1992, Paulina. – Rom, 1988, Beatrice. – Schlosshotel Vier Jahreszeiten, Grunewald, 1989, Sophia. Die Geburt von Maximilian, 1986.« Sie ließ die Hand sinken.

Ich schwieg einen Moment. Ihr Geständnis war überraschend. »Sie haben noch einen Sohn?«, fragte ich.

»Ich nicht«, antwortete sie. Sie hob die Hand. »Alle diese Ringe. Und er glaubt bis heute, ich wüsste nichts davon.«

Ein Streichquartett ganz in der Nähe spielte Mozart. In den Bäumen sangen die Vögel, bengalische Fackeln erleuchteten den Park. Auftakt eines Sommerfestes. Sie lächelte wehmütig. »Da, nehmen Sie.«

Unter großen Mühen zog sie den Ring vom Finger und legte ihn mir in die Hand. Er war warm und schwer. Erstaunt musterte sie die leere Stelle. »Ich sollte sie alle abziehen. Aber ich tue es nicht. Sie erinnern nicht nur mich an seine Fehltritte. Auch ihn. Jeden Tag, jede Nacht. Ich habe bis heute keinen von ihnen abgelegt. Und keinen verziehen.«

Ich hielt ihre Hand und sah ihr stumm in die Augen. Es war ihr gelungen, mich zu erschüttern. Sie bemerkte es. Sie hatte zu viel von sich preisgegeben.

»Wollen wir?«, sagte sie etwas zu laut. »Ich glaube, es geht los.«

Ich ließ ihr den Vortritt. Ein paar Schritte weiter entdeckte ich

Utz, der sich leise mit zwei Security Guards unterhielt. Als ich dazukam, setzten sie wieder ihr Pokerface auf und sahen interessiert auf das bunte Treiben.

Utz schaute sich wohlgefällig um. Der Garten hatte sich gefüllt, die Gäste spazierten im Abendlicht über den Rasen. Walter war nirgendwo zu sehen. Vermutlich hielt er oben die Hand der Freifrau ganz, ganz fest. Das musste erst einmal verkraftet werden. Hundert Jahre feinste englische Züchtung.

Die weiß geschürzten Mädchen schleppten moosgefüllte Terrakottablumenkästen vor sich her, in die irgendein dekadenter Koch Spieße gesteckt hatte. Scampi, Datteln mit Speck, Sushi, Krabbenbällchen. Ich sah, wie Aaron einer gertenschlanken Hostess nicht mehr von der Schürze wich.

»Hervorragend. Wirklich hervorragend.« Dressler stand hinter mir und schmatzte mit vollem Mund. Er hatte ein Mädchen mitsamt Blumenkasten nur für sich reserviert.

»Freut mich, wenn es Ihnen schmeckt.« Ich wollte an ihm vorbei, aber er schob mir seinen immensen Bauch in den Weg.

»Hat sicher 'ne Menge gekostet. Zweihundert Gäste, Champagner, Horsd'œuvres. Gibt es eigentlich noch was Warmes?«

Ich wies auf die Zelte am Ende des Parks. »Wenn es noch bis nach den Reden Zeit hat?«

»Sicher, sicher.« Er steckte sich eine Pflaume im Speckmantel in den Mund und schob ein Thunfisch-Sushi hinterher. »Woher kommt eigentlich die ganze Kohle? Der Kasten fällt fast auseinander, einen Gärtner könnt ihr euch auch nicht leisten, aber feiern. Feiern könnt ihr.«

»Bitte sehr«, sagte die Hostess und hielt mir den Kasten entgegen. Ich schüttelte den Kopf. Sie wollte sich entfernen, aber Dressler hielt sie am Ärmel fest und pflückte noch eine Hand voll Spießchen.

»Vielleicht vergessen Sie einen Abend Ihre Sorgen und feiern einfach mit?«, schlug ich vor. Ich hätte ihm am liebsten Hausverbot erteilt. Sigrun hatte ein hervorragendes Verhältnis zur Presse. Aber dieser Mann ging eindeutig zu weit.

Dressler ließ die abgegessenen Holzstäbe auf den Rasen fallen. »Man wird ja wohl mal fragen dürfen. Oh, Entschuldigung.« Er steckte die restlichen Spieße der verdutzten Hostess in den Kasten zurück. Dann zückte er die Kamera und hielt Sigrun, den Regierenden Bürgermeister sowie den Herausgeber seiner Zeitung im Bild fest.

»Schöne kleine Feier!« Der Regierende Bürgermeister hob sein Champagnerglas. »Sie werden mir verzeihen, wenn ich in ein paar Minuten aufbreche.«

»Immer im Dienst.« Utz nickte bewundernd. »Aber bis zu unserer kleinen Rede bleiben Sie doch noch. Es gibt Neuigkeiten.«

Beide schmunzelten. Wir entdeckten Sigrun an den Lippen eines bekannten Kunstsammlers, der im engen Kreis mit leiser Stimme unbezahlbare Tipps gab, in welchen Künstler man jetzt unbedingt investieren müsste.

»Ich denke, jetzt sind alle da.«

»Die Afrikaner«, flüsterte Sigrun mir auf dem Weg zum Podium zu. »Die sind so was von im Kommen! Ich hab dir gesagt, es war ein Fehler, dass wir nicht zur Documenta gefahren sind.«

»Du hast den Katalog«, erinnerte ich sie.

»Aber da habe ich doch nie reingeschaut. Und jetzt stehe ich da, und alle waren in Kassel, bloß ich blöde Kuh …«

»Du musstest ein neues Kitagesetz durchsetzen, Berlins Schulen sanieren und vierundzwanzig Leihbüchereien vor der Schließung bewahren.«

»Fünfundzwanzig.«

Ich schob sie die drei Stufen hinauf. Das Streichorchester hatte sein Repertoire von Klassik auf Swing modernisiert und intonierte nun einen improvisierten Tusch. Utz ging auf das Mikrofon zu und pustete hinein. Er war bis in den letzten Hibiskuszweig zu hören.

»Meine sehr verehrten Damen und Herren.« Er machte eine kurze Pause. Das Stimmengemurmel hörte auf. Alle wandten sich dem Podium in der Mitte des Gartens zu. Utz breitete die Arme aus. »Liebe Freunde!«

Frenetischer Applaus. Er drehte sich zu uns um und nickte Sigrun zu. »Achtunddreißig Jahre. Meine Tochter. Würde es nicht im Handbuch des Abgeordnetenhauses stehen, es würde keiner glauben.«

Sigrun lachte hell und fröhlich, alle lachten mit. Utz wurde ernst. »Du bist das größte Glück meines Lebens. Und ich gäbe alles darum, wenn ich heute Abend nicht alleine hier oben stehen müsste, sondern Regina noch bei uns wäre. Sie wäre stolz auf dich. Sie hätte dich in den Arm genommen, meine Kleine, und hätte gesagt: Schau mich an. Unkraut vergeht nicht. Mit achtunddreißig fängt doch alles erst an!«

Regina war mit sechsunddreißig an Brustkrebs gestorben. Sigruns Augen wurden feucht. Im Garten war es mucksmäuschenstill.

»Ich bin mir sicher, sie sitzt jetzt da oben und murmelt: Mensch, Oller, nu fang doch endlich mit der Party an!«

Sigrun lächelte, einige Gäste lachten. Utz drehte sich zu seiner Tochter um. »Liebling, komm her. Heute Abend geht es um mehr als um einen Geburtstag. Heute Abend feiern wir etwas Besonderes. Etwas, das ein Vater, der nur eine Tochter hat, auch nur einmal feiern kann. Zumindest sollte es bei dem einen Mal bleiben.«

Herzliches Lachen. Vom Podium aus konnte man den Eingang besser im Blick behalten. Es wirkte alles normal. Die Einfahrt war mit dunklen Limousinen zugeparkt, neben denen gelangweilt die Fahrer standen und rauchten. Vor dem Eingang zu unserer Wohnung stand ein Polizeiwagen geparkt. Das war nicht ungewöhnlich. Allerdings hatte sich die Eingangskontrolle verstärkt. Statt zwei standen nun vier schwarz gekleidete Muskelmänner am Tor.

Utz drückte Sigrun an sich. Beifall. Beide sahen zu mir. Ich hatte irgendetwas verpasst, tat aber das einzig Richtige: lächelnd auf die beiden zuzugehen.

»Joachim Vernau dürften die meisten von Ihnen schon kennen. Lieber Joachim, als Sigrun mir vor vier Jahren sagte, den will ich heiraten – ich habe ihr kein Wort geglaubt. Mittlerweile habt ihr beiden uns eines Besseren belehrt. Was bedeutet: Nun prüfet, was sich ewig bindet, bezieht sich keinesfalls auf die Verbindung zweier junger Leute. Eher auf die zwischen Schwiegervater und Schwiegersohn!«

Ich legte meinen Arm um Sigruns Schulter. Sie sah mich mit leuchtenden Augen an. Alle Unruhe der letzten Zeit war aus ihren Zügen fortgewischt. Sie war so schön in diesem Moment.

»Und deshalb«, fuhr Utz fort, »möchte ich mehr zu dir sagen können als Sohn.«

Ich verstand nicht.

»Partner!«

»Papa!«, rief Sigrun und umarmte ihn unter Tränen. Die Gäste applaudierten. Utz sah mich an. Ich trat einen Schritt näher. »In Zukunft also: Zernikow & Vernau. Einverstanden?«

Sigrun drehte sich zu mir um und schmiegte sich an mich. Ich nahm sie in die Arme und sah über ihren Kopf hinweg in den Garten. Da stand Milla.

Weiß der Teufel, wie es ihr gelungen war hereinzukommen. Sie war vielleicht noch dreißig Meter vom Podium entfernt. Die Leute achteten nicht auf sie. Alle waren viel zu gebannt von diesem Moment schwiegerväterlicher Zuneigung.

»Zernikow!«, rief sie.

Alle Köpfe wandten sich um. Utz balancierte vorsichtig ein Silbertablett, auf dem drei Champagnergläser standen.

»Zernikow!«, rief Milla noch einmal. Die Menge teilte sich. Utz schaute von dem Tablett hoch und musterte die Frau. Sie stand im Gegenlicht der strahlenden Scheinwerfer.

»Mörder!«, rief sie.

»Scheiße«, murmelte ich.

»Wer ist das?«, flüsterte Sigrun. Ich sah nach links, wo ich Dressler zuletzt beim Leerräumen der Balkonkästen gesehen hatte. Er war nicht mehr da.

Milla kam näher. Sie trug eine kleine dunkle Handtasche. Die nahm sie jetzt von der Schulter, öffnete sie und griff hinein.

»Auf euer Glück!«, rief Zernikow. »Auf meine Tochter! Auf …«

Ich sprang vom Podest, tauchte brutal durch die Menge, die erschrocken aufschrie, und boxte mich zu Milla durch. Der Tusch des Streichorchesters verhauchte in einer Dissonanz. Ich hörte Sigrun einen Schrei ausstoßen und Glas klirren. In dem Durcheinander dauerte es ein paar kostbare Sekunden, bis ich Milla gefunden hatte. Ich packte sie an den Schultern und drückte sie ins Gebüsch.

»Was tust du hier?«, fuhr ich sie an. »Bist du wahnsinnig? Was hast du da?«

Ich riss ihr die Handtasche weg und streute den Inhalt auf den Boden. Ein Kamm, ein billiger Lippenstift, ein kleines Portemonnaie. Ein Zettel.

»Er soll unterschreiben!« Sie marschierte wieder los. Ich konnte sie gerade noch am Handgelenk festhalten, da waren schon drei Sicherheitsleute bei uns.

Milla schrie und wütete. »Zernikow!«, brüllte sie. »Zeig dich! Mörder! Mörder!«

»Halten Sie ihr den Mund zu!«, befahl ich dem Wachmann, der gerade versuchte, sie zu bändigen. Eine Hostess hatte ihr Blumenkästchen fallen lassen und rannte hysterisch davon.

»Sie hat eine Waffe!«, brüllte jemand. Schreiend stoben die letzten Zeugen in der unmittelbaren Umgebung auseinander.

»Mörder!«, schrie Milla. Das trug natürlich auch nicht zur allgemeinen Beruhigung der Lage bei.

»Bringen Sie sie zum Schweigen!«

Der Wachmann hob seine Waffe und versetzte Milla mit dem Knauf eine Kopfnuss. Sie strampelte reflexartig mit den Beinen und erschlaffte.

»Doch nicht so!«, brüllte ich den Mann an.

»Das geht nur so«, erwiderte der vollkommen gelassen.

Zwei Polizisten tauchten auf. Milla wurde abgeführt, oder besser gesagt, hinausgeschleift. In mir war alles gefroren. Ich hatte Mühe, die Hände zu heben und mir über die Augen zu wischen. Ich folgte der Gruppe. Milla wurde gerade in den Polizeiwagen geschoben.

Sigrun tauchte auf. »Was war das?« Direkt hinter ihr sicherten ihre beiden Leibwächter mit schnellen Blicken in die Baumwipfel und unter die Autos das Gelände.

Einer der Polizisten hatte Millas Habseligkeiten eingesammelt und reichte seinem Kollegen ihre Papiere. Als er hochblickte, erkannte ich ihn. Der Frauenrechtler.

»Ist irgendjemand außer der Dame verletzt oder zu Schaden gekommen?«

»Nein … nein«, stammelte Sigrun. »Wer ist sie?«

POM 1 kam in Schwierigkeiten. Ich übrigens auch.

»Milla Tscherednitschenkowa. Ukrainerin. Tscha.« Er sah mich an. Als ich nichts sagte, wandte er sich an Sigrun. »Hatte wohl was gegen Ihre Verlobung. Wollen Sie Anzeige erstatten?«

Sigrun starrte auf den Polizeiwagen, aus dessen geöffneter Tür Millas Beine ragten. Von ferne hörte man eine Sirene. Funksprüche geisterten hin und her. Im Eingang zum Garten drängten sich die Neugierigen, wurden aber von eisenharter Hand zurückgehalten.

»Wollen Sie Anzeige erstatten?«, fragte POM 1 noch einmal.

Sigrun drehte sich langsam um. »Milla Tscherednitschenkowa?«, fragte sie mich.

Ich nickte.

POM 1 klatschte ungeduldig den Personalausweis in seine Handfläche. »Ganz recht. Die Dame, die wir neulich Nacht in Ihrer Wohnung angetroffen haben.«

»In … meiner Wohnung?«

POM 1 witterte, dass er vom Schicksal ausersehen war, ahnungslosen Hintergangenen ungeheuerliche Schandtaten zu offenbaren. Er tat es mit sichtlichem Vergnügen. »Die Dame behauptete, von Herrn Vernau mit einem Heiratsversprechen nach Deutschland gelockt worden zu sein. Es gab eine kleine tätliche Auseinandersetzung.«

»Heiratsversprechen?« Sigrun konnte nur noch wiederholen. Verstehen konnte sie nicht. Ich wollte ihr beruhigend die Hand auf den Arm legen, doch sie trat schnell einen Schritt zurück.

Petze 1 schaute mitleidig. »Hören Sie, wir sind nicht dazu da, Ihre vorehelichen Probleme zu lösen. Klären Sie das bitte untereinander. Ich will nur wissen, ob Sie Anzeige erstatten wollen.«

Ein Notarztwagen bog um die Ecke. Die Sirene machte auch noch den Rest der Straße darauf aufmerksam, dass es bei Zernikows was zu sehen gab.

»Anzeige«, murmelte Sigrun. Sie atmete tief durch. »Klar. Schreiben Sie auf. Hausfriedensbruch, tätlicher Angriff, nächtliche Ruhestörung, Beleidigung. Na ja, Widerstand und das alles. Und bringen Sie sie weg. Weit weg.«

Aufrecht und starr ging sie an den Gaffern vorbei ins Haus. Blitzlichter zuckten auf. Ich ahnte, dass Sigrun auf diese Art Publicity gerne verzichtet hätte.

Zwei Sanitäter trugen eine Bahre vorbei und setzten sie vor dem Polizeiwagen ab. Dann hoben sie Milla heraus. POM 1 zückte, nun wohl doch etwas unsicher, seinen Block. »Tut mir leid. Aber wenn Frau von Zernikow das so sagt …«

»Zernikow«, sagte ich. »Ohne von.«

Ich ließ ihn stehen und ging zu Milla. Sie war gerade am Aufwachen. Als sie mich sah, lächelte sie. Doch dann bemerkte sie, dass sie Handschellen trug. In einem sinnlosen Versuch, sich zu befreien, zerrte sie an ihnen herum. »Du hast mich vergessen und verleugnet, Jojo«, zischte sie. »Drei Mal habe ich nach dir gefragt, du hast dich nicht gemeldet.« Sie brach ab, als einer der Sanitäter zu ihr herübersah.

Ich beugte mich zu ihr. Es gab keinen Grund, besonders freundlich zu ihr zu sein. »Wo hätte ich mich melden sollen? Du hast mich belogen. Du wohnst nicht in der Kirche. Und deine Mutter ist tot. Du spielst ein Spiel, aber ich mache nicht mit.«

Der Sanitäter trat zu uns. »Ist alles in Ordnung?«, fragte er.

»Nein, gar nichts«, erwiderte sie.

»Na bestens.« Er ging wieder zu seinen Kollegen.

Die Menschenmenge verlief sich langsam. Nur Dressler stand noch am Gartentor und knipste das eine oder andere Foto.

»Meine Mutter ist nicht tot. Frag Utz nach dem Kreuz. Dann wird er sich erinnern. Und wenn er es nicht tut, ich schwöre es, werde ich ihm dabei helfen.«

»Schluss mit lustig!« Der Sanitäter schnallte Milla unsanft auf der Bahre fest und schob sie in den Notarztwagen. Sie ließ es widerwillig geschehen. Doch bevor sich die Türen schlossen, rief sie: »Das Kreuz! Sag es ihm!«

Ich ging in den Park und suchte Sigrun und Utz. Sigrun fand ich nicht. Utz stand allein hinter einem Partyzelt und hielt ein leeres Champagnerglas in den Händen. Ich trat zu ihm, aber er drehte sich nicht zu mir um.

»Wer war das?«, fragte er.

Ich sah einen Tisch mit Gläsern neben dem Zelteingang. Ich nahm mir eines und goss mir aus einer Flasche nach, die unberührt in einer der silbernen Schalen lag. »Weißt du es nicht, oder willst du es nicht wissen?«

»Sie stand nicht auf der Gästeliste. Das passiert mit Leuten, die nicht eingeladen sind.«

»Das Kreuz, Utz. Sie wollte dich an ein Kreuz erinnern.«

Utz drehte sich langsam um und sah mich an. Er musste nichts sagen. Ich konnte die Antwort in seinem Gesicht lesen.

»Sie lebt, Utz. Natalja Tscherednitschenkowa lebt. Öffne endlich die Tür.«

Sein Glas zerschellte auf dem Holzboden. Er achtete nicht darauf, sondern drehte sich wortlos um und ging.

Diskutierende Grüppchen standen beieinander und überlegten, ob die Verlobung nun stattgefunden hatte oder nicht. Von der Kanzleipartnerschaft ganz zu schweigen. Die Musikanten beschlossen unisono, keinen letzten Walzer zu spielen, und zogen ab. Mit Wehmut bedeckten die Köche die Speisen wieder mit den Deckeln und löschten die Brenner. Hinten im Zelt zogen die Mädchen die restlichen Spieße aus den Blumenkästen und warfen sie weg. Eine von ihnen wirkte etwas derangiert, ihr Haar hatte sich gelöst, ihr Lippenstift war verschmiert. Sie umfing eine Aura schläfriger Zufriedenheit, und ich fragte mich, wo Aaron sie wohl flachgelegt hatte.

Dass Marie-Luise überhaupt abnahm, war nur meiner Hartnäckigkeit zu verdanken. Nach dem zwölften Klingeln hörte ich endlich ihre Stimme. »Egal, wer Sie sind, wehe, es ist nicht wichtig.«

»Milla wurde festgenommen.«

»Wer zum Teufel ist das?«

Ich verdrückte mich hinter die Müllsäcke und erklärte den Ernst der Lage so knapp und präzise ich konnte.

»Ihre Tochter?« Marie-Luise klang sehr amüsiert. »Auf eurer Party? Respekt.«

»Sie braucht einen Anwalt. Sigrun wird die Anzeige zurückziehen, aber bestimmt nicht heute Nacht.«

»Schönes Verlobungsgeschenk«, bemerkte sie. Dann ließ sie sich erklären, zu welcher Wache Milla gebracht wurde.

»Hat sie gültige Papiere und ein Visum?«

»Das nehme ich an.«

»Dann ist sie in einer Stunde wieder draußen.«

Sie versprach, sich zu melden. Ich steckte das Handy ein und machte mich auf die Suche nach meiner Halbverlobten.

Ich entdeckte sie schließlich im Schlafzimmer. Sie saß im Dunkeln auf dem Bett, die Decke zu sich hochgezogen, mit angewinkelten Beinen, und rauchte. Ich tat den Teufel, es ihr zu verbieten. Ich sagte auch nichts, als sie meine silberne Manschettenschale als Aschenbecher benutzte. Kaum hatte sie die Zigarette ausgedrückt, zündete sie sich die nächste an. Der Widerschein des Feuerzeugs auf ihrem Gesicht flackerte. Ihre Wimperntusche war zerlaufen. Sie hatte geweint.

Ich hatte Sigrun noch nie weinen sehen.

»Ist da was gelaufen? Zwischen dir und der Russin?«

»Ukrainerin«, sagte ich leise.

»Es ist mir scheißegal, woher sie kommt. Sie hat alles kaputtgemacht.« Sie schluchzte und wischte sich die Tränen vom Gesicht. »Vor allen Leuten. Ich bin noch nie so gedemütigt worden. Vor meinem Vater, vor der Presse, vor dem Bürgermeister. Es war so peinlich. Ich kann mir eigentlich nur noch das Leben nehmen.« Sie zog geräuschvoll die Nase hoch und aschte aus Versehen auf die Bettwäsche. »Ich habe morgen eine Sitzung im Abgeordnetenhaus.«

Wir schwiegen uns an. Ich konnte ihr jetzt nicht damit kommen, dass es schlimmere Dinge gab, als nach einem missglückten Fest seinen Job zu machen.

»Was wollte sie eigentlich? Ich meine, außer ihren Anspruch auf dich anzumelden.«

»Das hat sie nicht getan«, sagte ich.

»Ach, du nimmst sie auch noch in Schutz.«

Ich wurde langsam wütend. »Sie wollte deinen Vater coram publico dazu zwingen, dass er anerkennt, dass ihre Mutter in eurem Haus Zwangsarbeit geleistet hat.«

Sigrun sah mich mit großen Augen an. »Zwangsarbeit?«, fragte sie. »Was für eine Zwangsarbeit? Die Mädchen haben doch alle ordentliche Verträge.«

»Nicht diese Mädchen. Das Kindermädchen deines Vaters. Sie war Zwangsarbeiterin. Im Krieg.«

»Im Krieg«, wiederholte Sigrun. »Und was habe ich damit zu tun?«

Ich hielt ihr die Manschettenschale gerade noch rechtzeitig unter die Asche. »Ich fürchte, es geht ihr auch gar nicht um dich. Sie will eine Unterschrift von Utz oder von deiner Großmutter. Dann erst wird eine Entschädigung aus dem Stiftungsfonds ausgezahlt.«

»Oh mein Gott.«

»Sprich mit deinem Vater. Auf dich hört er. Diese Unterschrift ist doch kein Beinbruch. Sie bekommt ihren Zettel, reist wieder ab, und alles ist in Ordnung.«

»In Ordnung?«, flüsterte Sigrun heiser. »Es ist Wahlkampf. Unter den zweihundert Gästen heute Abend waren hundertneunundneunzig, die nur darauf warten, mich in der Luft zu zerfetzen. In Ordnung? Ist dir eigentlich schon mal aufgefallen, dass die Kanzlei meines Vaters nicht so gut läuft? Hast du nicht mitbekommen, dass die letzten großen Klienten wegsterben? Das nennst du in Ordnung?«

Ich stand auf und zog mich aus. »Ich weiß nicht, warum so eine Unterschrift euch schaden soll. Ihr macht einen Fehler wieder gut. Was Siemens, Mercedes und Krupp geschafft haben, was sogar ein Flick konnte, das könnt ihr doch auch.«

In dem schwachen Schein des Feuerzeugs sah ich Sigruns Gesicht. Zum ersten Mal, seit ich sie kannte, wirkte es fremd.

»Du verstehst mich nicht«, sagte sie.

Plötzlich bekam ich Angst. Um uns. Um das, was wir waren. Zwischen zwei Zügen an der Zigarette schlug sie die Decke weg. Mühsam stellte sie die Beine über die Bettkante und zog ihre Schuhe aus, die sie bis jetzt angelassen hatte.

»Okay, Prinz Eisenherz. Dann sag mir jetzt, was in dieser Wohnung passiert ist. Den todesmutigen Porsche-Retter können wir ja wohl vergessen.«

Ich gab ihr eine kurze Zusammenfassung der Ereignisse und verschwieg nicht, dass ich ihren Vater darüber in Kenntnis gesetzt hatte. Sie stand auf und begann sich auszuziehen. Mittlerweile hatten sich meine Augen an die Dunkelheit gewöhnt. Ich konnte ihre Silhouette vor dem begehbaren Kleiderschrank erkennen und die Schwierigkeiten, die sie hatte, sich aus Kostüm, Bluse, Seidenstrümpfen und Dessous zu winden, ohne die brennende Zigarette aus dem Mund zu nehmen.

Mein Handy klingelte. Es war Marie-Luise.

»Sie sitzt gerade neben mir. Ich bringe sie jetzt in ihr Hotel. Können wir uns Montagabend sehen?«

»Ja«, sagte ich und legte auf.

»Wer war das?«, fragte Sigrun.

»Eine Kollegin«, sagte ich. »Milla ist wieder auf freiem Fuß.«

»Dann wollen wir hoffen, dass sie nicht noch mal nachts hier einsteigt.«

Sie knipste die Nachttischlampe an und zog eine Schublade auf. Ich erkannte das leise, klickende Geräusch sofort. Sie hatte eine Pistole entsichert.

»Lass das«, sagte ich.

Sie schob die Schublade mit einem Knall zu und löschte das Licht. »Du hast mir nicht zu sagen, was ich zu tun oder zu lassen habe. Und ich warne dich. Meine Schublade ist für dich tabu.«

Wir lagen Seite an Seite, doch wir berührten uns nicht. Im Halbschlaf hörte ich, wie irgendwo ein Hund bellte. Ein Auto angelassen wurde. Ein Feuerzeug klickte, und das Licht biss sich sekundenlang hinter meine geschlossenen Lider. Sigrun rauchte. Eine nach der anderen. Und dann hörte ich, durch schwere Holzbalken und eine Kassettendecke hindurch, Schritte. Auf und ab. Auf und ab. Irgendjemand in diesem Haus konnte genauso wenig schlafen wie wir. In diesem Zimmer war es die Angst vor der Zukunft, die uns wachhielt. Im Zimmer über uns die vor der Vergangenheit.

16

Am Montag spürte ich, dass sich etwas verändert hatte.

Walter nickte mir nur höflich zu und griff dann rasch zum Telefon. Ich nahm zwei Treppenstufen auf einmal. Er hatte offensichtlich Harry alarmiert, der gerade, als ich den Flur erreichte, mein Büro verließ.

»Guten Morgen!«, rief ich ihm zu.

Er blieb nicht stehen, sondern machte, dass er Land gewann. Ich beschloss, ihn mir später vorzuknöpfen. Ich schloss die Tür und sah mich genau um. Auf den ersten Blick war alles beim Alten. Aber ich konnte eins und eins zusammenzählen. Harry würde niemals freiwillig kurz vor sieben in der Kanzlei erscheinen. Und erst recht nicht im Büro eines Kollegen herumschnüffeln.

Ich durchblätterte die Akten. Die Schauspielertochter, einige Steuerrechtsfälle, Abrechnungen und Notizen. Ich holte meinen Schlüsselbund heraus, um den Schreibtisch aufzuschließen. Er war offen.

Ich hatte erwartet, den Rückübertragungsfall nicht mehr vorzufinden. Doch alles lag säuberlich in Aktendeckeln und Hüllen. Was zum Teufel hatte Harry gesucht?

Es war leise genug im Haus, um von weit entfernt den Gong einer Uhr zu hören. Ich schloss alles ab und ging hinüber zu Utz.

Bei seinem Anblick erschrak ich zutiefst. Ich hätte es nicht für möglich gehalten, aber er hatte es tatsächlich geschafft, in einer Nacht um Jahre zu altern. Seine kräftige Gesichtsfarbe war einem kränklichen Grau gewichen. Die Schultern tief nach vorn gebeugt, bot er mir schweigend den Platz vor dem Schreibtisch an. Seine Hand zitterte leicht.

»Nun«, begann er und räusperte sich. In seiner Stimme lag das heisere Falsett des Alters, »zumindest war es ein Fest, über das man spricht.«

Er wies auf die Morgenzeitungen.

Wir waren immerhin nicht auf der ersten Seite. Wir liefen unter »In Berlin« und »Stadtgeflüster«, »Buntes Leben« oder »Pssst!«. Der Tenor war überall derselbe: Verlobung der Senatorin geplatzt, weil Zweitfrau des Zukünftigen aufgetaucht. Ich wollte gerade den Mund aufmachen, um zumindest meine sexuelle Unschuld zu beteuern, da sagte er: »Wie trägt es Sigrun?«

»Schlecht«, antwortete ich wahrheitsgemäß.

Utz faltete die Zeitungen zusammen und legte sie sorgfältig in den Papierkorb. »Es sieht so aus, als ob ich dir danken müsste. Es wäre eine unangenehme Situation geworden. All dem … nicht würdig.« Seine Augen wirkten blutunterlaufen, als habe auch er, genau wie seine Tochter, in dieser Nacht keine Minute geschlafen. »Aber«, fuhr er fort, »die Zweifel bleiben. Ist sie es wirklich? Gibt es irgendeinen Beweis?«

Utz schlich in gebeugter Haltung zum Fenster. Ungefähr eine Minute starrte er in den Garten. »Welches Spiel spielst du mit mir?«

Ich glaubte, ich hätte ihn nicht richtig verstanden. »Bitte?«, fragte ich.

Er drehte sich zu mir um. »Welches Spiel spielst du?«, wiederholte er.

Erst da begriff ich. »Ich will dich nicht erpressen, und ich verschweige dir auch nichts.« Ich sprach langsam und hoffte, meine Worte klangen so aufrichtig, dass ihm nichts anderes übrig blieb, als mir zu glauben. Dass er erkannte, wie absurd es war, mich zu verdächtigen, mit Milla gemeinsame Sache zu machen.

Utz wankte zu seinem Stuhl und sank mit einem Stöhnen zusammen, das sich Besorgnis erregend anhörte. Dann legte er die Hände vors Gesicht und weinte. Das war zu viel. Zwei Zernikows innerhalb von vierundzwanzig Stunden in Tränen aufgelöst, da fehlte nur noch eine schluchzende Freifrau. Ich sah schnell hinüber in den Erker. Er war leer. Utz holte röchelnd Atem. Schnell vergewisserte ich mich, dass es noch nicht an der Zeit war, den Hausarzt zu verständigen.

»Natalja Tscherednitschenkowa ist tot. Sie wurde in Berlin hingerichtet.«

Ich setzte mich wieder und blickte ihn an. Zeit für die Beichte.

»Sie hatte Medikamente auf dem Schwarzmarkt besorgt. Für mich. Ich hatte Diphtherie. Ohne sie wäre ich nicht mehr am Leben. Sie hat dafür ihr Kreuz versetzt. So ein kleines, goldenes. Das einzig Wertvolle, das sie hatte.«

»Dann begreife ich nicht, warum du diesen winzigen Schritt der Wiedergutmachung nicht tust.«

»Herrgott! Hörst du nicht? Sie ist tot!« Utz starrte mich zornig an. »Sie ist 1944 gestorben. Mit vierzehn Jahren. Kannst du nicht rechnen? Selbst wenn sie vorher noch eine Tochter geboren hätte, wie alt müsste sie dann sein?«

»Bist du dir absolut sicher, dass sie tot ist?«

Utz wurde noch eine Spur bleicher. Er erhob sich mühsam, öffnete den Safe und holte einen dunklen Umschlag heraus. Aus seinem Inneren zog er ein Blatt. Es war alt, vergilbt, war oft gefaltet worden. Ein Original. Auf dem Briefkopf war der Reichsadler zu sehen, darunter stand in gotischen Lettern:

Sondergericht. Es war die Mitteilung an Irene von Zernikow, geborene Freifrau von Hollwitz, dass das Todesurteil gegen Natalja Tscherednitschenkowa am 15. November 1944 um 5 Uhr 42 vollstreckt worden war.

»Und nun«, flüsterte er, »sag mir: Wer ist diese Frau, die sich für ihre Tochter ausgibt?«

Ich starrte auf das Papier. Plötzlich war mir alles klar: Die stoische Weigerung, der Schmerz, die Wut, all das, was ich bei ihm gespürt und das ich nicht verstanden hatte.

Tote kriegen keine Töchter.

»Ich weiß es nicht«, sagte ich. »Aber ich verspreche dir, ich werde es herausfinden.«

Ich hatte die dunkle Seite der Zernikows entdeckt. Das bedeutete: Ich gehörte dazu. Wir waren eine Familie.

»Bring mir die Frau«, sagte Utz hinter mir. »Ich will mit ihr reden.«

Gott sei Dank hatte ich nicht die Schlafwandlerin am Apparat. Ein junger Mann versuchte mehrmals, mich zu Millas Zimmer durchzustellen, aber sie war nicht zu erreichen. Ich bat ihn, in ihrem Zimmer nachzusehen. Irgendetwas in meinem Ton brachte ihn dazu, dass er es tatsächlich tat. Er sagte mir, sie sei vermutlich gar nicht da gewesen, das Bett wäre unberührt. Ich setzte mich in den Porsche und raste in die Meinekestraße.

»Ich darf Sie nicht hinauflassen«, erklärte er mir. Vor ihm lag eine wissenschaftliche Abhandlung über theoretische Physik. »Ich bin nur die studentische Aushilfe.«

»Ich bin im Auftrag der Maria-Hilf-Gemeinde hier«, sagte ich so sanft ich konnte. »Sie hat ihre Bibel mit der des Pfarrers verwechselt, in der sich die Aufzeichnungen von Hochwürden für die morgige Predigt befinden. Es ist ein Notfall.«

»Zeigen Sie mal Ihren Ausweis«, verlangte der Experte für Elementarteilchen, den ich daraufhin am liebsten in jedes einzelne zerlegt hätte. Er begutachtete meinen fälschungssicheren Personalausweis und gab mir dann seufzend den Schlüssel.

Millas Zimmer sah unbewohnt aus. Im Kleiderschrank fand ich ihre wenigen Habseligkeiten. Zwei Pullover, eine Jeans, ein bisschen Unterwäsche. Auf der anderen Seite hingen zwei Kleider. Ich durchsuchte die Hosentaschen, fand aber nichts außer einen wieder ins Papier gewickelten Kaugummi. Ich ging ins Bad.

Die Handtücher hingen trocken und ordentlich an ihrem Platz. Bis auf ihre Zahnbürste und einen kleinen Cremetopf fand ich auch hier nichts Persönliches.

Ich sah in der Nachttischschublade nach. Das Neue Testament auf Deutsch, Englisch und Französisch. Eine Kerze für den Stromausfall. Ihren Koffer entdeckte ich unter dem Bett.

Er war leer. Kein Notizbuch, kein doppelter Boden mit versteckten falschen Papieren. Im ganzen Zimmer keine Handtasche, kein Hinweis, wo sie sein könnte. Neben dem Telefon lag der übliche Block und ein Bleistift.

Marlowe nahm den Bleistift und schraffierte das Papier. Auf dem Blatt erschien eine Telefonnummer. Der Meisterdetektiv war sehr stolz auf sich. Er schraffierte weiter. Die Telefonnummer kam ihm bekannt vor. Marlowe wählte.

»Ja, bitte? Wer spricht?«

Ich kannte nur zwei Personen, die aus vier Worten eine bühnenreife Szene machen konnten. Eine von ihnen war Zarah Leander. Die andere hatte ich gerade am Apparat. Ich legte auf.

Ich riss den Zettel ab und steckte ihn ein. Dem jungen Mann drückte ich einen Zwanzig-Euro-Schein in die Hand und bat ihn, mich sofort anzurufen, wenn er irgendetwas Neues hätte.

»Um achtzehn Uhr kommt aber die Nachtschicht«, sagte er.

Ich gab ihm noch einen Schein, damit er meine Nachricht auch an seine Kollegen weiterreiche.

Ich erreichte Marie-Luise übers Handy während der Essensausgabe in der Gerichtskantine.

»Du hast Milla ins Hotel gebracht?«, fragte ich.

»Nein«, antwortete sie, »bitte ohne die Jägersoße. Keine Pommes. – Ja, natürlich, das hab ich dir doch gesagt.«

Ich hörte Geschirrklappern und heitere Pausenkonversation.

»Salzkartoffeln, gerne. Warum?«

Ich wartete, bis sie bezahlt hatte. Dann erklärte ich ihr, dass ich Milla nicht erreichen konnte. »Und im Hotel ist sie letzte Nacht nicht auf ihrem Zimmer gewesen.«

»Sie wird schon wieder auftauchen«, meinte Marie-Luise. »Außerdem habe ich jetzt Hunger. Und ein Jägerschnitzel wird definitiv nicht besser, wenn man es kalt isst. Bis heute Abend dann. Ist dir acht Uhr recht? Im *Schimmelreiter* hinter der Gotzkowskybrücke.«

»Was hast du vor?«

»Ich werde deinen Wissensstand ein bisschen auf Vordermann bringen. Ich glaube, du hast es nötig.«

»Und Milla?«

»Gib eine Vermisstenanzeige auf. Am besten bei dem Witzbold von gestern Abend, der sie festgenommen hat. Als Erstes wird er sie unter deinem Bett suchen. Wenn überhaupt.«

Sie legte auf, noch bevor ich ihr einen guten Appetit wünschen konnte.

Ich ging hinüber zu Harry und trat ohne anzuklopfen ein. Er telefonierte gerade und blickte erstaunt auf, als ich plötzlich vor ihm stand. Ich nahm ihm den Hörer aus der Hand und legte auf.

»He! Was soll das?«

»Was war das heute Morgen in meinem Büro?«

»Was?«

Ich drehte seinen Stuhl zu mir herum und setzte mich auf seine Schreibtischkante.

»Diese kleine Hausdurchsuchung. Tut mir leid, mein Lieber, aber ich habe dich gesehen.«

Harry verzog das Gesicht zu einem schuldbewussten Grinsen. »Ich habe was zum Schreiben gesucht.«

Ich nickte. »Zum Schreiben. Was darf's sonst noch sein? Kopierpapier? Hab ich leider nicht mehr. Gibt es bei Connie.«

Er starrte mich an wie eine Marienerscheinung. Dann schüttelte er den Kopf. Er zog die Schreibtischschublade auf und holte einen Kugelschreiber heraus, den er mir entgegenhielt.

»Da. Entschuldige bitte. Wird nicht mehr vorkommen.«

Es war tatsächlich meiner. Ich steckte ihn ein. »Das war alles?«

»Joachim! Ich wusste ja nicht, dass du das so persönlich nimmst. Entschuldige bitte.«

Er klang aufrichtig mit genau der Prise leiser Empörung, die unschuldig Verdächtigte gerne an den Tag legen. Zumindest so lange, bis man sie eines anderen überführt. Ich nickte ihm zu und stand auf.

»Frag einfach das nächste Mal.«

Absichtlich stieß ich den kleinen Lederköcher um, in dem ungefähr ein Dutzend Stifte steckten. Sie kullerten über die Schreibtischunterlage. Er sah auf sie herab, als hätte er gerade das zweite Wunder vor sich.

Aus Harry war nicht mehr herauszubekommen. Milla war verschwunden. Sigrun kämpfte sich zur Stunde durch Geflüster und Klatsch. Utz suchte seinen Frieden. Im Moment konnte ich nichts tun.

Ich rief meine Mutter an. Ich wollte einfach nur ihre Stimme hören. Aber noch nicht einmal sie war zu Hause.

17

Der *Schimmelreiter* rühmte sich von außen einer hervorragenden Küche. Auf Schiefertafeln standen in weißer Kreide die absoluten Renner der Gegend: Schinkeneisbein, Rinderroulade, Buletten. Die zwei Stufen zum Eingang waren gesäumt mit weißen Blumenkübeln aus Plastik. Aus dem Innern drang ein schwacher Lichtschein. Die Fenster waren aus karamellbraunem Butzenglas, und vor ihnen wucherten pinkfarbene Rosen neben neon-gelben Sonnenblumen.

Auf dem langen Tresen standen eine Sammelbüchse in Form eines Segelschiffes, diverse Sparschweine, Aschenbecher in gewaltigen Ausmaßen und weitere Trockenblumengestecke. Dahinter zapfte eine rundliche kleine Frau Bier. Sie sah hoch, doch ich grüßte nur knapp und versuchte, im Dämmerlicht Marie-Luise ausfindig zu machen.

Von den acht Tischen waren drei besetzt. An zweien wurde Karten gespielt. Am dritten saß ein alter Mann, der dem noch älteren Hund unter dem Tisch gerade einen liebevollen Tritt versetzte.

»Suchen Sie jemanden?«, fragte die Wirtin, und alle schauten hoch und starrten mich an.

Ich setzte mich an den Tresen. »Ich bin verabredet.«

Die kleine Frau nickte, »'n Bier?«

»Gerne.«

Sie widmete sich wieder dem Zapfhahn. »Es wird Zeit, dass es regnet. Diese Hitze. Ist ja nicht zum Aushalten.«

Die Tür ging auf, und Marie-Luise wirbelte herein. Im Schlepptau eine Frau mittleren Alters, die hier offensichtlich recht bekannt sein musste. Von allen Seiten wurden ihr Grußworte entgegengerufen, die Wirtin rollte sogar hinter dem Tresen hervor und nahm sie in die Arme.

»Ekaterina Mahler«, stellte Marie-Luise die Frau vor.

Ich gab ihr die Hand. Sie war Anfang vierzig, hatte schulterlange dunkle Haare, ein ungeschminktes Gesicht und kleine Lachfältchen um die Augen. Ihr Händedruck war fest und trocken.

»Komm, wir setzen uns da rüber.«

»Ich wohne direkt um die Ecke«, erklärte Ekaterina. Die Wirtin brachte mein Bier, den beiden Frauen unaufgefordert ein Mineralwasser und einen Pfefferminztee.

»Wollt ihr auch was essen?«, fragte sie.

»Lieber nicht«, antwortete Marie-Luise. Auch Ekaterina schüttelte den Kopf.

»Und Sie? Unsere Rinderrouladen sind sensationell.«

Eigentlich war es zu warm für Rouladen. Doch ich wollte ihr die Freude nicht verderben. Ich nickte. Eifrig kritzelte sie die Bestellung auf einen kleinen Block und schoss von dannen.

Ekaterina lächelte mich an. »Wie ich hörte, interessieren Sie sich für das Schicksal der verschleppten Kindermädchen im Dritten Reich?«

Das wäre mir neu, wollte ich sagen. Doch dann nickte ich. Es konnte nicht schaden, ein bisschen mehr darüber zu erfahren. Vielleicht konnte ich Milla so sogar noch besser überführen.

»Ein Freund von mir hatte neulich Besuch von einer Dame, die behauptete, als Zwangsarbeiterin in einer Familie gearbeitet zu haben.«

Ekaterina nickte. »Eine von rund hundertsechzigtausend.«

Ich war erstaunt. Bisher hatte ich Natalja für einen Sonderfall gehalten. »Damit wir uns nicht missverstehen«, erklärte ich, »wir reden von Kindermädchen. Nicht von Zwangsarbeiterinnen in Fabriken oder in der Landwirtschaft.«

Ekaterina nickte. »Es ist kein Missverständnis, sondern die Wahrheit. Diese jungen Mädchen, selbst oft noch Kinder, kamen mit Transporten aus Polen und der Ukraine nach Deutschland. Deutsche Haushaltshilfen gab es nicht mehr, sie arbeiteten alle in der Rüstungsindustrie. Für kinderreiche Familien, aber auch für die Angehörigen von hochgestellten Parteimitgliedern gab es dann die Ostarbeiterinnen.«

»Und wie hat das funktioniert?«, fragte ich. »Haben sie Deutsch gesprochen? Waren sie ausgebildet?«

»Weder noch. Nur jung und kräftig sollten sie sein, um möglichst viel zu arbeiten.«

Ekaterina holte ein Taschentuch heraus und schnäuzte sich kräftig. »Heuschnupfen«, sagte sie entschuldigend.

»Bis 1942 kamen viele noch freiwillig. Leichte Arbeit, fester Lohn wurden ihnen versprochen. Gehalten wurde nichts. Als sie nicht mehr freiwillig kamen, wurden sie geholt. Von der Straße weg, aus der Kirche. Komplette Schulklassen wurden verschleppt. Wenn sie hier ankamen, trugen sie Stiefel, dicke Jacken und einen Rucksack. Das war alles. Zu Dutzenden wurden sie zusammengetrieben, und dann konnten die deutschen Frauen sich eine aussuchen.«

»Wie auf dem Sklavenmarkt«, sagte Marie-Luise.

Ekaterina nickte. »Oft behielten sie noch nicht einmal ihre Namen. Für die Herrschaft war es einfacher, ihre Dienerin immer nur mit Anna oder Marie zu rufen, statt sich ständig neue Namen zu merken.«

»Wie eine gewisse Sorte von Männern. Bei denen heißt es dann auch nur noch Schatz.«

Wenn Marie-Luise vorhatte, jedes Wort von Ekaterina weiterhin so zu kommentieren, würden wir nicht weit kommen.

»Sie kamen also an, wurden entkleidet, entlaust, fotografiert. Die Fingerabdrücke abgenommen und gleich mit einem neuen Namen versehen. Sie sprachen oft kein Wort Deutsch, lernten aber schnell. Nach dem Krieg haben es fast alle wieder verlernt. Nur ›Russenschwein‹ und ›Auf den Boden!‹, das haben sie behalten.«

Ekaterina holte sorgfältig den Teebeutel aus ihrem Glas und musterte mich. Sie wollte sehen, welche Wirkung ihre Worte auf mich hatten. Marie-Luise half ein bisschen nach. »Ekaterina kennt diese Frauen. Sie fährt mehrmals im Jahr in die Ukraine und versucht, denen zu helfen, die eine genau so nette Herrschaft hatten wie deine Zernikows.«

Ich sah zu Ekaterina, ob dieser Name ihr etwas sagte. Doch selbst wenn sie ihn kannte, sie ließ es sich nicht anmerken. »Ich recherchiere«, sagte sie sanft.

Ich war ihr dankbar für ihre nette, freundliche Art, mit der sie mit mir sprach. Ganz anders als Marie-Luise, die offenbar wieder an ihrem Feindbild wetzte.

»Es hat ganz harmlos angefangen. Als ich meine Eltern in Kiew besuchte, bat mich eine Frau, die Familie zu suchen, bei der sie während des Krieges gearbeitet hat. Ich hatte Glück. Die Familie fand ich nicht mehr in Berlin. Aber das Kind.«

Sie lächelte. »Ein Mann von fast siebzig Jahren. Als ich ihm von der Frau aus Kiew erzählte, fing er an zu weinen. Er hatte sie nie vergessen. Aber er wusste nicht mehr, wie sie hieß und was aus ihr geworden war. Sie haben sich geschrieben und im vergangenen Jahr sogar wiedergesehen. Das war schön.«

Ekaterina schnäuzte sich erneut. »Aber so sind nicht alle. Es gibt viele, die sich nicht mehr daran erinnern wollen oder können. Die Täter sterben, ihre Kinder werden alte Leute. So ist das.«

»Er hat sie nicht vergessen?«, fragte ich.

Die dicke Wirtin kam und brachte die Rouladen. Sie rochen verführerisch und sahen gigantisch aus.

»Essen Sie ruhig«, bat Ekaterina. »Ich kann ja weitersprechen, wenn es Sie nicht stört.«

Ich nickte mit vollem Mund. Die Rouladen waren vorzüglich.

»Es ist vielleicht eines der erstaunlichsten Kapitel dieser finsteren Zeit«, begann sie, »dass inmitten furchtbaren Elends etwas entstand, was …«

Sie sah zu Marie-Luise. Sie nickte ihr zu, und Ekaterina sprach weiter.

»… was Liebe war? Manchen Mädchen ging es auch gut in den Familien. Ich kenne viele Fälle, in denen es noch lange Jahre nach dem Krieg engen Kontakt gegeben hat. Doch viele, viele hatten ein anderes Los. Sie waren zwölf, dreizehn Jahre alt, weggerissen von zu Hause und ihrer Familie. Sie arbeiteten von morgens bis abends, oft über ihre Kräfte. Sie kamen zu Leuten, für die sie

Untermenschen, minderwertig, rechtlos waren. Sie wurden misshandelt. Halb totgeschlagen. Vergewaltigt. Sie erlitten schwerste Störungen, waren unterernährt. Und dennoch. Sie taten mehr als ihre Arbeit. Mehr, als von ihnen verlangt wurde und jemals jemand verlangen kann. Sie liebten die Kinder ihres Feindes.«

»Warum weiß man nichts davon?«, fragte ich Ekaterina.

Doch Marie-Luise gab die Antwort. »Weil geschwiegen wurde. Weil keiner es mehr zugeben mag. Die Kindermädchen haben den Mund gehalten, weil sie nach dem Krieg sofort als Kollaborateure nach Sibirien gekommen wären. Die Herrschaften schwiegen, weil Papa in der SS gewesen war und Mama sich nicht schnell genug das Mutterkreuz abreißen konnte. Zwangsarbeiter? In unserem Kinderzimmer? Niemals!«

»Und die Kinder?«, fragte ich.

»Man redet nicht über etwas, das Jahrzehnte verschwiegen wurde. Was haben diese Frauen den Kindern bedeutet? Die einen haben es verdrängt, die anderen vergessen. Doch viele leiden noch heute darunter, dass eine Fremde ihnen nahe war und dass diese Nähe erzwungen wurde.«

Ich merkte, wie schwer es ihr fiel, die Worte richtig zu setzen.

»Ich habe ein paar Dutzend dieser Kinder von damals kennen gelernt. Sie alle wünschen sich, die Frauen wiederzusehen. Oft sind Schuldgefühle da, die niemals aufgearbeitet wurden. Die sie verschweigen und begraben mussten. Denn viele dieser Kindermädchen waren ihren Schützlingen näher als die eigene Mutter.«

Ich konnte mir die Freifrau nicht als liebende Mutter vorstellen. Hatte Natalja also doch eine so große Bedeutung für Utz gehabt?

Ekaterina sah auf ihre Armbanduhr. »Wie kann ich Ihnen helfen?«

»Wir haben genau so einen Fall«, sagte die lodernde Flamme

145

der Gerechtigkeit neben mir. »Eine Familie will nicht zugeben, dass sie Zwangsarbeiter beschäftigt hat, und deshalb …«

»Moment«, unterbrach ich sie. »Der Fall sieht mittlerweile ein bisschen anders aus.«

Ich holte das Sondergerichtsurteil aus meiner Tasche. Utz hatte mir gestattet, eine Kopie davon zu machen. Die reichte ich ihr. Marie-Luise überflog den Text, ließ das Blatt sinken und gab es kommentarlos an Ekaterina weiter.

»Es gibt hier wohl einen Trittbrettfahrer«, erklärte ich.

Ekaterina runzelte die Stirn.

»Jemand will auf den Namen einer Toten an die Entschädigungssumme.«

Ekaterina schüttelte den Kopf. »Das ist noch nie vorgekommen.«

Marie-Luise wirkte zum ersten Mal ratlos. »Dann ist Milla also nicht Nataljas Tochter? Das glaube ich nicht. Sie wirkte absolut vertrauenswürdig.«

Frauensolidarität. Sie hatte sie ja auch auf etwas andere Weise kennen gelernt als ich.

»Ich überprüfe das. Darf ich?«, fragte Ekaterina und hob das Blatt hoch. Ich nickte, sie faltete es zusammen und steckte es ein. Dann stand sie auf. »Ich muss mich leider verabschieden. Ich mache das ehrenamtlich, in meiner Freizeit. Ich habe über eintausendzweihundert Anfragen.«

Ich erhob mich ebenfalls. »Es gibt noch einen Namen.«

»Ja?«

»Olga Warschenkowa. Eine Freundin dieser Frau. Vielleicht hilft Ihnen das weiter.«

Ekaterina notierte sich den Namen auf der Rückseite der Kopie. Dann verabschiedete sie sich.

Ich setzte mich noch einmal zu Marie-Luise.

»Da stimmt was nicht«, sagte sie. »Irgendetwas stimmt da nicht.«

Ich war erleichtert, dass sie es auch so sah.

»Wir sollten noch einmal mit Milla sprechen«, fuhr sie fort.

»Gute Idee. Die hatten wir auch schon. Das Vögelchen ist aber ausgeflogen.«

»Sie ist wirklich weg?«

»Vermutlich schon auf dem Weg zurück nach Kiew, um ihr Glück beim Nächsten zu probieren.«

»Das glaubst du doch selber nicht.«

Sie trommelte ungeduldig mit dem Portemonnaie auf den Tisch. »Vor fast sechzig Jahren ist eine riesige Sauerei passiert, die bis vor ein paar Wochen säuberlich unter den Teppich gekehrt wurde. So lange, bis diese alte Frau aufgetaucht ist. Und mit einem Mal ist die eine tot und die andere eine mafiöse Russenschlampe?« Sie schüttelte unwillig den Kopf. »Da wurde einfach mal ganz schnell der Spieß umgedreht. Und du gehst ihnen auch noch auf den Leim. Typisch.«

»Was willst du damit sagen?«

Marie-Luise beugte sich zu mir hinüber. So nah, dass ich ihren Atem in meinem Gesicht spürte. »Sie haben dir ein winziges Stückchen Leine gelassen. Wie einem treuen Schoßhündchen haben sie dir ein Knöchlein zugeworfen. Ein klitzekleines Zugeständnis. Okay, mein Lieber, wir haben diese Natalja bei uns schuften lassen, aber nichts für ungut. Kann ja mal passieren. Und jetzt sei endlich zufrieden, und hör auf mit der Kläfferei. Unglaublich, dass du darauf reinfällst. Aber vermutlich haben dir deine beruflichen wie auch privaten Karriereaussichten das Hirn vernebelt.«

»Die Frau ist tot.«

»Wer sagt das?«

»Das Sondergericht.«

»Schöne Zeugen.«

Marie-Luise lachte verächtlich und legte ein Zwei-Euro-Stück auf den Tisch. Ich übernahm den Rest.

»Hör auf damit«, sagte ich. »Für mich ist der Fall erledigt.«

Ich wollte aufstehen, aber jetzt hielt Marie-Luise mich zurück. »Eine alte Frau ist ermordet worden …«

»Das sagst du.«

»Und Milla ist verschwunden. Ich an deiner Stelle würde Himmel und Hölle in Bewegung setzen, um sie zu finden. Bevor es zu spät ist.«

Sie drückte meinen Unterarm. Ich spürte wieder die warme Welle, die durch meinen Körper rollte. Beim letzten Mal war ich betrunken gewesen. Dieses Mal war es anders.

»Wenn dir Gerechtigkeit und Wahrheit und alles, auf das du heute scheißt, jemals wichtig waren …«

Sie senkte die Stimme. »Wenn das, woran wir beide einmal geglaubt haben, dir noch irgendetwas bedeutet, dann tu was.«

Sie ließ mich los. Ich stand auf und ging.

Auf dem Weg zu meinem Wagen klingelte das Handy. Der Nachtportier aus dem Hotel in der Meinekestraße meldete sich. Was er mir sagte, veranlasste mich, auf der Stelle umzudrehen und wieder hineinzugehen. Marie-Luise sah erstaunt hoch, als ich plötzlich wieder vor ihr stand.

»Ist noch was?«, fragte sie.

»Komm mit.«

»Wohin?«

Ich wusste es nicht. Ich wusste nur, dass Milla gestern Nacht von einem großen, dunklen Wagen abgeholt worden war. Und dass ich genau die gleiche Geschichte schon einmal gehört hatte, kurz nachdem man eine alte Frau aus Kiew tot aus dem Landwehrkanal gefischt hatte.

Als Erstes fuhren wir in die Pension. Den Nachtportier hatte ich noch nicht kennen gelernt, aber nach einer Schlafwandlerin und einem Experten in theoretischer Physik konnte mich nichts mehr überraschen. Dachte ich.

Er war Mitte fünfzig, trug einen ergrauten Halbafrolook, hieß Herr Wilhelm und hatte das gütige Gesicht eines Menschen, der schon viel gesehen und eine Menge verziehen hatte.

»An die genaue Uhrzeit kann ich mich natürlich nicht erinnern«, sagte er.

»War es denn vor oder nach Mitternacht?«

Marie-Luise lächelte ihn mit so großen Augen an, dass sogar ich einen Staubsauger von ihr gekauft hätte. Der Portier dachte nach, und er tat es gründlich. »Ja«, sagte er schließlich.

»Ja was?«, fragte sie.

»Ich denke, es war kurz nach Mitternacht. Ich habe nebenan einen Fernseher stehen. Moment.«

Er holte eine Fernsehzeitschrift hervor und fand anscheinend, was er gesucht hatte. Er schaute glücklich lächelnd hoch. »Romy Schneider. Das Mädchen und der Kommissar. Ein phantastischer Film. Göttliche Schauspieler! Michel Piccoli, kalt und berechnend, zerbricht an seiner Obsession zu dieser wunderbaren, heiligen Hure …«

Herr Wilhelm räusperte sich. »Ich habe früher mal Filmkritiken geschrieben. Für den Tip. Und ein Drehbuch. Einmal hat der Holander hier übernachtet, während der Filmfestspiele. Ich habe es ihm gegeben. Aber ich habe nie wieder etwas von ihm gehört. – Haben Sie was mit Film zu tun?«

Wir verneinten. Herr Wilhelm kam hinter seinem Tresen hervor und stellte sich in die geöffnete Tür. Sie ging direkt auf die Meinekestraße hinaus. Es war kurz vor elf, die Stadt atmete gerade die Hitze des Tages aus, und immer noch waren Menschen unterwegs, angelockt vom Kurfürstendamm und seinen nie gehaltenen Versprechen.

»Null Uhr zwanzig«, sagte er und drehte sich zu uns um. »Nachts verschieben sie gerne die Anfangszeiten ein bisschen. Das muss am Programmschema liegen. Zeit aufholen, den ganzen Ablauf wieder auf Vordermann bringen. Ich habe in den

Semesterferien öfter mal in der Sendekontrolle des SFB gearbeitet. Damals hieß er noch SFB. Ich kenn mich aus.«

Er sah wieder auf die Straße. Marie-Luise warf mir einen Blick zu, in dem die ganze Ungeduld des Abendlandes stand. Bevor Herr Wilhelm weitere Details aus seinem Lebenslauf ausbreitete, trat sie auf ihn zu.

»Null Uhr zwanzig also. Und dann?«

»Sie kam von oben runter. Ich höre das immer. Ist ein altes Haus hier, trotz der dicken Teppiche. Sie hat den Schlüssel abgegeben und ist rausgegangen.«

»Und dann?«, fragte ich.

»Dann hat sie gewartet. Ungefähr zehn Minuten. In der Zeit fing der Film an, und ich konnte ja schlecht nach hinten gehen und gucken. Also hab ich auch gewartet.«

Er holte ein Päckchen Drum aus der Tasche und begann, sich eine Zigarette zu drehen. »Sie war nervös. Und als dann der Wagen kam, hat sie sich gefreut. Sie hatte so ein Lächeln auf dem Gesicht. Vielleicht war ihr Freund da drin. Ihr Liebhaber?«

»Was für ein Wagen?«, unterbrach ich ihn. »Wie sah er aus? Welche Marke?«

Herr Wilhelm lächelte und schleckte das Papierchen ab. Dann macht er eine geschickte Handbewegung und hielt eine Zigarette in der Hand. Von der zupfte er nun den restlichen Tabak, der an den Enden heraushing, und verstaute die Krümel sorgfältig in der Packung. »Ich kenn mich nicht so aus mit großen Wagen.« Er zündete die Zigarette an und trat einen Schritt vor die Tür, um zu rauchen. »Kein Mercedes, kein BMW. Irgendwas anderes. Teures.«

»Ein Jaguar?«, fragte ich. Marie-Luise sah mich überrascht an.

»Keine Ahnung. Da bin ich überfragt.«

»Wer saß denn drin?«

Herr Wilhelm hob die Schultern. »Eine dunkle Nacht. Schwarze Scheiben. Ein Lächeln noch, und sie war weg.«

Kein Wunder, dass er nie wieder etwas von seinem Drehbuch gehört hatte. Marie-Luise nahm ihre Tasche. »Sie haben uns sehr geholfen«, sagte sie und reichte ihm die Hand.

Herr Wilhelm beugte sich über sie und drückte ihr einen Kuss darauf. Erst dann entfernte er einen Tabakkrümel aus seinem Mundwinkel.

»Warum interessiert Sie das?«, fragte er. »Eine Russin. Nie Männerbesuch. Immer allein.«

Marie-Luise lächelte ihn an. »Uns interessieren Menschen, die plötzlich verschwinden.«

»Kommt sie wieder?«, fragte Herr Wilhelm.

»Ich weiß es nicht«, erwiderte Marie-Luise. »Lassen Sie das Zimmer am besten so, wie es ist.«

»Und die Rechnung?«

Sie schaute mich an. »Übernimmt der Herr. Es trifft ja keinen Armen.«

»Erzählen Sie mir die Geschichte, wenn sie ein Ende hat. Ich schreibe ein Buch. Menschen im Hotel. Ich suche nur noch einen Verleger. Kennen Sie einen?«

Wir verabschiedeten uns. Herr Wilhelm stand in der Tür, rauchte und sah uns hinterher.

»Sieht so aus, als ob du eine Eroberung gemacht hast«, sagte ich leise.

Marie-Luise wartete, bis ich ihr die Wagentür geöffnet hatte, dann stieg sie ein. Ich setzte mich ans Steuer.

»So viele Illusionen. Und dann bleiben nur noch die Geschichten, die andere erleben. Ich werde ihn mal besuchen, irgendwann.«

Marie-Luise würde mir immer ein Rätsel bleiben.

»Der Jaguar«, sagte sie, »der ist dir doch nicht einfach so eingefallen.«

Ich antwortete nicht.

»Wer fährt so ein Auto? Sigrun?«

Ich schüttelte den Kopf.

»Okay«, sagte sie schließlich. »Das war dann wohl ein Irrtum. Ich fahre nach Hause.«

»Was soll das jetzt? Ich dachte, du hilfst mir«, sagte ich. Gut, es klang ein bisschen eingeschnappt und angemotzt, aber ich war wirklich ratlos.

Sie sah zur Seite und wich meinem Blick aus. Ich spürte, dass sie wütend war.

»Helfen«, sagte sie schließlich. »Du verarschst mich doch nur. Von A bis Z. Mach mal dein Ding alleine weiter. Ich habe es nicht nötig, deine Kartoffeln aus dem Feuer zu holen.«

»So war das doch nicht gemeint.«

»Dann rede gefälligst mit mir.«

»Das tue ich doch!«

»Nein! Du lügst, wenn du nur den Mund aufmachst. Ob im Gerichtssaal oder im Privatleben, du bist nichts weiter als ein salonfähiger Situationsoptimist.«

Das waren die Ausdrücke, die ich an ihr so liebte. Ich musste lachen und wandte mich ab, um es vor ihr zu verbergen. Als ich mich wieder umdrehte, lächelte auch Marie-Luise.

»Blödes Schwein«, sagte sie.

»Die Freifrau.«

Sie starrte mich an. »Die Freifrau?«

Ich sah sie nicht an. Verräter heben nicht den Blick, wenn sie verraten.

»Oh, Scheiße. Das ist stark. Das ist … Ich gebe sofort eine Vermisstenanzeige auf. Hast du das Kennzeichen? Den genauen Wagentyp?«

»Hör auf!« Es tat mir schon leid, überhaupt irgendetwas gesagt zu haben. »Das ist nichts, hörst du? Noch nicht einmal eine Vermutung. Noch nicht einmal ein Gedanke. Es gibt keine Verbindung. Ende.«

Marie-Luise nickte und sah mich mitleidig an. »Klar. Völlig aus der Luft gegriffen. Zwei Frauen, zwei Autos, eine Tote, eine Vermisste. Alles Phantasie. Gehirnwäsche ist doch was Feines. Womit haben die das bei dir so sauber hingekriegt? Ein bisschen mit Geld geschmiert? Mit Positionen? Ach so. Hatte ich völlig vergessen. Man hat dir ja die Tochter des Hauses angeboten.«

»Hör auf«, sagte ich leise.

Marie-Luise hatte Recht. So viele Zufälle konnte es nicht geben. Und alles, was die Telefonnummer der Freifrau auf Millas Block erklären könnte, wäre jetzt an den Haaren herbeigezogen.

Mein Handy klingelte. Wie immer genau zum richtigen Zeitpunkt.

Es meldete sich ein Dr. Haberstall. Und er klang nicht gerade sympathisch. »Vermissen Sie jemanden in letzter Zeit?«

Ich winkte Marie-Luise heran. Sie kam mit dem Ohr an den Apparat.

»Ja«, sagte ich. »Haben Sie sie gefunden?«

Mein Herzschlag beschleunigte sich. Ich hatte Angst vor dem, was ich jetzt erfahren würde. Außerdem kitzelten mich Marie-Luises Haare.

»Das kann man im Großen und Ganzen so sagen«, antwortete Dr. Haberstall.

»Wo?«

»In ihrem Bett. In eindeutiger Absicht.«

»In meinem Bett?«

Marie-Luise gab ein prustendes Geräusch von sich.

»In ihrem Bett«, wiederholte Dr. Haberstall ungeduldig. Ich verstand beim besten Willen nicht, was er damit sagen wollte.

»Sie meinen, bei mir zu Hause?«

»Bei *ihr* zu Hause! An Ihrer Stelle würde ich mich schleunigst um sie kümmern. Oder wollen Sie, dass Ihre Mutter in die Gummizelle eingewiesen wird?«

Er legte auf.

»Ich muss weg«, sagte ich. »Meine Mutter. Sie hat wieder irgendetwas angestellt.«

»Kein Problem. Der nächste Bus kommt ja schon in zwanzig Minuten.«

Ich schüttelte den Kopf. »Ich setze dich am Zoo ab.«

Mit quietschenden Reifen fuhr ich die Meinekestraße zurück zum Kurfürstendamm. Die Ampel vor der Einfahrt zum Bahnhof sprang auf Rot. Marie-Luise öffnete die Tür und stieg hastig aus. »Ich rufe unseren Freund auf Abschnitt 14 noch mal an. Er soll die Augen offen halten. Vielleicht finden die sie ja.« Sie nickte mir zu. Die Ampel wurde grün. »Alles Gute für deine Mutter. Ich melde mich.«

»Marie-Luise …«

»Keine Sorge. Bis morgen halte ich still.«

Sie warf die Tür zu. Ich gab Gas. Im Rückspiegel sah ich, dass sie mir nachblickte.

18

Vor Mutters Haus am Mierendorffplatz stand ein Notarztwagen. Zur Unterhaltung der Nachbarschaft mit rotierendem Blaulicht. Ich nahm zwei Stufen auf einmal und kam keuchend im dritten Stock an. Nachdem ich Sturm geklingelt hatte, öffnete mir Hüthchen die Tür.

»Endlich!«, rief sie mit einem unüblichen Maß an Theatralik aus. Ich stieß sie zur Seite und lief in den Flur. Mutter stand im Nachthemd im Wohnzimmer, gestützt von einem Sanitäter der Johanniter Unfallhilfe, der sie geduldig im Kreis herumführte. Als sie mich sah, knickte sie zusammen.

»Nicht hinsetzen!«, sagte der Johanniter laut. »Immer schön laufen. Immer in Bewegung bleiben!«

»Joachim!«, stieß meine Mutter aus. Ich ging auf sie zu, sie sank in meine Arme. Der Mann trat einen Schritt zurück und wischte sich mit dem Arm den Schweiß von der Stirn.

»Sie hat sich übergeben«, erklärte er. »Aber sie soll viel Kaffee trinken und noch eine halbe Stunde im Kreis gehen.«

»Das schaffe ich nicht!«, weinte sie. »Ich kann nicht mehr.«

»Schon gut. Sie werden sehen, was Sie noch alles können.« Er nickte ihr zu.

Ich hielt sie fest und begann, in kleinen Schritten den Couchtisch zu umrunden. Hüthchen kam herein und ließ sich in den Fernsehsessel sinken. In den Sessel, den ich meiner Mutter vor zwei Jahren gekauft hatte. Sündhaft teuer. Seniorengerecht. Mit einem elektrischen Mechanismus, der das Aufstehen erleichtern sollte. Völlig überflüssig. Ich erkannte, dass Hüthchen wohl nicht vorhatte, diesen Sessel in den nächsten Jahren zu verlassen.

»Dr. Haberstall ist schon zum nächsten Notfall.«

Ich wechselte auf Mutters linke Seite. »Was ist hier eigentlich passiert?«

Sie schluchzte und brachte keinen zusammenhängenden Satz heraus.

»Schlaftabletten und Tranquilizer«, erklärte der Sanitäter lakonisch.

»Ein Versehen!«, wimmerte meine Mutter. »Es war ein Versehen.«

Hüthchen griff zu einer Packung Chips. Sie lag in der Obstschale, aus der ein Schwarm Essigfliegen aufstob. Die Bananen stammten noch von meinem letzten Besuch. Ich hätte ihr die Tüte über den Kopf ziehen und mit Freuden einem langsamen Erstickungstod beiwohnen können.

»Frau Huth hat uns alarmiert.«

Frau Huth kaute und nickte bedächtig. »Das macht sie sonst nie. Die dreifache Dosis.«

Ich ließ Mutter los. Sie taumelte etwas, fing sich dann aber und schaute unsicher von Hüthchen zum Helfer und dann zu mir. Der Mann zuckte mit den Schultern.

»Sie sind wohl ein bisschen vergesslich, was, Mutti?« Er klopfte ihr auf die Schulter. Dann nahm er seine Tasche und ging hinaus. Ich folgte ihm in den Flur.

»Moment noch«, bat ich ihn. »War das nun ein Selbstmordversuch oder keiner?«

Er war circa Mitte vierzig, mit kräftigen Handwerkerarmen und einer rauen, beruhigenden Stimme. Er runzelte die Stirn. »Schwer zu sagen. Fragen Sie sie selbst.«

Er öffnete die Tür. »Im Zweifel – behandeln Sie sie, als ob es einer war.«

Er tippte sich an die Stirn und polterte die Treppen hinunter. Die gegenüberliegende Wohnungstür öffnete sich, als ob der Lauscher nur auf sein Stichwort gewartet hätte. Ein Mann mittleren Alters, verschwitzt und unrasiert, starrte mich an. Hinter ihm tauchte eine verpfuschte Dauerwelle auf, unter der schemenhaft ein verbiestertes Frauengesicht erkennbar war. Ich sah den beiden direkt ins Gesicht. Wortlos knallte der Mann die Tür wieder zu.

Mutter saß erschöpft auf der Couch.

»Aufstehen!«, rief ich. »Die Nacht ist jung! Jetzt wird getanzt!«

Ich stellte das Radio an. *Movie Star*. Ausgerechnet *Movie Star*.

»Darf ich bitten?«

Meine Mutter erhob sich lächelnd und schwebte in meine Arme. Was Couchgarnitur und Schrankwand vom Wohnzimmer übrig gelassen hatten, betrug circa drei Quadratmeter. Auf denen bewegten wir uns virtuos wie zwei Abiturienten beim Abschlussball. Mutter kicherte und blinzelte zu Hüthchen hinüber, die uns mit ihrem Kopfnicken begleitete. Ich dirigierte Mutter in den Flur und walzte mit ihr ins Schlafzimmer. Dann schloss ich die Tür.

»So«, sagte ich. »Was wird hier gespielt?«

Ihr Lächeln verschwand wie ausgeknipst, schwankend stand sie vor mir. Dann ging sie mit zwei schleppenden Schritten zum Bett und ließ sich nieder.

»Ich weiß nicht, was du meinst.«

Ich kniete mich vor ihr hin, damit sie mir in die Augen sehen musste. »Ladendiebstahl, Selbstmordversuch. Was kommt als Nächstes? Hast du mit ihr eine Wette abgeschlossen, wie schnell ich hier bin? Habt ihr euren Spaß gehabt?«

Sie fiel hintenüber aufs Bett und schloss die Augen.

»Ich bin müde.«

»Ich auch!«, rief ich. »Es ist kurz nach Mitternacht! Mein Tag beginnt um sechs Uhr. Ich habe mehrere ungeklärte Rechtsfälle, eine geplatzte Verlobung und eine den Bach hinuntergegangene Partnerschaft am Hals! Und ihr beide spielt hier russisch Roulette? Was hast du überhaupt genommen?«

Ich wühlte ihre offene Nachttischschublade durch. »Das hier? Baldriparan?« Ich warf das Fläschchen auf den Boden. »Oder hier? Voltax? Homöopathisches Mittel zur Linderung von Venenleiden?« Ich warf die Packung an die Wand.

Sie schluchzte.

Ich wühlte weiter. »Oho! Hochgiftige und schnell wirkende Johanniskrautkapseln!« Ich nahm die Fläschchen und Päckchen und schleuderte sie aufs Bett.

»Hör auf!«, wimmerte sie. »Joachim! Tu das doch nicht …«

Ich spürte eine Hand auf meiner Schulter. Dann ihre Arme. Sie hielten mich fest, ich wandte mich zu ihr um und roch nicht mehr den Lavendelpuder und das tagelang nicht gewechselte Nachthemd. Ich roch Haferflocken mit Zucker und Milch, frisch gebrühten Kaffee in der Gartenlaube, Bohnerwachs auf Linoleum und 4711 echt Kölnisch Wasser, das eine Fläschchen, das ein ganzes Jahr reichen musste, bis zum nächsten Geburtstag. Er hatte mich wieder, dieser Geruch, und er würde mich nicht verlassen. Er wurde auch durch *Apergé* nicht ausgelöscht.

»Es tut mir leid«, flüsterte sie. Ich konnte sie kaum verstehen. »Dass ich dir das antue. Dass du mitten in der Nacht …«

»Schon gut.«

Ich löste mich aus ihrer Umarmung und begann, die Päckchen und Fläschchen wieder einzusammeln. »Warum sagst du mir nicht einfach, dass du mich sehen willst?«

Um ihre Hilflosigkeit zu verbergen, begann Mutter, die oberen Knöpfe ihres Nachthemdes auf- und wieder zuzumachen.

»Es ist nicht so, nein, es ist nicht so. Es war ein Schwächeanfall. Das Wasserglas ist umgekippt und das Röhrchen mit den Kautabletten mit dem Kalzium, gegen den Knochenschwund. Das sah vielleicht irgendwie dramatisch aus. Hüthchen hat es gesehen und mich nicht wach bekommen.«

»Warum nicht?«

Mutter schaute zur Tür. Hüthchens angeborenes Gespür fürs Nicht-Auftauchen verhinderte in diesem Moment eine schwere Körperverletzung.

»Warum?«

Mutter griff unters Kopfkissen und holte eine weitere Packung hervor. »Darum.«

Valium, 20er Valium. Die Packung war fast leer.

»Ich nehme sonst nur drei davon. Aber vielleicht habe ich mich vertan.«

Ich nahm ihr die Schachtel ab. »Drei? Von diesem Zeug?«

»Ich kann sonst nicht schlafen.«

»Und wie wirst du wieder wach?«

Sie lächelte. »Da gibt's auch was Feines. Das macht sogar richtig gute Laune. Besser als Sekt. Und sogar auf Rezept. Es steht im Bad.«

Ich konnte es kaum glauben. Meine Mutter, ein Junkie.

»Ich bleibe heute Nacht hier«, sagte ich.

Sie schüttelte den Kopf, als ob sie mich nicht richtig verstanden hätte.

»Ich mache dir jetzt erst mal einen frischen Kaffee, dann rede ich mit Hüthchen, und dann bleibe ich hier. Nur heute. Nur diese Nacht.«

Mutter nickte ungläubig.

Ich ging ins Wohnzimmer. Im Flur ließ ich meine Handknöchel knacken. Nur so zur Einstimmung.

Hüthchen hatte die Chipstüte geleert und unter den Sessel fallen lassen, wo sie sich in bester Gesellschaft anderer geleerter Packungen befand.

»Frau Huth.«

Sie versuchte, etwas unter dem Stapel Fernsehzeitschriften zu verstecken. Beiläufig setzte ich mich auf die Couch, ihr schräg gegenüber, und hob den Stapel an. *Verlobung geplatzt – die schöne Senatorin vor den Trümmern ihres Lebens.*

Die Kolumne hatte ich am Morgen bereits auf Utz' Schreibtisch gesehen. Ich hatte mir wenig Gedanken darüber gemacht, dass sie außer von uns noch von weiteren einhunderttausend Berlinern gelesen wurde. Darunter meine Mutter.

»Nehmen Sie es nicht so schwer.«

Ich legte die Zeitung zu den anderen.

»Ich muss mich bei Ihnen bedanken, Frau Huth. Meine Mutter ist keine sehr stabile Person. Ohne Ihre Aufmerksamkeit …«

»Aber das war doch nicht der Rede wert. Ich schaue immer nach ihr, bevor sie einschläft.«

»Wann haben Sie eigentlich Schluss?«, fragte ich.

Hüthchen starrte auf ihre Hände. »Mal so, mal so«, sagte sie schließlich.

Ich nickte. »Immer im Dienst, nicht?«

Hüthchen lächelte.

Ich griff zu meinem Portemonnaie und holte drei Hundert-Euro-Scheine heraus. Die legte ich vor sie hin.

»Herr Vernau, nein.« Sie sah mich nicht an und schob das Geld zurück. »Das ist nicht nötig. Das habe ich doch gerne getan.«

»Das ist Ihr Lohn bis zum Monatsende. Ich will, dass Sie das nehmen, aufstehen, diese Wohnung verlassen und nie wieder hier auftauchen.«

Hüthchen hob den Kopf. »*Jetzt?*«

»Jetzt.«

»Ja, aber warum denn?«

Ich stand auf und öffnete die Tür zum Flur. Sehr höflich, sehr freundlich. Hüthchen ächzte, wollte sich erheben und sank mehrmals wieder zurück. Den Aufstehmechanismus des Sessels hatte sie noch gar nicht entdeckt. Endlich hatte sie sich hochgewuchtet und stand nun schwer atmend und leicht nach Gleichgewicht suchend im Zimmer.

»Ich glaube nicht, dass das Ihrer Mutter recht ist.«

»Schon möglich. Aber sie bezahlt Sie nicht. Von daher spielen ihre Befindlichkeiten im Moment nur eine untergeordnete Rolle.«

Ich ging in den Flur und suchte unter dem Altkleiderhaufen etwas heraus, das ihr Mantel sein könnte. Ich hielt ihn ihr entgegen, und sie akzeptierte widerspruchslos.

»Sie sind ein schlechter Sohn.«

Ich half ihr in den Mantel und nickte ihr zu. Irgendjemand musste ja der Schuldige sein. Vermutlich war das die Rolle, die mir irgendein rachsüchtiger, kleingeistiger Gott im Moment zugedacht hatte. Hüthchen deutete auf die Zeitung auf dem Wohnzimmertisch.

»Wissen Sie, warum Ihre Mutter das getan hat?« Ihre kleinen Knopfaugen funkelten mich an.

»Aus Scham über meine geplatzte Verlobung? Machen Sie sich nicht lächerlich, Frau Huth. Da geht's hinaus.«

Ich geleitete sie zur Wohnungstür. Sie drehte sich noch einmal nach mir um. »Sie haben sie nicht eingeladen.« Damit drückte sie mir ihren Schlüsselbund in die Hand.

Ich sah ihr hinterher. Auf dem Absatz warf sie mir noch einen waidwunden Blick zu, dann hörte ich nur noch ihre vorsichtig gesetzten Schritte, die Stufe um Stufe abwärts nahmen.

Blödsinn. Natürlich hatte ich sie eingeladen.

Hatte ich nicht.

Das schlechte Gewissen sprang mich an und bohrte seine glasspitzen Krallen direkt in mein Herz. Ich lehnte mich einen Moment an die Wand. So lange, bis die Wut kam. Ich riss die Schlafzimmertür auf und fand sie auf dem Bett, schon fast weggedämmert. Ich riss sie hoch und schüttelte sie. Ich weiß nicht mehr, was ich schrie. Ich brüllte herum, tobte, sagte so etwas, dass ich mir diese Tour nicht bieten ließe, nicht noch einmal, einmal war genug, nicht mehr zum Aushalten, eine geschlossene Anstalt wäre genau das Richtige, einweisen sollte man sie, nicht normal das alles hier … Sie versuchte, die Arme vors Gesicht zu heben. Dieser Reflex war es, der mich wieder zur Besinnung brachte.

»Tu das nicht noch mal«, flüsterte ich. Sie zog die Bettdecke zu sich hoch und kroch in die andere Ecke, so weit wie möglich fort von mir.

»Es war doch ein Versehen«, wimmerte sie.

Schließlich gingen wir in die Küche. Sie setzte sich an den Tisch, ich kochte frischen Kaffee und fing an, das Geschirr abzuspülen. Dann räumte ich auf. Sie blieb sitzen und nippte an ihrem Kaffee. Ich hatte im Radio einen Sender eingestellt, der ähnlich wirkte wie das Baldrian in ihrer Nachttischschublade. *Lady in Red, Sexual Healing, Sailing.* Als ob es die letzten zwanzig Jahre Musikgeschichte nicht gegeben hätte.

»Wo ist eigentlich Hüthchen?«, fragte sie, als ich mit der Küche fertig war.

»Weg«, antwortete ich. »Gefeuert.«

»Aber … wo ist sie denn hin?«

»Weiß ich nicht.« Mit jener Befriedigung, die sich nach Abschluss einer ungeliebten Arbeit einstellt, warf ich den Putzschwamm in das Becken.

»Hat sie etwas gesagt? Wohin sie gegangen ist?«

»Mutter«, sagte ich. »Es hat dich nicht mehr zu interessieren. Ich habe sie entlassen. Morgen suche ich was Neues.«

Ich ging ins Wohnzimmer und begann, die Bananen und weitere ungenießbare Hinterlassenschaften in einer Aldi-Tüte zu entsorgen. Mutter kam hinterher. »Ich will aber nichts Neues.«

Ich schob sie aus dem Weg, um die Ritzen des Sessels von zusammengeknüllten Tüten und Papierservietten zu reinigen. Eine Hand voll davon hielt ich ihr unter die Nase. »Sie bekam über dreihundert Euro im Monat. Schwarz. Auf die Hand. Aber vielleicht ist ja beim Einstellungsgespräch was schiefgelaufen. Ich habe gesagt: Machen Sie den Müll weg! Und sie hat verstanden: Bringen Sie ihn rein!« Ich stopfte das Zeug wütend in die Tüte.

Doch meine Mutter gab nicht nach. »Das geht nicht, Joachim. Das geht nicht. Du kannst sie nicht einfach hinauswerfen!«

»O doch.«

Ratlos nahm meine Mutter auf der Couchecke Platz, die ich gerade leer geräumt hatte. »Wo soll sie denn hin?«

»Interessiert mich nicht.«

Was ich gerade unter der Couch entdeckte, erstickte jegliches Mitgefühl. Ich hätte gerne ein Paar Handschuhe getragen.

»Sie kann doch nirgendwo hin. Sie wohnt doch hier.«

Ich kroch langsam unter der Couch vor. »Würdest du das bitte wiederholen?«

»Sie wohnt hier«, flüsterte meine Mutter.

»Seit wann?«

Sie hob schon wieder die Arme vors Gesicht. Sie machte mich wahnsinnig. »Also. Seit wann wohnt Frau Huth in dieser Wohnung, für die ich die Miete zahle?«

»Seit einem Jahr.«

»Und wo?«

»In deinem Zimmer.«

Ich sprang auf, lief über den Flur bis zu der Tür am Ende des Ganges und riss sie auf.

Mein Kinderzimmer. Der Raum, den ich gut zehn Jahre nicht mehr betreten hatte. An der Wand hing mein Poster von Kim Wilde. Auf dem Kleiderschrank stand meine Carrera-Autobahn. Das Bett war immer noch vor dem Fenster. Doch es war benutzt. Ich öffnete die Schranktüren und fand einen durcheinandergeratenen Stapel alter Kleider, dem ein durchdringender Geruch entströmte. Ich riss das Fenster auf. Mehrere Male musste ich tief durchatmen, damit der Würgereiz verflog. Dann drehte ich mich um und sah die Tapete, die Ikea-Lampe, den hellblau gestrichenen Schreibtisch mit dem wackeligen Stuhl davor. Ich hatte zehn Jahre lang nicht den Wunsch verspürt, mein Zimmer zu betreten. Vermutlich hatte ich geglaubt, es existiere gar nicht mehr. Theoretisch konnte meine Mutter hier wohnen lassen, wen sie wollte.

Jeden. Nur nicht Frau Huth. Ich ließ mich in einem Haufen ungemachter Bettwäsche nieder.

Mutter stand in der Tür. Sie griff zum Lichtschalter und knipste die Lampe aus. Dann kam sie im Dunkeln hinüber zum Bett und setzte sich neben mich, so wie sie das früher immer gemacht hatte, vorm Einschlafen.

»Das ist mein Zimmer! Ich wollte eigentlich heute Nacht hier schlafen.«

»Ach, Junge. Ein Mal in zehn Jahren.«

»Und warum ausgerechnet Frau Huth? Warum nicht irgendeinen jungen, knackigen Zivildienstleistenden?«

»Sie ist krank. Schwerste Arthrose. Die Hüfte und die Gelenke. Vor zwei Jahren wurde sie operiert. Es ist nur noch schlimmer geworden. Wo sollte sie denn hin?«

»Hat sie denn niemanden?«

Mutter schwieg. Ich wiederholte meine Frage.

»Doch«, sagte sie schließlich. »Sie hat einen Sohn.«

Danke. Der Hieb saß. Die Nacht der Wahrheit, die Stunde der Offenbarungen.

»Er wohnt weit weg. Hat sie seit Jahren nicht mehr in Berlin besucht. Ich nehme an, er hat sie vergessen.« Dann legte sie ihre Hand auf mein Knie. »Du bist da ja ganz anders. Auf dich kann man sich verlassen. Wenn man dich braucht, bist du da.«

Sie klopfte mir einmal kräftig auf die Schenkel. Ich wollte nicht wissen, ob sie das jetzt ironisch gemeint hatte. Ich stand auf. Vom Fenster konnte man in den Innenhof sehen. Vier große Mülltonnen, ein Fahrradständer, zwei aufeinandergestellte Waschmaschinen, die von besseren Zeiten träumten. Es war eine Wiederbegegnung mit meinen schlaflosen Nächten, wenn nebenan im elterlichen Schlafzimmer ein Krieg tobte, bei dem es immer nur Verlierer gab, und ich mir überlegt hatte, ob Pia aus der Parallelklasse um mich weinen würde, wenn ich jetzt hinunterspränge. Ich war nie gesprungen, weil ich Angst vor den Schmerzen beim Aufprall hatte. Aber ich hatte es mir oft überlegt. Einfach springen. Kim Wilde sang vom Paradies.

Irgendwo hatte ich kürzlich gelesen, dass sie einen Preis für einen Garten bekommen hatte. Kim, nicht Pia. Sie züchtete jetzt Rosen und arrangierte Wildgemüse. Aber ich verzieh ihr. Kim hatte mich gerettet. Das sollte ich ihr vielleicht einmal schreiben.

Meine Mutter knipste die kleine Nachttischlampe an. Die Geister verschwanden. Wir gingen wieder ins Wohnzimmer.

Als ich den gröbsten Dreck eingesammelt hatte, holte ich den Staubsauger. Es interessierte mich nicht, dass es mittlerweile drei Uhr morgens war. Und als das Frettchen von gegenüber Sturm klingelte und mir erklärte, dass sein Schlafzimmer direkt an Mutters Wohnzimmer grenzte und deshalb an Schlaf nicht zu denken sei, bot ich ihm an, ihm mit einem gezielten Schlag auf den seitlichen Hinterkopf behilflich zu sein.

Mutter war längst auf der Couch eingeschlafen, als ich mit dem

Wohnzimmer fertig war und mir das Bad vornahm. Ich dachte nicht mehr an Gerichtstermine und Marie-Luise, ich dachte nicht an Milla und auch nicht an Sigrun. Ich wollte nur diese Wohnung in Ordnung bringen. Als um vier die Vögel zu singen anfingen, hatte ich das Badezimmer fertig. Um fünf hob ich meine Mutter hoch und legte sie auf ihr frisch bezogenes Bett, wobei ich mir nicht sicher war, ob die Bettwäsche tatsächlich sauber oder nur ordentlich zusammengelegt in der Schublade gebunkert wurde. Um halb sechs war ich mit dem Flur fertig. Nur das Kinderzimmer, das brachte ich nicht über mich. Ich füllte die Waschmaschine zum dritten Mal und beschloss, in den nächsten Tagen vorbeizuschauen. Dann schlich ich hinaus, nahm Hüthchens Schlüsselbund von der Flurkommode und zog leise die Tür hinter mir zu.

Auf dem Weg zum Auto kam ich an der Bushaltestelle vorbei. Eine Gestalt lag schlafend auf der Bank. Irgendetwas an ihr kam mir bekannt vor. Ich steckte den Autoschlüssel wieder ein und ging hinüber, beugte mich zu ihr und berührte sanft ihre Schulter.

»Neee«, murmelte sie.

»Frau Huth, aufstehen!«

Sie rieb sich blinzelnd die Augen, erkannte mich und setzte sich mühsam auf.

»Ich bin ja schon weg«, murmelte sie. Dabei strich sie sich über den Mantel, dann tastete sie nach ihrer Handtasche, die ihr als Kopfkissen gedient hatte.

»Wie geht es Ihrer Mutter?«

»Gut«, sagte ich. »Lassen Sie sie noch ein paar Stunden schlafen.«

Frau Huth sah mich fragend an, ich nickte ihr zu und gab ihr die Schlüssel. Sie lächelte. Ich ging zu meinem Auto. Als ich wendete und auf die Kaiserin-Augusta-Allee fuhr, sah ich im Rückspiegel, wie sie die Haustür aufschloss und behände, schneller, als es jede Arthrose im Endstadium erlauben würde, hinter ihr verschwand.

19

Um sieben Uhr morgens erreichte mein Bewusstsein diesen Schwebezustand, der sich nach einer schlaflosen, mit harter Arbeit verbrachten Nacht einstellt. Es musste Jahre her sein, dass ich um diese Zeit nicht aufgestanden, sondern ins Bett gegangen war. Die Anarchie des kleinen Mannes. Ich setzte noch eins obendrauf und parkte das Auto quer vor der Einfahrt.

Es war ein strahlender Morgen. Frisch und sauber, noch nicht verdorben von falschen Handlungen und unseligen Erfahrungen. Ich hatte einer Obdachlosen die Tür geöffnet und meiner Mutter die Wohnung aufgeräumt. Es war herrlich, mit wie wenig man sich für einen guten Menschen halten konnte.

Ich schlich ins Haus, um Sigrun nicht zu wecken, und stellte die Espressomaschine an. Ein Geschenk des Landesvorstandes zum letzten Wahlgewinn. Die Maschine mahlte die Bohnen, pumpte das Wasser durch und schäumte eine goldgelbe Crema auf das Meisterwerk. Ich schüttete zwei Löffel Zucker hinein und rührte um.

Sigrun stand in der Küchentür. Ich hatte sie durch den Krach nicht gehört. Sie hatte rote Augen, zerzauste Haare und trug ein nicht ganz durchgeknöpftes Neglige.

»Mir auch einen«, flüsterte sie.

Ich ließ die Maschine noch einmal arbeiten. Sie nahm die Tasse und schlurfte zum Küchentisch. Dort ließ sie sich in einen Sessel fallen und rieb sich mit beiden Händen das Gesicht. Sie sah unendlich müde aus. Dann umfasste sie die Tasse, als wollte sie sich an ihr wärmen, und trank in kleinen Schlucken.

»Bist du eben erst gekommen?«

Sie fixierte einen Punkt an der Wand hinter mir, um mir nicht in die Augen zu sehen.

»Ja«, antwortete ich. »Aber es ist nicht so, wie du denkst.«

»Der Satz der Sätze. Wird nur noch getoppt durch: Aber sie bedeutet mir nichts.«

Ich setzte mich zu ihr. »Ich war bei meiner Mutter.«

Sigrun begann, hysterisch zu kichern.

»Das wird ja immer besser. Und ihr habt die ganze Nacht Händchen gehalten?«

»Sie hat einen Selbstmordversuch unternommen.«

»Das stimmt?« Sie stellte die Kaffeetasse ab und sah mich zum ersten Mal an diesem Morgen richtig an. Ich nickte.

»Das tut mir leid. Warum hast du mich nicht angerufen?«

Ich versuchte zu erklären, wie diese Nacht verlaufen war. Sigrun hörte zu, mit dunklen, traurigen Augen. Als ich fertig war, stand sie auf. Erst dachte ich, sie wolle wortlos die Küche verlassen, doch dann räusperte sie sich und drehte sich noch einmal zu mir um.

»Es ist schade, dass du es mir erst jetzt erzählst. Dass ich so vieles nicht weiß.«

Sie ging ins Bad. Sie hinterließ Leere im Raum, einen Schmerz, der genau ihre Umrisse formte.

Ich ging ins Schlafzimmer und ließ mich aufs Bett fallen. Wenig später kam sie herein. Angezogen, geschminkt, eine Zigarette im Mundwinkel. Nur die Haare waren noch nass. Sie setzte sich neben mich. Als ich sie in den Arm nehmen wollte, wehrte sie ab.

»Wir haben Gesprächsbedarf«, stellte sie fest. »Ich rede heute Abend auf einer Neuköllner Bürgerversammlung. Ab neun kann ich weg.«

Ich nickte.

Ich hörte sie noch eine Weile im Bad mit dem Föhn hantieren, dann fiel die Tür ins Schloss. Ich griff zum Telefon. In der Kanzlei lief der Anrufbeantworter, ich meldete mich krank. Dann weckte ich Marie-Luise.

»Wie geht es deiner Mutter?«, fragte sie als Erstes.

Ich erzählte in drei Sätzen, was sich ereignet hatte. »Und Milla?«

»Nichts. Wie zu erwarten, haben mich die Bullen hohnlächelnd abgewimmelt. Osteuropäerinnen unter dreißig werden hier wohl selten als vermisst gemeldet. Weil sie ja doch bei der nächsten Razzia im nächsten Bordell wieder auftauchen.«

»Und jetzt?«

»Abwarten. Ekaterina möchte, dass wir nachher zu ihr kommen. Kann sein, dass sie was gefunden hat.«

Ich wollte gerade auflegen, da sagte sie: »Joachim?«

»Ja?«

»Wenn die Freifrau dahintersteckt oder irgendjemand aus dieser Familie, dann ...«

»Was dann?«

»Nichts.«

Sie legte auf.

Ein kalter Lufthauch wehte durch das geöffnete Fenster. Ich fröstelte. Ich stand auf und machte das Fenster zu.

Die Bettwäsche war noch warm. Ich fragte mich noch, warum die Liebe sich weder ankündigt noch verabschiedet. Als ob sie kommen und gehen könnte, wie es ihr passt.

Ekaterinas Wohnung lag im zweiten Stock, im gleichen Haus wie der *Schimmelreiter*. Sie öffnete sofort und bat mich herein. Der Flur war eng, Regale mit Büchern und Aktenordnern reichten bis unter die Decke.

»Die erste Tür rechts«, sagte sie. Ich trat ein. Die Sonne schien durch ein mit Efeu halb zugewachsenes Fenster. Marie-Luise saß am Küchentisch und blickte nur kurz hoch, als sie mich sah. »Alles in Ordnung?«

»Es geht ihr gut«, erwiderte ich. Als ich am späten Nachmittag erwacht war, hatte ich drei Nachrichten auf dem Anrufbeantworter. Die erste kam von Hüthchen. Mutter war wieder wohlauf. Die zweite war von Sigrun. Sie hatte unsere Verabredung auf zehn verschoben. Der dritte Anruf war der von Ekaterina Mahler gewesen. Ich zog mein Jackett aus und hängte es über die Lehne eines alten Gründerzeitstuhles mit durchgesessenem Lederpolster.

Ekaterina nahm einen Wasserkessel vom Herd und brühte Tee auf.

»Das war keine leichte Sache«, sagte sie. »Man muss wissen, wonach man sucht.«

Vor mir lag eine Kopie der Berliner Illustrierten Nachtausgabe vom 16. November 1944.

»Erstaunlicherweise hat noch niemand diesen Mist richtig ausgewertet«, erklärte Marie-Luise. »Du kannst in der Zentralen Landesbibliothek in Frankfurt zwar alle vor 1945 erschienenen Zeitungen einsehen. Aber niemand hat sich bisher die Mühe gemacht, sie auch nach Stichwörtern zu archivieren.«

»Zucker? Sahne?«, fragte Ekaterina.

Ich lehnte ab. »Was haben Sie herausgefunden?«

Ekaterina rührte einen Löffel Zucker in ihre Teetasse. Dann deutete sie mit ihm auf eine kleine Meldung am unteren linken Rand der Zeitung. ... *Aufgrund von Aufräumungsarbeiten ist die Prinz-Albrecht-Straße zurzeit nicht passierbar,* las ich.

»Einer meiner Kommilitonen arbeitet als wissenschaftlicher Mitarbeiter an der Freien Universität«, sagte Ekaterina. »Er hat herausgefunden, dass es in der Nacht zuvor einen ungewöhnlich heftigen Bombenangriff auf Berlin gegeben hatte. Dabei wurde auch das so genannte Volksgefängnis in der Prinz-Albrecht-Straße in Mitleidenschaft gezogen. Gut möglich, dass in der allgemeinen Verwirrung die eine oder andere Flucht gelungen ist. Auf keinen Fall dürften dort bis in den darauffolgenden Vormittag Hinrichtungen erfolgt sein.«

»Dafür gibt es keinerlei Anhaltspunkte. Niemand ist von dort jemals entkommen.«

Marie-Luise und Ekaterina tauschten einen Blick, aber sie sagten nichts.

Ich nahm mein Jackett und zog es an.

»Ihr wollt mir beide einreden, Natalja Tscherednitschenkowa sei, nachdem sie wegen Diebstahls und Hehlerei zum Tode verurteilt wurde, in letzter Sekunde dank eines Bombenhagels aus dem bestbewachten Gestapoknast Berlins geflohen? Das ist absurd. Das ist unmöglich.«

»Da ist noch etwas«, sagte Ekaterina. »Olga Warschenkowa. Sie hat bei einem Bauern gearbeitet, im Havelland. Vierzig Kilometer außerhalb der Stadt.«

»Olga ist tot«, sagte ich.

»Aber der Bauer lebt«, erwiderte Marie-Luise.

20

Wir nahmen Marie-Luises Wagen, nachdem sie den Porsche gesehen und sich strikt geweigert hatte, mit ihm in ein Bundesland zu fahren, in dem die Arbeitslosenquote über zwanzig Prozent lag.

Sie fuhr zügig, doch erst bei Döberitz verbreiterte sich die Straße auf vier Spuren. Lkw donnerten an Balkonen und geraniengeschmückten Fenstern vorbei. Den alten Russenkasernen wuchsen die Birken aus den Dächern. Verrammelte Balkons, blinde oder zerschmetterte Scheiben. Einige Gebäude erinnerten an große, alte Villen, und sie trugen ihre halb abgedeckten Dächer mit der stoischen Gleichmut eines verfallenden Denkmals, das nur noch den Tauben als Ruheplatz dient.

Hinter Nauen begann das Land.

»Schau mal! Störche!«

Wir waren jetzt fast dreißig Kilometer von Berlin entfernt. In Ribbeck machten wir an der einzigen bedeutenden Kreuzung des Ortes Halt, weil ein handgemaltes Schild Sülze mit Bratkartoffeln anpries. Marie-Luise parkte den Wagen, nahm die Straßenkarte aus dem Handschuhfach und stieg aus.

»Ich habe Hunger«, erklärte sie.

Ich bestellte bei einem gelangweilt und leicht alkoholisiert wirkenden, schmächtigen Mann hinter dem Tresen des Imbisswagens zweimal die Empfehlung des Hauses. Er hatte nicht mehr mit Kundschaft gerechnet und schien uns diesen Auftrag wirklich übel zu nehmen. Marie-Luise stellte sich an einen der beiden wackeligen Stehtische und breitete die Karte aus.

»Klemmen«, sagte sie. »Das ist sogar auf dieser Karte nur ein Fliegenschiss.«

Sie zündete sich eine Zigarette an. Sie wirkte nervös. »Noch ein Stück Richtung Brandenburg und dann links nach Retzow.«

»Der Birnbaum«, sagte ich.

»Was?«, fragte sie.

»Dahinten. Der Birnbaum vom alten Ribbeck.«

Sie sah hoch und lächelte. Über uns zogen ein paar Schwalben ihre Abendrunde.

»Herr von Ribbeck auf Ribbeck im Havelland, ein Birnbaum in seinem Garten stand.«

»Und kam die goldene Herbsteszeit und die Birnen leuchteten weit und breit ...«

»Da stopfte, wenn's Mittag vom Turme scholl, der von Ribbeck sich beide Taschen voll. Und kam in Pantinen ein Junge daher, so rief er ...«

»... Junge, wiste 'n Beer?«

»... und kam ein Mädel, so rief er: Lütt Dirn ...«

»Zweemal Sülze mit Bratkartoffeln.«

Die Teller schepperten auf den Tisch, und der kurz vor Feierabend noch so geforderte Koch sah uns kopfschüttelnd an.

»Ick kann det nich mehr hören.«

Dann schlurfte er zurück in seinen Wagen und fing unter bösartigem Gepolter mit dem Abwasch an. Marie-Luise prustete in ihre Bratkartoffeln, und auch ich musste lachen. Sie schmeckten gut. Knusprig, frisch, mit viel Zwiebeln und Speck. Auch die Sülze war hervorragend. Als wir fertig waren, beschlossen wir, den Mann aus reiner Freude noch ein wenig zu quälen, und bestellten zwei Kaffee. Dann zahlte ich, und wir nahmen die Plastikbecher und gingen ein paar Schritte die Straße hinunter.

»Die Nachfahren machen heute Birnenschnaps«, erklärte Marie-Luise und nippte an ihrem heißen Kaffee. Wir standen vor einem stolzen alten Haus, von dem ich mir gut vorstellen konnte, dass es Fontane zu seiner Ballade inspiriert haben könnte.

»Und die Jahre gehen wohl auf und ab, längst wölbt sich ein Birnbaum über dem Grab … Es ist ein Märchen. Eine Parabel. Der Alte lässt sich eine Birne mit ins Grab legen, und Jahrzehnte später bricht das Gute wieder durch.«

Sie setzte den Plastikbecher an und trank den letzten Schluck Kaffee. Die Sonne setzte gerade alles daran, goldglühende Romantik über Ribbeck zu werfen. Es war still, nur die Blätter raschelten leise in einer warmen Abendbrise. Ich versuchte mir vorzustellen, es sei ein ganz normaler Ausflug an einem wunderschönen Frühlingsabend. Es gäbe keine ehemaligen Zwangsarbeiterlager in der Nähe, und die Felder, auf denen der Raps blühte und der Futtermais gedieh, seien nicht von Franzosen, Ukrainern und Polen beackert worden, und ich wünschte mir, wir wären ein Land ohne Vergangenheit.

»Es kommt alles wieder«, sagte Marie-Luise leise. »Das Gute und das Böse. Man kann noch so viel Erde draufschütten und es noch so tief begraben, es kommt immer wieder hoch.«

»Ich will nicht mehr«, erwiderte ich.

Marie-Luise kniff den Mund zusammen und stieß einen verächtlichen Laut durch die Nase aus.

»Ich möchte nicht mehr in den Privatangelegenheiten von Leuten herumschnüffeln, die mir nahestehen«, sagte ich.

»Tja, dann hast du Pech gehabt. Ich betrachte mich ab sofort als Anwältin von Natalja Tscherednitschenkowa. Ich werde herausfinden, was damals passiert ist. Ob es den Zernikows passt oder nicht.« Sie trat einen Schritt näher. »Ob es dir passt oder nicht.«

Und das Land breitete seine Arme aus.

Wir hatten Dörfer passiert, in denen die Lehrlingswohnheime »Roter Stern« hießen und der Weltkrieg auf dem Hauptplatz ausschließlich von russischen Soldaten gewonnen worden war. Klemmen bestand, wie die meisten märkischen Dörfer, aus einer Hauptstraße, die in der Mitte eine Kirche umarmte und die drei Dutzend niedrigen Häuser genauso unspektakulär verließ, wie sie gekommen war. Im diffusen Licht einer dunkelblauen Dämmerung hielten wir vor einem niedrigen Haus, das rechts und links von uneinsehbaren Mauern flankiert wurde. Als wir ausstiegen und auf das Tor zugingen, schlug der unvermeidliche Schäferhund erste Töne der Missbilligung an. Ich klingelte.

Nichts rührte sich. Ich klingelte nochmals. Der Hund war nicht amüsiert. Drei Häuser weiter kläffte eine kleinere Ausgabe, dann antworteten die gesamten Tölen der Nachbarschaft. Hinter dem Fenster bewegte sich eine Gardine. Marie-Luise trat entschlossen neben mich und legte den Finger auf den Klingelknopf. Im Haus schrillte es hörbar.

»Milord! Aus!«

Der Hund warf sich gegen das Tor.

»Milord!« Die Männerstimme klang ärgerlich.

In diesem Moment öffnete sich das Tor. Ein alter Mann in Gummistiefeln und Blaumann hielt den Hund am Halsband fest, der sich vor Aufregung fast strangulierte.

»Herr Kähnrich?«

»Jou.«

»Bitte entschuldigen Sie die späte Störung. Ich … Wir …«

Ich stockte. Was sollte ich ihm sagen? Milord röchelte.

»Wollen Sie nicht den Hund loslassen?«, fragte ich, um Zeit zu gewinnen.

»Kommt drauf an, was Sie von mir wollen.«

Milord jaulte auf, wohl um daran zu erinnern, dass er jetzt gerne das Kommando zum Zerfleischen hätte.

»Ja, also …« Auch Marie-Luise kam ins Stocken.

Kähnrich verengte die Augen zu winzigen Schlitzen. Dann beugte er sich zu dem Hund.

»Freund.«

Milord wurde schlagartig zu einem liebenswürdig winselnden Kuscheltierchen, das freudig an unseren Schuhsohlen schnupperte. Ich würde in seiner Gegenwart das Wort »Feind« nicht in den Mund nehmen.

»Was wollen Sie denn wissen?«

»Hat bei Ihnen gegen Ende des Zweiten Weltkrieges eine Frau namens Olga Warschenkowa gearbeitet? Eine Fremdarbeiterin?«

Kähnrich kratzte sich am Hinterkopf. Ich hielt den Atem an.

»Fremdarbeiterin?«, fragte er. Wir nickten unisono.

»Mumpitz.«

Er warf uns das Tor vor der Nase zu. Milord dahinter knurrte gefährlich. Ich versuchte mich an einem bedauernden Gesichtsausdruck.

»Komm. Es hat keinen Zweck.«

Doch sie streckte die Hand aus und klingelte erneut. Milord begann, unterstützt von den anderen Kläffern, erneut sein infernalisches Gebell. Ich hoffte nur, dass alle Mauern so hoch waren wie diese hier und es auf der Berliner Straße nicht zu einer Zusammenrottung gewaltbereiter Vierbeiner kommen würde.

»Haun Sie ab, oder ich lass den Hund los!« Kähnrich klang

174

ernst. Entlang des Weges öffneten sich die ersten Fenster, interessierte Nachbarn brachten sich in Position.

»Und Natalja?«, rief Marie-Luise mit lauter Stimme, um Milord zu übertönen. »Erinnern Sie sich noch an Natalja Tscherednitschenkowa, die Sie hier versteckt haben?«

Milords Gekläff brach ab.

»Sie hat jetzt eine Tochter. Sie braucht unsere Hilfe. Ihre Hilfe.«

Ich war schon auf dem halben Weg zum Auto und drehte mich wieder zu dem Haus um. Das Tor öffnete sich eine Handbreit, der kantige Schädel kam zum Vorschein.

»Ihre Tochter?«, fragte Kähnrich. »Die Kleine hat eine Tochter?«

Marie-Luise nickte. Kähnrich winkte. Wir durften eintreten.

Wir fanden uns an einem runden Wohnzimmertisch wieder, der innerhalb kürzester Zeit mit selbst gemachter Landleber- und Rotwurst, dicken Brotscheiben und einem Krug mit Apfelmost gedeckt war. Die Tochter des Hauses, eine rundliche Mittfünfzigerin mit gesunder Gesichtsfarbe, nötigte uns zum Essen. Kähnrich selbst rumorte in einem Dielenschrank, bis er endlich mit einem alten Fotoalbum wiederkehrte. Mit einer Handbewegung machte er Platz auf dem Tisch und schlug es auf.

»Das hier, das bin ich mit meiner Frau. Ganz jung verheiratet waren wir damals. Heute will es ja keiner mehr wissen, aber die Hälfte im Dorf sprach Polnisch. Später sind dann die Franzosen dazugekommen. Und dann die Russen. Klein-Russland nannte man die Gegend damals.«

Zwei junge, offene Gesichter in Schwarzweiß. Sonntagsstaat für den Fotografen. Er blätterte weiter. Ein Pferdewagen auf einem Getreidefeld, ein Dutzend Männer und Frauen bei der Arbeit.

»Viel hatten wir nicht, aber bei uns musste keiner hungern. Aber der Weg nach Samtwitz, da stand das Lager, im Sommer ist man da immer auf die leeren Schneckenhäuser getreten. So einen Hunger hatten die. Die Schneckenhäuser, das waren die Franzosen.«

Marie-Luise schüttelte sich. Ich wusste nicht, ob sie sich vor Schnecken ekelte. Vielleicht brauchte sie nach den zwei Stullen mit Rotwurst auch nur einen guten Schnaps.

»Hat Olga Warschenkowa bei Ihnen gearbeitet?«, fragte ich. Ich wollte endlich zum Kern der Sache kommen.

Kähnrich nickte.

»Wie lange?«

»Ziemlich lange. '41 bis Kriegsende, würde ich sagen. Meine Frau hätte Ihnen mehr erzählen können. Die war richtig eng mit der Olga. Und dann kam auch noch die Kleine aus Berlin …«

»Natalja?«, fragte Marie-Luise.

Kähnrich warf seiner Tochter einen Blick zu, den diese ohne Worte verstand. Sie räumte das Geschirr ab und verließ den Raum.

»Meine Frau ist letztes Jahr gestorben.« Kähnrich starrte in seinen Most.

»Es war ein schlimmer Winter, '44/'45. Heute bringen sie ja manchmal was drüber im Fernsehen. Über die Flüchtlinge, wie sie da übers Eis gelaufen sind. Aber über die, die hier waren, bringen sie nichts. Das interessiert doch keinen.«

Marie-Luise beugte sich zu ihm.

»Doch. Mich interessiert es. Was ist damals passiert? Und wie kam Natalja zu Ihnen?«

Kähnrich schwieg. Er sagte lange nichts. Dann rieb er sich mit den alten, kräftigen Händen über die Augen, immer wieder.

»Meine Frau wollte es mir nicht sagen. Aber man merkt das. Wenn der Hunger im Haus ist, spürt man jeden neuen Esser. Eines Nachts habe ich sie überrascht, auf dem Heuboden. Alle drei. Am liebsten hätte ich sie erschlagen, wie die wilden Katzen, die überall herumgestreunt sind. Die Kleine hat gezittert vor Angst, Olga hatte auf einmal eine Heugabel in der Hand,

176

und meine Frau ... die hat mich festgehalten. Sie wollte kein Unglück. Also hab ich sie nicht erschlagen. Und das war gut so. Als die Russen gekommen sind, sind die beiden raus und haben mit denen gesprochen. Der Kommandant hat dann seine Leute zurückgepfiffen. *Geplündert* wurde nicht bei uns.« Kähnrich sah uns nicht an. Sein Blick ging hinaus, durch das dunkle Viereck des Fensters, über den Hof.

»Ein paar Tage später haben sie meine Frau dann doch erwischt ... die Russen. In Retzow. Hat alles nichts geholfen. Olga und die Kleine waren schon fort.«

Die Tür ging auf, und die Tochter balancierte ein Tablett mit vier kleinen Gläsern. Endlich. Alkohol. Kähnrich sah auf und lächelte sie an. Als sie die Gläser vor uns hinstellte, hielt er ihre Hand einen Moment lang fest. Die Frau nickte uns freundlich zu und ging wieder hinaus. Kähnrich prostete uns zu und kippte den Inhalt seines Glases in einem Zug hinunter. Wir machten das Gleiche. Birnenschnaps.

»Sie kann nichts dafür«, sagte er und stellte das Glas ab. »Für mich ist sie meine Tochter.«

Jetzt endlich kapierte ich.

Marie-Luise lächelte und fuhr fort. »Die Kleine, wie Sie sie nennen, war das Natalja Tscherednitschenkowa?«

Kähnrich zuckte mit den Schultern. »Schon möglich. Es ist so lange her. Man müsste graben.«

Er stand auf und ging zur Haustür. Zögernd folgten wir. Milord fuhr erschreckt von seinem Platz hoch und erwartete Befehle. Kähnrich nahm seine Jacke und trat hinaus.

»Der Hof ist über zweihundert Jahre alt«, sagte er. »Ein typischer havelländischer Vierseitenhof. Das hier sind jetzt richtige Antiquitäten.«

Er deutete auf eine Ansammlung von Gerätschaften in der Hofmitte. Pflüge, Kartoffelroder, Rübenschuffeln, Grubber. Im Vorübergehen nahm er einen Spaten in die Hand. Er öffnete die Tür zu einem niedrigen Stallgebäude. Marie-Luise folgte ohne Zögern, ich sah mich noch einmal um. Ich dachte an das Auto und die vielen Zeugen, die uns hier gesehen hatten. Aller Wahrscheinlichkeit nach hatte Kähnrich nicht vor, mit uns dasselbe wie mit den wilden Hofkatzen zu tun. Zudem war er zwar ein kräftiger, aber auch ein alter Mann. Nur Milord machte mir Sorgen.

Wildes Gemecker begrüßte uns. Eine schwache Glühbirne erleuchtete den Stall. Schafe und Ziegen waren erwacht.

»Macht mal Platz da«, beruhigte sie Kähnrich mit erhobenem Spaten. Eine Aufforderung, der ich als Schaf augenblicklich Folge geleistet hätte. Dann ging er in die Ecke des Stalles und begann, den Boden abzuklopfen. Wir traten näher. Das Klopfen veränderte sich. Es klang hohl. Kähnrich hörte auf und stützte sich auf dem Stiel ab.

»Was ist?«, fragte Marie-Luise. »Was machen Sie da?«

Kähnrich richtete sich auf. »Ich kann kein Russisch. Aber wenn jemand Angst hat, obwohl die eigenen Landsleute draußen mit roten Siegerfahnen vorbeifahren – da stimmt was nicht. Meine Frau hat gesehen, wie die beiden hier gegraben haben. Sie hat es mir erzählt. Aber sechzig Jahre habe ich nicht wissen wollen, was da drin ist.«

Er reichte Marie-Luise den Spaten.

»Ich will es jetzt auch nicht. Stellen Sie ihn an die Hauswand, wenn Sie fertig sind.«

Er ging. Ich sah ihm nach, wie er die Stalltür hinter sich zuzog, ein Mann mit gebeugtem Rücken, aber gerader Haltung.

Marie-Luise reichte mir den Spaten. Ich klopfte den Boden ab, genau wie Kähnrich es eben getan hatte. Unter den Bohlen befand sich ein Hohlraum. Ich ging in die Knie und versuchte, die Bretter hochzuheben. Als das nicht gelang, benutzte ich den Spaten als Hebel. Die Ziegen kommentierten meine Bemühungen ununterbrochen. Der ganze Stall war in Aufruhr. Ich hätte nicht gedacht, dass sich ein »Bähh« so menschlich anhören könnte.

»Kommst du voran?«, fragte Marie-Luise.

»Ich brauche mehr Licht.«

Sie sah sich um, aber es war nichts Greifbares in der Nähe. Ein Brett wackelte. Ich schob den Spaten darunter und trat mit voller Kraft auf den Stiel. Das Brett flog in hohem Bogen durch die Luft, mitten in die blökende Herde hinein, die auseinanderstob.

»Hier.«

Marie-Luise hielt ihr Gasfeuerzeug über die Öffnung. Im Lehmboden befand sich eine Öffnung. Sie hatte ungefähr die Größe eines Schuhkartons und war circa eine Ellenlänge tief. Auf dem Boden lag etwas Dunkles. Ich holte es heraus. Es war ein mit Stoff umwickeltes, schmales Päckchen, zusammengebunden mit Bindfaden. Ich versuchte, den Knoten zu lösen, doch er war zu festgezurrt. Marie-Luise nahm das Feuerzeug.

»Vorsicht!«, rief ich, doch sie hatte die Flamme bereits an den Faden gehalten, der an dieser Stelle erst glühte und dann riss. Sie gab mir das Feuerzeug und wickelte das Päckchen hastig aus. Dann hielt sie zwei dünne, mit Pappe gebundene Hefte in der Hand. Ich leuchtete, so gut es ging. Es waren Arbeitsbücher. Das erste war ausgestellt auf Olga Warschenkowa. Bevor sie das zweite öffnete, sah Marie-Luise mich kurz an. Ich nickte ihr zu. Sie schlug die erste Seite auf, und ich sah in Millas Gesicht. Ernster und schmaler, mit großen Augen, ähnlich und fremd, das Kinderbild einer alten Frau. Natalja Tscherednitschenkowa, geboren am 14. Juni 1931 in Kiew, Reichskommissariat Ukraine. Marie-Luise blätterte weiter. Ihr Arbeitseinsatz war in Schöneberg beim Fernmeldebunkerbau, dann als Arbeiterin in der Pulvergrund-stoffverarbeitung einer Munitionsfabrik in Spandau, und dann: bei Wilhelm und Irene von Zernikow als Kindermädchen.

Die Flamme zuckte noch einmal und erlosch. Das Gas war alle. Im trüben Licht der Glühbirne schloss ich das Loch im Boden. Dann verteilte ich Stroh darüber. Den Spaten stellte ich an die Stalltür. Milord hob ruckartig seinen Kopf, ließ uns aber passieren.

Im Auto kramte Marie-Luise in ihrer Tasche, holte die Zigaretten heraus und drückte den Anzünder in den Schacht. Es dauerte nur wenige Sekunden, und er sprang heraus. Obwohl die Glut kaum zu sehen war, blendete sie mich.

»Ich verfluche unsere Zeit, weißt du das? Unsere unendliche Möglichkeit zu wählen. Kind oder nicht Kind. Ehe oder ledig. Beruf oder Familie. Und immer, wenn es schiefgeht, müssen wir uns der Tatsache stellen, ganz alleine dran schuld zu sein. Hörst du mir überhaupt zu?«

»Ich kann kaum was sehen«, erwiderte ich ärgerlich. Zum Beweis ließ ich Wasser auf die Scheiben spritzen, das von den Wischblättern sofort in eine undurchschaubare Schmiere verwandelt wurde.

»Ich wünsche mir ja nur ein Schicksal«, sagte sie leise. »Weißt du, wovor ich am meisten Angst habe?«, fragte sie. Ich zuckte mit den Schultern.

»Dass es blöderweise doch einen Gott gibt.«

»Warum?«

»Stell dir mal vor, alles ist wahr, was man dir erzählt hat. Dann komme ich in die Hölle.«

»Warum solltest ausgerechnet du in die Hölle kommen?«

»Weil ...«

Sie schwieg. »Weil ich es weiß«, antwortete sie schließlich trotzig. »Ich weiß, dass ich in die Hölle komme, wenn es Gott gibt. Ich kann also nur beten, dass er nicht existiert.«

»Das ist ein Anachronismus.«

»Das ist mein ganzes Leben«, sagte sie.

21

Nachdem ich Marie-Luise in der Mainzer Straße abgeliefert hatte und wir uns noch ein wenig darüber stritten, wer die Arbeitsbücher behalten sollte, blieb ich Sieger und fuhr mit schlechtem Gewissen nach Hause. Einen Moment lang, als ich den Mercedes in der Tiefgarage sah, war ich erleichtert. Dann fiel mir ein, dass sie sicher der Fahrer gebracht hatte. Die dunkle Wohnung sah nicht gerade vielversprechend aus. Trotzdem schloss ich so leise wie möglich auf und machte im Flur kein Licht. Im Dunkeln zog ich die Schuhe aus und tappte hinüber zum Schlafzimmer. Ich drückte die Klinke herab – die Tür war verschlossen.

Ich griff zum Lichtschalter. Einen Moment war ich geblendet, dann probierte ich es noch einmal, doch die Tür blieb zu. Ich drehte mich um. Jemand hatte ziemlich lieblos mein Bettzeug auf die Couch geworfen. Ich hob die Hand und wollte an die Tür klopfen, dann ließ ich sie sinken.

Nicht jetzt. Nicht heute Abend.

Ich lauschte, doch aus dem Schlafzimmer drang kein Laut. Vermutlich schlief Sigrun schon tief und fest. Hoffentlich ohne Alpträume mit einem Monster in der Hauptrolle, das mir ähnlich sah.

Ich holte Eiswürfel aus dem Gefrierfach und goss mir zwei Fingerbreit Wodka ins Glas. Dann machte ich es mir auf der Couch bequem.

Ich holte die Arbeitsbücher aus der Anzugtasche. Ich überlegte, wo ich sie am sichersten aufbewahren konnte. Natürlich hatten wir auch einen Safe in der Wohnung. Sigruns Wertpapiere, ein überschaubarer Geldbetrag für alle Fälle sowie einige Schatullen mit Familienschmuck wurden dort aufbewahrt. Ich besaß nichts, für das sich ein Safe lohnen würde. Genau betrachtet hatte ich noch nicht einmal genug für einen anständigen Einbruch. Alles, was ich besaß, war eine Anzahl Kreditkarten, ein Girokonto im Plus und eine anständige Garderobe. Ich war noch nicht lange genug in der Kanzlei, um Reichtümer anzuhäufen.

Ich steckte die Arbeitsbücher in die Ritze zwischen Rückenlehne und Polster. Soweit ich wusste, hatte sich die Putzfrau noch nie so weit vorgewagt.

Ich stürzte den Wodka hinunter und versuchte mich zu erinnern, wie unser Hausmädchen hieß. Ich wusste es nicht. Das Mädchen eben. Legal beschäftigt, auf Steuerkarte und gut bezahlt, aber namenlos. Auch nicht viel besser als Anna, Paula oder Schatz.

Wir mussten reden. Alle. Viel mehr reden. Richtig reden.

Ich holte mir noch einen Wodka, dann zog ich mich aus. Nackt ließ ich mich aufs Sofa fallen und überlegte, wann und wo ich Sigrun am besten abfangen könnte.

Ich ging in den Flur. Ihre Handtasche stand dort, wo sie immer stand, wenn sie nach Hause kam. Sigrun war die erste Frau, die ich kennen lernte, die aus ihrer Handtasche kein Survival-Kit gemacht hatte. Sie brauchte sie einfach nicht mehr, wenn der Arbeitstag vorbei war. Ich griff hinein und holte ihr Filofax heraus. Dann schlich ich wieder ins Wohnzimmer und zündete die Kerze auf dem Beistelltisch an. Ich hatte kein schlechtes Gewissen. In dieses ordentliche Ding trug sie nur ihre beruflichen Termine ein. Private gab es schon lange nicht mehr. Ich schlug den Sonnabend auf. *Whlk.A.*, stand da. *Plak., 10.00 Uhr, RE.* Übersetzt hieß das: Wahlkampfauftakt, Plakate kleben, Roseneck.

Ich nahm den Kugelschreiber und setzte dazu: *11.00 Uhr. J. Ausspr.* Glauben. Verzeihen. In Klammern setzte ich dazu: *(Sx.).* Ich fand das angesichts der späten Stunde sehr witzig von mir und wollte den Timer zuklappen, als er mir aus der Hand rutschte und auf den Teppichboden fiel. Ich hatte vor, hinter das »Sx.« ein Fragezeichen zu setzen. Das nahm dem Vorsatz sozusagen die Spitze und wirkte noch ein bisschen mehr nach vorläufiger Unentschlossenheit, die sich in humorvoll großzügiges Hinwegsehen über meine Unzulänglichkeiten verwandeln sollte. Ich suchte nach dem richtigen Datum. Der Timer hatte sich am Dienstag dieser Woche aufgeschlagen. *9.30 h Sitzg. Soz.auss. 11 h Jgdfrzthm. Grünau (Ulag.). 13 h Wittk., Vau.* – Wittkowski war der kulturpolitische Sprecher der Fraktion. Die Eintragungen waren dicht gedrängt und bis zur Unkenntlichkeit abgekürzt. Vermutlich wusste nur Sigrun, was sich hinter *RfÖ/Schwtz.* verbarg oder hinter *FSpWi. § 9! – su.Rtg.* Oder *00.00 h. M. Tsch.*

Mitternacht. Dienstag. *M. Tsch.*

Mein Mund war trocken. Ich stürzte den Wodka hinunter. Dann blies ich die Kerze aus und trug den Timer zurück zu Sigruns Tasche. Ich blieb vor der verschlossenen Schlafzimmertür stehen. Sollte ich sie eintreten und sie auf der Stelle fragen, was diese Eintragung zu bedeuten hatte? M. *Tsch. 00.00 Uhr.* Am Dienstag. Massig Taschenbücher, um besser einzuschlafen? Mehr Titelgeschichten? Muntere Tschetschenen?

Oder ein Treffen mit einer jungen Frau, die Milla Tscherednitschenkowa hieß und seitdem verschwunden war?

Es schlief sich nicht gut auf der Couch. Ich hatte keinen Pyjama, und es war kalt. Und ich wusste, dass ich keinem Menschen mehr trauen konnte.

22

Roseneck. Im Herzen von Sigruns Wahlkreis.

Ein richtiger kleiner Pressetermin war organisiert worden. Keine zehn Schritte von dem Laternenpfahl entfernt, von dem aus mich Sigrun nun für die kommenden Wochen kompetent und zuversichtlich anlächeln würde, hatte ihre Partei einen kleinen Stand aufgebaut. Fünf mit Argumenten und Werbekrimskrams bestens ausgestattete Ortsverbandsmitglieder waren bereit, sich für ihre Spitzenkandidatin vierteilen zu lassen. Ein knappes Dutzend Journalisten war erschienen, um diesem denkwürdigen Moment beizuwohnen. An sie wurde Kaffee ausgeschenkt. Brötchen gab es keine, wurde einem missmutigen Fotografen mitgeteilt, leere Kassen, also auch keine Schnittchen. Er wurde an die Wiener Feinbäckerei ein paar Schritte weiter verwiesen.

Der Fotograf war Dressler. Brettschneider stand ein paar Schritte weiter und stöberte in den Faltblättern.

Ich hielt mich im Hintergrund. Wenn Sigrun um zehn einen Termin hatte, war sie seit mindestens acht Uhr auf den Beinen. Ich überlegte, ob sie meine Notiz schon gelesen hatte. Ich hoffte, nicht. Mir war es lieber, wenn ich den Überraschungseffekt auf meiner Seite hätte.

Dressler kam mit einer Brötchentüte zurückgeschlurft, holte sich Kaffee und betrachtete kopfschüttelnd eine Fußbadewanne in der Auslage eines Haushaltswarengeschäftes. Ein Kamerateam des ZDF traf ein und brachte sich in Position. Eine Agenturpraktikantin mit gezücktem Notizblock und einer unglaublich hässlichen Brille begrüßte eine Kollegin zu überschwänglich, um sie tatsächlich zu mögen. Es war kurz nach zehn.

In diesem Moment tauchte das Wahlkampfmobil auf. Ein Peugeot Megane, beklebt mit den drei großen Buchstaben der einzig wahren Partei der Mitte und Sigruns Konterfei. Es fuhr ein wenig verwirrt auf und ab, weil sich dummerweise kein Parkplatz direkt vor der Laterne fand. Die Presse brachte sich in Position, das Wahlkampfmobil schaltete die Warnblinkanlage an und stellte sich in die zweite Reihe.

»Na, na, na«, machte Dressler neben mir. »Das gehört sich aber nicht.«

Ich drehte mich zu ihm um, aber er bemerkte mich nicht. Die Praktikantin mit der Brille hatte es ihm angetan. Sie war aus dem Pulk herausgetreten und hatte sich, so wie wir, etwas abseits gehalten. Sie notierte sich etwas auf ihren Block.

Ein Mann stieg aus und öffnete Sigrun die Tür. Sie sprang auf die Straße, ausgeruht, lächelnd, kompetent bis in die geföhnten Haarspitzen, und ging nach hinten, um den Kofferraum zu öffnen.

Sigrun trug eine Aluleiter, die ihr von einem Ortsverbandsmitglied geradezu aus den Händen gerissen wurde. Der Türöffner reichte ihr das erste Plakat. Sie hielt es siegessicher hoch, mit ausgestreckten Armen. Eine Gladiatorengeste. Dann stieg sie auf die Leiter, ließ sich Kneifzange und Draht geben, knipste ein Stück ab und befestigte das Plakat am Laternenpfahl.

Mehr Zukunft! – Sigrun Zernikow.

Das »von« hatte sie natürlich weggelassen. Es war das bekannteste weggelassene »von« von ganz Berlin.

»Mehr Zukunft! Was Besseres fällt denen nicht ein.« Dressler drückte widerwillig ein paar Mal auf den Auslöser. »Die Stadt ist bankrott, das Land verrottet, unsere Kinder verblöden, das ist die Gegenwart. Wie soll dann erst die Zukunft aussehen?«

Die Praktikantin hob die Hand an die Brille und sah Dressler mit einem schwer zu deutenden Ausdruck an. »Sie wählen wohl PDS, was?«

»Hierher!«, schrien die Kollegen. »Lächeln!«

»Ich wähle gar nicht.«

»Damit überlassen Sie das Land den Radikalen«, sagte die Praktikantin. Dressler machte ein paar weitere lustlose Aufnahmen.

»Die da sind mir radikal genug. Die haben doch alle Dreck am Stecken. Es gibt doch keinen von denen …«

Er ging ächzend in die Knie, die bewährte Unter-den-Rock-Pose. Ich war froh, dass Sigrun heute kein Kostüm angezogen hatte. Sie trug flache Slipper, eine gebügelte Jeans und ein rosafarbenes Polohemd. Die Haare fielen ihr locker auf die Schultern. Sie sah stark aus. Schön. Zuversichtlich. Und musste sich von so etwas, das sich gerade vor mir im Dreck wälzte, ablichten lassen. Schnaufend kam der Mann wieder hoch. Mitte fünfzig, übergewichtig, hypertonisch. Freiberufler, von einer der Entlassungswellen der letzten Jahre an Land gespült und gestrandet, eine erbärmliche Existenz.

»Es gibt keine Ausnahmen«, sagte er.

Die Praktikantin ging hinüber zu der Journalistengruppe. Sigrun beantwortete nun Fragen zum Wahlprogramm, zu diversen Spendenbetrügereien, die sich allesamt Gott sei Dank in anderen Bundesländern zugetragen hatten, zu Kitaschließungen und Unternehmenssteuersätzen, und sie lächelte und strahlte dabei, ließ allen Schmutz und Dreck an sich abperlen.

»Auch die hat ihre Leiche im Keller.«

Dressler sah sich nach seiner Zuhörerin um. Mich hatte er noch immer nicht bemerkt. Stattdessen kam Brettschneider auf ihn zu. Er sah mich sofort und nickte mir zu. Dann stellte er sich neben seinen Fotografen. »Na, alles im Kasten?«

»Es kotzt mich an, es kotzt mich alles an«, brummte Dressler. »Schau dir die Frau doch mal an. Chronisch ungefickt. Die täte doch alles für einen dicken Schwanz. Wahrscheinlich bläst sie jeden Tag dem Regierenden einen, damit sie nach der Wahl …«

Ich tippte ihm auf die Schulter, er drehte sich um, und ich traf ihn mit der Faust direkt am Kinn. Er blickte ein wenig erstaunt, dann fiel erst die Kamera aufs Pflaster und anschließend er. Die Journalisten drehten sich um, die Kameras folgten ihrer Blickrichtung und blieben auf mir haften.

»Joachim!«

Sigrun bahnte sich einen Weg durch den Pulk. »Was machst du denn hier?«

Der Fotograf fasste sich ans Kinn und betrachtete ein winziges Blutströpfchen. Dann sah er seine Kamera, die den Sturz ebenso unbeschadet überstanden hatte wie er.

»Die werden Sie mir bezahlen!«, brüllte er und kam schwankend auf die Beine. »Ich verklage Sie! Schmerzensgeld!«

Brettschneider half erst seinem Fotografen auf und wandte sich dann an mich. »Das hätten Sie nicht tun dürfen, Herr Vernau. Das nicht.«

Ich massierte meine rechte Hand. Ein gewisses Oho und Aha verbreitete sich raschelnd unter den Anwesenden.

»Sie sind der Lebensgefährte von Frau Zernikow?«, fragte ein Rundfunkreporter und hielt auch schon das Mikrofon in meine Richtung.

Sigrun hakte sich bei mir ein und schob mich in Richtung Wahlkampfmobil. »Das war's, meine Damen und Herren. Sie haben ja jetzt alle Ihre Geschichte.«

Hinter uns rief und klickte es. Sigrun riss die Wagentür auf und schubste mich ins Innere. Dann krabbelte sie nach. Sie wollte die Tür schließen, da quetschte sich tatsächlich Dressler dazwischen.

»Alle haben Dreck am Stecken. Auch du!«, zischte er. Der Wagenöffner und einer der Aufkleberverteiler rissen ihn zurück. Aber er verfügte über ungeahnte Kräfte. Sigrun verschanzte sich in der Ecke des Wagens, ich beugte mich vor, um sie vor den Beschimpfungen zu schützen und die Wagentür zu schließen. Dressler riss sich los.

»Die Russin«, spuckte er. Kleine Speicheltröpfchen spritzten von seinem Mund. »Ihr wisst, wo sie steckt. Wo habt ihr sie hingebracht?«

Jetzt hatten sie ihn endlich am Kragen und zogen ihn zurück. Die Tür wurde zugeschlagen, das Auto fuhr an und nahm die Ampel bei Dunkelgelb. Wir brausten mit siebzig die Hubertusallee hinunter.

Sigrun atmete tief ein und schob sich die Haare nach hinten. Dann sah sie sich um, als ob sie verfolgt würde. Sie zitterte.

»Was meint er damit, dass sie weg ist? Gott sei Dank ist sie weg! Alle müssten sie weg sein! Hört das denn nie auf?«

Sie nestelte am Verschluss ihrer Tasche. Schließlich gelang es ihr, einen kleinen Taschenspiegel herauszuholen und sich darin anzusehen. Wütend klappte sie ihn wieder zu und steckte ihn weg.

»Wahrscheinlich ist sie dahin zurück, wo sie hergekommen ist.«

»Sigrun …«

»Was hat er noch gesagt?«

»Nichts.«

Sie schnaufte noch einmal. »Erzähl keinen Unsinn. Was hat er gesagt? Er muss doch was gesagt haben. Ich will das wissen.«

Ich schwieg. Sie wartete einen Moment, dann hieb sie mit der Faust auf die Rückenlehne. »Anhalten!«

Der Fahrer trat sofort auf die Bremse. Ich flog ein Stück nach vorne. Sigrun öffnete die Tür, ohne auf den Verkehr zu achten, und stieg auf die Fahrbahn. Es hupte ohrenbetäubend. Ich folgte ihr und zog sie am Arm auf den Bürgersteig.

»Okay. Ich hab ihm eins auf die Nase gegeben. Aus Ritterlichkeit. Und aus demselben Grund verrate ich dir nicht, was er gesagt hat.«

»Hau ab!«

Der Fahrer hatte den Wagen etwas unvorschriftsmäßig geparkt und sah besorgt zu uns hinüber.

»Er wollte dich vögeln.«

»Was?«

»Ja. Er fand dich … na ja, ziemlich sexy.«

»Dieses fette Schwein wollte mich …«

Sie drehte sich um und schlug die Hand vor den Mund. Dann fing sie an zu lachen. Ich fand sie unglaublich. Sie führte sich auf wie ein Teenager, dem man gerade ein Kompliment gemacht hatte.

»Du warst eifersüchtig?«

Ich starrte sie an und entschied mich für das einzig Richtige: Ich nickte. Sie gab dem Fahrer ein Zeichen, ohne sie weiterzufahren. Dann kam sie auf mich zu, die Hände in den Taschen ihrer Jacke verborgen.

»Eifersucht.«

Sie blieb direkt vor mir stehen und musterte mich. »Eine schlimme Sache. Man sollte versuchen, sich davon frei zu machen. Aber es gelingt nicht immer. Mir gelingt es zum Beispiel überhaupt nicht. Warum nur habe ich ständig das Gefühl, dass du mich verarschst?«

Ich sah sie stumm an. Ich konnte sie verstehen. Aber ich konnte ihr nichts erklären.

»Wo warst du gestern Abend?«

»Unterwegs«, antwortete ich. Es klang nicht originell, aber es war schwierig, ehrlich zu sein und nicht die Wahrheit zu sagen. Sigrun spürte das und legte noch eine Spur mehr Verachtung in ihre Stimme.

»Und wohin und mit wem, wenn ich fragen darf?«

Sie musterte mich scharf. Da ich ihr die Antwort schuldig blieb, gab sie sie selbst. »Mit deiner Anwaltsfreundin? Oder mit dieser Russin?« Sigrun wendete sich abrupt ab, als wollte sie eine Regung ihres Gesichtes verbergen, und ging ein paar Schritte auf und ab. »Du musst dich entscheiden. Sie oder sie oder ich. Bevor dein Privatleben zu unübersichtlich wird.«

»Sigrun …«

»Denkst du nicht«, schrie sie, brach ab und setzte noch einmal leiser an. »Denkst du, ich weiß nicht, was sich hinter meinem Rücken abspielt? Dass da irgendetwas im Busch ist, gegen mich, gegen meine Familie? Denkst du, ich weiß nicht, dass du, der einzige Mensch, dem ich voll und ganz vertraut habe, mitmachst dabei? Dass du das Messer wetzt, das mir irgendjemand in den Rücken jagen will?«

Sie holte ein zerquetschtes Päckchen Zigaretten aus der Hosentasche hervor. Mit sehr bedachten Bewegungen zog sie eine heraus und zündete sie sich an. Sie inhalierte tief und blies den Rauch auf die Glut, die nicht richtig glimmte.

»Dreißig Stück am Tag. Von null auf dreißig. Danke, Joachim. Wie weit seid ihr?«

»Wir haben die Arbeitsbücher gefunden. Sie belegen, dass deine Großmutter Natalja als Zwangsarbeiterin beschäftigt hat.«

Sigrun nickte. »Wer hat die Bücher?«

»Ich.«

»Wo sind sie?«

Ich schwieg.

Sigrun nickte wieder. »Was wollt ihr damit machen?«

»Hör doch endlich mal auf, im Plural zu sprechen!«

»Was willst *du* damit machen?«

»Ich weiß es nicht.«

Sigrun warf den Rest der Zigarette auf den Boden und trat die Glut sorgfältig aus. »Gib sie mir.«

Ich schüttelte langsam den Kopf. Einen Moment lang wurden ihre klaren blauen Augen ganz dunkel.

»Bitte«, flüsterte sie.

»Ich kann nicht.«

Sie seufzte tief und zog wieder die Zigarettenpackung heraus. Die paar Sekunden zwischen dem Nehmen und dem Anzünden der Zigarette gaben ihr die Gelegenheit, sich zu beruhigen.

»Die Einunddreißigste«, sagte ich.

Sie lächelte schwach.

»Du machst einen Fehler.«

Sie sah mich lange an. Sigrun hatte ihre moralische Messlatte sehr hoch gehängt. Und nun war sie im Begriff, stolz erhobenen Hauptes darunter hindurchzumarschieren. Sie wusste es. Das Schlimmste für sie war, dass ausgerechnet ich sie daran erinnerte.

»Ich muss meine Familie schützen. Schlimmstenfalls sogar vor dir.«

»Du kannst auch anders. Steh zu dem, was passiert ist. Geh offen damit um. Was ist so schlimm daran, einen Fehler zuzugeben, den du noch nicht einmal selbst begangen hast?«

»Der Zeitpunkt«, antwortete sie. »In drei Wochen sind Wahlen, du arrogantes, gewissengewendetes Stück. Ich bitte dich jetzt zum letzten Mal: Gib mir die Papiere. Wenn dir irgendetwas an mir liegt, an meiner Zukunft, an unserer Beziehung, dann rück sie raus.«

Sigrun sah an mir vorbei zur nächsten Straßenecke. Dort hatte der Fahrer geparkt. Sie nickte ihm zu. Er legte den Rückwärtsgang ein, wartete die nächste Lücke im Verkehr ab und kam zu uns hochgefahren.

»Ansonsten hast du bis heute Abend gepackt.« Sie ging auf den Wagen zu.

»Sigrun«, sagte ich.

Sie hob kraftlos die Hand und versuchte zu lächeln. Kein siegesgewisses Strahlen, keine Zukunft-jetzt-Zuversicht, sondern ein schon auf den Wangen vergehendes Lächeln, so schwach wie das Wenige, das uns noch verband. Und als ob ich das Wenige auch noch auslöschen wollte, sagte ich ihr: »Ich weiß, was du Dienstag gemacht hast.«

Sie wurde kreidebleich. Dann stieg sie in den Wagen, ohne mich noch einmal anzusehen. Durch die Scheibe sah ich, wie sie dem Fahrer eine Anweisung gab. Der Wagen fädelte sich in den Verkehr Richtung Rathenauplatz ein.

Ich wusste nicht, was sie ihrem Vater erzählt hatte. Aber in den fünf Minuten, die ich vom Roseneck zur Villa brauchte, war die Welt eine andere geworden.

Sein Mantel hing an der Garderobe. Da das Klopfen durch die Polsterung nicht zu hören war, ich aber wusste, dass er da war, trat ich einfach ein.

Utz saß allein an dem runden Arbeitstisch im Erker und studierte Akten. Er sah nur kurz hoch, schraubte dann seinen Füller auf und setzte eine Unterschrift auf ein Dokument. Mit einer Kopfbewegung hieß er mich, Platz zu nehmen. Ich folgte der Aufforderung und wartete ab. Umständlich schraubte er den Füller wieder zu und nahm dann die Lesebrille von der Nase, die er nur beim Aktenstudium trug.

»Das hätte ich nicht erwartet«, sagte er schließlich. »Für mich wart ihr ein schönes Paar. Aber da sieht man, dass Vaterliebe blind macht.«

»Wir haben eine Meinungsverschiedenheit. Aber das möchte ich gerne mit Sigrun unter Ausschluss der Öffentlichkeit klären.«

»Soso.«

Utz faltete die Hände. Nichts in seinem Gesicht ließ erkennen, was er dachte. »Du wünschst also den Ausschluss der Öffentlichkeit. Um nicht zu sagen: Diskretion.«

Er ging ächzend hinüber zu seinem Schreibtisch. Es waren nur sieben Schritte, doch er hatte Mühe, sie zu bewältigen. Er öffnete die mittlere Schublade und holte sein Scheckheft heraus.

»Hunderttausend. In bar. Ich habe der Bank Bescheid gesagt. Du kannst es sofort mitnehmen. Damit wäre deinem Wunsch wohl Genüge getan.«

Er stellte einen Scheck aus, riss ihn ab und kam langsam wieder auf mich zu. Dabei wedelte er mit dem Papier, um die Tinte zu trocknen. »Bitte sehr.«

Er legte den Scheck vor mich auf den Tisch.

Ich starrte erst auf die Summe und dann auf Utz. »Ich bin kein Gigolo, falls du das damit zum Ausdruck bringen solltest. Es ist eine Angelegenheit zwischen Sigrun und mir.«

»Und Frau Tscherednitschenkowa, nicht wahr? Beziehungsweise der Dame, die sich für sie ausgibt.«

Ich nahm den Scheck langsam hoch, musterte ihn genau und zerriss ihn. Dann stand ich auf und ließ die Schnipsel in den Papierkorb regnen.

»Ist die Summe zu niedrig?«

»Ich will kein Geld.«

»Was dann?« Utz schwankte leicht. Er stützte sich auf eine Stuhllehne. »Du gräbst. Du suchst irgendetwas, aus dem du uns einen Strick drehen kannst. Dabei haben wir dich aufgenommen, dir alle Türen geöffnet. Du hättest zu meiner Familie gehören können, zur Kanzlei. Warum, Joachim?«

Ich dachte an Marie-Luise, an Dressler und an das, was geschehen würde, wenn die Angelegenheit nicht sofort geklärt und erledigt würde.

»Natalja ist nicht tot«, sagte ich. »Sie konnte fliehen. Sie war bei einem Bauern in Brandenburg untergekommen und hat dort das Kriegsende erlebt. Dann kehrte sie zurück in die Ukraine. Heute lebt sie in Kiew.«

»Das ist nicht wahr.«

Utz konnte nicht mehr stehen. Er fiel fast auf den Stuhl, der unter dieser plötzlichen Attacke fast zusammenbrach.

»Alles, was ich will, ist, dass du dich erinnerst.«

Er schüttelte den Kopf und schloss die Augen. »Das werde ich nicht tun. Meine Erinnerungen gehören mir. Niemand bekommt sie. Die Tür ist verschlossen. Für immer.«

Ich hätte ihn am liebsten geschüttelt. Sie machten es mir verdammt schwer. Alle Zernikows.

»Dann wollen wir deinem Erinnerungsvermögen mal ein bisschen auf die Sprünge helfen. Ich habe Beweise, dass Natalja entkommen ist.«

Utz holte aus irgendeiner seiner Taschen ein Tuch und wischte sich damit über das Gesicht.

»Beweise?«

»Ihre Arbeitsbücher.«

»Soso.« Er steckte das Tuch weg. »Arbeitsbücher. Hast du sie auf dem Flohmarkt aufgetrieben? Oder wird so etwas auf dem Schwarzmarkt verkauft, um unschuldige Menschen zu erpressen?«

»Ich habe sie bei dem Bauern gefunden, der Natalja damals versteckt hat. '44/'45, bis Kriegsende.«

»Ich vermute, dass dieser Bauer kein Großgrundbesitzer ist und sich über jede Art von Zuwendung freut.«

»Herrgott, Utz! Hörst du mir überhaupt zu?«

»Und diese ominöse Tochter mit ihren phantastischen Geschichten ist auch nicht mehr aufgetaucht. Ergo, es geht hier um eine schlichte Erpressung. Deshalb noch einmal: Wie viel?«

Durch meinen Kopf zuckte eine bis jetzt noch nicht gestellte Frage, die sich die ganze Zeit still und unauffällig im Hintergrund gehalten hatte, um jetzt, im entscheidenden Moment, gestellt zu werden. »Warum würdest du zahlen?«

Utz stieß ein überraschtes Lachen aus. Er unternahm einen Versuch aufzustehen, um das Gespräch zu beenden, doch ich ließ ihn nicht vorbei.

»Du warst ein Kind. Zwangsarbeit in Privathaushalten wurde nie strafrechtlich verfolgt. Deine Mutter mag zwar kein Ausbund an Güte gewesen sein, aber auch das ist nichts, das erpressbar macht. Ergo: Warum bist du bereit, so viel für mein Schweigen zu zahlen?«

Er funkelte mich an. Einen Moment lang schien die Kraft in seinen gebeugten Körper zurückzukehren, und ich befürchtete schon, er würde sich auf mich stürzen. Doch er hielt sich zurück.

»Weil ich, im Gegensatz zu dir, alles täte, um Schaden von meiner Tochter abzuwenden.«

»Die Wahlen«, sagte ich und ließ ihn vorbei. Utz zuckte gleichgültig mit den Schultern und schleppte sich zur Tür, um sie zu öffnen.

»Eine tote alte Frau.«

Utz griff zur Klinke.

»Ein dunkler Jaguar. Dienstagnacht in der Meinekestraße. Damit wurde Milla Tscherednitschenkowa vom Hotel abgeholt. Seitdem ist sie verschwunden.«

Er ließ die Hand von der Klinke sinken.

»Noch eine Tote?« Ich ging zu ihm hin und flüsterte ihm ins Ohr: »Keine Tür bleibt für immer zu. Ich werde den Schlüssel finden, verlass dich drauf.«

Ich ging hinüber in die Wohnung und wartete, bis die Wut verebbte. Utz hatte mir mehr bedeutet, als mir bewusst gewesen war. Vielleicht, weil er etwas verkörperte, was ich bei meinem Vater immer vermisst hatte: Zuverlässigkeit und Loyalität. Eine Vaterfigur wie aus dem Bilderbuch, die ich im Handstreich zum Pappkameraden demontiert hatte. Bilderbuchpappvatermörder. Auch bei Utz hatte ich die Angst gerochen. Schwache Väter fürchten nichts so sehr wie ihre Söhne.

23

Ich hatte nicht viel mitzunehmen. Alles, was ich brauchte, passte in den Dreiersatz Samsonites. Viel problematischer war die Frage, wohin ich mit ihnen gehen sollte. Als ich die Wohnung verließ, überlegte ich einen Moment, ob ich den Schlüsselbund dalassen sollte. Es wäre eine so schöne, endgültige Geste gewesen. Schließlich steckte ich ihn in die Anzugtasche. Es war immer gut, einen Grund zu haben, noch einmal wiederzukommen.

Noch besser war es, die Porscheschlüssel am Bund zu haben. Die Koffer waren schwer, und vor langer, langer Zeit war ich schließlich auch mit einem Auto hier aufgekreuzt. Quid pro quo.

Ich brauste die Einfahrt hoch und trat erst im letzten Moment auf die Bremse, als ich den Schatten sah. Langsam rollte ich in die Ausfahrt. Vor mir stand Walter, in der Hand eine Axt, die er schwer in seinen Händen wog. Er versperrte mir den Weg. Ich spielte mit dem Gedanken, ihn einfach über den Haufen zu fahren. Doch da trat er schon mit düsterer Miene zur Seite. Ich nickte ihm fröhlich zu und rollte an ihm vorbei.

Es war früher Nachmittag. Ich hatte keine Termine mehr, keinen Job, keine Wohnung und keine Verlobte. Wenn ich ehrlich war, war ich in diesem Moment nicht allzu unglücklich. Aufbruch. Neue Ufer. Zum Nachdenken war immer noch Zeit genug. In weniger als dreißig Minuten war ich in der Mainzer Straße.

Ich parkte in der zweiten Reihe und wollte gerade aussteigen, als sich Marie-Luises Haustür öffnete und Schmiedgen auf die Straße trat. Ich musste zwei Mal hinsehen, denn ich bekam das Bild des toskanischen Rotwein trinkenden Mitte-Links-Verteidigers mit Marie-Luises Haustür nicht in Einklang. Doch er war es. Das krause graue Haar flatterte um seine Schultern wie frisch gewaschen, die Wangen glänzten rosig, den Kugelbauch streckte er der Sonne entgegen. Er sah sich blinzelnd um – das Treppenhaus war so dunkel wie der Kohlenkeller. Dann richtete er sich seine Krawatte. Ich war hinter dem Lenkrad zusammengesunken und hoffte inständig, dass seine kleinen Schlitzaugen nicht an meinem Wagen hängen blieben. Schmiedgen war kurzsichtig und trug im Gericht immer eine Brille. Genau die fummelte er jetzt aus seiner Brusttasche und setzte sie auf. Zügig ging er ein paar Schritte weiter, schloss die Tür zu einem dunkelblauen Audi auf und fuhr davon. Ich nahm seinen Parkplatz.

Es dauerte keine Minute, bis ich vor Marie-Luises Tür stand und klingelte. Ich hörte die Schritte von nackten Füßen, dann wurde ungestüm geöffnet.

»Hast du vergessen!«, rief sie. Mit zerzausten Haaren und im Kimono schwenkte sie ein seidenes Einstecktüchlein. Sie erstarrte mitten in der Bewegung.

»Schon weg«, sagte ich und schnappte das Tüchlein. »Ich hab nachher noch was im Gericht zu erledigen, ich gebe es ihm dann.«

Marie-Luise hielt sich mit der nun freien Hand den Ausschnitt vor der Brust zusammen. Nötig wäre das nun wirklich nicht gewesen, wir kannten uns schließlich lange genug.

»Was machst du denn hier?«, fragte sie. Es klang nicht gerade nach einem herzlichen »Hereinspaziert«.

Ich drückte mich an ihr vorbei in den Flur, sie schloss die Tür. Die Hand immer noch am Ausschnitt. Mein Gott, was glaubte sie, das ich ihr wegsehen könnte?

»Es ist halb drei. Am helllichten Tag. Soweit ich weiß, ist er verheiratet.«

»Spinnst du? Was willst du eigentlich? Nur so auf einen Kaffee vorbeischauen?«

Sie ging in die Küche. Ich kannte den abgebeizten Tisch genau, die vier Stühle, die alte Nussbaumanrichte ihrer Kaulsdorfer Großmutter, das Poster von Che Guevara, das sie von einer Kubareise mitgebracht hatte, als sie noch zu den Hoffnungsträgern der einstigen sozialistischen Hälfte Deutschlands gehörte. All die Devotionalien einer Weltanschauung, die sich sogar noch in der Wahl der Vorhänge widerspiegelte: grob gewebtes indisches Leinen. Sie stellte einen Wasserkessel auf, ein untrügliches Zeichen für einen Kaffee nach Kaulsdorfer Art, mit zwei Löffeln grob gemahlenen Bohnen pro Tasse, kochendes Wasser drauf, fertig. Sie vergaß die Hand am Ausschnitt, und ich vergaß, dass ich nicht hinsehen wollte.

»Ach so.« Sie hatte meinen Blick bemerkt. »Ich zieh mir was an.«

Ich hatte viel zu verdauen gehabt in den letzten Tagen. Bis eben war ich der Meinung gewesen, dass ich mich ganz gut gehalten hatte. Und nun das. Schmiedgen und Marie-Luise. Der in meinen Augen unattraktivste Mann nach Berti Vogts und die junge, an seinen Lippen und Gott weiß wo noch hängende Prozessanwältin, beide gemeinsam im Bett. Meine Phantasie weigerte sich strikt, mir das in Bildern auszumalen.

Ich goss den Kaffee auf, wobei ich darauf achtete, dass mir das kochende Wasser nicht die Hand verbrühte. Dann holte ich das seidene Tüchlein heraus. Schmiedgen musste zwanzig Jahre älter sein als sie. Da ging es wohl nicht ums Erotische, sondern um die Ideologie. Warum sonst vögelte sie mit einem dicken, alten Mann, der ihr im Bett nicht annähernd das bieten konnte, was …

»Neidisch?«

Sie erschien in dem Kostüm, das sie bei der Anhörung getragen hatte.

»Gib es her.«

Sie schnappte sich das Tuch und steckte es in ihre Jackentasche. »Also?«

Es war wichtig, dass man den Kaffee mehrmals umrührte, damit die vollgesogenen Bestandteile sich setzen konnten. Trotzdem blieb beim Trinken immer noch genug übrig, das wie Sägespäne an den Zähnen klebte. Ich beschloss, dass Marie-Luises Privatleben jetzt kein Thema war.

»Ich habe mit Sigrun gesprochen. Und mit ihrem Vater. Es ist zwecklos. Sie werden niemals etwas öffentlich zugeben. Sie werden weder mit Natalja noch mit Milla, so sie denn noch lebt, Kontakt aufnehmen. Der Fall hat sich somit erledigt.«

»Und wo sind die Arbeitsbücher?«

Sie musterte mich scharf.

»An einem sicheren Ort«, erwiderte ich. Sofern man das unabgeschlossene Handschuhfach sicher nennen konnte. In einem schwarzen Porsche, der in dieser Gegend die herzlichste Einladung zur Wohlstandsumverteilung war. Ich beugte mich kurz zum Fenster und stellte fest, dass er unbeachtet an der gleichen Stelle stand, an der ich ihn abgestellt hatte. Noch.

»Sauber«, sagte sie. »Du hast die Beweise, und du beschließt auch noch, sie irgendwo verrotten zu lassen. Bist du dir darüber im Klaren, was du gerade tust? 160000 Familien weigern sich bis heute, Wiedergutmachung zu leisten. Familien wie die Zernikows. Politiker mit einer so sauberen Weste wie deine Sigrun.«

Sie deutete hinaus auf die Laterne auf der anderen Straßenseite. Ich hatte das Plakat noch nicht bemerkt. *Zukunft jetzt. Sigrun*

Zernikow. Kompliment an die Friedrichshainer Wahlkampfhelfer, das war schnell.

»Wie wär's, wenn sie vor der Zukunft mal die Vergangenheit in ihre Gegenwart holt?«

Ich wollte den Kaffee mit etwas Milch genießbarer machen. Sie stand immer noch in einem kleinen Krug von Hedwig Bollhagen auf der Glasplatte im Kühlschrank. Ich holte ihn heraus und betrachtete wehmütig die abgesprungene Stelle an der Tülle.

»Es ist nicht ihre Vergangenheit.«

»Täter zu schützen macht mitschuldig.«

»Komm schon.« Ich stellte die Kanne ab. »Dir geht es doch nicht um die Wahrheit, stimmt's? Schuld und Sühne sind dir doch vollkommen egal.«

»Um was denn sonst?«

»Du willst mich damit treffen. Ich bin das Ziel. Der Rest sind Kollateralschäden.«

Sie sah hinaus zu Sigrun. »Bist du schon mal auf die Idee gekommen, dass Rache und Gerechtigkeit denselben Wortstamm haben? Ganz abgesehen davon: Gegen diesen Eisklotz bin ich ein Vulkan. Und ich kenne dich immer noch gut genug. Ich weiß, dass du lieber schmilzt als erfrierst.«

Sie strahlte mich mit ihrem verführerischsten Lächeln an.

Ich spuckte einen Kaffeekrümel auf den Boden. »Du wirst mich nicht kriegen.«

Eine Frau, die mit Schmiedgen schlief, konnte man nur stehen lassen. Wie ein Glas, in das jemand vorher hineingespuckt hatte.

Ihr Lächeln erlosch. »Du mich auch nicht.«

Marie-Luise war immer noch siebzehn. Aber das hier war nicht der Pausenhof.

»Die beiden wissen also von den Büchern. Dann wird es nicht mehr lange dauern, bis sie dir die Hölle ganz schön heiß machen.«

»Bereits passiert.« Ich schüttete den Kaffeesatz in den Ausguss und spülte nach, damit Marie-Luise nicht später irgendwelche Zukunftsaussichten herauslesen konnte. »Ich bin gefeuert. Von ihm und von ihr.«

Sie wandte sich ab und ging ans Fenster. Lange fixierte sie das Plakat. Dann drehte sie sich zu mir um.

»Diese Frau hat mir zumindest in einem Punkt etwas voraus: Sie bekommt, was sie will. Sie wird dich nicht in Ruhe lassen. Sie wird sich nicht damit zufriedengeben, das Erreichte zu bewahren. Sie will mehr. Sie will niemanden, der ihre Kreise stören könnte.«

Ich nahm meine Jacke von der Stuhllehne.

»Wohin willst du?«, fragte sie.

»Ich melde mich.«

Unten auf der Straße traf mich die Sonne genau in die Augen. Ich musste blinzeln wie Schmiedgen. Der Libanese öffnete gerade den Laden und schaute zu mir herüber.

Vielleicht hatte Marie-Luise Recht, und das war alles erst der Anfang. In einem aber irrte sie sich: Sigrun war nicht kalt. Sie kämpfte nur gerade den Kampf ihres Lebens. Und dabei ging es nicht um die Wahlen.

24

»Du?«

Meine Mutter verhakelte vor Aufregung die Türkette. »Mit dir habe ich ja gar nicht gerechnet! Was ist denn los?«

»Darf ich?«

Drei Koffer hinaufzutransportieren war schwierig genug. Damit in die Wohnung meiner Mutter einzudringen fast ein Ding der Unmöglichkeit. Im Flur stolperte ich über herumliegende einzelne Schuhe, einen zum Trocknen aufgespannten Regenschirm, und als ich mich endlich an dem völlig überladenen Garderobenständer vorbeigedrückt hatte, fiel er um. Begleitet vom Aufschrei meiner Mutter. Dieser rief Hüthchen auf den Plan, die sich gerade in Eile den Mund vollgestopft hatte und mit dicken Backen aus der Küche kam.

»Vorsicht!«

Hüthchen stieß einen dumpfen Laut aus. Solange sie nicht heruntergeschluckt hatte, behalf sie sich mit Kopfschütteln und ratlosem Händezusammenschlagen.

»Was soll denn das werden?«, fragte meine Mutter.

»Ich ziehe wieder ein«, antwortete ich. Hüthchen vergaß das Kauen, meine Mutter schwieg. Beides zugleich war ein einmaliges Ereignis.

Ich trug die Samsonites in mein altes Zimmer und stieß als Erstes die Fenster auf. Dann öffnete ich den Schrank und dachte bei dem herauswabernden Geruch an Schmiedgen, dann war es nicht mehr so schlimm.

»Was machst du da?«

Die Stimme meiner Mutter überschlug sich fast. Hinter ihr stand Hüthchen und äugte in das Zimmer.

»Ich schaffe ein bisschen Platz«, rief ich. »Wir wollen es doch hier gemütlich haben, wir beide.«

Dabei zwinkerte ich Hüthchen zu. Meine Mutter schüttelte nur den Kopf.

»Das geht nicht. Das – das ist doch viel zu eng hier!«

Ich klopfte auf meine alte Schlafcouch und sah sie prüfend an. »Für ein paar Tage wird es schon klappen, nicht wahr? Wir machen uns eben beide ein bisschen dünn.«

Hüthchen strich sich über die Hüften und wandte ihren Blick zu meiner Mutter. Nun tu doch was, sollte das heißen. Mit zwei Schritten war Mutter am Schrank und nahm einen Arm voll Kleidungsstücke heraus.

»Sie kommt zu mir. Wenn es denn sein muss.«

»Es muss sein.«

Mutter hatte sich schon halb umgedreht. Sie sah mich an, etwas länger, als es sonst ihre Art war. Dann drückte sie Hüthchen wortlos das Bündel vor den Bauch. Die fleißigste aller Haushälterinnen nahm ihre Sachen entgegen und verschwand im Schlafzimmer.

»Bleib, so lange du willst. Das ist immer noch dein Zimmer.« Dann packte sie das nächste Bündel von Kitteln, Hauskleidern und undefinierbaren Bekleidungsmöglichkeiten und verließ den Raum.

»Mutter?«

Sie drehte sich um.

»Danke.«

Sie lächelte unsicher und nickte mir zu. Die Situation war ihr nicht geheuer. Jahrelang hatte sie ihren Sohn vermisst. Jetzt zog er wieder ein. Das war fast zu viel des Guten für sie. Ich nahm mir vor, etwas behutsamer mit ihr umzugehen.

Später saßen wir in der Küche beim Abendessen. Hüthchen hatte eine Büchse Eintopf Pichelsteiner Art geöffnet und zur Feier des Tages drei Teller abgewaschen. Diese ungewohnte Überanstrengung und meine permanente Anwesenheit ohne eine Spur von Aufbruchwillen irritierte sie. Sie saß mir gegenüber und ließ mich nicht aus den Augen. Mutter hatte rechts von mir Platz genommen.

»Wir hatten gar nicht mit dir gerechnet.« Entschuldigend wies sie auf den Teller, in dem allerlei Undefinierbares tierischen und pflanzlichen Ursprungs herumschwamm.

»Ich auch nicht«, antwortete ich. Der Pichelsteiner roch wie nasse Schuhe. Ich schob den Teller zurück.

»Schmeckt es nicht?«, fragte Hüthchen. Wenn sie glaubte, mich aushungern zu können, hatte sie schlechte Karten.

»Ich muss noch mal weg«, sagte ich.

»Jetzt noch?« Mutter warf einen missbilligenden Blick auf die Wanduhr.

Es war halb sieben. Die Freibäder hatten geöffnet, die Geschäfte, die Menschen trafen sich in Biergärten und Gartenlokalen. Aber meine Mutter war der Meinung, ich gehörte ins Bett. Wenn ich mich nicht gleich am Anfang durchsetzte, wäre es mit unserem friedlichen Zusammensein schnell vorbei. Genau in diesem Moment klingelte mein Handy. Ich verzog mich ins Wohnzimmer.

»Vernau«, meldete ich mich. Einen Moment lang blieb es still am anderen Ende der Leitung. Mein Herzschlag begann zu stolpern. Sigrun.

»Hier spricht Aaron von Lehnsfeld. Joachim, sind Sie es?«

Ich bejahte und setzte mich in den Sessel mit der Aufstehhilfe, nicht ohne mich zu vergewissern, ob halbleere Joghurtbecher in den Seiten steckten.

»Die Angelegenheit ist ein wenig heikel. Meine Mutter hat mich gebeten, Sie anzurufen. Sie hat Ihnen vor einiger Zeit etwas geliehen. Ich weiß nicht, um was es sich handelt. Sie möchte es gerne zurückhaben. Bald.«

Es dauerte volle drei Sekunden, bis mir einfiel, von was er redete: der Smaragdring. Es würde um einiges länger dauern, ihn zu finden. Ich wusste nicht mehr, wo ich ihn gelassen hatte.

»Natürlich«, sagte ich. »Nächste Woche?«

»Heute«, antwortete Aaron.

Auf dem Bildschirm des ausgeschalteten Fernsehers sah ich eine Bewegung – meine Mutter spiegelte sich in ihm. Sie stand in der Tür und lauschte.

»Tut mir leid, das ist nicht möglich«, erwiderte ich rasch. »Ich habe noch einen Termin. Sagen wir morgen?«

Aaron zögerte. Er war es nicht gewohnt zu verhandeln.

»In Ordnung. Sie können ihn mir gegen achtzehn Uhr in den Tennisclub bringen.«

»Wen?«, fragte ich.

Aaron legte auf. Mutter huschte in den Flur zurück. Es würden anstrengende Tage hier werden. An Wochen wagte ich nicht zu denken.

Die Zeit bis zum Dunkelwerden verbrachte ich in einem Lokal direkt am Ufer der Spree. Halb elf. Dienstagabend. Ortsverbandssitzung. Sigrun würde nicht zu Hause sein.

Die Villa wurde bis Mitternacht angestrahlt. Die Fensterfront aber war dunkel. Ich holte die Schlüssel heraus und schloss das Tor auf. Langsam, ganz langsam, damit es nicht quietschte, öffnete ich es einen Spalt und zwängte mich hindurch. Ich fühlte mich wie ein Einbrecher, hielt inne, lauschte, aber nichts rührte sich. Ich schloss das Tor und schlich den Weg zu unserer Haustür hoch. Der Kies knirschte, ich stand einige Sekunden regungslos da, dann ging ich die Stufen hoch, öffnete so schnell wie möglich die Tür und schlüpfte in ihre – meine – ihre – Wohnung. Stille.

Schwaches Licht fiel durch das viereckige, vergitterte Fenster der Tür in den Flur. Sofort ging ich zur Kellertreppe. Die Wäsche wurde immer mittwochs abgeholt. Mit viel Glück war der Beutel noch in der Waschküche, wo ich ihn nach der Grunewalder Verlobung hingebracht hatte. Der große Raum lag genau unter dem Wohnzimmer. Die Wände waren mit glasierten Fliesen in einem sanften Beigeton gekachelt. Die Waschbecken waren groß und aus einem keramikähnlichen Material. In den Ecken waren schmiedeeiserne Kaminabzugklappen angebracht – keiner brauchte sie, seit eine Ölzentralheizung eingebaut war. Aber die Klappen waren noch da und auch die schmalen Verbindungskamine, die das ganze Haus durchzogen.

Die Wäschetruhen standen an der Stirnseite. Ich begann zu wühlen, fand aber nichts. Ich suchte in der Bettwäsche, ebenso ergebnislos. Das war nicht gut.

Ich holte mir jeden Schritt, jeden Satz, jede Bewegung ins Gedächtnis zurück. Alles, was ich an jenem Abend zwischen angezogen Ins-Schlafzimmer-Kommen und ausgezogen Im-Bett-Liegen getan hatte. Sigruns Tränen, ihre Zigaretten, die quälende

Verzweiflung, vor der ich sie nicht retten konnte. Ich ging hoch ins Schlafzimmer. Ich wollte gerade das Licht anmachen, da hörte ich das Geräusch. Es kam von der Haustür. Sie wurde leise und behutsam aufgeschlossen. Zu vorsichtig für jemanden, der das Recht hatte, hier hereinzukommen.

Gerade als ich anfing, an eine Sinnestäuschung zu glauben, hörte ich Schritte. Sie kamen vom Flur und führten ins Wohnzimmer. Langsam, kaum hörbar, und definitiv nicht in Eile. Ich tastete mich im Dunkeln zu Sigruns Nachttisch und öffnete die Schublade. Die Pistole.

Ich war erstaunt über das Gewicht der Waffe. Sie war zu groß, um sie in der Innentasche meiner Anzugjacke unterzubringen. Ich behielt sie in der Hand. Jetzt hörte ich leise Stimmen. Sie waren also mindestens zu zweit. Ich öffnete die Tür einen Spaltbreit, konnte aber in der Dunkelheit nichts erkennen.

»Mach das Licht an. Sie ist nicht da.«

Zwei Sekunden später flammte die Deckenlampe an. Die Freifrau saß in ihrem Rollstuhl in der Mitte des Raumes.

»Das Bild da«, sagte sie.

Walter nickte und hob die bis aufs i-Tüpfelchen geglückte Manet-Kopie von der Wand. Dahinter lag unser – Sigruns – Safe.

»Drei-eins-null-sieben-sechs-vier«, befahl die Freifrau. Erstaunlich, was sie wusste und mit welcher Kaltschnäuzigkeit sie dieses Wissen nutzte. Walter öffnete den Safe und sah sie an. Sie nickte ihm zu, und er begann, ihn auszuräumen. Die Aktien und Wertpapiere interessierten sie nicht. Die Schmuckschatulle auch nicht, obwohl sie sie öffnen ließ und den Inhalt inspizierte.

»Ach, meine Perlenkette!«, sagte sie nur einmal, mehr gleichgültig als erfreut. Sie betrachtete die Pässe und ein dünnes Bündel Bargeld, das Sigrun immer im Haus haben wollte, und ließ sich den Umschlag mit Sigruns Testament zeigen. Sie öffnete ihn nicht, sondern tastete ihn sorgfältig ab. Stirnrunzelnd legte sie auch ihn zur Seite.

»Das war alles?«

Walter nickte. Sie stieß einen ärgerlichen Laut aus und gab Walter mit einer Kopfbewegung zu verstehen, die Sachen wieder zurückzulegen.

»Nicht so«, fuhr sie ihn an. »Kante auf Kante. Ordentlich.«

Dann wendete sie ihren Rollstuhl und blieb vor dem Telefon stehen. Sie gab Walter ein Zeichen, den Anrufbeantworter abzuhören. Drei Nachrichten waren darauf. Die erste kam von Georg und war für mich. Er hatte den Weinert-Fall abbekommen und versuchte jetzt so höflich wie möglich an die Akten zu kommen. Der zweite war für Sigrun. Ein Journalist vom Tagesspiegel wollte ein Interview von ihr. Der dritte Anruf war wieder für mich. Marie-Luise.

»Vielleicht gehst du ja irgendwann mal an dein Handy. Die vermisste Person wurde auf die Chirurgische Intensivstation des Rudolf-Virchow-Klinikums eingewiesen. Schädelbasisbruch. Komm so schnell du kannst.«

Milla Tscherednitschenkowa.

Abrupt setzte sich die Freifrau auf und drehte den Rollstuhl in meine Richtung. Ich schloss sofort die Tür. Mein Herzschlag beschleunigte sich. Was, wenn sie unter meinem Kopfkissen weitersuchen wollten? Ich lief zum Bett, legte mich unter die Decke und zog sie bis zum Hals hoch. Keine Sekunde zu früh.

»Halt!«

Walter wollte wahrscheinlich das Licht anmachen. Ich gab einen leisen Schnarchlaut von mir und drehte mich, wie im Schlaf gestört, mit einem Grunzen auf die andere Seite.

Die beiden standen in der geöffneten Tür und gaben keinen Ton von sich. Schließlich hielt es Walter nicht mehr länger aus.

»Ich denke, sie hat ihn rausgeschmissen?«, flüsterte er.

Die Freifrau schwieg. Ich bewegte mich noch etwas unruhiger, damit die beiden endlich verschwanden.

»Kein Stolz«, sagte sie schließlich leise.

»Soll ich?«, fragte Walter.

Ich legte keinen gesteigerten Wert darauf zu erfahren, was Walter sollte oder nicht. Ich wälzte mich noch einmal herum und glitt mit der Hand unter das Kopfkissen. Ich hatte keine Ahnung, ob die Pistole entsichert und geladen war, aber ich hoffte, sie würde zumindest Eindruck schinden.

»Nein«, raunte die Freifrau.

Dann wurde die Tür geschlossen. Ich gab den beiden noch eine Minute, dann schlug ich die Decke zurück und schlich nach draußen. Sie waren weg.

Der Wäschesack lag im Schlafzimmerschrank. Ich wühlte die Taschen durch und war erleichtert, dass der Ring noch da war. Das Zwanzigtausend-Euro-Stück. Die Wiedergutmachung für den immer gleichen Fehler. Ich zog das Bettlaken glatt und holte die Pistole unter dem Kopfkissen hervor. Eine Sig Sauer. Eine gute Waffe. Einen Moment erwog ich, sie mitzunehmen. Dann legte ich sie in die Schublade zurück. Ich schlief entschieden besser ohne sie.

Atemlos startete ich den Porsche und fuhr so leise, wie es möglich war, bis zur nächsten Querstraße. Dann gab ich Gas. Zum Rudolf-Virchow-Klinikum brauchte ich um diese Uhrzeit keine Viertelstunde. Ich schoss über die Autobahn Richtung Wedding, bog einmal rechts ab und hielt mich beim Pförtner nicht mit langen Erklärungen auf. Intensivstation ist ein Wort, das Eile und Sorge gleichermaßen impliziert. Der Pförtner wies mir den Weg.

Ich musste in den dritten Stock und nahm den Aufzug. Als sich die Türen öffneten, ging ich auf einen großen, quadratischen Flur hinaus. Am Fenster stand Marie-Luise und rauchte eine Zigarette. Neben ihr ein randvoller Standaschenbecher. Sie drehte sich um und hielt mir eine Zeitung hin. »Da hast du's.«

Die Abendausgabe der BTZ. Sie war auf der sechsten Seite aufgeschlagen. Ich sah ihr Foto sofort. *Junge Russin am Landwehr-*

kanal aufgefunden, lebensgefährlich verletzt – Mafia? Mädchen-
handel? Selbstmordversuch?

Ich ließ die Zeitung sinken. »Das ist nicht wahr.«

»Doch. Dumm gelaufen, nicht? Noch ein Menschenleben aufs Spiel gesetzt. Aber Hauptsache, den Zernikows geht's gut.«

»Wie geht es ihr? Ist sie außer Lebensgefahr?«

»Ich weiß es nicht. Sie haben sie gestern Abend gefunden und gleich operiert.« Marie-Luise drückte ihre Zigarette in dem Ascher aus. »Sie lassen niemanden zu ihr.«

»War sonst jemand bei ihr?«

»Keine Ahnung. Ich bin auch erst vor einer Stunde gekommen.«

Seit sieben Uhr stand dieses Haus also offen für jeden, der einen scheußlichen Job noch schnell zu Ende bringen wollte. Wir mussten zu ihr, so schnell wie möglich.

»Gibt es hier ein Treppenhaus?«

»Bestimmt, aber warum …«

»Komm.«

Ich nahm sie am Arm und ging zu der Glastür. In den Gängen mit spiegelndem Linoleum standen riesige aluminiumfarbene Wäschekörbe. Links von uns, in einem verglasten Büro, saß eine Krankenschwester über irgendetwas Schriftliches gebeugt. Leise war ein Radio zu hören. Geradeaus ging es zu den Krankenzimmern, rechts zum OP. Ich drückte Marie-Luise an die Wand und bedeutete ihr, still zu sein. Irgendwo piepte es. Die Schwester stand auf und ging mit schnellen Schritten den Gang hinunter. Ich wartete, bis sie verschwunden war, und hechtete an ihren Platz. Die Aufnahmeliste hing in Augenhöhe links neben dem Computer. Mein Blick raste die Liste herab, keine Tscherednitschenkowa. Ich hörte Schritte. *Unbekannt.* Unbekannt lag auf Zimmer 42–07. Ich verließ das Büro keine Sekunde zu früh. Die Schwester kam um die Ecke und nahm wieder Platz an dem Schreibtisch.

Wir warteten eine Minute, doch die Schwester ging ruhig ihrer Arbeit nach und schien nichts zu bemerken. Ich stand auf und bedeutete Marie-Luise, mir zu folgen. Der Gang war sehr lang, und Zimmer in dem Sinne gab es nicht. Immerhin konnte man durch halb heruntergezogene Jalousien Betten erkennen, in denen Menschen lagen, die nicht oder nur halb bei Bewusstsein waren. 42–07 musste die Tür ganz hinten rechts sein. Genau die öffnete sich jetzt.

Wir drückten uns an die Wand. Es war ein kräftiger Mann, und einen Moment glaubte ich, Walter zu erkennen. Er sah sich um.

»Was machen Sie da?«, rief ich.

Der Mann erschrak und rannte los.

»Schau nach Milla!«, schrie ich Marie-Luise zu. Der Mann war hinter einer Tür verschwunden, die zum Treppenhaus führte. Ich riss sie auf. Er war fast ein Stockwerk unter mir. Trotz seiner Massigkeit lief er behände und schnell. Ich sprang hinterher, fünf Stufen auf einmal, und betete, dass ich nicht ausgerechnet jetzt mit dem Knöchel umknickte. Jetzt erreichte der Mann das Erdgeschoss, dann den Keller. Er lief nach links in einen Gang. Ich hörte eine Tür schlagen und war Sekunden später in einer Art Tiefgarage. Kranken- und Notarztwagen, dazwischen Rollstühle, und wieder Unmengen von Wäschewagen. Der Mann schlängelte sich zwischen ihnen durch, doch es war eng. Und er war dick. Und ich war schnell.

Ich hatte ihn, kurz bevor er den Ausgang erreichte.

»Nein!«, brüllte er, als ich ihn am Kragen packte. Er war leicht zu überwältigen, und er schlotterte vor Angst. Ich presste ihn an die unverputzte Parkhauswand und gab seinem kurz geschorenen Schädel einen klitzekleinen Schlag, so dass er mit der Stirn an den Beton schlug.

»Nein!«, wimmerte er. »Bitte nicht!«

»Wer sind Sie? Was machen Sie hier?«

Ich hatte ihn immer noch gut im Schwitzkasten, doch er zeigte keinerlei Widerstand.

»Cahlow«, stöhnte er. »Horst Cahlow. Ich war bei meiner Verlobten.«

Ich ließ ihn los. Er ächzte, stöhnte und schwitzte. Dann drehte er sich um. Cahlow war ein Mann von circa vierzig Jahren, mit hochroten, weichen Gesichtszügen und einer Miene von geradezu bedauernswerter Harmlosigkeit. »Ich habe das hier in der Zeitung gelesen.« Aus dem Innern seiner halbgeöffneten Lederjacke ragte die BTZ.

»Sie sind mit der Frau aus dem Zimmer verlobt?«

Er nickte. »Bitte tun Sie mir nichts. – Und ihr auch nicht.«

Horst biss sich auf die Lippen und suchte mit seinen flinken Augen den Raum hinter mir nach einer Fluchtmöglichkeit ab. Als er sah, dass seine Situation im Moment zumindest nicht allzu aussichtsreich war, zuckte er mit den Schultern. »Wer sind Sie?«, fragte er.

Er fing an, nachzudenken, und dazu wollte ich ihn gar nicht erst kommen lassen.

»Ich passe auf sie auf, wenn Sie verstehen, was ich meine.«

Jetzt hielt er mich für einen Zuhälter. Er bekam es wieder mit der Angst zu tun, doch plötzlich reckte er mutig sein Doppelkinn. »Ich auch.«

Ich lächelte ihm aufmunternd zu. »Schön. Dann sind wir ja schon zu zweit. Kommen Sie mit, wir gehen hoch.«

Er stieg vor mir die Treppen hinauf und kam dabei ganz schön ins Schwitzen. Oben angekommen, war die ganze Station in hellem Aufruhr. Ein Arzt und zwei Schwestern hielten Marie-Luise in Schach, die vergeblich versuchte, unser Eindringen zu erklären.

»Da bist du ja!«, rief sie, als wir schnaufend dazukamen. Sie zeigte auf Horst. »Er hat sie bedroht! Er wollte sie umbringen, um …«

»Halt die Klappe!«, fuhr ich sie an.

»Aber ...«

»Dürfen wir erfahren, was hier vorgeht?« Der Arzt baute sich jetzt vor Horst Cahlow auf, der gleich wieder ein Stück kleiner wurde. Ein ziemlich kräftiger Pfleger versperrte den Ausgang zum Treppenhaus. »Schwester, am besten verständigen Sie die Polizei und den Wachschutz.«

»Ja«, sagte Marie-Luise, »je schneller, desto – aua, was soll denn das?«

Ich hatte ihr einen sanften Schlag in die Rippen versetzt.

»Dies hier ist der Verlobte der jungen Dame da drin. Wir sind ihre Anwälte. Marie-Luise Hoffmann und Joachim Vernau. Ihre Patientin wurde entführt und lebensgefährlich verletzt. Wir sind hier, weil Grund zu der Annahme besteht, dass die Täter wiederkommen.«

»Die Täter?«

Der Arzt blickte zu den Krankenschwestern. »Soweit wir wissen, handelt es sich um einen Verkehrsunfall mit Fahrerflucht.«

»Wer sagt das?«, fragte ich.

»Die Polizei«, antwortete die Krankenschwester, die vorhin in dem Büro gesessen hatte. »Eindeutig ein Unfall. Es gab sogar Zeugen, aber mehr dürfen wir Ihnen nicht sagen. – Und wohin will der da?«

Wir sahen uns nach Horst um, der heimlich auf dem Rückzug war. Er blieb stehen. »Ich wollte sie nur mal anschauen«, stammelte er. »Ich hab sie ja noch nie gesehen. Nur auf einem Passfoto. Und das war jetzt in der Zeitung.«

»Und da wollen Sie mit ihr verlobt sein?«, schaltete sich die erste Krankenschwester ein.

»Na ja.« Horst lief noch eine Schattierung dunkler an. »Ich hab sie aus dem Internet. Über eine Agentur. Das lief alles prima, mit dem Visum und dem Flug. Aber als ich sie abholen wollte ...«

Typisch Milla. Ich konnte mir den armen Kerl vorstellen, wie er da am Flughafen stand, mit einem Strauß roter Nelken in der Hand, während die Versprochene schon längst ihren persönlichen Rachefeldzug gestartet hatte.

Marie-Luise öffnete den Mund und schloss ihn wieder. Sie sah mich an, aber ich konnte ihr auch nicht weiterhelfen. Sie wandte sich an Horst Cahlow. »Gehe ich recht in der Annahme, dass es sich in diesem Fall gewissermaßen um eine gekaufte Braut handelt?«

»Das stimmt nicht!«, protestierte Cahlow. »Nur wenn es ihr bei mir gefällt. Dann kostet sie eine Bearbeitungsgebühr. Aber ich hab ja schon einen Vorschuss bezahlt, und als ich gelesen hab, wo sie ist, da wollte ich …«

»… da wollten Sie sich die Lieferung mal ansehen, stimmt's?« Der Arzt blickte auf seine Uhr. »Es ist spät, meine Herrschaften. Kommen Sie bitte morgen wieder.«

»Ich würde sie gerne sehen«, sagte ich. »Bitte.«

»Das geht leider nicht.«

»Es wäre sehr, sehr wichtig für uns.« Der erste produktive Satz von Marie-Luise, aber er half auch nicht weiter.

»Tut mir leid. Kommen Sie morgen wieder, oder warten Sie unten.«

Cahlow, Marie-Luise und ich rührten uns nicht vom Fleck. Der Arzt entschwand mit fliegenden Kittelschößen. Die jüngere der beiden Schwestern legte den Finger an die Lippen und bedeutete uns, leise ans Fenster zu treten. Dann ging sie in Raum 42–07 und zog die Jalousien etwas hoch.

Die Gestalt auf dem halb erhöhten Krankenbett war nicht zu erkennen. Der Kopf war durch einen riesigen Verband verdeckt, Arme und Beine unter der Decke. Die Jalousie rutschte wieder herunter, die Schwester kam heraus. Horst wischte sich über die Augen, Marie-Luise schluckte.

»Wird sie durchkommen?«, fragte ich.

»Ich kann Ihnen nichts versprechen«, sagte die Schwester.

»Aber es sieht ganz gut aus. Sagen Sie mir jetzt bitte noch einmal den Namen und die Personalien der Dame.«

»Das geht nicht«, sagte Marie-Luise schnell, die jetzt endlich kapiert hatte. »Das würde einigen Leuten den Weg hierher zu einfach machen.«

»Wem denn?«, fragte die Schwester.

»Denen, die sie so zugerichtet haben.«

Sie sah in die Richtung, in die der Arzt verschwunden war. »Ich muss das tun. Bitte verstehen Sie das. Warum beantragen Sie keinen Personenschutz?«

Ich kannte Marie-Luise gut genug, um diese kleine Falte zwischen ihren Brauen richtig zu deuten. Auch ich hielt nicht viel davon, Petze 1 um Hilfe zu bitten.

»Ich könnte auf sie aufpassen«, sagte Horst Cahlow. »Ich setze mich hier vor die Tür. An mir kommt keiner vorbei.«

»Das geht nicht«, sagte die Krankenschwester. Sie sah sich nach ihrer älteren Kollegin um, die zwischenzeitlich einen Rundgang auf der Station machte und immer mal wieder auf dem Flur auftauchte, um nach dem Rechten zu sehen. Jetzt kam sie näher.

»Es war eindeutig Fahrerflucht«, sagte sie leise. »Mehrere Zeugen haben beobachtet, wie die Frau über eine dicht befahrene Straße ging und plötzlich von einem Auto angefahren wurde. Mehr hat man uns nicht gesagt. Und mehr wollen wir auch gar nicht wissen. Jeder ist hier Patient. Kranke, Unschuldige, auch Täter.«

»Darf ich … darf ich wieder kommen?«, fragte Cahlow.

Die Schwester musterte ihn von oben bis unten und gab dann seufzend nach. »Vor der Tür. Nicht reingehen. Und wenn ich auch nur ein Wort sage, verschwinden Sie über die Treppe. Verstanden? Und jetzt will ich die nächste halbe Stunde niemanden hier sehen.«

Der Automat im Erdgeschoss spuckte Nescafé mit Trockenweißer aus. Drei Mal. Fluchend, weil die Plastikbecher die Hitze enorm leiteten, brachte ich ihn zu den Wartebänken. Cahlow bot Marie-Luise gerade eine Zigarette an. Sie lehnte ab und nahm sich eine eigene. Ich reichte erst ihr und dann Horst einen Becher.

»Danke, vielen Dank. Was bekommen Sie dafür?«

Ich winkte ab. Dann setzte ich mich neben die beiden. Wir pusteten in die Becher, Marie-Luise und Horst qualmten. Die große Wanduhr zeigte fünf Minuten nach eins »Ich werde auf sie aufpassen«, sagte Horst. »Ich werde auf sie aufpassen. Aufpassen werde ich …«

»Sagen Sie mal«, unterbrach ich ihn, »wie sind Sie eigentlich unbemerkt in ihr Zimmer gekommen?«

»Genau das möchte ich auch wissen«, sagte Marie-Luise. »So einen Wichser wie Sie wollte ich schon immer mal auf die Intensivstation bringen. Allerdings in der Horizontalen.«

Cahlow schlug die Augen nieder. In meinen Augen sah er gar nicht so unsympathisch aus.

Doch die Großinquisitorin gab keine Ruhe. »Frauen kaufen, aus dem Katalog. Gibt es eigentlich ein Umtauschrecht? Kann man auch mal Probe liegen?«

Er rückte ein Stück weg von ihr.

»Und bei Nichtgefallen gibt es das Geld zurück. Oder hat man dich übers Ohr gehauen und du musst nehmen, was kommt? Schau mich mal an. Was wäre ich denn wert, na? Sag was!«

Cahlow hielt intensiven Blickkontakt mit seinem Plastikbecher.

»Hat es dem großen Mann aus dem goldenen Westen die Sprache verschlagen? Kannst du nicht mehr reden? Klappt es mit deutschen Frauen nicht so richtig im Bett, weil du kein ganzer Kerl bist, na? Bringst du's nicht mehr?«

»Hör auf!«, fuhr ich sie an.

Cahlow hatte sich abgewendet und den Arm vor sein Gesicht gelegt.

»Mein Gott, was für ein Schlappschwanz. Das ist ja jämmerlich.« Sie trank einen Schluck Kaffee und zündete sich die nächste Zigarette an. Ich war nur noch von Kettenrauchern umgeben. Wir starrten auf den Linoleumfußboden und schwiegen uns an.

»Ich habe seit fünf Jahren mit keiner Frau mehr geschlafen«, flüsterte Horst Cahlow.

Marie-Luise verschluckte sich am Zigarettenrauch und bekam einen Hustenanfall. Ich klopfte ihr auf den Rücken, bis es besser wurde.

»Nur mit Huren.«

Marie-Luise keuchte. Es war schwer zu entscheiden, ob vor Lachen oder vom Husten.

»Ich habe ihr geschrieben, dass ich sie nicht anrühren werde. Nur, wenn sie es auch will.«

»Könnte eine lange Wartezeit werden.« Marie-Luise hatte sich gefasst. »Auch wenn der Notstand groß ist.«

»Das ist mir egal. Ich will verheiratet sein.« Er zündete sich auch wieder eine an. »Meine Mutter ist vor sechs Monaten gestorben. Jetzt hab ich die Wohnung renoviert. Und eine Frau könnte auch da sein.«

Marie-Luise nickte ihm zu. »Und jetzt suchst du eine neue Mutti, die für dich kocht und aufräumt und dich an den Busen drückt, wenn du ganz, ganz traurig bist …«

»Sie hatte Alzheimer. Seit sieben Jahren. Deshalb bin ich damals zu ihr gezogen. Meine erste Frau ist damit nicht zurechtgekommen.« Cahlow inhalierte tief.

»Lass es jetzt gut sein«, sagte ich.

Marie-Luise zischte etwas Unverständliches und stand auf, um ihre Zigarette ausnahmsweise mal im Aschenbecher und nicht auf dem Boden zu entsorgen. »Trotzdem. Du bist doch ein …«, sie musterte Cahlow von oben bis unten, »… na, ein attraktiver Mann, wenn man mal so sagen darf. In den besten Jahren. Frauen lieben das doch. Lebenserfahrung, Reife. Ordentlich was drauf

auf den Knochen. Einer zum Anlehnen. Du schaffst das doch, ohne dir eine Frau zu kaufen.«

»Es ist doch nur eine Bearbeitungsgebühr!«

»Wie hoch?«

Er zuckte mit den Schultern. »Dreitausend«, sagte er leise.

»Dreitausend? Euro? Ohne Vögeln?«

»Darum geht es doch gar nicht.«

»Um was denn dann?«

Ich stand auf und streckte mich. »Hört zu, das kann alles bis morgen warten. Ich bin hundemüde. Ich schlage vor, Herr Cahlow bleibt hier, und wir fahren nach Hause und legen uns aufs Ohr. Morgen Vormittag löst Sie einer von uns ab. Ist das in Ordnung?«

Marie-Luise streifte sich ihre Lederjacke über. »Pass gut auf sie auf. Wenn nicht, kriegst du es mit mir zu tun. Und lass sie in Ruhe. Anfassen ist nicht, kapiert?«

Cahlow nickte. Er stand auf. »Ihr könnt euch auf mich verlassen. Übrigens: Ich bin der Horst.«

Er streckte mir seine große, weiche Pranke entgegen, und ich drückte sie. »Joachim.«

Dann wendete er sich zu Marie-Luise, die seufzte. »Mach schon«, sagte ich.

»Marie-Luise.«

Horst strahlte sie an. »Ein schöner Name! Meine Tante hat auch so geheißen.«

Genau das hatte Marie-Luise noch gefehlt. Sie ließ ihn grußlos stehen.

Horst winkte uns noch nach, als wir schon längst auf der Straße waren. Die Nacht war kühl, die Luft ein wenig feucht. Es roch nach Erde und einem seltsam süßen Duft, den man nur in Sommernächten riecht.

»Das sind die Linden«, sagte Marie-Luise, die bemerkte, dass ich tief Luft holte.

»Soll ich dich ein Stück mitnehmen?«, fragte ich.

»Nicht nötig. Ich habe draußen geparkt.«

Wir sahen noch einmal hoch in den dritten Stock. »Es ist gut, dass er da ist. Er wird auf sie aufpassen.«

Sie machte eine unwillige Bewegung und wollte etwas erwidern, dann hob sie bloß die Hand. »Es ist ernst«, sagte sie dann. »Bis heute war das ein abstraktes Planspiel. Du tust etwas, sie reagieren. So ist das in einem fort gegangen. Es war genau vorhersehbar, was geschehen würde. Dass sie hier liegt, ist unsere Schuld. Ich habe geglaubt, so weit, wie ich denke, wird doch niemand gehen. Doch genau das haben sie getan.«

Sie sah mich an. Es lag etwas Weiches, fast Liebevolles in ihrem Blick. »Sie werden noch einmal töten. Verstehst du?«

»Ich möchte, dass du dich ab jetzt aus dieser Sache raushältst.«

»Das werde ich nicht.«

»Doch«, sagte ich sanft. »Ich bringe das alleine zu Ende. Das verspreche ich.«

»Wie?«, fragte sie. »Wie willst du das machen?«

Ich fuhr durch die dunkle Innenstadt und zermarterte mir das Hirn, um auf diese Frage eine Antwort zu finden. Im Moment konnte ich mich am besten schützen, indem ich die Arbeitsbücher so sicher wie möglich verwahrte. Ich hielt vor dem Bahnhof Zoo.

Wachpersonal patrouillierte mit Schäferhunden in langsamen Schritten vor dem Eingang. Im Bahnhof selbst hatten alle Läden geschlossen. Die Anzeigetafel zeigte einige Regionalzüge nach Cottbus, Potsdam und Buckow an. Frauen in Plastikschürzen schoben resigniert den Müll zusammen. Ich durchquerte die Haupthalle und bog am Ende in einen gelb gekachelten Gang. Die kleineren Schließfächer waren fast alle besetzt. Ich fand eines in der untersten Reihe. Erst als ich das Geld eingeworfen und den

Schlüssel abgezogen hatte, ging es mir besser. Ich hatte etwas unternommen. Nicht viel, aber genug, um den Vorsprung der anderen weiter zu verringern.

25

»Guten Morgen! Zeit zum Aufstehen!«

Ich war wieder zwölf, oder siebzehn, oder acht. Die Hälfte meines Lebens hatte mich dieser Schlachtruf zu Tode erschreckt. In drei Kasernenhofschritten durchmaß meine Mutter das Zimmer, riss die Vorhänge ratschend zur Seite, öffnete die Fenster und stieß sie mit Wucht auf. Umgeben von einer Aureole gleißenden Lichts brüllte sie: »Frühstück ist fertig!«, marschierte an mir vorüber und riss mir die Bettdecke weg. Dann war sie draußen und ich frierend, entblößt und schutzlos dem Morgen ausgesetzt. Mit verklebten Augen tastete ich nach meiner Armbanduhr und justierte den Abstand, aus dem heraus ich etwas erkennen konnte. Halb acht. Ich war unter Wahnsinnigen.

»Gib mir sofort meine Decke wieder!«, brüllte ich. Ich lief nackt in den Flur. »Wo ist meine Decke?«

»Hie-ier!«

Ich riss die Schlafzimmertür meiner Mutter auf. Hüthchen stand am Fenster und wedelte mit der Decke herum.

Ich riss sie ihr aus der Hand. »Nicht noch mal«, flüsterte ich ihr zu.

Sie musste Mordlust in meinen Augen erkannt haben, denn sie wich erschrocken einen Schritt zurück und versuchte ein aufmunterndes Lächeln. »Haben wir Sie erschreckt? Ihre Mutter sagt, das hätte sie immer so gemacht.«

»Richtig«, antwortete ich ihr und schlang die Decke um meine Hüften. »Was glauben Sie, warum ich so geworden bin?«

»Du trinkst doch Kaffee, oder?«

Mutter erschien lächelnd in der Tür. Ihre Augen waren klar, sie schien voller Energie. Sie hatte sich die Haare gewaschen und einen sauberen Rock mit einer etwas zerknitterten Bluse angezogen. Ich ging auf sie zu, so gut das mit der Decke möglich war, sie hielt mir ihre Wange hin, und ich gab ihr einen vorsichtigen Kuss auf die Wange. Sie roch nach *Tosca*. Parfüm der hohen Tage.

»Guten Morgen. Hör zu, ich bin erst spät nach Hause gekommen ...«

»Kein Grund, halbnackt hier herumzulaufen. Zieh dich an, setz dich an den Tisch, dann erzähle ich dir, wer gestern hier war.«

Sie sah zu Hüthchen, und beide schienen an ihrem Herrschaftswissen fast zu platzen. Es war klar, dass ich erst zur Ruhe kommen würde, wenn ich den genauen Anweisungen gefolgt war.

Im Bad entdeckte ich auf dem halb leer geräumten Porzellanbord über dem Waschbecken einen eingepackten Sixpack Einwegrasierer. Daneben eine neue Zahnbürste, Kamm, Rasierschaum und ein Aftershave, von dem ich bisher angenommen hatte, dass es ausschließlich Schwerstalkoholiker kaufen würden. Ich stieg in die Badewanne und duschte.

Zwanzig Minuten später war ich halbwegs wach. Gewaschen, rasiert, mit geputzten Zähnen und nach *American Gigolo* duftend, ging ich in die Küche. Hüthchen hatte den Tisch gedeckt und polierte gerade mit Spucke den Teerand in ihrem Kaffeebecher weg. Ich goss Milch in meine halbvolle Tasse.

»Er ist entkoffeiniert«, sagte Hüthchen. Sie war mit ihrem Werk zufrieden und hielt meiner Mutter die Tasse hin. Auf dem Tisch prunkten drei gekochte Eier, zwei verklebte Gläser Marmelade und mehrere Scheiben Käse, die flehend ihre Ränder gen Himmel streckten. Hüthchen schüttete Knäckebrot in eine Schüssel.

»Wir sind leider nicht mehr zum Einkaufen gekommen«, erklärte meine Mutter.

»Nein, wir kamen nicht dazu«, wiederholte Hüthchen.

Ich köpfte ein steinhartes, eiskaltes Ei und nahm mir eine Scheibe Knäckebrot.

»Tja, wir hatten ja Besuch.«

Ich biss in das Brot und kaute.

»Wann bist du weg? Ich glaube, halb acht. Es war halb acht, nicht wahr, Hüthchen?«

Hüthchen nickte. »Halb acht.«

Ich trank einen Schluck Kaffee.

»Da klingelte es plötzlich.«

»Ja, es hat geklingelt«, bestätigte Hüthchen.

»Erst hab ich gedacht, hat der Junge etwa die Schlüssel vergessen? Aber dann ist mir eingefallen, dass du sie ja immer bei dir hast. Falls was passiert.«

Mutter sah auf ihren Teller, als sei ihr gerade etwas Unangenehmes eingefallen. Hüthchen tätschelte ihre Hand. »Hat er immer dabei. Jawoll.«

Mutter nickte. »Also, es hat noch mal geklingelt.«

Beide sahen mich jetzt an und warteten auf meine Aufforderung fortzufahren. Ich ließ sie ein bisschen zappeln, schenkte noch einmal Kaffee nach und nickte ihnen dann zu.

»Ich habe den Summer gedrückt«, sagte meine Mutter. »Dann ist sie da vor uns in der Tür gestanden.«

Hüthchen drückte ihre Hand. »Dann stand sie vor uns.«

»Wer?«, fragte ich.

»Sigrun.«

Ich hatte den Mund voll mit Knäckebrot und verschluckte mich. Hüthchen und Mutter waren mit der Reaktion vollauf zufrieden. Sigrun. Hier. Im dritten Stock eines abgewohnten Mietshauses am Mierendorffplatz.

»Schön sah sie aus«, sagte Hüthchen. »So eine feine Dame. Noch viel schöner als auf den Plakaten, die Frau von Zernikow. Ihre Verlobte.«

»Ich habe sie natürlich hereingebeten«, fuhr meine Mutter fort. »Sie hat gleich den Blick von hier oben bewundert. So eine Aussicht hätte sie nicht, hat sie gesagt.«

Sigrun, in dieser Wohnung, mit Mutter und Hüthchen fröhlich plaudernd, das war nur schwer vorstellbar. Doch dann sagte Mutter etwas, das es real machte.

»Sie hat gesagt, wie schade es ist, dass wir uns nicht öfter gesehen haben. Und sie hat sich noch an mein Kleid erinnert, damals im Restaurant. Das blaue mit den weißen Punkten. Und dass ich die Perlenstecker dazu getragen hatte.«

Sigrun hatte mir einmal den Trick verraten, mit dem sie die Leute auseinander- und ihre Namen behielt. Sie merkte sich Krawattenmuster und Kleiderfarben. Dann ordnete sie ihnen Begriffe zu, die mit dem Namen in Verbindung standen. Frau Sobotka trug ein sorbet-bonbonfarbenes Kleid und kam nicht zu spät. Herr Steinheuer trug einen steinblauen Binder, der ihm nicht geheuer war. Ein simpler kleiner Trick. Sie vergaß nie einen Namen. Und da sie bei meiner Mutter keinen Namen behalten musste, hatte sie sich die Ohrringe gemerkt.

»Dass sie das noch weiß …«

»Weiter«, sagte ich.

»Sie hat nach dir gefragt, Joachim. Sie wollte wissen, wo du hin bist. Aber uns sagst du ja nichts.« Selber schuld, warf sie mir noch stumm hinterher.

»Nichts weiter?«, fragte ich.

Mutter und Hüthchen sahen sich kurz an.

»Also, ich soll dir was ausrichten.«

»Nur zu.«

Hüthchen deutete auf mein Ei und sah mich an. Ich schob es zu ihr hinüber.

»Wenn du willst, sagte sie, also wenn du willst, dann würde sie dich am Montagmittag gerne treffen. Falls du Zeit hast. Sie will mit dir essen gehen.«

Unter der Woche mittags ein Restaurant zum Zweck der Nahrungsaufnahme zu betreten war für meine Mutter der Inbegriff des Luxus. Ein Hauch von Amerika: Doris Day im weißen Kostüm mit passenden Handschuhen und Hut, die strahlend auf einen breitschultrigen Kerl im dunklen Anzug zugeht. Etwas aus fremden Ländern oder auch nur aus dem fremden Leben, das ich mittlerweile führte.

»In … einem Restaurant. Wie hieß es noch mal?«, fragte Hüthchen.

Mutter stand auf. »Sie hat es aufgeschrieben. Warte.«

Sie ging hinaus und kehrte nach wenigen Sekunden zurück. »Im … Ich kann's nicht lesen. Da.«

Sie reichte mir den Zettel. Sigruns Handschrift. *13 Uhr, Borchardt. E.t.m.l. Sigrun.* Ich faltete das Papier zusammen und steckte es ein.

»Danke.« Ich trank meinen Kaffee aus.

»Junge«, fragte meine Mutter, »was ist denn passiert? Habt ihr euch gestritten?«

Vielleicht hätte ich es ihr gesagt. Aber Hüthchen saß neben ihr, ganz aufgeplustert vor Wissbegierde, die Ohren bereits um zwei Drittel gewachsen, also konnte ich es nicht. Ich beugte mich zu Mutter hinunter und küsste sie auf die Wange. Sie nahm meine Hand, die ich auf ihre Schulter gelegt hatte, und streichelte sie.

»Ich leg mich noch mal hin«, sagte ich. »Wann wolltest du nach Reinickendorf?«

Meine Mutter im Porsche war zwar schwer vorstellbar, aber wir könnten es versuchen.

»Nun, wir …«, sie sah zu Hüthchen. »Morgen, vielleicht?«

Meine Mutter *und* Hüthchen im Porsche ging nun gar nicht. Zwei Augenpaare starrten mich an. Ich nickte. Es würde schon irgendwie gehen.

Auf der Schlafcouch faltete ich den Zettel noch einmal auseinander. *E.t.m.l.* Es tut mir leid. Mir auch. Ich wollte weinen. Aber ich war mir nicht sicher, weshalb. Vielleicht, weil Unschuld so ein relativer Begriff war. Man konnte ihn so weit dehnen, bis nichts mehr von ihm übrig war.

26

Sie kam fast privat, ohne Security. Sie hatte das Wahlkampfmobil gegen den diskreteren Dienstwagen getauscht und ihren Assistenten vorgeschickt. Seine Aufgabe bestand darin, die Reservierung zu prüfen und nachzusehen, ob der Gesprächspartner bereits anwesend war. Er tuschelte mit dem Geschäftsführer und sah in meine Richtung. Ich nickte ihm zu. Er ging erleichtert nach draußen und half Sigrun aus dem Wagen.

Als ich sie sah, spürte ich eine Zärtlichkeit, die ich lange nicht mehr gefühlt hatte. Sie trug einen dunkelblauen Hosenanzug und eine Sonnenbrille. Das blonde Haar trug sie hochgesteckt. Links und rechts fiel eine Strähne über die Ohren. Sie sah so unglaublich gut aus. Die Aktentasche unter den Arm geklemmt, stieg sie die Stufen hoch und trat ein. Die Menschen an den vorderen Tischen hoben unisono die Köpfe. »Guten Tag.«

Sie stand vor mir und nahm die Sonnenbrille ab. Ich stand auf und wusste nicht, ob ich sie in den Arm nehmen oder siezen sollte.

»Schön, dass du gekommen bist.«

Sie setzte sich hin, ich tat das Gleiche. Zwei Speisekarten wurden gebracht und ungelesen zur Seite gelegt. Ich sah sie genauer an und wusste nun, warum sie die Brille getragen hatte: Sie sah unendlich müde aus.

»Das ist doch selbstverständlich.«

Sie sah sich kurz um und beugte sich etwas weiter vor, um leiser sprechen zu können. »Nichts ist selbstverständlich. Nichts ist, wie es sein sollte.«

Ich zuckte mit den Schultern. Sie rückte noch näher heran.

»Ich weiß nicht mehr, wo oben und unten ist. Die Umfragewerte sind katastrophal. Wenn es so weitergeht, liegen wir fast einen Prozentpunkt zurück. Wir verlieren mit Sicherheit die absolute Mehrheit. Die Opposition ist so stark wie seit vier Jahren nicht mehr. Nächste Woche steht NordrheinWestfalen an. Wenn Hornmeyer es nicht schafft, ist die Signalwirkung katastrophal.«

Hornmeyer forderte gerade den Ministerpräsidenten heraus und wurde als neuer Hoffnungsträger der Bundespartei aufgebaut. Das war alles zweifellos interessant und spannend, aber mit Sicherheit nicht das, was wir beide eigentlich miteinander zu besprechen hatten.

»Sigrun …« Ich legte meine Hand auf ihre. Sie war eiskalt. Blitzschnell zog sie sie zurück. Aus der Aktentasche nahm sie ihre Zigaretten heraus und zündete sich eine an. Da erst bemerkte ich, dass sie zitterte.

»Ich habe heute achtzehn Termine. Wahlkampfkommission. Fraktionssitzung. Landesvorstandssitzung. Drei Rundfunkinterviews. Und Meyer hat es geschafft, Ullrich zum Rücktritt zu zwingen. Und jetzt rückt Werner nach.«

Meyer, der familienpolitische Sprecher aus Mariendorf. Vor fünf Jahren hatte er als Vertreter des konservativen Flügels gegen sie kandidiert und verloren. Seit dieser Zeit hatte er viel Energie darauf verwendet, dass ausschließlich seine Kandidaten für das Abgeordnetenhaus durchgesetzt wurden. Sigruns hauchdünne Mehrheit innerhalb der Fraktion kam ins Wanken. Das könnte bedeuten, dass Sigrun selbst nach einem Wahlgewinn nicht mehr nominiert würde.

Sigrun verbarg das Gesicht in den Händen. »Ich schaff das nicht mehr. Ich halte das nicht durch. Ich habe kaum eine Nacht geschlafen in den letzten Wochen. Ich frühstücke Percoffedrinol mit einem Damoklesschwert. Und du bist fort. Einfach gegangen.«

Das war eine leichte Verdrehung der Tatsachen, aber ich hatte hier eine Politikerin vor mir sitzen. Eine, die zudem noch kurz vor dem Durchdrehen war.

»Sie haben gewählt?«

Sigrun wandte das Gesicht ab. Offenbar erschreckte sie im Moment alles, was mit Wählen im weitesten Sinne zu tun hatte. Oder der Kellner sollte einfach ihre roten Augen nicht sehen.

»Einen Moment noch, bitte.«

Der Mann verschwand.

»Ich bin nicht fort«, sagte ich leise. »Ich bin immer für dich da.«

»Das habe ich gesehen.«

Sie holte ein Tempo aus der Aktentasche und schnäuzte sich. »Entschuldige. Entschuldige bitte. Ich bin nicht hier, um dir Vorwürfe zu machen.«

»Kein Problem.«

»Es ist nur … Als ich heute Nacht nach Hause gekommen bin, hatte ich das Gefühl, du wärest da gewesen. Und dann bist du nicht da gewesen. Ich habe die ganze Nacht wach gelegen und bei jedem Geräusch geglaubt, dass du jetzt kommst. Dass das alles nicht wahr ist. Ausgerechnet jetzt. Ich bin das nicht gewohnt, nicht schlafen zu können.«

»Dir ist kalt.« Ich legte meine Hand wieder auf die ihre. Dieses Mal zog sie sie nicht weg.

»Eiskalt«, flüsterte sie.

»Sie möchten vielleicht schon etwas zu trinken?«

Ich bestellte Mineralwasser. Der Kellner war professionell genug, seine tiefe Unzufriedenheit mit uns zu verbergen. Am Eingang wurden bereits Gäste ohne Reservierung weggeschickt.

»Sofort.«

»Vielleicht war es keine so gute Idee, sich hier zu treffen.« Sigrun sah auf ihre Armbanduhr. »Ich muss um zwei im Abgeordnetenhaus sein. Das hier liegt praktisch auf dem Weg.«

Zwei Gläser wurden mit Wasser gefüllt. Der Kellner legte die Flasche in einen Sektkühler. »Darf es noch etwas sein?«

Wir schüttelten beide den Kopf. Er gab es auf und widmete sich fortan vielversprechenderen Gästen.

»Es ist gut, dass wir miteinander sprechen.«

»Ja?« Sie sah mich an.

»Zwei Dinge interessieren mich besonders. Erstens: Was hat dieser Eintrag M. Tsch. am Dienstag in deinem Terminkalender zu bedeuten?«

»Du schnüffelst in meinen Sachen herum?«

»Es war Zufall. Ich habe nur eine Notiz hineingeschrieben. Vermutlich hast du sie noch nicht einmal gelesen.«

»Wann?«

»Am Sonnabend.«

Sie holte den Timer aus der Aktentasche und schlug ihn auf. Als sie die Nachricht entdeckt hatte, sah sie kurz hoch. Dann klappte sie den Kalender zu und steckte ihn weg. »*Sx.* Kein schlechter Ansatz. Aber wie immer von den aktuellen Ereignissen überholt. *M. Tsch.* ist Manfred Tischler. Der stellvertretende Ortsverbandsvorsitzende von Marzahn-Hellersdorf. Es ging um die letzte Sitzung, an der ich nicht teilnehmen konnte. Kommunalpolitik im Spannungsfeld zwischen finanzieller Konsolidierung, politischen Anforderungen und bürgernahen Dienstleistungen. Sie hätten um ein Haar den Leitantrag für den Landesparteitag ohne mich verabschiedet. Dabei ist der bildungspolitische Ansatz der erste, der unter den Tisch gekehrt ...«

Sie brach ab. »Entschuldige bitte. Du wolltest zwei Dinge mit mir besprechen.«

»Ich muss mit Utz reden.«

Sie presste die Lippen zusammen und sah durch das Fenster hinaus auf die Französische Straße, die vor Leben pulsierte, doch ihr Blick nahm das nicht wahr. Er blieb irgendwo stecken, so als ob sie träumen würde. Schließlich atmete sie tief ein. »Warum?«

»Hat er dir nie etwas über seine Kindheit erzählt?«

Sie schüttelte dann langsam den Kopf. »Wenig. Die Flucht, ja. Aber eher in Stichworten. Wie eine Kurzbiographie. Geboren und aufgewachsen in Berlin, gegen Kriegsende nach Pommern, dann wieder zurück. Trümmer, Aufbau. Mehr nicht.«

»Und deine Großmutter?«

»Omi? Nichts. Kein Wort.«

»Nichts über ihre Jugend, die große Liebe, Trennung im Krieg, das Kind alleine aufziehen, Mann vermisst, nichts, gar nichts?«

»Ach Gott, ja. Ein paar Sprüche. Blut ist dicker als Wasser und so weiter. Kommissbrot ist ein Gottesgeschenk. Wir haben ja nicht viel aus dieser Zeit. Alte Schwarzweißfotos untergegangener Landgüter. Leba, die Krone des blauen Ländchens. Heute ist das die polnische Ostseeküste, zwei Stunden vor Danzig. Ich wollte schon immer mal hin und mir ansehen, was davon übrig geblieben ist. Aber ich habe nie die Zeit dazu.«

Sie trank einen Schluck Wasser und schaute wieder aus dem Fenster. Vielleicht ging ihr durch den Kopf, dass die wichtigsten Dinge im Leben immer die sind, die sich am schnellsten von den unwichtigsten verdrängen lassen.

»Doch, es gab was. Jetzt fällt es mir wieder ein. Mein Vater war krank. Irgendeine schwere Infektion. Fleckfieber oder Typhus. Er muss sie sich in einem Bunker oder einem Luftschutzkeller zugezogen haben. Daher kommt seine Herz-Kreislauf-Schwäche.«

»Weißt du noch, wann er aus Berlin nach Leba geschickt wurde?«

»Ich weiß es nicht. Im Grunewald ist nicht viel zerstört worden. Ein Blindgänger ist mal in unserem Garten gelandet. Genau da, wo jetzt der Rhododendron steht.«

»Wann kam dein Vater nach Berlin zurück?«

»Februar '45. Mit einem der letzten großen Trecks. Davon hat er ja immer wieder erzählt. Du kennst doch die Geschichten.«

»Und warum wurde er nach Leba geschickt?«

»Ich habe keine Ahnung. Alle Kinder wurden irgendwann verschickt. Es gab doch kaum noch Kinder in Berlin und in den großen Städten. Die waren alle auf dem Land.«

»Gab es noch einen anderen Grund? Denk nach!«

Sie schlug mit der Handfläche auf die Tischplatte. Die Gläser klirrten. Am Nebentisch wurde man auf uns aufmerksam. »Ich weiß es nicht«, zischte sie. »Waren die Bomben nicht Grund genug? Die schlaflosen Nächte, die Todesangst? Vielleicht will er sich ja nicht mehr erinnern.«

»Es ist wichtig.«

»Wegen der Arbeitsbücher? Diesem ukrainischen Phantom? Natalja Tscherednitschenkowa ist tot. Das ist unendlich traurig. Aber mein Vater hat damit nichts, aber auch gar nichts zu tun. Lass ihn doch endlich in Frieden. Ich wollte dich sehen, weil …«

Sie stockte und sah mich an. Hilf mir, sagte dieser Blick. Lass mich doch nicht so sentimentale Dinge sagen wie: Ich vermisse dich, oder: Ich brauche dich.

Ich hätte mich für sie vierteilen lassen. Ich wäre für sie durchs Feuer gegangen, vor nicht allzu langer Zeit. Doch jetzt wollte ich wissen, ob sie das Gleiche für mich tun würde. Ich musste wissen, auf wessen Seite sie stand, wenn es hart auf hart kam.

»Deine Großmutter«, sagte ich langsam. »Hat sie etwas zu verbergen? Etwas, das durch die Existenz dieses Kindermädchens ans Licht kommen könnte?«

Sigrun blickte hoch. »Omi? Das glaube ich nicht. Das kann ich nicht glauben. Sie ist stark, und hart, aber sie kann auch unendlich lieben. Ihren Sohn zum Beispiel. Mich. Sie hat ja sogar dich in Kauf genommen, mir zuliebe.« Sie versuchte wieder ihr trauriges Lächeln.

»Es geht nicht um Liebe, Sigrun.«

Wir sahen uns in die Augen. »Es geht um eine Tat. Diese Tat wurde durch etwas anderes ausgelöst. Durch Habgier, oder Angst. Vielleicht auch Eifersucht.«

»Du denkst doch nicht …« Sigrun lehnte sich zurück und starrte an die Decke. Einen Moment lang verharrte sie vollkommen regungslos. Dann griff sie nach ihrer Tasche und machte dem Kellner ein Zeichen, dass sie zahlen wollte. Sie hatte sich wieder vollkommen im Griff.

»Eins vergisst du«, sagte sie. »Wir sind preußischer Offiziersadel. Ganz kleine Lichter am unteren Ende der Skala. Bauern. Es gibt definitiv nichts, auf das wir zu Recht stolz sein können. Bis auf eines: die Ehre. Die Zernikows mögen im Krieg massakrieren, aber sie morden nicht.«

Es klang absurd, aber es war wahr. Wer die Freifrau kennen gelernt hatte, wusste, dass die Standesregeln ihr alles bedeuteten. Ich seufzte ärgerlich. »Angenommen, du hast Recht. Angenommen, deine Großmutter wäscht ihre Hände in Unschuld. Und dein Vater leidet unter partieller Amnesie. Das alles vorausgesetzt, muss es einen Dritten geben. Jemand, der Olga für Natalja gehalten und sie umgebracht hat.«

»Es reicht, Joachim, es reicht. Merkst du nicht, dass du dich da in etwas hineinsteigerst? Ist es die Tochter? Oder deine Anwaltsfreundin? Du hast dich verändert.«

»Es ist eine alte Frau in Kiew, die darauf wartet, dass sich irgendjemand an sie erinnert.«

Sigrun schwieg. Sie überlegte, wie groß der Schatten war, über den sie springen musste. »Du weißt, was du von mir verlangst.«

Ich nickte.

»Du weißt, dass es mir beruflich das Genick brechen kann. Ach was, kann. Es wird mir das Genick brechen.«

Ich hob ihre kalte Hand an meinen Mund und küsste sie.

Sie zog sie langsam zurück. »Wo kann ich dich erreichen?«

»Ich weiß es noch nicht. Versuch es über mein Handy.«

Sie sah mich lange an. »Deine Mutter ist nett. Ich hätte sie gerne näher kennen gelernt. Du hast sie immer versteckt.« Sie winkte dem Kellner. »Die Rechnung, bitte.«

Der Kellner brachte die Rechnung und wirkte ausgesprochen erleichtert. Es war voll geworden, alle Tische waren besetzt. Ich zog einen Zehn-Euro-Schein heraus und bedeutete ihm, den Rest zu behalten.

Sigrun packte das Taschentuch in die Aktentasche und verschloss sie mit einem Griff.

Draußen vor der Tür stand ihr Wagen, im absoluten Halteverbot. Aber Senatsnummernschilder ziehen immer. Der Fahrer lehnte sich entspannt an den Kotflügel und hielt das Gesicht in die Sonne. Wir schauten beide durch die Glastür hinaus und konnten uns nicht entschließen, sie zu öffnen.

»Wann ist es passiert?«, fragte sie leise.

»Hör auf, dir solche Fragen zu stellen. Normale Paare nennen das eine Krise.«

»Und du? Wie nennst du das?«

Sie schmiegte sich an mich. Meine Sehnsucht nach dem, was wir verloren hatten, brachte mich dazu, sie an mich zu ziehen. Dem Fahrer fiel auf, dass es etwas länger dauern könnte. Er öffnete die hintere Tür und setzte sich selber schon einmal vorsichtshalber hinters Steuer. Sigrun legte ihren freien Arm um meine Taille. Es kribbelte. Ich ließ sie los. »Ich weiß nicht, ob das richtig ist, was wir hier tun.«

Sie nickte. »Ist schon okay. Entschuldige. Es tut mir leid.«

Sie ging zum Wagen und warf die Tasche auf den Rücksitz. In zwei Schritten war ich bei ihr und riss sie herum.

»Du sollst dich nicht dauernd entschuldigen.«

»Was bleibt mir übrig? Ich habe dich verloren, ich werde die Wahlen verlieren und meine Familie … Ich weiß nicht mehr, was ich glauben soll. Ich traue nicht mal mehr dem Boden, über den ich gehe.« Sie hatte schon wieder Tränen in den Augen. »Ich wusste nicht, dass ich so allein bin.«

Es war kurz nach zwei. Der Fahrer wendete sich zu ihr und deutete auf seine Uhr.

»Hier.«

Ich streckte ihr den Schlüssel entgegen.

»Was ist das?«

»Er gehört zu einem Schließfach am Bahnhof Zoo.«

Sie nahm ihn und betrachtete ihn genau. »Was ist da drin?«

»Die Arbeitsbücher.«

Ihre Hand schloss sich reflexartig um den Schlüssel. »Warum gibst du ihn mir?«

»Vielleicht bin ich der Nächste. Bei dir ist er sicherer.«

Sie schloss die Hand um den Schlüssel und drückte sie an die Brust. »Wenn ich dir glaube, habe ich keine Familie mehr. Und wenn du wirklich der Nächste bist …«

»Dann bringst du es zu Ende.«

Sie sah erst auf den Schlüssel, dann zu mir. »Das traust du mir zu?«

»Irgendwo müssen wir ja wieder damit anfangen. Mach schon. Du kommst zu spät.«

»Joachim …«

»Rein mit dir.«

Sie setzte sich auf die Rückbank und sah mich an. Sie lächelte. Ich warf die Tür zu, doch bevor der Wagen anfahren konnte, klopfte ich noch einmal an die Fensterscheibe. Sie surrte herunter.

»Sigrun?«

»Ja?«

»Meyer ist ein Arschloch.«

Sie grinste mich an. Ich gab dem Wagen einen liebevollen Klaps aufs Autodach. Er schnurrte los. Ich winkte ihr hinterher, doch ich konnte sie nicht mehr erkennen. Die Scheiben waren zu dunkel.

Ich spürte etwas Schweres in meiner Jackentasche. Der Ring. Es war noch viel Zeit bis zu meiner Verabredung mit Aaron in einem Grunewalder Tennisclub. Ich konnte einen Spaziergang machen und mir dabei darüber klar werden, wie meine Zukunft aussehen würde. Ich konnte auch gleich mit ihr anfangen. Ich rief Marie-Luise an und sagte ihr, dass ich mir gerne einige ihrer Blechschäden ansehen würde.

27

Die Kanzlei lag nicht weit vom Helmholtzplatz, direkt um die Ecke der Dunckerstraße, in einem Haus, das sich bis jetzt relativ erfolgreich gegen die Massenrenovierung der umliegenden Straßenzüge gewehrt hatte. Seine schönsten Tage dürfte es nach dem Einmarsch der Alliierten hinter sich gehabt haben. Der Putz fiel quadratmeterweise und hinterließ helle, hässliche Flecken auf einer grauen Fassade. Zumindest hatte man die Kacheln im Flur für abschlagenswert erachtet. Den Stuck an den geschwungenen Deckenbögen verhängten Starkstromleitungen, die sich wie Lianen durch den Eingang hoch in die anderen Stockwerke des Vorderhauses schlängelten. Die Briefkästen waren allesamt mehrmals aufgebrochen worden, manche quollen über von Reklame. Dass das Haus nicht gänzlich aufgegeben war, zeigten die Fenster. Sie waren neu und unverputzt. Der ganze Komplex wirkte wie auf halbem Wege stehen gelassen. Als ob die Handwerker gerade Pause machten und gleich wiederkämen. Es gab kein Klingelschild, aber eine kleine Hinweistafel: *Anwaltsbüro Hoffmann, HH 2. Stock rechts.*

Marie-Luise öffnete mir die Tür, das Telefon unters Kinn geklemmt und einen Teebecher in der Hand. Mit der anderen wies sie mir den Weg zu einem Zimmer mit sperrangelweit geöffnetem Fenster, durch das Musik von gegenüber ungedämpft hereinvibrierte. Eine Stimme kam dazu, eine Frau. Sie sang Französisch.

Am Computer vor dem Fenster saß ein zwanzigjähriger Junge in einem viel zu weiten, ausgewaschenen T-Shirt. Er blickte nur kurz hoch, als ich den Raum betrat, und widmete sich dann wieder seinem Bildschirm.

»Okay«, sagte Marie-Luise. Sie holte mehrmals Luft, um den Anrufer zu unterbrechen, kam aber nicht zu Wort. Erst nach einigen Minuten hatte sie ihre Chance. »Machen Sie sich keine Sorgen. Kei-ne Sor-gen, verstehen Sie mich? Kommen Sie morgen um neun einfach hierher und erzählen uns alles in aller Ruhe. Um neun. Neun Uhr.«

Sie sah mich an, ich nickte ihr zu. »Wenden Sie sich an Herrn Vernau. Nein, er leitet keine Selbsthilfegruppe. Er ist Anwalt. Ihre Tochter ist bei ihm in besten Händen.«

Sie legte auf. »Siebzehn. Mitglied einer libanesischen Mädchengang. Zum sechsten Mal erwischt, der Polizei bereits durch vierundzwanzig Delikte bekannt. Wahrscheinlich wieder Beschaffungskriminalität. Könnte eng werden.«

»Sie ist eine libanesische, minderjährige, drogensüchtige ...«

»... Prostituierte. Tja.«

Marie-Luise räumte einige Stapel Akten zur Seite und setzte sich auf den Schreibtisch. »Das ist hier nicht die Welt der Golfplätze und Drittwagen.« Sie wandte sich an ihren Mitarbeiter. »Koch uns doch noch einen Tee, Kevin.«

Kevin erhob sich widerspruchslos und ging hinaus. Marie-Luise schloss die Tür hinter ihm. »Also ist es dir ernst.«

»Womit?«, fragte ich.

»Du willst hier wirklich arbeiten?«

Ich sah mich um. Alte Behördenschränke, graue Wände, an der Tür ein Plakat mit einem geschlachteten Seehundbaby. Ich deutete darauf. »Wenn ich das da abmachen darf?«

»Bitte. Mich hat es immer inspiriert. Ich würde vorschlagen, du arbeitest auf eigene Rechnung. Am Monatsende zahlst du die anteiligen Kosten. Und sechzig vierzig vom Umsatz. Das hier ist eigentlich unser Aktenraum. Aber wie ich dich kenne, wirst du dich schon bald hier so richtig zu Hause fühlen.« Sie grinste mich an.

»Wer ist der Teekocher?«

»Kevin? Keine Angst, ich habe nichts mit ihm.«

»Er fällt unter das Jugendschutzgesetz.«

»Ach ja?« Marie-Luise stand auf. »Du wirst mich da schon wieder raushauen. Er studiert Jura und macht hier sein Praktikum. Zufrieden?«

»Wer arbeitet noch hier?«

»Auf Zuruf kommt Frau Binder. Sie tippt alles, was nötig ist. Falls du sie brauchst, musst du sie bezahlen. Wenn du mich fragst, sucht sie nur was, um die Zeit bis zum ersten Kind zu überbrücken. Aber finde mal heutzutage jemanden, der mehr als seinen Namen richtig schreiben kann.«

Ich lehnte mich zurück. »Solange Deutsch in der von dir so vehement verteidigten multikulturellen Gesamtschule nur dritte Fremdsprache ist …«

»Wir sollten vielleicht nicht gleich am ersten Tag unsere ideologischen Grundsatzdiskussionen wieder aufwärmen.«

»Nur ein kurzer Hinweis auf Ursache und Wirkung.«

Sie ging zur Tür.

»Noch was«, sagte ich. »Ich bin hier Partner, nicht Angestellter.«

Sie drehte sich um und starrte mich eine Sekunde lang an. »Du bist ein Nichts, wenn ich dir nicht helfe.«

»Irrtum. Du wirst am nächsten Ersten deine Miete nicht zahlen können.«

»Ich höre wohl nicht richtig?«

»Partner, oder ich gehe.«

Ich stand auf. Marie-Luise überlegte einen Augenblick. »Fünfundfünfzig fünfundvierzig.«

»Fifty-fifty. Auf ein gemeinsames Konto. Und du auch.«

»Nie und nimmer.«

Ich öffnete die Tür. »Auf Wiedersehen!«

»Okay.« Sie seufzte, ging zum Aktenschrank und suchte mehrere Stapel hervor, die sie mir in die Hand drückte. »Schau mal, ob die noch Hilfe brauchen. Und … Moment.« Sie ging hinaus und kam kurze Zeit später mit einem weiteren Ordner zurück.

»Hier. Du kannst gleich anfangen.«

Ich schlug den Deckel auf. Die libanesische Gangsterbraut. Schönen Dank.

Kevin kam mit dem Tee. Er goss mir eine Tasse ein, und ich trank einen Schluck.

»Was zum Teufel ist das?«

»Yogi-Tee«, antwortete Kevin ungerührt. »Kaulsdorfer Art.«

Ich hätte die Espressomaschine mitnehmen sollen. Ich war einfach zu anständig.

Bis zum Nachmittag hatte ich mich mit dem bemitleidenswerten Schicksal einer Siebzehnjährigen vertraut gemacht, die bereits mit neun Jahren ihren Mitschülern die Zähne herausgeschlagen und ihnen mit elf die Nikes geklaut hatte. Die französische Sängerin von gegenüber hatte währenddessen mehrere Stunden mit ihrer Band geübt und war nicht besser geworden. Es wurde dunkel in dem Zimmer, obwohl die Sonne noch hoch am Himmel stehen musste.

Ich sah zu Kevin hinüber, der sich gerade eine Zigarette drehte. »Das hier ist ein Nichtraucherbüro.«

»Seit wann denn das?«, brummte er. Doch er trollte sich nach draußen, offenbar gar nicht mal so unfroh über die Pause.

Mein Handy klingelte. Sigrun. »Kannst du heute Abend?«

»Wann?«

»Komm einfach vorbei. Ich bin ab acht zu Hause.«

»Und deine Termine?«

Pause. »Ich brauche mal einen freien Abend. Ich habe alle abgesagt.«

Ich hoffte inständig, dass sie nicht auf eine Versöhnung spekulierte. Ich wollte mit Utz sprechen. Doch statt diesen Punkt zu klären, sagte ich einfach nur: »Okay.«

Ich legte auf.

In diesem Moment kam Marie-Luise herein. »Unser Internet-Verlobter hat sich gerade gemeldet. Milla ist aufgewacht.«

»Und? Hat sie irgendetwas gesagt?«

»Sie kann sich an nichts erinnern.« Sie setzte sich auf Kevins Platz und zündete sich eine Zigarette an.

»Das hier ist ein Nichtraucherbüro«, sagte ich noch einmal.

»Stell dich nicht so an.«

Immerhin stand sie auf und ging zum Fenster, wo sie den Rauch in den Hof pustete, aus dem bereits eine Mischung gutbürgerlicher Berliner Abendessensdüfte aufstieg. Lange würde ich es hier nicht aushalten. Gerüche, unangenehme Gerüche, kamen dem Tatbestand der Körperverletzung ziemlich nahe.

»Den Fall Weinert übernimmt jetzt ein gewisser Harald Baumgarten. Kennst du den?«

Harry hatte zumindest in dieser Beziehung meine Nachfolge angetreten. Ich nickte. »Gegen den kommst du an. Er ist zwar schlau, aber nicht der Hellste.«

»Gegen dich hätte ich wohl keine Chance gehabt?«

»Keine.«

Sie rauchte und druckste ein bisschen herum. »Was war denn deine Strategie?«

»Du erwartest doch nicht, dass ich Geschäftsgeheimnisse ausplaudere.«

»Dann entscheide dich mal, für wen du arbeiten willst. Wir sind Partner. Oder habe ich da was missverstanden?«

»Grober Undank. Erpressung. Eventuell noch mit einer Anzeige der Staatsanwaltschaft.«

Die stand zwar auf äußerst wackeligen Füßen, aber ich hatte eine vage Zusage, den Fall wohlwollend zu prüfen. Der Staatsanwalt war eine Staatsanwältin. Jung, ledig, neu in der Stadt. Ich hatte versprochen, ihr das Berliner Nachtleben zu zeigen. Marie-Luise schien irgendetwas in dieser Richtung zu ahnen.

»Schön ausgedacht. Doch nicht etwa unter körperlichem Einsatz?«

»Niemals. Du kennst mich.«

»Eben.«

Sie sah wieder in den Hof. »Wie lange dauert es eigentlich, bis jemand mit so einer Verletzung vernehmungsfähig ist?«

»Keine Ahnung.«

»Wenn sie sich erinnern könnte, hätten wir die erste anständige Zeugenaussage.«

»Zwischen sich erinnern können und tatsächlich etwas gesehen zu haben ist manchmal ein ziemlich großer Unterschied.«

»Das weiß ich auch.« Sie schnippte die Asche aus dem Fenster, ohne darauf zu achten, ob da unten gerade jemand sein Fahrrad abschloss oder einen Kinderwagen abgestellt hatte. Im praktischen Leben waren die größten Freunde der Menschheit oft auch die Rücksichtslosesten, was ihre ganz persönliche Freiheit anging.

»Hast du Hunger? Wir könnten was essen gehen.«

»Bedaure.« Ich stand auf und griff nach meiner Anzugjacke. Neben der Espressomaschine stand als nächste Anschaffung eine Garderobenleiste sowie mehrere gute Kleiderbügel fest.

»Ich muss noch in den Tennisclub. Anschließend habe ich einen Termin. Privat.«

»Mmmmh«, meinte sie ironisch. »Der Tennisclub, und auch noch was Privates. Dann werde ich mir wohl was in der Mikrowelle warm machen und mich um die Echtheit deiner so genannten Erpressungsdokumente kümmern.«

Ich lief die Treppen hinunter und versuchte, nicht zu tief zu atmen. Jemand im ersten Stock versuchte sich gerade an Kohlrouladen. Schon von weitem kam mir irgendetwas an meinem Porsche seltsam vor. Als ich näher kam, sah ich es: Die Scheibe der Beifahrertür war eingeschlagen. Ich lief einmal um den Wagen herum, aber es war kein weiterer Schaden zu erkennen. Ich öffnete die Tür und beförderte vorsichtig die Glaskiesel in den Rinnstein. Das Handschuhfach war okay. Auch das Radio samt CD-Player war noch da. Dann bemerkte ich die abgebrochenen Scheibenwischer. Offenbar hatte jemand seiner Wut über die Ungerechtigkeit der Welt Ausdruck gegeben. Porsche für alle! Ich war ganz seiner Meinung und hatte nur einfach schon mal den Anfang gemacht. Aber für diese avantgardistische Haltung brachte der Kfz-Aktionist wohl kein Verständnis auf.

Ich ging zur Fahrertür und wollte aufschließen, aber das ging nicht. Der Liebhaber schneller Autos hatte ein Streichholz im Schlüsselloch abgebrochen. Ich quetschte mich von der anderen Seite über den Beifahrersitz hinein und merkte, dass etwas unter der Fußmatte lag. Ich hob die Matte an. Papier. Eine Zeitung. Die BTZ von gestern Abend. Auf der vierten Seite aufgeschlagen. Millas Foto.

Das war kein Neid. Das war eine Warnung. Ich faltete die Zeitung zusammen und legte sie ins Handschuhfach. Ich brauchte ein paar Minuten, bis ich mich traute, den Zündschlüssel zu drehen. In schlechten Serien explodierte genau dann immer das Auto. Doch der Mut kam wieder, als ich an Petze 1 dachte und die Reaktion, die ich ernten würde, wenn ich einen Bombenalarm auslöste. Ich startete, der Motor sprang an. Noch war ich nicht im falschen Film.

Ich ließ den Motor laufen und wartete eine Minute. Als nichts geschah, fuhr ich los.

28

Es war schwer zu sagen, ob es Sentimentalität oder Gewohnheit war, jedenfalls fand ich mich auf dem Weg in den Tennisclub plötzlich auf alten Pfaden wieder. Ich parkte neben dem Bürgersteig auf der anderen Straßenseite und betrachtete das Zernikowsche Palais, in dem ich immerhin die Blüte meiner Jahre verbracht hatte.

Die Villa lag ruhig, ein bisschen schläfrig unter dem Blätterdach der alten Eichen. Im oberen Stock war bereits Licht. Vermutlich konnte die Freifrau nicht mehr gut genug sehen in diesem ewigen Dschungelgrün, das die Bäume nur in den Wintermonaten abstreiften. Vielleicht hatte sie auch nur eine Aversion gegen Halbschatten, die Gestalten und Erinnerungen an die Wände malten.

Jemand bewegte die Vorhänge. Ich fuhr weiter.

Der Tennisclub lag fast um die Ecke. Er hatte den Ansturm der Mittelschicht gut verkraftet und die stetig gewachsenen Mitgliederbeiträge in den Bau eines modernen Clubhauses investiert. Das Clubhaus lag verdeckt von Hecken und Bäumen. Man sah es erst, wenn man durch das schmiedeeiserne Gartentor das weitläufige Gelände betrat. Das satte Plopp vieler getroffener Tennisbälle war schon auf der Straße zu hören. Instinktiv wollte ich die Autotür abschließen. Dann ließ ich es bleiben. Mit einem kaputten Schloss und offener Seitenscheibe lohnte sich die Mühe nicht so richtig.

Aaron spielte noch. Ich setzte mich am Spielfeldrand auf eine Bank und nickte ihm zu, als er in meine Richtung gelaufen kam und den Ball verpasste. Er grüßte kurz und widmete sich seinem Aufschlag.

Er spielte gut, aber unsouverän. Er bemühte sich um Fair Play, aber man spürte, dass es ihm etwas ausmachte, hier nur einer unter vielen zu sein. Einer, der um den Sieg kämpfen musste. Sein Gegner war einige Jahre älter als er und wesentlich routinierter. Aaron kämpfte zu verbissen um jeden Aufschlag und mit zu viel Härte, um Spaß am Spiel zu haben. Am Ende siegte die Kondition. Dem Älteren ging die Puste aus, und Aaron gratulierte seinem Gegner mit einem gleichgültigen Händedruck. Nun kam er, den Schläger auf der Schulter rollend, zu mir herüber.

»Schön, schön«, begrüßte er mich. Dann trocknete er sein schweißnasses Gesicht mit dem Handtuch ab. »Spielen Sie auch?«

»Nur wenn sich der Einsatz lohnt.«

Aaron lachte. »Ein Zocker also. Vielleicht braucht man so eine Mentalität im Gerichtssaal. Mir wäre es ja lieber gewesen, eine seriösere Vertretung zu haben.«

Er schulterte die Tasche. »Ich gehe mich duschen. Was dagegen, wenn Sie am Ausgang auf mich warten?«

»Ja.« Ich holte den Ring aus der Tasche und reichte ihn hinüber. Aaron nahm ihn und wendete ihn hin und her. Dann ließ er die Tasche fallen und sah sich den Ring noch genauer an. Schließlich inspizierte er den Prägestempel und schüttelte den Kopf. »Wollen Sie mich verarschen? Das ist er nicht.«

»Er ist es. Und jetzt verschwenden Sie nicht weiter meine Zeit.«

Ich drehte mich um und ging zum Ausgang.

Doch Aaron war schneller. Er versperrte mir den Weg. »Er ist es nicht.«

Natürlich war er es. Ich hatte ihn schließlich selbst aus dem Wäschesack gefischt. Aaron war vermutlich etwas knapp mit seinem Taschengeld. »Sie machen sich lächerlich.«

Ich wollte an ihm vorbei. Doch jetzt wurde er handgreiflich. Er hielt mich am Arm fest und rief den Platzwart.

Ein bulliger Glatzkopf setzte sich in Bewegung. »Was is?«

»Hier.« Er hielt dem Mann den Ring entgegen. Es war eindeutig Verenas Leihgabe. Die funkelnden Steine in der schönen, etwas altmodischen Fassung. Ein ungewöhnliches Stück, das man gar nicht verwechseln konnte. Der Platzwart sah sich den Ring genau an, dann blickte er zu Aaron und schließlich zu mir.

»Ich möchte, dass Sie bezeugen, dass ich diesen Ring von diesem Herrn bekommen habe.«

»Wird det 'ne Trauung oder wat?«

»Den oder keinen«, sagte ich. »Etwas anderes werden Sie von mir nicht kriegen.«

»O doch«, zischte Aaron. »Zwanzigtausend Euro. Und diesen Tinneff behalte ich als Pfand.«

Er wedelte mit dem Ring vor meiner Nase hin und her. Der Platzwart verschränkte die Arme. »Ich würde vorschlagen, Sie zeigen das Stück erst mal Ihrer Mutter. Vielleicht hat sie ja auch ein Wörtchen mitzureden.«

»Das ist nicht der Ring meiner Mutter.«

»Es ist zumindest der, den sie mir gegeben hat.«

»Darf ich mal sehen?«

Wir fuhren herum. Hinter uns stand Verena von Lehnsfeld. In strahlendes Weiß gekleidet, mit einem neckischen Sonnenschild über der Stirn. Sie streckte die Hand aus, und Aaron übergab das Corpus Delicti. Sie musterte ihn genauso intensiv wie ihr Sohn.

Ich erinnerte mich an ihr Geständnis, damals im Garten der Villa. An das, was sie über die Fehler gesagt hatte und das sie nicht verzeihen konnte. Abraham hatte noch einen Sohn. Aber sie nur den einen.

Als sie mich ansah, fiel mir zum ersten Mal auf, dass sie grüne Augen hatte. In ihrem Blick lag keinerlei Nervosität oder Unsicherheit. Im Gegenteil: Sie wirkte kühl, fast so, als ginge sie das alles nichts an.

»Er hat Recht«, sagte sie.

»Wer?«, fragte der Platzwart.

»Mein Sohn natürlich.«

Dann ging sie an uns vorbei, ohne sich noch einmal umzudrehen. Aaron grinste. »Na bitte. Und jetzt schieben Sie Ihren Arsch hier ab, Vernau, und bringen Sie die zwanzigtausend Euro. Oder das Original. Dann kriegen Sie das hier auch wieder.« Mit Vergnügen rollte er den Ring auf der Handfläche hin und her. Ich schlug ihm mit der Rechten von unten gegen die Hand, der Ring flog hoch in die Luft, wie ein grün glitzernder Tennisball, Aaron rief »He!«, ich fing ihn auf und steckte ihn in die Tasche. Dem Platzwart ging das alles zu schnell. Er schob sich nur die Mütze in den Nacken und kratzte sich hinterm Ohr.

»Danke, Liebchen«, sagte ich.

Aaron wirkte wie ein Stier, den man schmerzhaft an den Eiern packt. Er hob den Tennisschläger und hieb mit der bespannten Seite auf seinen Handballen. Ich trat vorsichtshalber einen Schritt zurück.

»Ja, jetzt hat er ihn«, konstatierte der Platzwart.

»Sie sind Zeuge!«, rief Aaron. »Er hat mich bestohlen! Zwanzigtausend Euro. Sonst ...«

Ich nickte dem Platzwart zu. »So sind sie. Immer nur Geld. Dabei war es mal Liebe.«

Aaron war kurz davor, sich auf mich zu stürzen. Doch er hielt inne, und der gewohnt blasierte Gesichtsausdruck behielt die Oberhand. »Selbstverständlich setze ich eine angemessene Frist. Wie man hört, sind Sie beruflich im Moment nicht gerade auf der Gewinnerseite. Privat wohl auch nicht, stimmt's?«

»Brauchen Sie mich noch?«, fragte der Platzwart.

Aaron hob seine Sporttasche wieder hoch.

»Nein. Ich wäre Ihnen nur dankbar, wenn Sie sich das, was sich eben hier ereignet hat, gut merken würden. Das gibt ein Nachspiel.«

Der Mann trollte sich.

Ich wandte mich ebenfalls zum Gehen. »Alles Weitere kläre ich mit Ihrer Mutter persönlich.«

»Mit ihr klären Sie gar nichts«, sagte Aaron. »Sie kommen an mir nicht vorbei. Sie haben bis morgen Zeit. Geld oder …«

»Liebe?«, fragte ich ihn.

Aaron verzog verächtlich den Mund. »Sie glauben gar nicht, wie mich Schwule ankotzen. Aber wenn's drauf ankommt, suche ich mir schon was Passendes für Ihren Arsch aus, verlassen Sie sich drauf. Wir sehen uns.«

Zumindest eines hatte sich geklärt: Die Lehnsfelds hatten mich genauso sehr ins Herz geschlossen wie die Zernikows.

29

Unweit vom Hagenplatz, in einer stillen Seitenstraße, überlebte seit Jahren im Souterrain einer Gründerzeitvilla ein kleines Auktionshaus. Es war schon da gewesen, als ich bei Sigrun eingezogen war, und ich hatte es immer nur im Vorübergehen bemerkt. Selten, dass ich einmal die Stufen heruntergestiegen und mir die Auslage angesehen hatte. Ich interessierte mich einfach nicht dafür.

Es war noch Zeit bis acht Uhr, und es lag nur zwei Straßenecken vom Tennisclub entfernt.

M. Ducasse. Auktionen/Verkauf stand an der Tür. Ich betrachtete die Auslage. Einige Schmuckstücke, auf Samt gebettet, vermutlich Jugendstil. Daneben mehrere Radierungen eines Künstlers, der sich darauf spezialisiert hatte, hässliche nackte Menschen in unnatürlichen Verrenkungen zu malen. Ein Plakat wies auf die nächste Versteigerung hin und rief zu Einlieferungen auf. *M. Ducasse, Sachverständige. Schätzungen und Herkunftsnachweise.*

Hinter der Tür aus Sicherheitsglas stand ein Wachmann und ließ mich nicht aus den Augen. Er war entschieden besser gekleidet als ich. Mein Anzug musste in die Reinigung. Dringend.

Ich klingelte. Es dauerte mehrere Sekunden, bis der Mann sich aus seiner abwartenden Haltung löste und sich entschied, mir zu öffnen.

Grußlos ging ich an ihm vorbei zu einer Frau unbestimmbaren Alters, die sich gerade hinter einem Wurzelholztresen langweilte. Sie sah von einem Katalog hoch und schlug ihn, als sie mich sah, zu. Alles an ihr wirkte mit Sorgfalt gepflegt. Ihre klassischen Züge waren perfekt geschminkt, die blütenweiße Bluse saß faltenfrei und war genau so tief geknöpft, dass man den gewölbten Ansatz ihres Busens erahnen konnte. Sie trug, bis auf zwei winzige Brillantstecker, keinen Schmuck. Als sie mich anlächelte, tat sie es mit einer professionellen Mischung aus Weiblichkeit und Intelligenz.

Ich holte den Ring aus der Tasche und hielt ihn ihr hin. »Was ist der wert?«, fragte ich.

Sie nahm ein samtbeschlagenes Tablett unter dem Tresen hervor und legte den Ring vorsichtig darauf. Dann schlug sie ihre sanft blondierten, glatten Haare nach hinten und betrachtete ihn näher.

»Eine schöne Arbeit«, sagte sie schließlich. »Aber Liz Taylor kriegen Sie damit nicht.«

Jetzt lächelte sie anders, und das machte sie mir auf Anhieb sympathisch.

»Ankauf oder Verkauf?«

»Ankauf«, erwiderte ich.

Sie runzelte die Stirn. »Wir führen diese Art Schmuck nicht. Anfang zwanzigstes Jahrhundert, das ist etwas zu altmodisch für unsere Kundschaft. Vielleicht sollten Sie sich an ein Geschäft wenden, das sich auf Antiquitäten spezialisiert hat.«

»Ist es denn ein Original oder eine Kopie neueren Datums?«

Sie holte eine Lupe heraus und betrachtete den Ring eingehend. »Nach Stempel und Gravur zu schließen, aber auch nach Art der Abnutzung ist es ein Original.«

»Müsste ich dafür zwanzigtausend Euro investieren?«

Sie lachte auf und strich sich eine weitere Strähne hinter das Ohr. »Ich würde sagen, zweitausend wären immer noch überbezahlt. Wenn Sie ihn verkaufen wollten, sieht es noch düsterer aus. Achthundert vielleicht. Kommt darauf an, wie dringend es ist.« Sie sah mich an und fuhr mit ihrer Zungenspitze über die leicht geöffneten Lippen.

Ich bedankte mich. So dringend war es nun auch nicht.

»Warten Sie.«

Sie bückte sich und holte ein kleines Etui hervor. »So können Sie ihn doch nicht transportieren. Sollen wir ihn vielleicht reinigen? Dann sieht er ein bisschen neuer aus.«

»Nicht nötig.«

Sie drückte mir das Etui in die Hand. »Wenn ich sonst noch etwas für Sie tun kann?«

In ihren Augen stand zu lesen, dass sich ihr Entgegenkommen durchaus nicht auf den Verkauf von Uhren und Schmuck beschränken würde.

Ich ließ ihre Hand los.

»Danke. Sie haben mir schon sehr geholfen.«

Der Wachmann hielt mir jetzt die Tür etwas zuvorkommender auf. Ich lächelte ihr noch einmal zu und ging die Stufen zur Straße hinauf. Den Ring verstaute ich wieder in der Jackentasche. Ich würde ihn Verena persönlich zurückgeben.

Den Porsche ließ ich vor der Auffahrt stehen und ging den Kiesweg ziemlich zügig nach oben. Ich wollte, dass mein Herzklopfen davon kam und nicht etwa, weil ich Sigrun gleich gegenüberstehen würde. Ich hatte den Finger bereits auf der Klingel, als ich hinter mir eine Stimme hörte.

»Die Freifrau erwartet Sie.« Walter. Mittlerweile schlich er sich genauso leise an wie seine Brötchengeberin.

Ich drehte mich um. »Das muss ein Irrtum sein. Ich bin nicht …«

»Die Freifrau wartet nicht gerne.« Er auch nicht, das war offensichtlich. Er deutete auf die Kanzleitür. Ich beschloss, Sigrun später zu besuchen und die freundliche Einladung anzunehmen. Schweigend betraten wir die leere Halle, schweigend fuhren wir im Aufzug die zwei Stockwerke hoch.

»Wenn Sie bitte warten möchten?« Walter hatte sich eine Menge aus englischen Butler-Serien abgeguckt. Vor allem den blasierten Gesichtsausdruck, mit dem er mich jetzt in eine Art Vorzimmer führte. Ein dicker Orientteppich unterdrückte das Knarzen der Dielen. Vor dem Fenster stand ein Rauchtischchen, auf dem eine Alabastergarnitur, bestehend aus Streichholzhalter und Aschenbecher, arrangiert war. Darum herum gruppierten sich vier Sesselchen. Ich blieb stehen. Die Schritte entfernten sich und näherten sich wenig später wieder.

»Frau von Zernikow lässt bitten.«

Ich ging an ihm vorbei. Walter eilte voraus und wies mich durch eine Tür am linken hinteren Ende des Flures. Ich war im Salon.

»Frau von Zernikow bittet Sie, sich einen Moment zu gedulden.« Er schloss die Tür von außen.

Der Raum war mit chinesischen Seidentapeten in Gelb- und Orangetönen tapeziert. Das Muster, wilde Paradiesvogelkreationen, wiederholte sich auf den Vorhängen. Ich hatte blassrosa oder beige erwartet, aber diese Farbenfülle überraschte mich. Der Boden war mit Aubussonteppichen belegt. Perlenverzierte Jugendstillampen verbreiteten ein warmes, gedämpftes Licht. Sie waren in allen vier Ecken des Raumes auf Beistelltischchen, Fotografientischchen, Karaffentischchen und Spitzendeckchentischchen verteilt. In der Mitte des Raumes prunkte auf einem runden Tisch ein orgiastisches Liliengesteck, das einen schweren, sinnlichen Duft verbreitete. Es war unnatürlich warm. In einem reich verzierten Kamin an der Stirnseite des Raumes flackerte ein Feuer.

Ich trat ans Fenster und öffnete es einen Spalt. Ich konnte direkt auf die Guntherstraße blicken. Mein Porsche stand nicht korrekt eingeparkt, doch er wirkte von hier oben aus betrachtet nicht ganz so lädiert.

»Willkommen in meiner kleinen Welt.«

Meinerrr kleinen Welllt. Sie rollte durch einen Vorhang, der den Zutritt zu einem weiteren Raum verbarg.

»Bitte schließen Sie das Fenster. Ich vertrage keine Zugluft.«

Ich tat, wie mir geheißen. »Guten Abend«, antwortete ich. »Was verschafft mir die Ehre?«

»Nehmen Sie Platzzz.«

Ich setzte mich auf einen Sessel neben dem Fotografientischchen. Die Freifrau rollte zur Zimmertür und betätigte eine fast unsichtbare Glocke. Walter erschien wie das Kaninchen aus dem Hut.

»Was möchten Sie trrrinken? Damen meines Alters wärmen sich an einem guten Sherry. Für Sie vielleicht – Whisky? Gin? Oderr ein Bier?«

»Ein Bier wäre nicht schlecht. Danke.«

Walter verschwand mit einem knappen Nicken. Sie rollte zu dem Karaffentischchen und goss sich in eines der bereitstehenden Gläser zwei Fingerbreit ein. Dann kam sie auf mich zu und blieb einen Meter vor mir stehen. Sie musterte mich starr und schwieg. Da ich in letzter Zeit Schlimmeres gewohnt war, ließ ich ihr die Freude des Anblicks und wartete darauf, dass sie anfangen würde. Eine sehr lange Minute verging so, dann erschien Walter mit einem Silbertablettchen und balancierte darauf eine Flasche Bier und ein Kristallglas. Das Gute. Das für Verlobungsessen und andere hohe Verkündigungstage. Er stellte das Tablett neben mir ab und verschwand wieder.

»Zum Wohl«, sagte sie. Ich nickte ihr zu.

Sie kippte ihren Sherry hinunter und stieß ein herzhaftes »Ah« aus. Das Glas stellte sie neben meinem Tablett ab und faltete entschlossen die Hände. »Was wollen Sie von meinem Sohn?«

Ich drehte mein Glas in den Händen. Auf der Außenwand hatte sich eine dünne Kondensschicht gebildet, die ich nun mit dem Daumen abrieb. »Ich habe einige Fragen an ihn.«

»Er wird sie Ihnen nicht beantworten.«

Sie sprach wieder normal, und das machte die Kommunikation um einiges leichter. Ich hatte nicht ständig das Gefühl, auf einer Bühne zu stehen und der Einzige zu sein, der seinen Text vergessen hatte.

»Soweit ich weiß, ist er volljährig. Ich würde das gerne mit ihm persönlich besprechen.«

»Es gibt keinen Grund für Sie, ihm Fragen zu stellen, also gibt es auch keinen für ihn, sie zu beantworten. Ihr Gastspiel in unserem Hause war lang genug. Und, verlassen Sie sich darauf, es wird keinen bleibenden Eindruck hinterlassen. Bei niemandem.«

»So sicher?«

Sie nickte nachdrücklich. »So sicher.«

Ich stellte das Glas ab und wollte schon aufstehen. Aber dies könnte die letzte Gelegenheit sein, doch noch etwas zu erfahren. Nicht von Utz. Von ihr. »Warum haben Sie damals, als diese alte Frau aus der Ukraine gekommen ist, nicht einfach den Zettel unterschrieben und die Sache auf sich beruhen lassen?«

»Ist das alles, was Sie umtreibt? Das nicht erfolgte Geständnis einer kleinen, unbedeutenden Schuld? Aufgeladen in einer Zeit, in der Todsünden zum Alltag gehörten? Haben Sie nichts Besseres zu tun?«

»Ich denke, dass es um weitaus mehr als diese kleine Schuld geht. Ich will wissen, was damals zu Natalja Tscherednitschenkowas Verhaftung geführt hat. Und welche Rolle Utz dabei gespielt hat.«

Sie hob ihr leeres Glas und hielt es mir hin. Ich goss ihr eine ordentliche Ration ein.

»Welchen Nutzen ziehen Sie daraus?« Sie musterte mich scharf mit ihren grauen Wasseraugen. Auch als sie das Glas hob und zur Hälfte leerte, ließ sie mich nicht aus dem Blick.

»Keinen direkten«, erwiderte ich. »Er ist eher ideeller Natur. In unserer Familie achtet man sehr auf den Ruf. Nehmen Sie es einfach als Prüfung Ihres Leumundes.«

Sie lachte. Keuchend und wie eingerostet, so als ob sie schon ewig nicht mehr gelacht hätte. »Sie … prüfen … unseren Leumund?« Sie wischte sich eine Träne aus dem Augenwinkel und hatte sichtlich Mühe, wieder zu sich zu kommen. »Nein, also …«

Sie trank ihr Glas leer und beruhigte sich langsam wieder.

»Sigrun ist von Natur aus nicht humorvoll. Das hat sie von mir. Sie hat sich immer einen Mann gewünscht, der sie zum Lachen bringt. Ich erkenne langsam, dass ich mich in der Art Ihrer wenigen Qualitäten sehr verschätzt habe. Sie liegen wohl doch zum Teil über der Gürtellinie.«

»Noch einen?«, fragte ich.

Sie wurde sofort ernst. Verbrüderungen waren zwischen uns definitiv nicht angesagt. Ihr Nicken kam deshalb umso hoheitsvoller. Ich nahm die Flasche dieses Mal gleich mit und stellte sie zwischen uns auf den Boden. Sie beobachtete mich missbilligend, sagte aber nichts.

»Olga Warschenkowa ist tot. Milla Tscherednitschenkowa liegt schwer verletzt auf der Intensivstation. In Kiew wartet eine Frau darauf, für die verlorenen Jahre ihres Lebens ein paar hundert Euro Entschädigung zu erhalten. Das Schlimmste aber ist: Mein Porsche wurde demoliert. Und da hört für mich der Spaß definitiv auf. Das alles hat einen gemeinsamen Nenner: Nataljas Zeit in Ihrer Familie. Die Zeit, die sie mit Utz verbracht hat. Der Grund, warum sie ins Gefängnis kam. Warum Utz sich nicht erinnern will.«

Die Freifrau angelte sich die Flasche und goss sich erneut ein.

»Ich werde es herausfinden, verlassen Sie sich darauf. Und wenn ich irgendetwas finde, das mit einer Todsünde zu tun hat, werde ich dafür sorgen, dass sie gesühnt wird. Denn wenn ich es nicht herausfinde, werden es andere tun.«

Sie sah mich nicht an.

Ich beugte mich zu ihr. »Sigrun ist verwundbarer, als Sie glauben. Gerade jetzt. Die Presse will alles über sie wissen. Und wenn auf der Familienweste irgendwo ein dunkler Fleck ist, man wird ihn finden. Hat Sie Ihnen nichts von dem Fotografen erzählt?«

Sie glitt einen halben Meter zurück, heraus aus meinem Bannkreis.

Ich richtete mich auf. »Natalja ist Ihnen egal. Aber Sigrun?«

Keine Reaktion. Die Freifrau betrachtete einen Paradiesvogel über dem Karaffentischchen. Ich gab es auf und ging zur Tür.

»Setzen Sie sich«, sagte sie barsch.

Ich blieb stehen.

Sie drehte behände ihren Rollstuhl zu mir um. »Sie sagten, Sie wollen herausfinden, warum Utz sich nicht erinnern will.«

Ich nickte.

»Es geht hier nicht um den Willen. Er kann sich nicht erinnern. Setzen Sie sich. Ich werde versuchen, es Ihnen zu erklären.«

Zwar könnte sie das auch etwas freundlicher sagen, aber wenn man diese Aussage an der Barschheit der vorherigen maß, war das schon ein sehr weites Entgegenkommen. Ich nickte und setzte mich wieder.

Sie starrte an mir vorbei auf das Tischchen mit den Fotografien. Silberne Rahmen. Taufen, Hochzeiten, Familienbilder. Sigrun als kleines Mädchen, mit Stupsnase, Affenschaukel und Zahnlücke. Ein blonder Mann in Uniform neben einer kühlen Schönheit: die Freifrau und ihr Gatte. Utz in Matrosenuniform. Vergilbte Aufnahmen diverser Ahnen. Mutter und Sohn.

Ich sah mir das letzte Bild genauer an. Die Freifrau stand hinter

Utz, die Hände auf seine Schultern gelegt, als wolle sie ihn festhalten. Utz als Hitler-Junge, der trotzig in die Kamera starrte, die Lippen aufeinandergepresst, die Augen starr geradeaus.

Die Freifrau hatte bemerkt, dass ich das Bild länger betrachtete.

»Sie suchen die Idylle? Das traute Heim, das spielende Kind? Ich muss Sie enttäuschen. Wir waren eine nationalsozialistische Familie.«

Sie nahm das Foto und warf einen gleichgültigen Blick darauf. »Die liebende Mutter war von der Partei nicht erwünscht. Die werfende ja. Ich konnte nach Utz keine Kinder mehr bekommen. Aber viel davon gehabt hätte ich auch nicht. Ich war nicht die Erziehungsberechtigte, das war der Jungscharführer.«

Sie stellte den Rahmen zurück. »Erwarten Sie nicht, von mir irgendetwas über Gefühle zu hören. Außer über den Stolz. Ich war stolz auf Utz. Er war ein überzeugter, tapferer Junge. Er war gerne in der HJ. Er hat alles geglaubt, was man ihm erzählt hat. Ich sage Ihnen nichts Neues, wenn ich behaupte, dass das nicht nur die Kinder taten.«

Sie hielt mir ihr Glas entgegen, und ich goss nach.

»Wir hatten eine Weile gute Kontakte zu dem Direktor einer Kugellagerfabrik. Die Mädchen kamen halbtags, und keine hat geklagt. Sie hatten es gut bei uns. Sie haben zu essen bekommen, sie wurden gekleidet. Irgendwann kam ein missgünstiger Nachbar dahinter und beschwerte sich lauthals. Da waren die Mädchen weg. Mein Mann war zu dieser Zeit in Belgien stationiert, beim Müllruntertragen konnte er mir also nicht helfen. Wenn Sie glauben, unser Name hätte etwas genützt auf dem Arbeitsamt, täuschen Sie sich. Das hatte alles sein Recht und seine Ordnung. Alles.«

Mein Bier war schal geworden, aber das allein erklärte nicht den schlechten Geschmack auf meiner Zunge.

»Es war schwierig, jemanden zu bekommen. Auf dem Arbeitsamt boten sie nur noch den Ausschuss an. Ihre Natalja war, wenn ich mich recht erinnere, ein kräftiges Mädchen. Sie konnte zupacken. Und sie hatte diese slawische Art an sich, mit Kindern umzugehen. Mit Kindern konnten sie ja alle. Die Polen, die Russen und die Ukrainer. Sie hat sich sehr um Utz gekümmert. Mir war es recht, ich hatte genug zu tun. Ich habe gar nicht mitbekommen, dass der Junge irgendwann nicht mehr alles glaubte, was man ihm erzählte.«

»Was, zum Beispiel?«

Sie machte eine wegwerfende Handbewegung. »Unwichtig. Propaganda. Untermenschengefasel. Ich habe meine Mädchen immer als Menschen behandelt. Ich war hart, aber gerecht. Gute Arbeit, guter Lohn. Zehn Mark bekam sie im Monat. Wissen Sie was? Glauben Sie ja nicht alles, was man Ihnen heute weismachen will. Das Dritte Reich war kein rechtsfreier Raum. Es gab Regeln, Vorschriften und Gesetze. An die hat man sich gehalten. Wenn die Mädchen arbeiteten, gab es auch zu essen. Und zwar genau das, was ihre Marken hergaben. Nicht mehr, aber auch nicht weniger. Bei den Familien ging es ihnen immer noch besser als im Lager. Viele wollten gar nicht mehr weg. Auch diese Natalja nicht. Wir haben sie Paula genannt. Das war einfacher. Alle unsere Mädchen hießen Paula. Wir haben ihr erst mal beigebracht, wie ein Wasserklosett funktioniert. Und dass man sich unter und nicht auf eine Decke legt. Ich glaube, sie wäre gern geblieben bei uns, diese Paula. Aber ich habe viel zu spät bemerkt, warum. Viel zu spät.«

Sie schloss die Augen. Einen Moment sah sie aus, als ob sie einschlafen würde. Das hätte gerade noch gefehlt.

»Warum?«, fragte ich etwas lauter.

Sie schreckte hoch und schien etwas verwirrt. »Was?«

»Was war mit Natalja?«

Sie hatte den Faden wiedergefunden und straffte die knochigen Schultern. »Was sehen Sie vor sich?«

Ich sah die Paradiesvögel und die Fotografien und die halbleere Sherryflasche. »Ich sehe Sie, Freifrau.«

»Nein«, lachte sie bitter. »Das hier ist nur noch eine faltige, leere Hülle. Aber was ich einmal war, das sehen Sie nicht.«

»Doch.«

Ich deutete auf das Foto. »Sie waren eine schöne Frau.«

»Wir waren viele schöne Frauen in einem Land ohne Männer. Glauben Sie wirklich, wir waren so tugendsam und haben gewartet, bis ein Kondolenzbrief ins Haus kam? Nein. Wir sind auf die Suche gegangen. Überall. Wir haben am Bahnhof gesucht, in der Nähe der Lager, in Bars und Restaurants, um die Universitäten sind wir herumgeschnürt wie Wölfinnen auf der Jagd. Es war gefährlich, aber das erhöhte den Reiz. Manche machten es nur mit Franzosen. Andere hatten einen Narren an den Polen gefressen. Es gab welche, die angelten sich einen Chinesen. Man nahm, was man kriegen konnte. Überrascht?«

»Nicht sehr«, antwortete ich.

»Mir persönlich waren die Deutschen lieber. Aber es war schwer, einen zu bekommen. Die Frauen, die sie erwischt haben, wurden umerzogen. Das kleinere Übel. Denn die Männer hat man so schnell nicht wiedergesehen.«

Sie trank einen kleinen Schluck. Ich blickte auf die Karaffe. Mittlerweile hatte sie einen halben Liter Sherry intus.

»Er war Offizier und von der Front beurlaubt. In Zivil war er Fotograf. Er machte in Babelsberg die Standfotos für die Ufa-Filme. Er machte göttliche Fotografien. Wollen Sie sie sehen?«

Ich nickte. Sie rollte ins Nebenzimmer. Ich hörte, wie eine Schublade aufgezogen wurde, dann kam sie wieder herein. Auf ihrem Schoß lag eine große, flache Schachtel. Sie reichte sie mir herüber.

Ich öffnete sie, und mein Herz begann zu rasen. Sigrun. Nackt. Jung, Mitte zwanzig, atemberaubend schön und kühl wie Quellwasser, unter dem ein verborgener Vulkan brodelte.

Es waren Schwarzweißfotografien. Sie zeigten sie in verschiedenen Posen: als schweißglänzende Amazone vor gewittrigem Himmel, andere wiederum waren klassische Aktbilder im Boudoir-Stil. Es waren verdammt gute Fotos. Und sie waren über sechzig Jahre alt. Denn sie zeigten die Freifrau.

Die Bilder verwirrten und beschämten mich. Es war nicht so schlimm, Sigruns Gesicht in den jungen Zügen der Freifrau wiederzusehen. Es war auch nicht die Ähnlichkeit der beiden Körper. Sondern die aufreizenden Posen und die lasziven Blicke, mit denen die Freifrau den Betrachter provozierte. Noch schlimmer aber war, dass die Bilder auf mich wirkten. Sie erregten mich.

Ich gab sie ihr zurück. »Er war nicht nur Ihr Fotograf.«

Sie lächelte, befriedigt von meiner Reaktion auf einen Körper, der unrettbar in die Arme des Alters gefallen war. Ihre blühende, sinnliche Schönheit war hinter Faltenwürfen, hervortretenden Knochen und blauem Geäder für immer verloren. Nur die hellen Habichtsaugen unter den schmalen, schwarz gezogenen Augenbrauen erinnerten vage an die Frau, die sie einmal gewesen war. Und an Sigrun.

»Er war meine große Liebe.«

Ich sah sie an. »Liebe?«

Sie räkelte sich ein wenig in ihrem Rollstuhl, diverse kleine Gelenkknöchel knackten.

»In diesen Zeiten war die Liebe schnell. Wir haben uns nicht lange mit Romantik aufgehalten. Man kam sofort zur Sache. Wer viel zu verlieren hat, beeilt sich. Jede Vereinigung konnte die letzte sein. Bin ich Ihnen zu ehrlich?«

»Nein.« Ich räusperte mich. Ich konnte nicht glauben, dass ich mich hier mit einer fast Neunzigjährigen über Sex unterhielt.

»Er kam zwei, drei Mal die Woche zu Besuch. Und jedes Mal war es ein Fest. Kennen Sie das, wenn man sich verschlingen will? Sich auffressen, um den anderen in sich zu zwingen? Wir waren wie die Tiere. Es war …«

Sie sah mich an. Ich hielt diesem Blick stand. Länger, als ich sollte, länger, als es gut war. Als ob diese Augen mir einen Kampf aufzwingen würden, von dem ich jetzt schon ahnte, dass ich ihn verlieren würde. Mein Blut pulsierte, und als ich registrierte, was geschah, war es schon zu spät. Sie hatte mich genau da, wo sie mich haben wollte: Ich begehrte, und ich wusste nicht mehr, wen. Sigrun oder die junge Freifrau, die Bilder ließen sich nicht mehr voneinander unterscheiden.

Ich brauchte all meine Willensstärke, um mich aus diesem Sog von Empfindungen wieder auf die Ebene eines Salongespräches emporzuarbeiten.

»Tatsächlich«, sagte ich. »Wie die Tiere?« Ich reichte ihr die Fotos zurück. Doch statt sie anzunehmen, sank sie zurück und schloss die Augen. Jetzt erst erkannte ich, dass es genau das war, was sie gewollt hatte. Dass ein Mann sie noch einmal so sah, und sie immer noch die Macht hatte, ihn in Verwirrung zu stürzen. Ich legte die Bilder in die Schachtel zurück und fühlte mich zum ersten Mal ihr gegenüber wie ein Verlierer.

»Wusste Utz davon?«

Sie öffnete blinzelnd die Augen. »Kümmern Sie sich nicht um ihn. Er war ein Kind damals, ein krankes Kind, das an seinem Kindermädchen gehangen hat. Mehr gibt es dazu nicht zu sagen.«

»Und Natalja?«

»Sie hat geklaut wie ein Rabe. Das wurde ihr zum Verhängnis. Sogar Utz hat das begrüßen müssen. Er hat gesehen, wie sie gestohlen hat. Das hat er dann auch ausgesagt. Ich war stolz auf ihn.«

Ich stand auf. Hatte Utz der Stolz seiner Mutter wirklich mehr bedeutet als die Liebe zu Natalja? Ich konnte nicht begreifen, wie es ihr gelungen war, mich so aufs Glatteis zu führen. Aber sie war noch nicht am Ende. Sie rollte an mir vorbei und zog an der Klingelschnur. Sekundenbruchteile später riss Walter die Tür auf.

»Sie wissen schon … aus meinem Schreibtisch.«

Ein Grinsen glitt über Walters Gesicht, bevor er wieder hinter dem Vorhang verschwand.

»Ich möchte Ihnen noch etwas zeigen, bevor Sie gehen. Damit Sie ungefähr wissen, welchen Rang Sie in diesem Hause einnehmen.«

Walter kam mit einem kleinen Kasten zurück. Er öffnete ihn und holte einen Schlüssel heraus. Ich wollte danach greifen, doch er zog ihn blitzschnell zurück. Es war der Schließfachschlüssel.

»Wir haben uns erlaubt, den Inhalt des Fachs zu überprüfen. Es war leer.«

Ich hob die Hände. »Vielleicht war schon jemand vor Ihnen dort?«

Sie rollte zurück. Ihre hellen Augen glitzerten bösartig. »Sie meinen Sigrun? Junger Mann, nichts von dem, was Sie versuchen, wird diese Familie entzweien. Ich bedanke mich für unsere rrrreizende Unterhaltung. Leben Sie wohl.«

Sie legte den Kopf schief und lauschte. Aus einem der hinteren Zimmer klang leise Musik. Eine alte Aufnahme, Lehars *Zarewitsch*, das Wolgalied … *allein, einsam wie immer* … Ein Lächeln durchdrang ihre Züge.

»Richard Tauber.« Dann, als wäre ihr gerade jetzt noch die letzte Perfidie eingefallen, hob sie die Hände. »Manche Juden habe ich sehr geschätzt.«

Ich fand den Weg hinaus alleine.

30

»Ausgeschlafen?«

Marie-Luise musste hinter der Kanzleitür auf mich gelauert haben. Ich hatte sie kaum geöffnet, da wedelte sie schon mit einer Akte unter meiner Nase herum. »Hast du ein Glück, dass ich heute Morgen schon so früh hier war. Du hattest einen Termin!«

Die Libanon-Connection. Ich drückte mich an ihr vorbei und ging in mein Büro. »Ich habe im Moment andere Sorgen.«

»Hör ich da richtig?« Marie-Luise folgte mir. »Ich habe dich als Experten für Diebstahlsdelikte empfohlen. Und ich will, dass du meine Empfehlungen nicht einfach in den Wind schreibst.«

»Ist ja gut«, rief ich. »Ich hatte einen anstrengenden Abend.«

»Ach«, meinte sie. »Zu viel Tennis gespielt? Oder hat dich das Private derart ausgelaugt? Hör mal zu: Wir sind Partner. Ich erwarte nicht, dass du hundertprozentig bei der Sache bist. Sondern hundertzehnprozentig.«

Ich warf den Computer an und suchte in Google unter dem Stichwort »Akten NS-Sondergericht«. Es kamen fünfhundert Treffer, in denen es allesamt um Artikel in Zeitschriften und wissenschaftliche Abhandlungen auf unattraktiven Universitätsseiten ging. Es war entmutigend. Alles. Am meisten Marie-Luise, die nicht aufhörte zu zetern.

»Irgend so ein Verbrecher hat die Scheiben bei meinem Porsche eingeschlagen.« Es hatte mir wehgetan, den Wagen heute Morgen so zu sehen. Mein Porsche war zwar kein Robbenbaby, aber ich liebte ihn heiß und innig.

»Was?«, fragte sie.

Ich sah auf die Armbanduhr. »Es ist zwanzig nach zehn. Wenn ich mich sofort auf den Weg mache, liege ich um elf im Bett. Ich schlafe bis drei, dann lasse ich mir einen Filterkaffee servieren und fahre mit meiner Mutter zum Bridge nach Reinickendorf. Zum Abendessen gibt es Aldi-Ravioli. Und soll ich dir was sagen? Ich freue mich darauf. Weil es die ersten Stunden seit Wochen sein werden, in denen niemand an mir rummeckert, mich niemand an die Wand stellt, keiner mich bedroht und erst recht niemand verarscht. Okay?«

»He, tut mir leid«, sagte sie und kam um den Schreibtisch zu mir herum. »Ich kenn mich mit Autos nicht so gut aus. Ist sonst noch was?«

»Nein.«

Ich wollte an ihr vorbei, doch sie hielt mich fest. Sie hielt mich fest! Ich war so verblüfft, dass ich stehen blieb.

»Sigrun?«, fragte sie.

»Lass mich.«

Ich wollte nach Hause. Zum ersten Mal seit zwanzig Jahren betrachtete ich ein Acht-Quadratmeter-Zimmer mit einem Fleck an der Wand, an dem einmal ein Kim-Wilde-Poster gehangen hatte, als mein Zuhause. Sie ließ ihre Hand sinken, als wäre sie erschrocken darüber, mich berührt zu haben. »Okay, dann geh doch. Heute ja und morgen nein. Ist ja nicht mehr wichtig, dass man zu seinem Wort steht. Schon gar nicht mir gegenüber.«

Erst jetzt fiel mir auf, dass sie dunkle Ringe unter den Augen hatte. »Und was ist mit dir?«

»Nichts.«

Wir standen einen Moment schweigend da.

»Schmiedgen?«

Sie biss sich auf die Lippen.

»Manchmal hilft schon ein guter Kaffee«, sagte ich.

»Manchmal«, erwiderte sie leise.

Marie-Luise stellte Wasser auf. Ich holte zwei gespülte Becher, dann setzten wir uns an den Tisch und warteten, bis das Wasser kochte.

»Er lässt sich nicht scheiden«, sagte sie und füllte Kaffeepulver in die Tassen. »Er sagt, sie ist gerade in einer schweren Krise und dass er ihr das nicht zumuten kann.«

»Stimmt das?«

Sie lachte kurz auf und füllte das Wasser in die Becher. »Was man so unter Krise versteht. Sie hat gerade ihre zweite Galerie aufgemacht und zum zwanzigsten Hochzeitstag eine Kreuzfahrt gebucht. Nach Neuseeland. Natürlich von seiner Kohle.«

Sie rührte endlos in ihrem Kaffee herum. »Ob ich mal mit ihr reden soll?«

Ich nahm ihr sanft den Löffel ab. »Lieber nicht.«

»Aber sie erfindet ständig neue Sachen, die ihn unter Druck setzen. Erst diese Galerie. Dann das riesige Fest zur Silberhochzeit in Potsdam. Jetzt diese Reise. Es ist nie der richtige Moment. Manchmal glaube ich, er will es ihr gar nicht sagen.«

»Er ist ein bisschen älter als du.«

»Na und?«

»Lass es mich so sagen: Du bist ein bisschen jünger als er.«

»Das gibt es doch nicht! Für dich ist das nur ein kleines Sex-Abenteuer, was? Dass es was mit Liebe zu tun haben könnte, auf die Idee kommst du gar nicht. Liebe, du verstehst? Das spielt sich hier ab, und hier …« Sie schlug sich an den Kopf und auf die Brust. »… und nicht unbedingt nur da, wo es deiner Meinung nach ausschließlich drauf ankommt.«

»Ach, so ab und zu …« Ich musste lachen.

Unvermittelt stimmte auch Marie-Luise ein. Sie lachte und schüttelte den Kopf dabei. »Manchmal nimmt er mich sogar mit, wenn er auswärtige Termine hat.«

»Als was stellt er dich dann vor?«

»Als seine Assistentin.«

»Hm. Im Doppelzimmer vermutlich.«

»Nein«, sagte sie. »Getrennte Zimmer. Früh um sechs schleiche ich immer über den Flur zurück. Damit niemand was mitkriegt. Es ist … Es ist …« Ohne jede Vorwarnung legte sie die Hände vors Gesicht und schluchzte. »Es ist so demütigend.« Sie ließ den Kopf auf die Unterarme sinken. »Manchmal telefoniert er mit ihr, wenn ich dabei bin. Er geht sofort an den Apparat, damit sie bloß nicht denkt, er wäre gerade bei was anderem. Einmal war er sogar bei was anderem. Coitus interruptus telefonensis würde der Facharzt attestieren.« Sie sah hoch. »Ich hätte ihm fast den Hörer aus der Hand geschlagen. Es ist nichts, hat er ihr gesagt, ich habe den Fernseher an. Es ist nichts, verstehst du? Ich bin ein Nichts!« Sie schluchzte wieder.

Ich ging an den Wandschrank und holte mehrere Blatt Wisch-papier heraus, das ich ihr unter die Nase hielt. Sie schnäuzte heftig.

»Hör auf mit dem Quatsch. Du bist kein Nichts. Warum bleibst du überhaupt bei ihm?«

Sie pulte an dem Papier herum und schaute auf das zerfledderte, unappetitliche Resultat in ihrer Hand. »Warum bleibst du bei Sigrun?«

»Das ist was anderes.«

»Sie verarscht dich doch auch, oder? Was war denn mit dem netten Privattermin gestern Abend?«

»Den hatte ich nicht mit ihr, sondern mit ihrer Großmutter.«

Sie sah hoch. »Mit Frau Hochwohlgeboren?«

Ich nickte.

»Ja – und?«

»Sie hat alles zugegeben.«

»Was? Den Mord an Olga? Und das Attentat auf Milla?«

»Nein«, antwortete ich. »Wie soll eine Neunzigjährige, die gerade mal Rollstuhl fahren kann, auf offener Straße zwei gesunde Menschen angreifen?«

»Hättest du sie mal gefragt.«

»Ich habe sie nach Natalja gefragt. Sie hat zugegeben, dass sie sie beschäftigt hatte. Und dann hat sie mir eine ziemlich konfuse Geschichte über ein kleptomanisches Hausmädchen und einen heißen Aktfotografen erzählt.«

»Ach. Mit neunzig?« Marie-Luise trank den Kaffee aus, ohne auch nur eine Miene zu verziehen. Ich probierte meinen und stellte fest, dass der Satz inzwischen gesunken war. »Ich kenne keine Neunzigjährige, die mehr an Sex denkt als sie.«

Es überlief mich eiskalt, als ich an meine Gefühlsverwirrungen von gestern Abend dachte. Ich hatte meinen sexuellen Notstand eindeutig unterschätzt. Es wurde langsam lästig. Vielleicht sollte ich etwas unternehmen. In den Puff gehen. Ein paar Pornohefte kaufen. Andere machten das täglich. Was mir aber wirklich zu schaffen machte, war Sigruns Verrat. Die Zernikows hatten mich geschafft.

»Und ihr Mann, wo war der?«

Ich brauchte einen Moment, um aus meinen Gedanken zu Marie-Luises Frage zurückzukommen. »Wilhelm von Zernikow? In Belgien, soweit ich weiß. In den Ardennen gefallen. Aber schon seit Kriegsbeginn kaum noch im Haus. Sigrun sagt, dass ihr Vater kaum eine Erinnerung an ihn hat. Ein fremder Mann in Uniform.«

»Also, außer Utz von Zernikow, der damals neun Jahre alt war …«

»Elf. Als es passierte, war er elf. Natalja war eineinhalb Jahre bei der Familie.«

»Elf«, wiederholte Marie-Luise. »Mit elf waren sie doch schon fast erwachsen, die Hitler-Jungen. Die haben doch schon mit zwölf an den Flaks gestanden. Irgendetwas ist da gelaufen. Und das hatte mit mehr zu tun als mit ein paar silbernen Löffeln. Da wurde mehr gestohlen. Ein Herz vielleicht. Und die Alte hat das gemerkt. Ein elfjähriger Junge und ein vierzehnjähriges Mädchen … Erinnerst du dich daran, was Ekaterina gesagt hat? Über die Liebe zu den Kindern des Feindes?«

»Das ist doch Unsinn.«

»Nein«, antwortete sie energisch. »Am Anfang sind sie Hitler-Junge und Ostarbeiterin. Dann, als er krank wird, Sohn und Mutter. Und am Ende … Bruder und Schwester? Oder Verräter und Opfer?«

»Dramatisierst du da nicht etwas? Utz war den größten Teil der Berlin-Schlacht in Pommern.«

Marie-Luise ging zum Fenster. Sie sah hinaus auf die blatternarbige Brandmauer, die immer noch wie vom Krieg geschrammt schien. »Wann ist er nach Berlin zurückgekommen?«

»Februar '45, sagt Sigrun.«

»Und wann ist Natalja verurteilt worden?«

»November '44.«

»Hast du mir nicht eben erzählt, die Freifrau hätte etwas von einer Aussage von Utz gefaselt, die in dem Prozess gegen Natalja verwendet wurde? Wie passt denn das zusammen?«

Sie hatte Recht. Die Zeitangaben stimmten nicht. Ich versuchte, mich daran zu erinnern, was genau die Freifrau gesagt hatte. »Dann ist Utz eben früher zurückgekommen. Ob Februar oder November, die Ostfront ist doch immer näher gerückt. Es waren gewaltige Flüchtlingstrecks, das weißt du doch.«

Marie-Luise murmelte vor sich hin. Sie repetierte etwas, und als sie es komplett zusammenhatte, öffnete sie die Augen und fragte mich: »Wo hat Utz sich im Herbst 1944 aufgehalten?«

»In Leba, ungefähr hundert Kilometer vor Danzig.«

»Ich weiß nicht, wie gut du im Geschichtsunterricht aufgepasst hast. Vielleicht habt ihr im Westen ja dieses Thema auch nur gestreift. Uns hat man aber mit dem glorreichen Sieg der Roten Armee bis in den Schlaf verfolgt. Soweit ich weiß, ist Danzig nicht im Januar '45 gefallen. Das war Königsberg. 13. Januar 1945. Großangriff der weißrussischen Front in Richtung Elbing und Frisches Haff. Mussten wir auswendig lernen. 26. Januar: Beschuss von Königsberg.«

»Aber die Evakuierungen haben doch schon wesentlich früher begonnen.«

»30. März '45: Die 2. Sowjetische Stoßarmee befreit Danzig. März, hörst du? Der Großangriff auf Berlin begann im April. Erst da hat es den Deutschen gedämmert, dass das die kürzesten tausend Jahre der Menschheitsgeschichte gewesen waren. Aber im November '44 glaubten die Zernikows in Pommern mit Sicherheit noch an Wunderwaffe, Endsieg und Vergeltung. Also frage ich dich: Warum macht sich ein Elfjähriger auf den Weg nach Berlin? Warum läuft ein Elfjähriger los, um in eine Stadt zu kommen, die unter Bombenteppichen erstickt wird? Um in einem Prozess gegen einen Menschen auszusagen, den er liebt?«

Utz hatte die Geschichte von dem Treck nach Berlin oft erzählt. Nach dem zweiten Mal hatte ich einfach weggehört. Sigrun hatte nachsichtig gelächelt. Wir ließen ihn reden, den Alten. Reden vom Frost, von den langen Fußmärschen, von Feuerschein am Horizont und den rauchgeschwärzten Stadtruinen. Wir hatten diese Erinnerungen mit derselben Ungeduld ertragen, mit der man unwichtige Vorlesungen, endlose Parlamentsdebatten und Konzerte moderner Nachwuchskomponisten über sich ergehen lässt. Man tut es, man ist höflich, man unterbricht nicht, aber man hört weg.

Ich hatte Utz niemals eine Frage danach gestellt. Auch Sigrun hatte sich mit dem zufriedengegeben, was ihr Vater für erzählenswert erachtete. Und meine Mutter? Sie war zu jung. 1938 geboren. Auch sie hatte ab und zu von Bombennächten erzählt. Von fliegenden Tannenbäumen und Kinderlandverschickung, vom Hunger. Aber ihre Geschichte war die des Wiederaufbaus. Trümmerkinder, die auf Schuttbergen spielten. Die sahen, wie heimlich rot-schwarze Flaggen versteckt, Parteibücher verbrannt, Orden und Abzeichen vergraben wurden. Dann spuckte man in die Hände und arbeitete. Und dann ging es aufwärts Richtung Wirtschaftswunder. Ein Land begrub seine Vergangenheit unter dem Schutt und baute sich ein neues Gesicht. Dann kamen die Kinder der Bundesrepublik, die ihre Eltern und Großeltern einfach nicht mehr fragten, was sich vorher zugetragen hatte. Sie überließen das Erzählen den Profis. Die Fernsehhistoriker packten ihr Publikum gleich nach dem Abendessen und servierten das Dritte Reich in Farbe.

Meine Mutter wurde siebzig. Bald würde ich sie nichts mehr fragen können.

»Das muss er uns selbst erzählen«, sagte ich.

Marie-Luise nickte. »Die Antwort könnte der Schlüssel zu dem sein, was damals passiert ist. Wurde er hinbefohlen, oder ist er freiwillig gekommen? Sind Verwandte mit ihm gegangen, oder hat man den Jungen alleine ziehen lassen? Egal, wie die Antwort ausfällt, es bleibt unübersehbar eine Tatsache: Utz kam genau zur rechten Zeit.«

»Wieso?«

»Natalja Tscherednitschenkowa wurde am 14. November 1944 verurteilt. Vermutlich vor einem Sondergericht, und da wurde nicht lange gefackelt. Und Utz kommt und wird Zeuge eines Diebstahls, für den sein Kindermädchen zum Tode verurteilt wird. Lass es so um den elften, zwölften passiert sein. Wenn er zu Fuß gelaufen ist, war er, na?, sagen wir, sechs Wochen unterwegs. Also ist er Anfang Oktober los. Anfang Oktober …«

Das Telefon klingelte, und Marie-Luise ging nach nebenan. Ich wurde nicht schlau aus dem, was sie soeben an Indizien zusammengetragen hatte. Je mehr wir über diesen Fall erfuhren, desto verworrener wurde er.

Plötzlich wollte ich aufgeben, diese ganze Sache einfach vergessen. Ich würde Sigrun um Verzeihung bitten und die Freifrau allein durch meine erneute Anwesenheit in der Villa ins Grab bringen. Ich würde Utz ein guter Schwiegersohn sein. Verena bekäme ihren Ring zurück, und es würde selbstverständlich genau der sein, den sie mir geliehen hatte. Ich würde morgens neben einer Frau aufwachen, die selbst im Tiefschlaf noch eine Schönheit war, und abends unter eine Decke kriechen, die sanfte Hände täglich aufgeschüttelt und frisch bezogen hatten. Diese Hände würden einer Hausgehilfin gehören, deren Namen ich nicht kannte, irgendetwas Polnisches, einer Frau, von der ich nicht wusste, wo sie lebte und ob sie Familie hatte. Und den Porsche könnte ich schon nächste Woche wieder aus der Werkstatt holen.

»Man müsste die Prozessakten des Sondergerichtes einsehen. Ist das irgendwie möglich?«

Sie war wieder da. Die gnadenlose Anwältin längst verjährter, halbvergessener Verbrechen, für deren Aufklärung niemals auch nur ein einziger Cent in der leeren Kasse klingeln würde.

»Keine Ahnung.«

»Ich frage Ekaterina.« Sie reichte mir ihren Becher, und ich spülte beide aus.

»Er will mich sehen. Soll ich?«

»Gib ihm einen Tritt in den Arsch.«

»Gestohlene Herzen«, seufzte sie. »Wohin man sieht, gestohlene Herzen.«

»Ein Geschenk kann man nicht stehlen.«

Mehr sagte ich nicht. Ich griff nach dem Handtuch und fing an, nach den Bechern auch noch die Spüle zu polieren. Irgendwie mauserte ich mich gerade zum perfekten Hausmann.

Marie-Luise sah mir zu. »Sie hat dich wieder mal vorgeführt, stimmt's?«

Ich schwieg.

»Du hast doch die Arbeitsbücher noch?«

»Klar.«

Wir gingen in unsere Büros. Eine Stunde später steckte Marie-Luise den Kopf durch die Tür.

»Ich hab ganz vergessen, dir zu sagen, dass er hierherkommt.«

Ich sah sie an. »Und? Was soll das heißen? Kann ich eine Stunde lang die Küche nicht benutzen, weil ihr den Tisch braucht?«

Sie sah mich bittend an. Ich schlug wütend die Akte zu, an der ich zum Wohle der Menschheit und, nicht zu vergessen, dem Marie-Luises gerade arbeitete. Dann nahm ich meine Jacke und verließ grußlos die Wohnung.

Zum Rudolf-Virchow kam man ohne Auto nicht ganz so schnell. Ich musste mehrmals umsteigen und verfuhr mich, weil ich die S- mit der U-Bahn verwechselte. Ich war für den öffentlichen Nahverkehr nicht geschaffen. Es war früher Nachmittag, als ich die Intensivstation erreichte und die Schwester fragte, wie es der Patientin in Zimmer 42–07 ging. Sie wollte gerade zum Telefon greifen, um den Arzt zu alarmieren, als Horst um die Ecke kam.

»Mensch, Joachim! Das ist ja toll, dass du vorbeikommst.«

Er nickte der Schwester zu. »Das geht schon in Ordnung.«

Sie legte den Hörer wieder auf. Offensichtlich hatte Horst innerhalb kürzester Zeit das Vertrauen der gesamten Station gewonnen.

»Wie geht es ihr?«

»Sie ist einmal kurz aufgewacht.«

Ich zog ihn in den Gang, damit die Schwester unsere Unterhaltung nicht mithören konnte. »Und? Hat sie was gesagt?«

Horst schüttelte den Kopf. »Nein. Sie hat mich gesehen und ist wieder eingeschlafen.«

Kein gutes Omen für eine glückliche Ehe. »Was sagen die Ärzte?«

»Da kann man nichts machen. Warten, warten.«

Wir gingen den Gang hinunter und blieben vor der Scheibe stehen. Milla lag im Bett, genau so, wie ich sie in Erinnerung hatte. Nur ihre Arme waren zu erkennen, der Kopf war immer noch von einem Verband bedeckt. Auf dem Nachttisch stand ein riesengroßer Strauß rote Rosen.

»Ein Fotograf war hier.«

Ich war sofort alarmiert. »Was wollte er?«

»Fotos natürlich«, antwortete Horst. »Ich hab ihm gleich gesagt, wo der Hammer hängt, wenn er es noch mal wagt.« Der begeisterte Boulevardzeitungsleser mauserte sich langsam zum Journalistenhasser.

»Und?«

»Nichts und.« Horst blickte an mir vorbei. Irgendetwas stimmte nicht.

»Er hat sich doch nicht einfach so abwimmeln lassen, oder?«

Horst zog etwas aus seiner Hosentasche und reichte es mir. Dabei sah er aus, als ob er gerade einen halben Liter Gurkenessig getrunken hätte. »Das hat er mir gegeben.«

Es war eine Visitenkarte. Alexander Dressler, freier Journalist. Keine Adresse, nur zwei Handynummern. »Was will er von dir?«

»Ich kriege zweitausend Euro, wenn ich erzähle, wer sie ist und was sie mit dir zu tun hat.«

Ich atmete scharf ein. Dressler hatte es gerochen. Er verfolgte Sigrun, er verfolgte Horst, und wenn ich nicht sehr auf mich aufpasste, würde er mir bis in Hüthchens Sessel folgen.

»Und? Was hast du ihm geantwortet?«

Horst schwieg. Zweitausend Euro waren eine Menge Geld. Ich hatte Mordprozesse erlebt, bei denen es um weit weniger gegangen war.

»Ich hab ihm gesagt, dass ich es mir überlege.« Horst sah mich an. »Ich wollte ihn nur hinhalten, verstehst du? Ich wollte erst mal wissen, was du dazu sagst. Ich würde nie …«

Er stockte.

»Ich danke dir«, sagte ich und steckte die Karte ein. Es war nicht wichtig, ob man über ein unmoralisches Angebot nachdachte oder nicht. Wichtig war, ob man es annahm oder ausschlug.

»Vielleicht kann man ihn ja auf eine falsche Fährte locken«, überlegte Horst. »Du als Anwalt kannst hier doch immer irgendwie zu tun haben. Vielleicht hat dich der Fahrer von dem Unfall geschickt oder so und will jetzt sehen, ob er sich mit Milla einigen kann. Oder ich habe dich geholt, weil sie jetzt vielleicht abgeschoben wird, und ich will das doch nicht …«

Er hatte schon wieder feuchte Augen. Wir mussten ihn ablösen, damit er eine Nacht in seinem Bett schlafen und die Kleider wechseln konnte. Er hatte einfach nicht die Nerven, um seine Verlobte zu bangen und auch noch meinen kleinen Privatkrieg durchzustehen.

»Geh nach Hause«, sagte ich. »Leg dich mal hin. Ich bleibe solange hier.«

»Nein, das geht nicht. Was ist, wenn sie aufwacht, und ich bin nicht da?«

Auf jeden Fall hätte Milla nicht gleich das Gefühl, dass irgendetwas furchtbar schiefgelaufen war. Aber das konnte ich Horst so nicht sagen. »Es wird alles für sie getan. Und solange ich hier bin, wird ihr nichts passieren. Das verspreche ich dir.«

Horst sah lange und sehnsüchtig durch die Scheibe. Dann seufzte er. »Nur zwei Stunden. Dann bin ich wieder hier.«

»Lass dir Zeit.«

Ich begleitete ihn bis zum Fahrstuhl. Als er in die Kabine trat, nickte ich ihm zu. »Das war nett, dass du ihr Blumen mitgebracht hast.«

»Blumen?« Horst runzelte die Stirn. Dann fiel es ihm ein. »Ach, die Rosen. Die sind nicht von mir.«

»Von wem …?« Die Fahrstuhltür glitt zu, bevor ich die Frage zu Ende stellen konnte.

Ich begann meine Stallwache. Der Strauß stand auf dem Nachttisch neben Millas Bett. Ich könnte es mir einfach machen und denken, dass Dressler ihn gebracht hatte. Aber es waren wunderschöne, fast einen Meter lange, tiefdunkelrote Rosen. Teure Rosen. Diese Blumen schenkte kein Pressefotograf. Es lag kein Brief dabei, und die Schwester wusste auch nicht, wer sie abgegeben hatte.

Aber die Botschaft war auch ohne Briefchen klar: *Wir wissen, dass du hier bist. Wir vergessen dich nicht.*

31

Schon hundert Meter vom Haus entfernt hörte ich mehrere Bassakkorde und dann eine sehr gemeine Rückkopplung. Als ich in den Hof kam, schlug mir ein hektisches Schlagzeugsolo entgegen.

»Alors, encore une fois ...« Die Rock-Chansonette. Das konnte ja heiter werden. Wohnte hier eigentlich niemand, der sich über so etwas beschwerte? Die Fenster waren zum Teil sperrangelweit geöffnet. Nur im dritten Stock schräg gegenüber lugte eine verängstigt wirkende Frau hinunter. Als sie meinen Blick bemerkte, schloss sie sofort das Fenster.

Ich ging nach oben in die Kanzlei. Marie-Luise war nicht da, dafür saß Kevin an seinem Schreibtisch und rauchte. Als er mich sah, stand er auf und ging wortlos an mir vorbei in die Küche.

»Wo ist Marie-Luise?«

Ich bekam keine Antwort. Ich versuchte es auf ihrem Handy, aber ich bekam nur die Mailbox an den Apparat. Ich hinterließ eine kurze Nachricht, dass sie mich zurückrufen sollte, falls sie nicht diejenige war, die Milla Blumen geschickt hätte. Dann machte ich mich daran, meine Briefe und Eingaben selbst zu schreiben. Kevin kam zurück und versprühte schlechte Laune.

»Hat sie gesagt, wo sie hingegangen ist?«

»Bin ich ihr Kindermädchen?«

Er sah nicht vom Computer auf. Ich ging um den Schreibtisch herum. Kevin konnte die Seite nicht schnell genug wegklicken. Die Homepage einer militanten Gruppe, die zur Stürmung irgendeines Weltwirtschaftsgipfels an irgendeinem schönen Fleckchen Erde aufrief.

»Na, Lust auf Urlaub?«

Kevin tippte lustlos in seinem E-Mail-Konto herum.

»Was wird das hier eigentlich den ganzen Tag?«

»Wieso?«, fragte er.

»Ich brauche jemanden, dem ich ein paar Briefe diktieren kann. Also los.« Ich ging wieder zu meinem Platz zurück.

Kevin starrte mich sprachlos an. Dann schüttelte er den Kopf. »Nicht mit mir.«

»Ich sehe niemand anderen. Erstes Schreiben an die Staatsanwaltschaft des Landes Berlin, Kriminalgericht Moabit et cetera pp., betrifft Aktenzeichen Nummer … Was ist?«

Ich sah hoch. Kevin saß mir mit verschränkten Armen gegenüber und grinste mich bloß an. »Ich bin keine Tippse.«

»Soweit ich weiß, machst du hier ein Praktikum. Die korrekte Abwicklung eines anwaltlichen Schriftverkehrs gehört zu den Aufgaben, die in einer Kanzlei nun mal zu machen sind. Du kannst auch gerne Tee kochen und weiterhin deine Busreisen nach Davos planen, aber erst, wenn das hier erledigt ist.«

»Du hast mir gar nichts zu sagen.«

Ich sah ihm tief in die Augen. »Doch. Zwei Dinge. Schreib oder geh.«

»Da hat Marie-Luise wohl auch noch ein Wort mitzureden.«

»Sie wird sich den Ausführungen ihres Vorredners in vollem Umfang anschließen. Sind wir jetzt so weit?«

Kevin starrte mich an. Dann wandte er sich an seinen Computer, und ich diktierte. Ich diktierte ihm den gesamten liegengebliebenen Schriftverkehr der letzten Tage, und das war nicht wenig. Nach zwei Stunden war der Junge am Ende. Zwischendurch korrigierte ich seine Tippfehler und brachte ihm den Seitenaufbau bei. Ein Schreiben löschte ich komplett, nur um ihn zu ärgern. Anschließend unterschrieb ich und wies ihn an, die fertige Post gleich zum nächsten Briefkasten zu bringen.

»So«, sagte ich fröhlich, »das machen wir jetzt jeden Tag so.«

Kevin klebte die Briefumschläge zu. »Warum bist du eigentlich hier?«, fragte er mürrisch.

»Warum nicht?«

»Du passt nicht hierher. Das ist alles so ...« Er leckte eine Briefmarke an und klebte sie auf einen Umschlag. »So kalt«, beendete er den Satz.

Ich sah ihm zu, wie er die restlichen Umschläge frankierte. Langsam kam ich in das Alter, in dem die Wendung »Er könnte mein Sohn sein« rein biologisch passen könnte. Er trug die Haare daumenlang und verwuschelt, ein topmodischer Out-of-bed-Schnitt. Sein T-Shirt trug den korrekten Aufdruck der angesagten Labels, seine Turnschuhe hatten mindestens hundert Euro gekostet. Ein hübscher Junge. Er hatte alles, wovon ich in seinem Alter nur geträumt hatte. Doch der Trotz verfinsterte sein Gesicht und ließ ihn mürrisch und verschlagen aussehen.

»Kalt?«, fragte ich. »Das ist ein völlig korrekter, sachorientierter Schriftwechsel. So geht es zu in der Welt der Gerechtigkeit.«

»Ach, du hältst dich für gerecht?«

»Nein«, erwiderte ich. »Nicht im Mindesten. Aber man braucht einen gemeinsamen Nenner, um über Schuld und Unschuld, Recht und Unrecht zu befinden.«

»Du würdest wohl jeden verteidigen, was?«

Ich schüttelte den Kopf. »Nein, nicht jeden. Ich weiß nicht, welche Richtung du eines Tages einschlagen wirst, falls du vorhast, dein Studium zu beenden. Aber wenn du dich entscheidest, Strafverteidiger zu werden, wirst du nicht nur für die unschuldig Verfolgten in den Ring steigen. Du wirst Mörder haben, Vergewaltiger, Drogendealer, den ganzen Abschaum.«

»Steuerhinterzieher, Anlagebetrüger und das ganze Berliner-Bank-Gesocks. Ich weiß doch, wo du vorher warst. Es kotzt mich an. Du kotzt mich an.«

Kevin musste noch viel, viel lernen.

Als er gegangen war, versuchte ich, Sigrun zu erreichen. Sie war nicht in ihrem Büro. Dann rief ich meine Mutter an und sagte ihr, dass mangels Auto vorläufig nicht mit einem Ausflug nach Reinickendorf zu rechnen war. Die Enttäuschung am anderen Ende der Leitung war spürbar. Ich versprach, bald nach Hause zu kommen. Das munterte sie etwas auf. Ich wollte gerade das Zimmer verlassen, als es klingelte. Kurz vor halb sieben. Ich öffnete, und vor mir stand Connie.

»Darf ich reinkommen?«

Connie ging an mir vorbei und musterte interessiert den Flur von oben nach unten. Vor allem die vergilbten und neueren Aufrufe zu Friedensdemonstrationen und das Poster eines ölverklebten Kranichs faszinierten sie.

»Interessant. Deine neue Klientel?«

»Was gibt's?«

Ich schloss die Tür, blieb aber im Flur stehen. Sie trug einen ultrakurzen Minirock zu einer Chanel-Jacke und höchstens ein Mal getragene Velourslederpumps. Ihre dunklen Haare fielen glatt und lang wie ein dunkler Samtschal fast bis an ihre Taille. Als sie eine Strähne nach hinten warf, klimperte ein goldenes Kettenarmband. Connie sah teuer aus. So, als ob sie jemanden gefunden hätte, der sie sich leisten konnte. Sie lächelte mich an mit ihrem sorgfältig auf zart geschminkten Mund.

»Sehnsucht«, antwortete sie. »Hast du was zu trinken?«

Ich ging Richtung Küche.

»Leitungswasser, Beuteltee und Kaffee Kaulsdorfer Art.«

»Ach, echt? Mit Satz? So einen will ich.«

Ich setzte Wasser auf und bat sie, Platz zu nehmen.

Sie setzte sich vorsichtig, damit das Sonnengeflecht der alten Chippendale-Stühle ihren Nylons nicht zu nahe kam. Dann strahlte sie mich an. »Ich bin verliebt«, sagte sie. »Und Verliebte tun die komischsten Sachen. Dich besuchen, zum Beispiel.«

Ich suchte zwei Kaffeebecher und das Pulver heraus. »Und wer ist der Glückliche?«

Sie lächelte immer noch, wie eine kleine Sonne. »Das sag ich nicht. Es ist noch nicht lange. Ich will es nicht kaputtmachen. Er weiß nicht, dass ich hier bin. Aber ihr kennt euch.«

Ich nickte. »Zucker? Milch?«

»Schwarz«, hauchte sie.

Ich setzte mich ihr gegenüber. Es waren nicht nur die teuren Sachen, die sie trug. Ihre gesamte Gestik und Art war anders. Connie saß kerzengerade mit damenhaft züchtig übereinandergeschlagenen Beinen. Das würde nicht lange anhalten, denn die Haltung war unbequem. Balletttänzerinnen hatten sie seit ihrer frühesten Jugend. Connie nicht. Aber für eine halbe Stunde würde die Disziplin reichen. Zeit genug, um vor mir ihre kleine Scharade abzuspielen.

Sie legte eine kleine, sündhaft teure Handtasche auf den Tisch und entnahm ihr eine Packung Cartier. »Darf ich? Ich setze mich auch ganz nah ans Fenster.«

Ich nickte, und sie zündete sich die Zigarette mit einem eleganten goldenen Feuerzeug an. Wer es auch war, er hatte an der Basisausstattung nicht gespart. Vermutlich hatte sie auch schon das kleine Vuitton-Koffer-Set. Das Kaffeewasser kochte. Ich stand auf und goss es in die Becher. »Und?«, fragte ich. »Die Sehnsucht allein ist es wohl nicht.«

»Hier ist irgendwo Party, stimmt's? Gehst du auch hin nachher?«

»Nein. Ich muss nach Hause. Meine Mutter wartet mit dem Abendessen auf mich.«

Connie kicherte und hielt sich dabei ein bisschen zu geziert die Hand vor den Mund. Hätte sie jetzt noch einen Hut auf, könnte sie ohne Probleme in der Centre-Court-Lounge des Tennisclubs sitzen.

»Hast du eine Gehaltserhöhung bekommen? Du siehst sehr gut aus.«

Sie lächelte. »Es fällt auf, nicht? Harry kriegt ziemliche Augen, wenn er mich jetzt sieht. Und Meinerz traut sich jetzt kaum noch, meinen Arsch anzusehen. Ulkig, wie unterschiedlich Männer reagieren.«

»Und Utz?«

Ihr Lächeln brach ab. »Herr von Zernikow? Er ist nicht da.«

Dann stand sie auf und suchte etwas, bis ich ihr eine Untertasse hinüberschob. Kevin hatte sie auch schon als Aschenbecher benutzt. Sie setzte sich wieder.

»Was ist mit ihm?«

Sie zuckte mit den Schultern. »Er ist krank, glaube ich. Die Sache mit dir hat ihm sehr zugesetzt. Erpressung, sagt Harry. Hast du Herrn von Zernikow erpresst?«

»Nein«, sagte ich.

Sie sah mich an und nickte dann langsam. Sie drückte die Zigarette aus und probierte von ihrem Kaffee. »Uii«, machte sie und verzog das Gesicht.

»Du musst umrühren und warten, bis er sich setzt.«

»Das musst du mir nicht erklären.« Energisch rührte sie in dem Gebräu.

»Ist er ernsthaft krank?«

»Ich weiß es nicht. Er war seit zwei Tagen nicht in seinem Büro. Das hat er noch nie gemacht.«

Sie strich beiläufig über das edle Schloss ihrer Handtasche. Jede Geste von ihr dominierte der Stolz, es endlich geschafft zu haben. Ich hoffte, der Kerl meinte es ernst. Connie war ein lieber, guter Mensch. Sie hatte es nicht verdient, an einem goldenen Nasenring vorgeführt zu werden.

»Wie kommt Harry auf Erpressung?«

»Ich weiß es nicht. Es hat mich ja auch nicht zu interessieren. Aber egal, das hier musst du noch unterschreiben.«

Sie wühlte in ihrer lächerlich kleinen Tasche. Ein Schlüsselbund fiel heraus, zwei Autoschlüssel mit Mercedes-Stern hingen daran. Dann zog sie ein mehrfach gefaltetes Papier hervor. Ich faltete es stirnrunzelnd auseinander.

»Ich kann zu den Schuhen keine Aktentasche tragen. Das verstehst du doch?«

Ich nickte. Es war eine Auflösung des Arbeitsverhältnisses im gegenseitigen Einvernehmen. Utz hatte es unterschrieben. Ich musste nur noch gegenzeichnen. Aus der Schublade des Küchentischs holte ich einen Kugelschreiber hervor und setzte meine Unterschrift darunter.

Connie starrte mich an. »Das ist alles? Harry denkt, du willst eine Abfindung. Und das mit der Partnerschaft, die hatte Herr von Zernikow dir ja angeboten. Es könnte ziemlich viel Geld für dich dabei herausspringen, sagt er.«

»Sagt Harry noch irgendetwas anderes?«

»Nein«, antwortete sie, faltete das Papier wieder zusammen und steckte es in die Tasche. »Das heißt …«

Connies Blick senkte sich voller Mitgefühl auf das Foto eines um Brot bittenden, halbnackten Kindes über der Spüle. »Hast du noch irgendwelche Unterlagen? Sie mussten deinen Schreibtisch aufbrechen, um an die Weinert-Sachen zu kommen.«

Ich schüttelte den Kopf. »Nein.«

»Bist du sicher?«

»Warum will er das wissen? Geht es um etwas Bestimmtes?«

Connie wandte den Blick ab und schlürfte einen weiteren Schluck. »Nö. Wenn du sagst, du hast nichts, dann hast du auch nichts. Ich glaube dir.«

»Und wer glaubt mir nicht?«

Connie warf einen Blick auf ihre entzückende Rado-Uhr. »Ich muss gehen. Kennst du das *Felix* im *Adlon*? Ich war noch nie da.« Sie seufzte. »Weißt du, dass ich wirklich nicht weiß, wie man einen Hummer isst? Jedes Mal, wenn wir ausgehen, habe ich Angst, dass es Hummer gibt. Ich träume nachts schon davon. Das ist doch absurd. Ich bin ultrahappy und habe Alpträume von Hummern.«

Mir fehlte das rechte Mitleid.

»Hummer ist out. Genauso wie Gänsestopfleber und Kaviar. Austern gehen noch, aber nur als Vorspeise.«

Sie hielt schnell die Hand vor den Mund. »Die leben doch noch, wenn man sie isst.«

Ich nickte. »Manchmal hört man noch so einen kleinen Schrei. Fast wie ein Quieken.« Ich ahmte ein Ferkel nach. Connie starrte mich an und lachte plötzlich. Es war das erste Mal, dass sie mich wieder an das Mädchen aus der Kanzlei erinnerte.

»Es ist schade, dass du nicht mehr da bist. Ich vermisse dich.«

Sie stand auf, ich erhob mich ebenfalls. Dann nahm sie mich in den Arm und drückte mich an sich. Sie duftete nach *First* von Van Cleef & Arpels. Es war ein sauberer, teurer Duft nach frisch gebügelter Wäsche und reinweißem Gewissen. Sie nahm ihre Tasche. Ich begleitete sie bis zur Tür. Dort drehte sie sich noch einmal zu mir um. »Ich nehme das jetzt so mit, ist dir das klar? Keine Abfindung, keine Kohle?«

Ich nickte.

Sie zog die Augenbrauen hoch. »Okay, wie du willst. Ach … diese Sache mit der Rückübertragung in Grünau, wo hast du das abgelegt?«

»Unter Lehnsfeld im unteren Hänger.«

»Da ist alles drin? Ich hab es nämlich nicht gefunden.«

»Alles.«

»Und es fehlt auch nichts? Keine Urkunde, keine Kopie? Das ist wichtig, hat Harry gesagt. Sie müssen sich jetzt langsam vorbereiten, und die Sache ist wohl irre kompliziert.«

»Es fehlt nichts«, versicherte ich ihr.

»Und du hast auch keine Kopien davon gemacht und irgendwo unter deiner Matratze versteckt?« Sie legte den Kopf auf die Seite und lächelte mich an.

Ich schüttelte den Kopf.

»Okay. Dann ist es ja gut. Ich besuche dich mal wieder. Ist das in Ordnung?« Sie hauchte mir noch einen Kuss entgegen und ging. Ein bisschen wackelig vielleicht, denn ihre Schuhe waren für dieses Treppenhaus nicht geeignet. Hinter ihr wehte ein Hauch ihres Parfüms.

Ich ging in die Küche und stellte die Becher in die Spüle. Dann betrachtete ich lange den zierlichen, perlmuttschimmernden Filter ihrer Zigarette auf der Untertasse. Ein schwacher rosa Lippenstiftabdruck haftete daran. Sehnsucht war ganz bestimmt nicht der wirkliche Grund für ihren Besuch gewesen. Die Aufhebungserklärung hätte man per Post erledigen können. Außerdem war es lächerlich, dass Connie eine Akte nicht fand. Und mit der Rückübertragung hatte ich noch gar nicht richtig angefangen. Ich erinnerte mich, dass ich die Grundbuchauszüge angefragt hatte. Mehr auch nicht. Vielleicht hatte Connie sich auch einfach nur zeigen und bewundert werden wollen. Eine neue Connie mit einem neuen Auto.

Ihr kennt euch, hatte sie gesagt. *Er weiß nicht, dass ich hier bin.* Würde Connie irgendetwas tun, das einen Schatten auf ihre neue Beziehung werfen könnte?

Der Lärm auf dem Hof nahm zu. Mittlerweile standen dort Bänke und Biertische, eine improvisierte Bühne war noch im Aufbau. Es hatten sich rund fünfzig Leute versammelt, die ich noch nie im Haus gesehen hatte und denen man die wilde Entschlossenheit ansah, sich hier die Nacht um die Ohren zu schlagen.

Ich machte die Fenster zu. In Marie-Luises Büro hing ein schwacher Geruch nach Rasierwasser. Das war genau das passende Kontrastprogramm für meine Nase. Ich ließ ihr Fenster offen und ging zur Tür. Mein Handy klingelte.

»Was'n für Blumen?« Marie-Luise, betrunken.

»Wo bist du?«

»Da, wo ich ganz bestimmt nicht sein sollte.« Sie hatte große Mühe, den Satz deutlich auszusprechen. »Kannst du kommen, bevor ich irgendeinen Scheißblödsinn mache?«

»Wo bist du?«, fragte ich noch einmal.

»In der So-Sophienstraße. In den Kunsthöfen. Ich bring sie um. Ich bring sie alle um!«

Das klang nach sofortigem Eingreifen. Ich lief hinunter in den Hof. Kevin saß auf einer umgedrehten Bierkiste in einer Ecke des Hofes. Neben ihm stapelten sich die Briefe, die nun nicht mehr den heutigen Poststempel erhalten würden. Er amüsierte sich mit einem kleinen Wesen in Armeehosen, das sich erst nach genauem Hinsehen als weiblich identifizieren ließ. Ich wusste, welches sein Fahrrad war. Es war nicht angeschlossen. Sein Pech.

Obwohl ich wie verrückt strampelte, brauchte ich fast zwanzig Minuten bis zur Sophienstraße. Die Kunsthöfe waren ein sehr schick renoviertes Klinkergebäude mit einer Passage zur Gipsstraße. Dort hatten sich ein Deli, mehrere absurde Designer, eine Keramikwerkstatt mit Exponaten von bezaubernder Einfalt und eine Galerie niedergelassen. In der Galerie wurde gefeiert. Vor ihr, auf den Stufen, eine Flasche Wein in der Hand und zwei leere neben sich, fand ich sie.

Ich hielt direkt vor ihr. Sie bemerkte mich erst, als ich Kevins Fahrradklingel betätigte, sah hoch und versuchte ein tränenverschmiertes Lächeln.

»Sie is da drin.«

Ich musste nicht fragen, wer. Ich stellte das Fahrrad an die Hauswand und setzte mich neben sie. Sie wollte mir die Flasche reichen, aber ich lehnte dankend ab. Warmer, billiger, eingespuckter Weißwein an einem heißen Sommerabend war nicht meine Sache. »War wohl nicht so gut heute Nachmittag?«

Sie blinzelte mich an. »Was meinst du? Den Fick oder das, was danach kam?«

»Kam denn noch was danach?«

Sie stierte in ihre Flasche und pustete leicht hinein. »Wir hatten ein Beziehungsgespräch. Ein Beziehungsbeendigungsgespräch. Eine einstweilige Verfügung auf sofortige Unterlassung jedweder Kontaktaufnahme.«

»Und da besuchst du die Vernissage seiner Frau?«

»Is ja seine Frau. Und nicht er.«

Das war Marie-Luises Logik. Durch die Tür sah ich ein überwiegend schwarz gekleidetes Publikum, das sich in Grüppchen vor den Bildern arrangiert hatte. Die Bilder konnte ich von hier aus kaum erkennen, sie sahen sehr abstrakt, wild und bunt aus. Nicht mein Geschmack. Eine Frau Anfang fünfzig, sehr elegant, mit einer unglaublich wallenden eisgrauen Haarmähne wuselte in geschicktem Slalom durch die Menschen, plauderte hier, lachte da und warf verstohlene Blicke auf das heulende Elend vor ihrer Tür.

»Ist sie das? Die mit den grauen Haaren?«

Marie-Luise nickte. »Sie hat gesagt, ich soll verschwinden. Ich bin nicht eingeladen. Ich passe nicht hierher.«

»Wahrscheinlich weiß sie, wer du bist.«

Marie-Luise zog die Nase hoch. »Feige Sau. Umso schlimmer. Ich gehe rein und sage ihr jetzt die Meinung. Vor allen Leuten!«

Sie erhob sich schwankend, wurde von mir aber ziemlich brutal wieder auf die Stufen geholt.

»Das tust du nicht. Sie kann nichts dafür, dass ihr Mann sich nicht entscheiden kann.«

In diesem Moment kam er um die Ecke. Er stutzte. Dann eierte er in seinem schlingernden Gang langsam und vorsichtig auf uns zu.

»Was machst denn du hier?«, fragte er.

Marie-Luise steckte nur den Zeigefinger in den Flaschenhals und schlug mit ihr auf die Klinker stufen. Schmiedgen blickte unauffällig in die Galerie. Seine Frau stand jetzt etwa drei Meter vom Eingang entfernt und sah zu uns herüber. Sie wusste alles. Ihr war ganz offensichtlich nicht wohl bei dem Gedanken, dass sie dieses Wissen gleich mit der ganzen Abendgesellschaft teilen würde. Schmiedgen strich sich nervös die flatternden Haare hinter die Ohren. Zumindest mit ihren Frisuren hatten die beiden im Laufe ihres Zusammenlebens eine erstaunliche Ähnlichkeit erreicht.

»Was willst du?«, fragte er.

Ich drückte sanft Marie-Luises Arm.

Doch sie schüttelte mich ab. »Nur mal sehen«, nuschelte sie. Schmiedgen zog die Augenbrauen hoch und sah mich an. Ich deutete ihm mit einer Kopfbewegung an, dass er sich am besten ganz schnell verdrückte.

»Dann darf ich wohl vorbei?«

Er stieg um Marie-Luise herum. Sie rückte keinen Millimeter zur Seite. Er ging hinein und wurde von seiner Frau mit einem sehr distanzierten Wangenkuss begrüßt.

»Komm, wir gehen«, sagte ich.

»Ich – kann – nicht …«, stöhnte sie. Dann holte sie aus und schmetterte die Flasche mit voller Wucht gegen die Stufe. »Ich bring sie um. Alle beide. Wie sie da stehen und mich anstarren. Wer bin ich denn? Wer bin ich denn?«

Die letzte Frage brüllte sie. In der Galerie war es still geworden. Alle Gäste starrten zur Tür. Frau Schmiedgen hatte ihren Gatten am Arm gefasst. Ob sie sich stützen oder ihn daran hindern wollte hinauszueilen, war nicht ganz klar. Ich zog Marie-Luise auf die Füße und wollte sie wegziehen. Sie machte sich los und hielt jetzt mir den abgeschlagenen Flaschenhals unter die Nase.

»Wer bin ich?«, schrie sie. »Dass ich das mit mir machen lasse?«

»Hör auf«, sagte ich leise. »Lass das sein. Du machst es nur noch schlimmer.«

Zwei Männer mit breiten Schultern im dunklen Anzug und zurückgegelten Haaren kamen zur Tür. »Können wir helfen?« Die Frage war eine Drohung.

»Nein!«, brüllte Marie-Luise. »Das können Sie nicht! Hauen Sie ab, und sagen Sie dieser … dieser …«

»Es ist gut«, antwortete ich. »Wir haben Stress. Das kommt öfter vor.«

»Aber nicht hier«, sagte der Jüngere von den beiden. Sie hatten sonnengebräunte Gesichter und sahen nicht so aus, als ob sie sich viel aus Moderner Kunst machten. »Zieht Leine.«

Ich krallte Marie-Luise und zog sie gegen ihren energischen Protest hinaus auf die Straße. Sie fuchtelte noch ein bisschen mit dem Flaschenhals herum, trat und kratzte, aber ich behielt sie im Griff. Langsam beruhigte sie sich. »Das hättest du nicht tun sollen«, sagte sie endlich eine Straßenecke weiter und übergab sich. Ich wartete, bis das Unvermeidliche vorüber war. »Die hätten dich anzeigen können«, sagte ich.

»Egal.«

Sie würgte noch ein bisschen nach, aber es kam nichts mehr. Ich reichte ihr ein Taschentuch, eines meiner letzten gebügelten, das sie ohne Reue vollschnodderte und mir dann zusammengeknäuelt wieder in die Hand drückte.

»Oh Gott, ist mir schlecht.«

»Wo steht dein Wagen?«

»Dahinten.«

Sie gab mir die Schlüssel und stolperte hinter mir her. Ich öffnete die Tür, und sie sank mit einem Stöhnen in den Sitz.

Dann schlief sie ein. In der Mainzer Straße holte ich sie heraus und trug sie nach oben.

»Geh nich weg«, murmelte sie. »Was für Blumen?«

Ich legte sie ins Bett und deckte sie zu. »Jetzt nicht.«

Sie war schon wieder eingeschlafen.

Ich wollte ihr noch die Autoschlüssel in den Briefkasten werfen. Aber die Gelegenheit für einen Ausflug nach Reinickendorf war nicht schlecht. Ich schrieb Marie-Luise einen Zettel, warf ihn in ihren Briefkasten, stieg ins Auto und fuhr nach Hause.

32

Ich fand meine Mutter und Hüthchen vor dem Fernseher, der mit einer Affenlautstärke lief. Beide schliefen. Ich weckte sie, indem ich einen Knopf auf der Fernbedienung drückte. Stille, Ruhe, Frieden.

»Du bist schon da?«, fragte meine Mutter und rieb sich die Augen. Dann griff sie reflexartig nach ihrer Armbanduhr, die sie vor sich auf dem Couchtisch liegen hatte, setzte ihre Brille auf und musterte das Zifferblatt.

»Zehn Uhr!«

Hüthchen scharrte mit den Füßen, um ihre Pantoffeln zu finden. Dann wuchtete sie sich ächzend hoch.

»Wollen Sie noch etwas essen?«

»Nein danke.«

Ich hielt Marie-Luises Autoschlüssel hoch. »Wie wär's mit morgen Vormittag? Reinickendorf?«

»Das glaub ich erst, wenn wir da sind«, sagte Hüthchen, ohne mit der Wimper zu zucken. Dafür, dass ich sie unlängst vor der Bahnhofsmission gerettet hatte, wurde sie ganz schön frech.

»Morgen Vormittag?«, fragte meine Mutter. »Dann müssen wir … Also, es gibt da noch einiges vorzubereiten. Wann denn?«

Ich hatte meine Termine halbwegs im Kopf. Marie-Luise würde vormittags die Weinert-Erbin vor Gericht vertreten und es auf die sanfte Tour versuchen, sofern sie ihren Kater im Griff hatte. Kevin erschien nicht vor zwölf. Zu Fuß, vermutlich. Die erste Vorverhandlung der libanesischen Unabhängigkeitskämpferin war am Freitag. Alle anderen Fälle waren auf den Weg gebracht und absolvierten gerade zuverlässig ihren Gang durch die juristischen Instanzen.

»Neun Uhr«, schlug ich vor.

»Das ist zu früh«, protestierte meine Mutter.

»Tut mir leid. Ich muss um zwölf im Büro sein. Morgen oder nie.«

»Dann müssen wir früh raus«, stellte Mutter fest und nahm ihre Brille ab. »Wo ist denn ...«

Sie suchte den hoffnungslos überfüllten Couchtisch ab. »Mein Brillenetui. Das lag hier doch die ganze Zeit.«

Wir suchten gemeinsam, und ich fand es unter der Couch. Mutter strahlte.

»Also dann, ab ins Bett. Morgen früh ist die Nacht rum.«

Ich ging in die Küche, während die beiden Damen generalstabsmäßig Bade- und Schlafzimmer okkupierten.

»Ich bin fertig!«, rief Mutter. »Gute Nacht!«

»Gute Nacht!«, rief ich zurück.

Im Kühlschrank fand ich eine offene Dose Margarine. Ich hob die ranzige Schicht ab und roch an dem Rest. Dann warf ich ihn in den Müll. Morgen stand ein Großeinkauf an.

Mit einem Knäckebrot, auf das ich einen Rest Erdbeermarmelade geschmiert hatte, ging ich in mein Zimmer. Ich ließ das Licht aus. Die Straßenlaterne zeichnete ein helles Muster auf den Teppich. Ich kannte dieses Muster. Es war, als wäre ich nie weg gewesen. Und gleich würden nebenan die Stimmen lauter werden. Wie immer, wenn sie dachten, dass ich schlief.

Die Badezimmertür klappte noch einmal. Wenig später hörte ich die Wasserspülung. Ich aß das Knäckebrot und dachte an Natalja und das Kind.

Dieses Kind liebte seine Mutter, so wie alle Kinder ihre Mütter lieben. Doch die Mutter kümmerte sich kaum um das Kind. Es bekam ein Kindermädchen. Ein ganz junges Ding, das kaum Deutsch sprach und aus einem Dorf in der Ukraine hierherverschleppt worden war. Zwei Kinder im Krieg. Verängstigt und alleine. Dann wird der Junge nach Pommern verschickt. Er lebt dort in relativer Sicherheit. Das Mädchen bleibt in Berlin. Durften sie sich schreiben? Konnten sie telefonieren? Was treibt den Jungen dazu, sich alleine auf den Weg zurück in die Stadt zu machen?

Egal, aus welchen Gründen, er kommt nach Berlin. Und wird Zeuge von etwas, das nicht hätte geschehen dürfen. Nur ein Diebstahl? Oder mehr? Der Junge sagt im Prozess gegen das Mädchen aus. Gegen den Menschen, der ihm am nächsten war, zu dem er einen langen Leidensweg auf sich genommen hat. Was hat er empfunden? Was hat er gesehen?

Natalja wird von einem Standgericht verurteilt, an einem Novembertag im Jahr 1944. Gerichte wurden genauso zerbombt wie Gefängnisse. Häuser ebenso wie Gärten. Schloss oder Hütte, es machte keinen Unterschied. In Plötzensee wurde während eines Bombenangriffes die Guillotine zerstört, Hinrichtungen mussten verschoben werden. Zootiere liefen aus ihren geborstenen Käfigen bis zum Kurfürstendamm. Verwundete Löwen, schreiende Zebras. Berlin war eine brennende Stadt. Gut möglich, dass Natalja die Flucht gelungen war.

Vielleicht glaubt sie, alles sei verjährt. Die Urteile der NS-Justiz haben keine Gültigkeit mehr. Sechzig Jahre später wendet sie sich an Utz von Zernikow, um eine Bestätigung über die Zeit ihrer Zwangsarbeit zu erhalten. Sechzig Jahre hat sie damit gewartet. Sie ist eine sehr alte Frau. Doch sie muss auch damit gerechnet haben, dass man sich nicht nur an das Kindermädchen erinnert, sondern auch an die Verbrecherin. Doch was hat sie sich eigentlich zuschulden kommen lassen?

Ich starrte auf den Lichtfleck, bis mir die Augen brannten. Dann schlief ich ein.

Kaffeeduft weckte mich. Ich sah auf die Uhr. Es war kurz nach sieben. Die Wohnungstür wurde geöffnet und geschlossen, jemand schlich auf dem Flur herum. Eine Stunde später stand ich auf.

Mutter und Hüthchen hatten den Frühstückstisch gedeckt. Es gab Brötchen und Schinkenwurst, die erstaunlich frisch aussah.

»Wir waren schon einkaufen«, erklärte meine Mutter und summte fröhlich vor sich hin, als sie den Kaffee eingoss. Sie hatte sich ordentlich frisiert und ein hellblaues Kostüm angezogen, das etwas aus der Mode war, ihr aber ausgezeichnet stand.

Hüthchen trug wie immer etwas Sackartiges von undefinierbarem Dunkel. Beide aßen mit gutem Appetit, so dass ich mich beeilen musste, um noch ein Brötchen abzubekommen.

Im Flur standen zwei große Reisetaschen.

»Wollt ihr umziehen?«, fragte ich.

Mutter schüttelte den Kopf. »Nein. Das brauchen wir. Wir wollen ja nicht mit leeren Händen kommen, nachdem wir schon so lange nicht da waren.«

Aus der einen Reisetasche ragten mehrere Plastiktüten mit Topfblumen. In der anderen lagen Eimer, Schaufel und Rechen. Alles zusammenklappbar.

»Ihr pflanzt eure Geschenke gleich selbst ein?«

Hüthchen schoss einen giftgrünen Blick auf mich ab. »Vielleicht helfen Sie uns ja. Dann müssen wir die Arbeit nicht alleine machen.«

Ich hob die Taschen hoch und trug sie hinunter. Es war halb neun. Der Tag würde schwül und bewölkt werden. Und sehr, sehr heiß.

Nachdem Mutter und Hüthchen die Wohnung abgeschlossen hatten, eilten sie, so schnell es ging, hinter mir her.

»Der da?«, fragte Mutter enttäuscht und deutete auf Marie-Luises Volvo. Sie hatte mit dem Porsche gerechnet. Irgendwo sind alle Mädchen gleich, egal, wie alt sie sind.

»Der oder keiner!« Ich hielt die Türen auf, und es ging los.

Wir fuhren über die Stadtautobahn bis hinter Wittenau, dann begann das Chaos. Mutter und Hüthchen stritten sich lauthals, in welche Richtung es weitergehen sollte.

»Nach Konradshöhe geht es rechts!«

»Links!« Darauf bestand Hüthchen.

Hüthchen hatte Recht.

Ich war lange nicht mehr in Konradshöhe gewesen. Es war ein ländliches Viertel im Norden der Stadt, umgeben von dichten Wäldern. Die Straßen zeichneten die alte, gewachsene Dorfstruktur. Es gab Kaufläden und Kopfsteinpflaster, kleine Häuser und am Havelufer einige imposante Villen. Ganz in der Nähe musste eines der Häuser stehen, in denen Mutter sich immer zum Bridge getroffen hatte. Doch wir fuhren an der Bushaltestelle vorbei zum Dorfausgang.

»Nach links!«, schrie mir Mutter ins Ohr.

»Nein, nach der Gabelung da vorne rechts! Rechts!«

Ich fuhr an den Straßenrand und schaltete den Motor aus. »Wo wollt ihr eigentlich hin?«

»Zum Friedhof«, sagte Hüthchen.

»Und? Welcher Friedhof? Wer wohnt da?«

Hüthchen sah auf Mutter, Mutter auf ihre Kunstlederhandtasche.

»Zum Friedhof?«, fragte ich noch einmal. Mutter nickte.

Ich startete und fuhr los. Nach wenigen Minuten hatten wir das Ziel erreicht. Der Konradshöher Friedhof lag, umgeben von einer Backsteinmauer, direkt am Ortsausgang. Ich parkte neben dem weit geöffneten, schmiedeeisernen Tor. Dann stieg ich aus und half den Damen aus dem Wagen. Zum Schluss holte ich die Taschen aus dem Kofferraum.

»Und nun?«

Hüthchen und Mutter sahen sich an. »Zuerst zu Heidemarie.«

Ich hob die Taschen hoch und folgte den beiden.

Unter den Bäumen war es wohltuend kühl. Wir folgten einem schnurgeraden Kiesweg, von dem links und rechts die Pfade zu den einzelnen Grabstellen abgingen. Es war in Ordnung, wenn meine Mutter erst das Grab einer verstorbenen Bridgefreundin besuchen wollte. So viel Zeit musste sein. Die beiden Damen vor mir stritten sich schon wieder und bogen ein paar Schritte nach links ab. Zankend kamen sie wieder heraus und liefen in die andere Richtung. Ich eilte mit Topfpflanzen, Eimer, Spaten und Rechen hinterher. Vor einem schlichten Grab blieben sie schließlich stehen.

»Das ist ja unglaublich, wie es hier aussieht!«, empörte sich Hüthchen. »So was von unordentlich!«

Ich ließ die Taschen fallen. Hüthchen sank auf die Knie und begann flink, verdorrtes Unkraut auszurupfen. Mutter stand daneben und begutachtete die Pflanzen.

»Was hältst du von der Hortensie?«

Hüthchen, schon jetzt schweißnass, richtete sich auf. »In Rosa? Das hat sie doch nie gemocht. Den Rhododendron. Bitte.«

Ich holte den Rhododendron heraus und pulte ihn aus dem Topf. Das hätten mir die beiden auch früher sagen können. Ich trug den letzten gereinigten Anzug.

Hüthchen stand ächzend auf. »Könnten Sie den Efeu nachschneiden?«

Sie reichte mir eine Gartenschere, und ich begann, streng unterwiesen von den beiden Gartenfachfrauen hinter mir, das Gestrüpp zu stutzen. Zwischendurch hatte Mutter eine Schubkarre geholt, auf die wir die Abfälle warfen. Nach einer halben Stunde sah Heidemaries gute Stube wieder wohnlich aus. Mutter begoss den Rhododendron und betrachtete zufrieden ihr Werk.

»Und jetzt zu Otto.«

»Otto?«, fragte ich.

»Das ist nicht weit. Gleich ein paar Schritte nebenan.«

Ich legte die Reisetaschen auf das Unkraut und folgte den beiden mit der Schubkarre. Ottos Grab sah etwas besser aus.

»Ob sie das wohl macht?«, fragte Hüthchen.

Mutter schüttelte entschieden den Kopf. »Die hat sich ja selbst zu Lebzeiten kaum um ihn gekümmert. Das war bestimmt der Gärtner.«

»Aber hier, schau mal …«

In einer Stilvase steckte ein halb verwelkter Strauß rote Rosen. Otto ruhte im Frieden des Herrn seit knapp drei Jahren hier. Hüthchen riss den Strauß aus der Vase und warf ihn auf die Schubkarre.

»Das ist ja unglaublich. Betrogen hat sie ihn, und jetzt rote Rosen. Eine Unverschämtheit.«

Ich hieß die Damen, zur Seite zu treten, und begann mit den Aufräumungsarbeiten. Meine Hose war ohnehin nicht mehr zu retten, und meine Schuhe waren erdverkrustet. Mutter und Hüthchen machten sich auf den Weg, um frisches Wasser in die Gießkanne zu füllen. Ich rupfte einige Halme aus und kratzte etwas Erde von der Grabeinfassung. Ich verstand das hier nicht. Ich hatte eine Bridge-Runde erwartet. Fröhliche, ältere Leute. Ein netter Vormittag. Ich hatte vor, einen Spaziergang zu machen und sie anschließend in die Konditorei einzuladen. Jetzt putzte ich Gräber. An Otto erinnerte ich mich noch. Er war ein gemütlicher runder Mann gewesen, der mir jedes Mal freundlich zugelächelt hatte. Kein Mann, an dessen Grab man noch zur Eifersucht neigen würde. Obwohl …

Mutter und Hüthchen kamen wieder. Die Gießkanne war schwer, und ich stand auf, um sie ihnen abzunehmen. Ich war gespannt, welche Überraschungen noch auf mich warteten.

Nach Otto kam Martha an die Reihe, die kürzlich Verschiedene, und zum Schluss Gustav. Es war elf Uhr vorbei, als wir endlich fertig waren. Mein Rücken schmerzte, mein Anzug war ein Fall für die Spezialreinigung, aber Mutter und Hüthchen hatten blitzende Augen und saßen schnatternd neben mir auf einer Bank. Direkt gegenüber neigte sich ein Engel aus Sandstein kniend über seine betenden Hände.

»Bridge«, sagte ich in eine kurze Gesprächspause hinein.

Mutter und Hüthchen sahen mich an.

»Warum hast du mir nichts gesagt? Alle sind tot. Heidemarie, Otto, Martha und Gustav. Hier liegt deine gesamte Bridge-Runde. Alle deine Freunde. Ich habe einige von ihnen gekannt. Warum hast du nie etwas davon erzählt?«

Meine Mutter schwieg und betrachtete die Blütenpracht der umliegenden Gräber. »Wann denn?«, sagte sie schließlich leise. »Du warst nie da. Du hattest nie Zeit.«

Einige Spatzen kamen herangeflattert und sahen zu uns hinauf.

Mutter kramte in ihrer Handtasche und fand einen abgepackten Keks, wie er in drittklassigen Konditoreien zum Kaffee gereicht wird. Sie riss das Cellophan ein und warf den Spatzen die Krümel hin.

»Dass Martha gestorben ist, hast du gewusst.«

Ich beobachtete die Vögel, wie sie sich um die Krumen stritten. Genauso häppchenweise teilte meine Mutter die Wahrheit zu. In kleinen Krümeln, damit sie niemandem im Halse stecken blieb.

Ich würde mich verspäten. Aber das war nicht so wichtig. Wir spazierten zum Ausgang und verfrachteten die Reisetaschen in den Kofferraum. Dann wendete ich den Wagen. Vor einem Café hielt ich an. Hüthchen bestellte Frankfurter Kranz, Mutter Käsekuchen. Ich nahm ein Croissant. Dazu gab es Kaffee.

Wir unterhielten uns darüber, wie schön die Gräber jetzt aussahen. Mutter und Hüthchen brachen noch einmal einen Streit vom Zaun, ob Hibiscus oder Rhododendron die robustere Pflanze sei. Wir plänkelten uns durch den heißen Sommermittag. Es hätte nicht viel gefehlt, und Hüthchen hätte die Skatkarten herausgeholt.

»Ich will kein Grab«, sagte meine Mutter mittendrin. Dann trank sie ungerührt ihre Kaffeetasse aus und schenkte sich aus Hüthchens Kännchen noch einen Schluck nach.

»Und warum nicht?«, fragte ich.

Sie schüttelte sich. »Wenn ich mir vorstelle, wie der Efeu langsam alles zudeckt … Das muss nicht sein. Ich will eine schöne, anonyme Urnenbestattung.«

Der letzte Bissen Frankfurter Kranz sank wieder von Hüthchens weit geöffnetem Mund auf den Teller. »Du willst ins Feuer?«

»Feuer reinigt«, erwiderte meine Mutter. »Ich will nicht langsam verfaulen. Du vielleicht?«

Hüthchen schob den Teller ein wenig von ihrem Busen weg.

»Ich weiß nicht. Ich habe mir darüber noch keine Gedanken gemacht. Und Sie?«

»Ich? Ich auch nicht.«

»Das solltest du aber«, sagte Mutter. »Ich habe alles aufgeschrieben. Es liegt in meiner Nachttischschublade. Auch, wer was bekommt. Das seid ja eigentlich nur ihr beide.«

»Ich will mir das nicht länger anhören«, schnaufte Hüthchen empört. Sie stemmte sich hoch und suchte die Waschräume auf.

Meine Mutter nahm meine Hand. »Hier. Nimm.«

Sie schob etwas über den Tisch. Widerwillig löste ich meinen Blick von den Gummibäumen neben dem Kuchentresen und sah auf eine alte Schwarzweißfotografie. Mein Vater, lächelnd, mit einem pausbäckigen Kind auf dem Arm, das lachend nach seinen Ohren griff.

Ich nahm sie hoch und betrachtete sie, dann reichte ich sie meiner Mutter zurück.

»Ich will das nicht.«

»Du musst ihn ja nicht anschauen. Nur behalten. Du hast nichts mitgenommen damals.«

Ein draller Arm schnellte von hinten über meine Schulter und nahm mir das Foto ab.

»Hildegard!«, trompetete Hüthchen. »Das war er also? Und der Kleine, sind Sie das?«

»Ja«, knurrte ich.

»Ein niedlicher Junge waren Sie. Ja, so verändern sich die Leute.« Sie plumpste in ihren Stuhl und hielt mir das Foto entgegen. Wohl oder übel steckte ich es ein.

Dann winkte ich der Kellnerin zu, die Rechnung zu bringen. Ich machte mein Handy wieder an und hörte zwei Nachrichten ab, die inzwischen eingegangen waren.

»Marie-Luise hier.« Ihre Stimme hallte, als spräche sie auf der Toilette. »Mir ist kotzübel. War gestern noch irgendwas? Ich habe Milla keine Blumen geschickt. Zumindest kann ich mich daran nicht erinnern. Ich fahre jetzt zum Gericht, wenn ich es schaffe ...«

Es folgte ein entsetzliches Geräusch, dann die nächste Nachricht.

»Lehnsfeld, Aaron von Lehnsfeld. Tut mir leid, dass ich Ihnen jetzt Unannehmlichkeiten bereiten muss. Sie können natürlich noch zahlen. Bis heute Abend. Dann wird es ungemütlich.«

Die Kellnerin brachte den Beleg. Ich gab ein unüblich hohes Trinkgeld und forderte die Damen zur Eile auf. Zu Hause brachte ich noch die Reisetaschen hoch.

»Da ist Post für dich«, sagte meine Mutter. Sie gab mir mehrere Umschläge. Meine Adresse bei Sigrun war durchgestrichen und stattdessen die meiner Mutter angegeben. Es waren Schreiben meines Steuerberaters, der Telekom und ein dicker Umschlag vom Grundbuchamt. Das mussten die Unterlagen für den Rückübertragungsfall sein. Es dauerte einen Moment, bis ich darauf kam, warum er an meine Privatadresse gegangen war. Ich hatte beide auf meinen Visitenkarten stehen. Vermutlich hatte sie jemand auf dem Amt verwechselt.

Um eins war ich endlich im Büro. Wenig später tauchte Kevin auf.

»Irgendeine Sau hat mir mein Fahrrad geklaut.«

Ich sah überrascht hoch. »Nicht möglich! Das tut mir aber leid.«

Kevin startete den Computer. Ich beschloss, am Abend noch einmal in den Kunsthöfen vorbeizuschauen. Wenn es noch dort stand, sollte er es wiederhaben.

»Die Post ist weg?«

»Ja.«

»Gestern oder heute?«

»Gestern«, log er, ohne den Kopf zu wenden.

Ich nickte. »Gut. Dann können wir ja gleich weitermachen.«

»O Mann! Ich hab auch noch was anderes zu tun!«

»Was denn?«, fragte ich ihn. Dann diktierte ich einen Brief an das zentrale Mahngericht. Als wir fertig waren, musste Kevin erst mal rauchen und verschwand in die Küche.

Ich öffnete den Umschlag des Grundbuchamtes. Ein alter Bauplan, eine Zeichnung neueren Datums und mehrere ältere Auszugskopien. Ich sah mir das Haus genauer an.

Es war in der typischen Grünauer Villenkoloniebauweise errichtet, mit einem hübschen runden Turm und einer ländlich wirkenden Holzveranda. Den Umbauten in den Fünfzigern war die Veranda zum Opfer gefallen, dafür hatte man einen flachen, bungalowartigen Anbau hinzugefügt. Der Keller war vergrößert worden, indem man eine Zwischenwand herausgerissen hatte.

Ich sah auf das Datum. Es hätte genauso gut 1945 wie 1955 heißen können. Aber es war gestempelt von der Baukammer der DDR. Also hatte alles seine Richtigkeit.

Warum waren Connie diese Unterlagen so wichtig gewesen? Jeder konnte sie sich beschaffen. Sie lagen reihenweise in den Archiven von mindestens einem halben Dutzend Behörden. Ein Anruf, und man konnte sie einsehen.

Ich verschloss den Umschlag wieder und verstaute ihn in meinem Schreibtisch. Mit den Plänen konnte ich jetzt nichts mehr anfangen. Connie hatte Recht. Sie gehörten mir nicht. Sie gehörten in die Kanzlei.

Marie-Luise wankte kreidebleich herein. Sie ließ sich auf Kevins Sessel fallen und legte den Kopf auf die Arme. »Ein Bett«, röchelte sie. »Ein Königreich für ein Bett und ein Alka-Seltzer.«

Ich reichte ihr die Autoschlüssel, die sie ohne Kommentar einsteckte. »Wie ist es gelaufen?«

Sie sah hoch. »Dank deiner grundgütigen Vorwarnung hat sich die Weinert-Erbin als die liebenswürdigste aller Töchter präsentiert und ihren Plan, vor dem Nachlassgericht das Testament anzufechten, aufgegeben. Dafür hat sie den Pflichtteil gekriegt und noch fünfzigtausend Euro aus dem Vermögen des Erblassers dazu.«

Das musste Harry und Georg wehgetan haben. »Herzlichen Glückwunsch.«

»Ich geh nach Hause.«

Sie erhob sich. »Hat sich was mit den Blumen getan?«

»Keine weiteren Vorkommnisse. Horst meldet sich. Vor allem beim Auftauchen von Blumenboten.«

»Dann ist es ja gut.«

Marie-Luise stöhnte kurz auf und griff sich an die Schläfen. »Ich hol mir ein Glas Wasser.«

Sie ging in die Küche und kam wenig später mit einem aufgelösten Aspirin und einem Zettel wieder. »Kannst du mir das erklären?«

Ich kündige, stand auf dem Zettel. Kevin. Marie-Luise stürzte das Gemisch hinunter und ließ sich noch einmal auf den nun verwaisten Schreibtischstuhl fallen.

»Ich fass es einfach nicht. Überall, wo du auftauchst, hinterlässt du verbrannte Erde. Was war denn nun schon wieder los?«

»Er musste arbeiten. Das hat ihn zutiefst verstört und offensichtlich ein Trauma hinterlassen, über das höchstens eine gruppentherapeutische Büroaufstellung hinweghilft. Oder eine Busreise zum nächsten Weltwirtschaftsgipfel.«

Sie zog die rechte Augenbraue hoch. »Und jetzt?«

»Entweder kommt er wieder, weil er das Praktikum für sein

nächstes Semester braucht, oder du hängst einen Zettel an der Uni aus. Dann hast du morgen zehn Kevins hier stehen.«

»Na prima. Schönen Dank. Gibt es auch etwas Erfreuliches?«

»Ja. Kevin ist weg.«

Sie stand wortlos auf und ging hinaus. »Übrigens weiß ich was, was du nicht weißt«, sagte sie in der Tür.

»Und das wäre?«

Sie kam noch einmal einen Schritt hinein. »Georg Schäffling vermisst dich.« Marie-Luise lächelte. Das Aspirin begann zu wirken. »Wir waren nach dem Termin noch was essen in der Kantine. Das heißt, er hat gegessen, und ich habe einen Pfefferminztee getrunken. Glaub übrigens nicht, dass er mich dazu eingeladen hat. Er kam mir ein bisschen verloren vor. So ganz plötzlich ohne dich, so ganz allein …« Sie trat an meinen Schreibtisch und stützte sich mit beiden Händen auf. »Ich habe ihm gesagt, dass er es nur seiner umwerfenden Ausstrahlung zu verdanken hat, dass ich mich während der Hauptverhandlung nicht richtig konzentrieren konnte. Und er nur deshalb den Rest des Vermögens retten konnte. Aber dass er trotzdem ein umwerfender Anwalt ist. Oder es werden wird, wenn euer Harry ihn lässt. Das ist vielleicht ein unsympathischer Kerl.«

Sie ging zum Fenster und steckte sich eine Zigarette an. »Vielleicht solltest du dich mal mit Georg treffen.«

Jetzt lächelte ich sie an. »Never change a winning team. Das hast du doch bis jetzt großartig gemacht.«

»Vergiss es. Ich habe noch keinen Mann kennen gelernt, der sich so oft bei einer Unterhaltung mit mir an den Ehering gegriffen hat.«

Das Wort »Ring« erinnerte mich daran, dass ich mit den Lehnsfelds noch ein Hühnchen rupfen musste. Ich griff zum Telefon. Ein Zeichen für Marie-Luise, damit sie sich nicht endlos auf meiner Fensterbank breitmachte und mir das Zimmer voll rauchte.

»Ich verstehe«, sagte sie und schnippte wie immer die Kippe in den zwölf mal zwölf Meter großen Aschenbecher unter ihr. »Du willst, dass ich mich für die Wahrheit opfere und mich diesem zarten, unerweckten Mann hingebe. Dabei ist das dein Job.«

»Mit Georg? Das kannst du nicht von mir verlangen.«

»Triff dich mit ihm. Ich glaube, er weiß was. Zumindest ist er jetzt unsere einzige Verbindung zur Kanzlei Zernikow. Mich kannst du erst mal streichen. Ich leg mich hin.«

Aaron hatte sein Handy ausgeschaltet, es meldete sich nur die Mailbox. Ich erklärte ihm, dass auf seine letzte Ankündigung mindestens zwei Jahre mit Bewährung stünden und wir uns jederzeit mit Verena treffen könnten, um die Ringrückgabe zu erledigen.

Wenig später rief er zurück. »Zwanzigtausend«, war sein erstes Wort.

»Keinen Cent«, erwiderte ich.

»Dann wird es ernst.«

»Ist das eine Warnung?«

»Nehmen Sie es, wie Sie möchten. Wie schreibt ihr Anwälte immer so nett? Werden wir uns vorbehalten, entsprechende Schritte einzuleiten.«

»Ich will Verena persönlich sehen.«

»Sie wissen doch, was sie beim letzten Mal gesagt hat.«

»Richten Sie ihr aus, dass es jemanden gibt, der bezeugen kann, dass es sich bei der Leihgabe um genau diesen Ring gehandelt hat.«

»Ach«, sagte Aaron. »Da sind wir aber gespannt.«

»In Zukunft spreche ich nur noch mit Ihrer Mutter. Klar?«

Aaron legte auf.

Der Schweiß lief mir den Rücken hinunter. Ich hätte zu Hause noch duschen sollen. Überall klebten Staub und Erde an mir. Inmitten des Altpapierberges unter dem Couchtisch in der Mierendorffstraße mussten noch die alten Zeitungen liegen. Die Gru-

newalder Verlobung. Das Bild von Verena. An ihrer Hand ein
großer grüner Ring. Das würde reichen.

33

Als am späten Nachmittag die letzten Gäste halb waagerecht das
Hoffest verließen, begannen die Aufräumungsarbeiten. Es war so
laut, dass ich das Fenster schließen musste. Vermutlich hörte ich
sie deshalb nicht die Treppe heraufkommen. Gegen halb sechs
klingelte es. Ich dachte noch, Marie-Luise hätte die Schlüssel vergessen oder es käme ein später Mandant, und öffnete die Tür.

Zwei maskierte Männer stürmten herein. Der erste versetzte
mir sofort einen Schlag in den Magen. Der Schmerz war überwältigend und kam mir sehr bekannt vor. Vermutlich hatten sie
mit Milla dieselbe Schule besucht.

Die Männer knallten die Tür zu und schleiften mich in die
Küche. Ich konnte mich nicht mehr wehren. Einer setzte mich
auf den Küchenstuhl, der andere band mir Hände und Füße zusammen. Sie sagten kein Wort. Ich bekam eine Faust in den Magen und zwei ins Gesicht. Genau auf die Stelle, die vor kurzem
schon Milla bearbeitet hatte. Bevor ich kotzen konnte, wurde
ich ohnmächtig.

Ich kam wieder zu mir, weil irgendjemand gleichzeitig schrie
und weinte. Dann legte man mir einen nassen Lappen aufs Gesicht und riss mir das Klebeband vom Mund. Ich wollte die Augen öffnen, aber ich hatte den direkten Draht zu meinem Körper
verloren. Es ging nichts mehr.

»O mein Gott, mein Gott! Wer hat ihn so zugerichtet?«

Ich kannte die Stimme. Eine Frau, aber ich wusste nicht mehr,
zu wem sie gehörte. Ich sackte wieder nach vorne, jemand fing
mich auf.

»Mein Gott! Mein Gott!«

Entweder war sie sehr gläubig, oder man hatte mich wirklich schlimm zugerichtet.

»Alles okay?« Marie-Luise. Wieder bekam ich einen Lappen ins Gesicht. Ich schmeckte Blut in meinem Mund und wollte die Zunge bewegen. Der Schmerz war scharf und schneidend. Ich musste mir bei der Attacke auf die Zunge gebissen haben. Ein Schneidezahn wackelte. Ich bewegte Arme und Beine. Sie hatten mir nichts gebrochen. Doch als ich mich aufrichten wollte, wurden die Schmerzen fast unerträglich.

»Wir legen ihn auf den Fußboden.«

»O mein Gott! Wer kann so etwas getan haben?«

Jemand klatschte mir sacht auf die Wange. Ich schlug die Hand weg, denn ich fürchtete um meinen Schneidezahn.

»Er muss zu einem Arzt! Vielleicht stirbt er!« Ekaterina.

»Der doch nicht.« Marie-Luise.

Ich versuchte etwas zu sagen, aber es war zwecklos.

»Kannst du etwas Eis aus dem Kühlschrank holen?«

Ekaterina machte sich am Gefrierfach zu schaffen. Wenig später hatte ich einen passablen Eisbeutel im Gesicht.

»Joachim, kannst du mich hören?«, fragte Marie-Luise.

Ich nickte, sofort zuckte der Schmerz ins Gehirn.

»Okay. Ja heißt ein Finger, nein zwei Finger. Verstanden?«

Ich hob den Daumen.

»Was ist passiert?«

Ich stöhnte und versuchte, wieder auf die Beine zu kommen. Die beiden waren mir eindeutig zu kompliziert. Unter meinen Sohlen knirschte es. Ich bekam mein linkes Auge eine Winzigkeit auf. Mein unangemeldeter Besuch hatte den gesamten Geschirrschrank ausgeräumt. Überall lagen Scherben. Ich stützte mich auf Marie-Luises Schulter und humpelte in den Flur. Aus den Regalen waren die Bücher herausgerissen. Sie lagen in wüstem Chaos übereinander, bei einigen hatten sie sich die Mühe gemacht, ein paar Seiten zu zerfetzen. Es stank.

»Sie haben auf die Bücher gepisst«, sagte Marie-Luise.

»O mein Gott!«

Ich wünschte, Ekaterina würde sich etwas zurückhalten. Das hier hatte nichts mit Gott zu tun. Ich humpelte in mein Büro. Der Schreibtisch war umgeworfen, alle Schubladen herausgerissen und der Inhalt über den Boden verstreut. Jemand hatte den Monitor meines Computers eingetreten. Den von Kevin übrigens auch.

»Und bei dir?«, fragte ich langsam.

»Ähnlich«, sagte Marie-Luise. Sie hob meinen Schreibtischstuhl auf und setzte mich vorsichtig ab. »Ich rufe die Polizei an. Mist.«

Die Täter hatten die Telefonleitungen aus der Wand gerissen. Sie benutzte ihr Handy. Eine Viertelstunde später kamen zwei Beamte und verschafften sich ein Bild der Lage.

»Zwei Personen?«, fragte mich einer der beiden. »Kannten Sie sie?«

»Ich weiß es nicht. Ich glaube nicht.«

»Fehlt irgendetwas?«

»Das wissen wir noch nicht«, antwortete Marie-Luise. »Wir müssen erst mal aufräumen.«

»Können Sie sich einen Grund für den Überfall vorstellen?«

Ich bekam mein Auge mittlerweile etwas weiter auf. Es sah nach blinder Zerstörungswut aus. Aber es konnte auch mehr dahinterstecken.

»Nein«, nuschelte ich. »Bis jetzt noch nicht.«

Der Beamte wandte sich an Marie-Luise. »Sie waren vor vier Jahren schon einmal Opfer eines Überfalls. Damals mit rechtsextremistischem Hintergrund.«

»Das war anders«, antwortete Marie-Luise. »Das waren anonyme Anrufe und ein paar dämliche Zettel, und dann hat man mich ein bisschen angerempelt. Aber das hier …«

Sie stockte. Hinter mir hörte ich Ekaterina »Mein Gott« flüstern. In meinem Magen wütete ein brennender Schmerz. Mir wurde übel.

Die Beamten verabschiedeten sich. Sie wollten sich noch im Haus umhören.

Marie-Luise klaubte aus den Scherben in der Küche einige benutzbare Keramikbecher und setzte Teewasser auf. Ich hinkte langsam durch die Räume und begutachtete den Schaden. Bis auf die zerstörten Monitore war nicht viel zu Bruch gegangen. Die geschundenen Bücher im Flur waren eine Art Abschiedsgruß. Davor hatten sie etwas gesucht. Ich musste das System erkennen, nach dem sie vorgegangen waren. Die Leitz-Ordner hatten sie stehen lassen. Also musste es etwas Dünneres sein. Eine Hängemappe oder lose Unterlagen.

Und sie hatten es bei mir gesucht.

Marie-Luise kam mit einem Teebecher zu mir.

»Fällt dir etwas auf? Ein Unterschied zwischen deinem und meinem Büro?«

Ich führte sie in den Flur.

»Bei dir haben sie nur die Regale leer geräumt. Ein dramatischer Effekt, damit man auf den ersten Blick glaubt, es sei ein Anschlag auf die Kanzlei. Die Verwüstung in meinem Büro ergibt aber Sinn. Sie haben so etwas gesucht.« Ich hob eine Handakte vom Boden auf.

Marie-Luise kam einen Schritt näher. »Vielleicht die Arbeitsbücher? Du hast sie doch noch?«

»Ja, natürlich«, antwortete ich. »Es muss etwas anderes gewesen sein.«

Marie-Luise hob einige herumliegende Papiere auf und betrachtete sie ratlos. »Ich verstehe das nicht. So plötzlich, aus heiterem Himmel. Normalerweise bekommt man doch vorher einen Tipp. Halten Sie sich raus, oder es setzt was, so in der Art. Wenn das hier eine Warnung gewesen sein soll, müssten sie uns wenigstens mitteilen, wovor.«

»Das haben sie auch getan.«

Marie-Luise hörte auf, das Chaos durch ihr Gewühle noch zu vergrößern. »Wann?«

Ich erzählte ihr von dem BTZ-Artikel unter der Fußmatte.

»Sie haben etwas gesucht. Sie haben nicht damit gewartet, bis es Nacht ist, sie sind auch nicht gestern Abend gekommen, als da unten im Hof eine Lautstärke herrschte, dass man unbemerkt das Haus hätte abreißen können. Sie sind zu *mir* gekommen. Sie haben *mich* niedergeschlagen. Sie haben *mein* Büro durchsucht.«

Und da wusste ich es.

Ich ging in die Knie. Ich nahm jedes Blatt, jeden Umschlag, jede Mappe in die Hände und sah alles durch.

»Kann ich dir helfen?«, fragte Marie-Luise.

Ich schüttelte den Kopf. Auf allen vieren kroch ich durch den Raum, bis ich den Umschlag gefunden hatte. Er lag zwei Meter von meinem Schreibtisch entfernt und wirkte unberührt. Ich nahm ihn hoch und trug ihn in die Küche. Marie-Luise und Ekaterina folgten mir. Vorsichtig zog ich den Inhalt heraus.

»Was ist das?«, fragte Marie-Luise.

Ich antwortete nicht. Ich versuchte mich daran zu erinnern, in welcher Reihenfolge ich die Pläne aufeinandergelegt hatte. Erst 1922, dann 1955, dann die Kopien der Grundbuchauszüge. Alles war in Ordnung.

»Das sind die Pläne eines Rückübertragungsfalles, an dem ich zuletzt gearbeitet hatte. Ein Haus in Grünau.«

»Zeig mal her.«

Marie-Luise breitete den Plan von 1922 aus. »Haus ist ja wohl ein bisschen untertrieben. Die Villa liegt direkt an der Spree. Sind da nicht diese elitären Segel- und Ruderclubs?«

»Sicher«, antwortete ich. »Eine Tradition, der sich auch die DDR zutiefst verpflichtet fühlte.«

Sie sah mich ärgerlich an und faltete den zweiten Plan auseinander. »Ich schätze mal, ein paar Hektar Land und mindestens tausend Quadratmeter umbaute Fläche. Wenn man den Keller noch mit nutzt. Ganz schön was wert heutzutage.«

Ich wollte sie gerade auf die juristischen Begleitumstände hinweisen, als ich ihren Finger auf den Kellerräumen sah. Irgendetwas stimmte nicht. Ich verglich die Pläne mehrfach, dann legte ich sie übereinander und hielt sie gegen die Küchenlampe.

»Das gibt es doch nicht!«, rief ich. »Das ist ein falscher Plan! Hier!«

Ich deutete auf den Keller. »Er war größer. 1922 war er größer! Schau dir die Kellerwand hier an.«

Marie-Luise beugte sich darüber. Auch Ekaterina kam dazu, die bis jetzt still damit beschäftigt gewesen war, das noch brauchbare Geschirr abzuspülen und wieder in den Schrank zu stellen.

»Sie haben umgebaut«, sagte Marie-Luise. »Die Trennwand zwischen den beiden größeren Räumen fehlt.«

Ich legte den zweiten Plan daneben. »Nein. Ja! – Ich meine das hier. Der Keller ist kleiner als das Erdgeschoss. Auf beiden Plänen.«

Marie-Luise wandte sich mit einem Schulterzucken an Ekaterina. »Ich verstehe nicht viel von Statik. Vielleicht ist das immer so?«

»Es war nicht immer so«, erwiderte ich ungeduldig. »1922 war der Keller größer. 1955 ist er kleiner. Schaut euch mal die Zahl hier an. Würdet ihr eure Hand dafür ins Feuer legen, dass das wirklich 1955 heißt?«

Marie-Luise und Ekaterina beugten sich über den Tisch.

»Es könnte auch 1945 sein. Dezember 1945. Ich verstehe das nicht.«

Ich setzte mich an den Tisch. Meine Beine zitterten. »Sie haben 1955 einfach den alten Plan von '45 noch mal verwendet. Und da war der Keller kleiner. Kleiner als 1922.«

Beide sahen mich an. »Ja und?«, fragte Marie-Luise.

»Unser Besuch heute Abend hat die Pläne vertauscht. Die alten Pläne von 1922. Sie wussten, ich würde sofort merken, wenn die Grundbuchauszüge verschwunden wären. Also haben sie nur den Plan ausgetauscht. In der Hoffnung, dass ich ihn mir nicht so genau angesehen hätte. Sie haben den Plan von 1922 gefälscht. Der Keller war größer. Ich lege dafür meine Hand ins Feuer. Da fehlt einfach ein Raum.«

»Okay. Damals war er größer, jetzt ist er kleiner. Was heißt das?«

Ekaterina setzte sich an den Tisch. »Der verschwundene Raum könnte ein Versteck gewesen sein. Wie groß war ungefähr die Fläche?«

Ich öffnete die Küchenschublade und griff nach dem Kugelschreiber. Ein Déjà-vu: Connie vor mir in ihrer teuren Verkleidung, die rätselhafte Fragen stellte. Auch nach diesem Plan.

Ich schloss die Schublade und zeichnete auf dem Grundriss von 1922 die ursprüngliche Grundmauer ein.

»Ungefähr so. Hundertprozentig genau ist es natürlich nicht. Aber die Außenwand an der Ostseite, vom Ufer aus betrachtet, war ursprünglich hier.«

»Circa drei Meter«, murmelte Marie-Luise. »Seitenlänge elf Meter. Das ergibt einen schmalen, langen Raum von circa dreiunddreißig Quadratmeter Fläche.«

»Das könnte für einen Menschen gereicht haben«, sagte Ekaterina. »Aber es muss nichts bedeuten. Vielleicht hat es an dieser Wand einen Bombenschaden gegeben. Oder es war ein Kartoffelkeller. Kohlen. Nahrungsmittel.«

»Wenn es so harmlos war«, entgegnete ich, »warum ist der Plan dann ausgetauscht worden?«

Mein Kopf schmerzte unerträglich. Ich stand auf und nahm zwei weitere Tabletten ein, die ich mit mehreren Schluck Wasser aus dem Hahn hinunterspülte.

Marie-Luise zündete sich eine Zigarette an. Den Rauch pustete sie nur noch pro forma Richtung Fenster.

»Andere Frage: Warum sollten sie diesen Plan austauschen? Warum das ganze Büro verwüsten? Und dich auch noch?«

»Sie wollten verhindern, dass ich von diesem geheimen Raum weiß.«

»Sie«, sagte Ekaterina. »Wer sind sie? Wem gehört dieses Haus? Wessen Pläne sind das?«

»Sie gehören der Familie von Lehnsfeld.«

Marie-Luise stieß einen leisen Pfiff aus. Für sie gab es mit einem Mal zwei Gegner. Die Zernikows und jetzt auch noch die Lehnsfelds.

»Vielleicht«, sagte Ekaterina, »gibt es eine Verbindung zwischen diesen Familien. Kennen sie sich?«

»Sehr gut. Und sehr lange.« Ich sah zu Marie-Luise. »Du *musst* es mit Georg Schäffling versuchen.«

»Bitte? Was muss ich?«

»Die Frage ist, warum die Rückübertragung angefochten wurde. Aaron drückte sich in diesem Punkt sehr vage aus. Er wollte Umbauarbeiten vornehmen und hatte sogar schon damit begonnen. Die Bauarbeiten wurden gestoppt, weil noch ungeklärte Alteigentümeransprüche vorliegen und er sich nicht darüber äußerte, wie das Haus zukünftig genutzt werden soll. Die Anträge, das gesamte Genehmigungsverfahren, müssen in der Kanzlei der Zernikows liegen.«

»Und ich soll Georg Schäffling dazu bringen, dass wir einen Blick darauf werfen?«

»Einen Moment, bitte«, unterbrach Ekaterina. »Ihr solltet nichts überstürzen. Und keine voreiligen Schlüsse ziehen. Sind Sie sicher, dass die Pläne vertauscht wurden?«

»Hundertprozentig«, bekräftigte ich.

»Dann war dies der Grund des Überfalls.« Sie faltete die Hände auf dem Tisch und sah uns schweigend an. Ihre Anwesenheit tat gut. Sie holte die Dinge aus der Hitze der Spekulation hinunter auf den Boden der Tatsachen. »Wem ist damit geholfen, wenn

Sie nichts von diesem Raum wissen? Wem wird geschadet, wenn Sie etwas darüber wissen?«

Ich sah zu Marie-Luise und hob die Schultern. »Keine Ahnung.«

»Lehnsfeld natürlich«, antwortete Marie-Luise.

Ekaterina zog die Pläne zu sich herüber. »Im Krieg wurden viele Verstecke gebaut. Man müsste herausfinden, wozu dieses hier gedacht war.«

»Und ob es etwas mit Natalja zu tun hat«, sagte Marie-Luise. »Es gibt eine Verbindung. Ich spüre es. Ich rieche es. Da ist etwas, das nicht ans Licht kommen soll. Es hat einen Menschen das Leben gekostet, zwei weitere wurden angegriffen. Vielleicht solltest du mal mit deiner Staatsanwältin darüber reden.«

»Vielleicht sollten wir uns das Haus erst einmal ansehen?«, meinte ich.

Ekaterina nickte. »Eine gute Idee. Aber nicht mehr heute. Sie sehen etwas mitgenommen aus, Herr Vernau.«

Marie-Luise sah auf ihre Uhr. »Halb elf. Nimm mein Auto, und fahr nach Hause. Ich räume noch ein bisschen auf.«

»Wir haben morgen einen Prozessauftakt.«

Marie-Luise stöhnte auf. »Ich muss die Unterlagen suchen. Ich muss mich noch darauf vorbereiten. Wir haben noch gar nicht richtig darüber gesprochen!«

Ich beruhigte sie. Sobald wir die Akten gefunden hatten, würden wir uns noch einmal eine halbe Stunde zusammensetzen.

Ekaterina verabschiedete sich. Ich schluckte die doppelte Dosis Schmerzmittel und fing damit an, in meinem Büro die Schubladen wieder einzuräumen.

Wir hatten einige Stunden lang zu tun. Die stinkenden Bücher brachte ich erst mal in den Hof. Wir wischten den Flur und räumten die restlichen Bücher in die Regale. Es war kurz vor Mitternacht.

Dann erschien Kevin. Die Hände hatte er in die Hosentaschen

gesteckt, die Schultern hochgezogen. Er blieb im Flur stehen und sah in mein Zimmer.

»Ich hab gehört, was passiert ist«, sagte er. »Und Licht gesehen. Kann ich irgendwie helfen?«

Marie-Luise kam zu ihm und nickte ihm aufmunternd zu. »Hallo, Kevin, das ist eine gute Idee. Fang schon mal in der Küche an.«

»Moment«, sagte ich. »Er hat gekündigt.«

»Na und?«, fragte Kevin zurück. »Man wird ja wohl noch vorbeischauen dürfen.«

»Er ist weder sozial- noch unfallversichert. Er soll machen, dass er rauskommt.«

Marie-Luise stellte sich schützend vor Kevin. »Spinnst du jetzt völlig? Wir können wirklich jeden gebrauchen!«

»Nicht jeden. Kevin hat gekündigt, also gehört er nicht mehr zum Büro. Da ist die Tür.«

Kevin stand wie angewurzelt da. »Das kann er nicht machen«, knurrte er.

Marie-Luise schob einige herumliegende lose Blätter mit dem Fuß zusammen. Dann entschied sie sich für ihre größte Stärke: die Loyalität. Sie nickte. »Er hat Recht. Es tut mir leid.«

»Und? Was soll ich jetzt machen? Mitten in den Semesterferien? Mich nimmt doch keine Sau mehr! Ich hab schon überall herumtelefoniert.«

Es war mir klar, dass er nicht aus reiner Mitmenschlichkeit gekommen war. Ich setzte mich auf die Schreibtischkante und versuchte, gesund auszusehen. Aber ich nuschelte. Ich hatte Angst, mit der Zunge an meinen wackeligen Schneidezahn zu stoßen.

»Und da dachtest du, schau ich einfach mal vorbei. Heute komm ich, morgen geh ich. So läuft das aber nicht.«

Kevin blickte zu Boden. Er rang mit sich.

»Es tut mir leid. Es war einfach zu viel Stress die letzten beiden Tage.«

Marie-Luise sah ihn mit dem gleichen Blick wie ihre geschlachteten Seehundbabys an. Doch Mitleid machte aus Kevin
noch keinen guten Jurastudenten.

»Du willst also was tun?«, fragte ich ihn. Kevin nickte.

»Gut. Dann möchte ich, dass du uns bis morgen Mittag etwas
besorgst. Urteil und Urteilsbegründung eines Berliner Sonder-
gerichts gegen Natalja Tscherednitschenkowa, ergangen am 14.
November 1944.«

Ich schrieb die Daten auf einen Zettel und reichte ihn hinüber.
Kevin nahm ihn langsam entgegen und kratzte sich in Zeitlupe
hinter dem Ohr.

»Bis morgen?«, fragte er skeptisch.

»Wenn du es schaffst, bist du wieder eingestellt.«

»Und wo krieg ich das her?«

Wir sahen ihm beide tief in die Augen.

»Und wenn nicht?«

»Dann hast du Pech gehabt«, sagte ich. »Versuch's im Winter-
semester noch mal.«

Kevin stöhnte. »O Mann! Das darf doch nicht wahr sein! Wir
hatten NS-Justiz noch nicht. Das machen eh nur die Rechtshisto-
riker. Wie soll ich das denn so schnell hinkriegen?«

»Du schaffst das schon.« Ermunternd klopfte ich ihm auf die
Schulter.

Er steckte den Zettel ein und wandte sich zum Gehen.

»Kevin?«, fragte Marie-Luise. »Du könntest trotzdem schon
mal in der Küche anfangen.«

Um ein Uhr morgens hatten wir das Allergröbste beseitigt.
Dann setzte ich mich mit Marie-Luise in ihr Büro und instru-
ierte sie, mit welcher Strategie wir morgen die sofortige Haftent-
lassung der sechzehnjährigen Gangsterbraut verlangen würden.
Marie-Luise nickte und notierte sich etwas auf ihrem Block. »Ich
kriege das schon hin.«

»Wir kriegen das hin«, verbesserte ich sie.

Sie schüttelte den Kopf. »Du wirst nichts weiter tun, als das Bett zu hüten. Mit deinem Aussehen solltest du dich besser ein paar Tage nicht in der Öffentlichkeit sehen lassen. Und richtig sprechen kannst du auch nicht.«

Ich tastete nach meiner Augenbraue. Marie-Luise holte einen Handspiegel aus ihrer Aktentasche.

»Die Schwellungen werden etwas zurückgehen. Aber auf Rot folgt Violett, dann Gelb und schließlich Grün. Und die Sache mit den springenden Treppen würde ich nicht überbeanspruchen.«

Die geplatzte Oberlippe und die blutunterlaufenen, geschwollenen Augen reichten schon. Aber Millas Blutergüsse waren durch die Nachbehandlung der beiden Unbekannten zu neuem Farbenreichtum aufgeblüht. Um bei den Haushaltsunfällen zu bleiben: Ich sah aus wie mit dem Bohnereisen bearbeitet. Marie-Luise hatte Recht. Man würde mich noch wegen Missachtung des Gerichtes belangen.

34

»Joachim, bist du das?«

Meine Mutter öffnete die angelehnte Badezimmertür. Ich beging den Fehler, mich ohne Vorwarnung nach ihr umzudrehen. Sie schrie auf und schlug die Hand vor den Mund.

»Es geht schon wieder.« Ich hatte immer noch Schmerzen beim Sprechen.

Sie kam näher. »Wer war das?«

»Ich weiß es nicht.«

Im Flur hörte ich Schritte. »Was ist denn los?«

Hüthchen erstarrte noch im Türrahmen. »Hatten Sie einen Unfall?«

»Nein«, brummte ich. »Darf ich mich jetzt vielleicht ungestört rasieren?«

Sie zogen sich zurück. Das Frühstück musste ich in halb flüssiger Form zu mir nehmen. Hüthchen zerdrückte eine Banane und mischte sie mit Milch. Auf den ersten Löffel platzierte ich eine Schmerztablette und schluckte alles hinunter.

»Ich wurde überfallen«, erklärte ich. Ihre Fragen beantwortete ich einsilbig. Schließlich gaben sie Ruhe.

»Aber du gehst doch heute nicht arbeiten?«, fragte Mutter.

»Doch. Ihr könntet mir übrigens auch einen Gefallen tun: Habt ihr noch Zeitungen mit den Fotos von der Grunewald-Party?«

Da die einsetzende Ratlosigkeit von keinerlei Tatendrang getrübt wurde, machte ich mich selbst auf die Suche. Ich fand sie im Schuhschrank.

Die Bildüberschriften schreiend, in der Mitte Milla auf der Bahre. Ich stand neben ihr und hielt ihr die Hand. Im Hintergrund die Absperrung und die schemenhaften Gesichter der Gaffer. *Warum hast du mich vergessen?*, hatte Milla gefragt. Eine biblische Frage. Eine peinigende Frage. Ich faltete die Zeitung ganz auseinander.

Es waren Bilder aus einer anderen Welt. Die leichten weißen Zelte im Garten, die eleganten Gäste. Der Regierende Bürgermeister Arm in Arm mit Sigrun, die Botschaftergattin im Gespräch mit einem Kunstmäzen. Verena von Lehnsfeld sehr vertraut bei mir untergehakt. Ihre Hand lag locker auf meinem Ärmel, man konnte den Ring erkennen. Mit einer guten Vergrößerung war ich aus dem Schneider. Ich suchte die Bildunterzeile. *Fotos: A. Dressler.*

Ich warf die Zeitung zu den anderen. Doch dann dachte ich, die Sache wäre ein Treffen wert. Vielleicht rückte er bei dieser Gelegenheit damit heraus, was er über Milla und Sigrun wusste. Vielleicht könnte er Marie-Luise und mir sogar nützlich sein. Ich war Sigrun nichts mehr schuldig. Ich konnte endlich wieder nur noch an mich selbst denken.

In Marie-Luises Büro saß Kevin am einzigen funktionierenden Computer. Er sah kaum hoch und scrollte und tippte wie besessen. Ich rief Dressler an. Nach dem vierten Klingeln meldete er sich. Ich hielt mich nicht lange mit Begrüßungsfloskeln auf.

»Sie haben einem Bekannten zweitausend Euro geboten. Ich möchte wissen, wofür.«

Am anderen Ende der Leitung hörte ich sein pfeifendes Atmen. Dann fiel der Groschen. »Die Russin? Wer sind Sie?«

»Wir kennen uns, das reicht. An welchen Informationen sind Sie interessiert?«

»Hören Sie, ich bin gerade in der Redaktionskonferenz. Ich kann jetzt nicht reden. Wie wäre es, wenn wir uns heute Mittag treffen?«

Wir machten einen Termin am Hackeschen Markt aus. Ich hatte kaum aufgelegt, als Marie-Luise zurückkam. Sie sah müde aus, was in Anbetracht der Ereignisse der letzten Nacht kein Wunder war.

»Ich habe versagt. Auf der ganzen Linie.« Sie setzte sich, stützte die Arme auf die Ellenbogen und legte sich die Hände vors Gesicht. »Die Staatsanwaltschaft bleibt bei ihrer Anklage, und die Kleine bleibt in U-Haft. Herzlichen Glückwunsch, Frau Hoffmann.«

»Es tut mir leid. Was ist passiert?«

Sie holte ihre Zigaretten heraus. Erst nachdem sie sie angezündet und tief inhaliert hatte, sah sie mich an.

»Hör zu, du Penner, mach, dass du hier rauskommst, und lass dich nie wieder blicken!«

Ich hätte das Fenster nicht öffnen sollen. Eine kreischende Frauenstimme, der ein undeutliches Brummen folgte. Es musste aus dem vierten Stock des Gartenhauses kommen. Wer hier wohnte, bekam alles frei Haus: Konzerte, Ehedramen, amerikanische Familienserien …

»Fick dich doch selbst, ey, hörst du? Fick dich! Fick dich!«

… auch gut gemeinte Ratschläge.

Ich schloss das Fenster wieder.

Marie-Luise holte die Unterlagen aus ihrer Aktenmappe.

»Ich bin keine gute Prozessanwältin. Den Sprung schaffe ich nie. Ich bin zu parteiisch, ich habe keinen Abstand. Ich mach einfach wieder in Familien- und Arbeitsrecht.«

»Komm schon. Von einer geplatzten Vorverhandlung geht die Welt nicht unter.«

Marie-Luise ging im Zimmer auf und ab. Dann drückte sie die Zigarette im Papierkorb aus, was ein ziemlich hässliches Brandloch hinterließ.

»Ich bin nicht so wie du. Ich kann Schicksale nicht als eines unter vielen abtun. Du schaust einmal auf die Akte und zack-zack! – da ein Loch, dort eine Finte, hier ein bisschen drehen, da ein bisschen handeln –, ich kann es nicht! Du lässt es nicht an dich ran, und deshalb bist du besser. Da.«

Sie warf die Akte auf den Tisch und wollte das Zimmer verlassen. In drei Schritten war ich bei ihr. Ich fasste sie an den Schultern und drehte sie zu mir um.

»Du hast vollkommen Recht. Du bist nicht wie ich, und auch nicht wie Schmiedgen. Richtig?«

Sie sah mir nicht in die Augen. »Ich hab mich da in was verrannt. Er war so überwältigend. Er hat gesprüht bei seinen Plädoyers, wie in Flammen. Wie eine Siebzehnjährige habe ich neben ihm gestanden und zu ihm aufgesehen. Aber was ich nicht bemerkt habe, ist die Show, die dahintersteckt.«

Ich führte sie zurück zu ihrem Stuhl. Dann nahm ich die Akten und hielt sie ihr entgegen.

»Du wirst es auf deine Weise schaffen, ich auf meine. Schluck diese Niederlage runter, und mach weiter.«

Marie-Luise nahm sie und steckte sie in die Aktentasche.

»Hast du übrigens heute Abend schon was vor?«, fragte ich sie.

»Nein«, antwortete sie. »Wird das ein Date?«

»Eines mit Taschenlampe und Turnschuhen. Nach Einbruch der Dunkelheit.«

»Grünau?« Sie dachte nach. »Ist das nicht gefährlich? Vielleicht ist da eine Alarmanlage oder ein aufs Töten dressierter Dobermann.«

»Freund«, sagte ich nur.

Marie-Luise musste lachen. »Richtig. Okay. Lass es uns versuchen.«

In diesem Moment erschien Kevin. In der Hand hielt er ein Papier, mit dem er vor unseren Nasen wedelte.

»Ich hätte hier was, das euch interessieren könnte.«

Dabei grinste er von einem Ohr zum anderen, was ihn sehr sympathisch wirken ließ.

»Was ist das?«, fragte ich.

Aber Kevin war schon wieder draußen im Flur. »Erst der Tee, dann die Verhandlungen!«, rief er uns zu. Wir folgten ihm.

Kevin setzte gerade den Wasserkessel auf.

»Habt ihr schon mal was vom Heimtückegesetz gehört?«

»NS-Justiz?«, fragte ich.

Kevin nickte. »Wurde hauptsächlich vom so genannten Sondergericht verhandelt. Wehrkraftzersetzung, Defätismus und so weiter. Ihr lasst mich da ganz schön im Dreck wühlen. Hibiscus, Yogi oder kenianische Vanille?«

»Hibiscus«, antwortete Marie-Luise. »Und?«

»Minderschwere Fälle hat der Oberreichsanwalt genannte Nazi an den Generalstaatsanwalt abgegeben. Der delegierte sie an die Hochverratssenate der einzelnen Oberlandesgerichte. Mir ist jetzt noch schlecht.«

Er verteilte die Teebeutel in drei Becher, von denen bei zweien der Henkel fehlte.

»Weiter«, sagte ich.

Kevin lächelte. »Vorher müssten wir die Bedingungen meines

Wiedereintrittes in die Kanzlei klären. Praktikantenstelle bis Semesterbeginn und Erhöhung der Bezüge von null auf vierhundert Euro. Cosi fan tutte.«

»Hör mal, du sensibler Feingeist. Ich habe kein Geld.«

Marie-Luise nahm den pfeifenden Wasserkessel vom Herd und goss ein. »Das wusstest du genau, als du hier angefangen hast. Wir wissen aber nicht, ob deine Informationen tatsächlich noch drei Mal vierhundert Euro wert sind.«

Ich nickte ihr zu.

»Tja.« Kevin hielt das Blatt an die Flamme des Gasherdes. »Dann adieu, Natalja Tscherednitschenkowa. Friede ihrer Asche.«

Marie-Luise schaltete den Gasherd ab. »Du weißt nicht, was du sagst«, erwiderte sie leise.

Kevin zog das Blatt zurück. Einen Moment lang sah er so aus, als ob er sich entschuldigen wollte. Dann hob er die Schultern. »Ich muss auch sehen, wo ich bleibe.«

Marie-Luise verschränkte die Arme vor der Brust. »Was ich sehe, ist, dass ihr beide euch hervorragend ergänzt. Wie wäre es, wenn Joachim dich zu seinem persönlichen Assistenten ernennt? Die Intention eures erfolgsorientierten Profitdenkens deckt sich hundertprozentig.«

Kevin wandte sich an mich, aber ich wollte die Unterhaltung jetzt auf den Punkt bringen. »Ich finde, er sollte die Karten auf den Tisch legen. Dann beraten wir, was es wert ist. Zur Disposition stand meines Erachtens – korrigiert mich, wenn ich irre – die Wiedereinsetzung in den vorherigen Stand, nicht mehr. Darüber können wir reden. Aber nicht über Erpressung.«

»Okay, okay.«

Kevin setzte sich an den Tisch. Aus seiner Brusttasche holte er einen Zettel mit handschriftlichen Notizen hervor. »Natalja Tscherednitschenkowa wurde wegen Vergehens nach § 2 des Heimtückegesetzes sowie § 5 Absatz 1 der Kriegssonderstrafrechtsverordnung zum Tode verurteilt. Mit Änderung der Zuständigkeitsverordnung vom 29.1.1943 ging die Abstrafungszuständigkeit nach § 5 der Kriegssonderstrafrechtsverordnung von den Sondergerichten auf den Volksgerichtshof über, der sie dann vor den Hochverratssenat brachte.«

Er sah kurz hoch.

»Und? Weshalb wurde sie verurteilt?«, fragte ich.

»Sie hat ein Kreuz geklaut.«

Er reichte mir das Blatt hinüber. Es war ein Mikrofilmauszug aus dem Berlin Document Centre. Darauf hätte ich auch allein kommen können. Allerdings stand nur das Urteil darauf, nicht die Urteilsbegründung.

»Zeig her.« Marie-Luise nahm das Blatt und las es durch. »Ein Kreuz?«

»Sie durfte die Kirche nicht besuchen. Ihr eigenes hatte man ihr im Lager abgenommen. Sie behauptet, das Kreuz hätte sie von ihrem Dienstherrn, einem …«, er sah wieder auf den Zettel, »Wilhelm von Zernikow bekommen. Dumm ist nur, dass Wilhelm von Zernikow zu diesem Zeitpunkt bereits als vermisst galt. Es war ein Schmuckstück aus Gold, das um den Hals getragen wurde.«

Marie-Luise wendete das Blatt. »Wer hat die Anzeige erstattet?«

»Anonym«, antwortete Kevin. »Die Staatspolizei – die Gestapo – bekam den Tipp, durchsuchte ihr Zimmer, fand das Kreuz und nahm sie gleich mit. Bliebe noch zu erwähnen, dass es sich bei dem Schmuck um ein Museumsstück gehandelt haben soll. Klein, alt und wertvoll.«

»Und der Sohn? Ist er irgendwo erwähnt?«, fragte ich. Kevin hob seine Teetasse.

»Wiedereinsetzung in den vorherigen Stand?«

Wir nickten. Kevin suchte auf seinem Zettel.

»Utz von Zernikow. Er hat zwar eine Aussage gemacht, aber

viel ist nicht davon übrig geblieben. Er hat wohl nur bestätigt, wie gläubig diese Frau war. Dass sie häufig gebetet hat.«

»Die Freifrau?«

»Wer?«, fragte Kevin.

»Irene von Zernikow. Die Ehefrau von Wilhelm.«

»Ach so. Sie hat den üblichen Ostarbeiter-Quatsch erzählt. Dass sie das gleich geahnt hat, aber was soll man machen, keine Arbeitskräfte, und das Kreuz hat sie nie gesehen, nicht, wo Natalja Tscherednitschenkowa es getragen, noch, wo sie es aufbewahrt hat, weil sie die Kammer eines Kindermädchens nicht betritt, weil das volkspolitisch nicht statthaft war und Kontrolle ihre Sache nicht wäre und so weiter und so fort. Sie hat ihre Hände derart in Unschuld gewaschen, dass es mich heute Vormittag noch geblendet hat.«

»Du warst da?«

Er nickte. »Die Originale rücken sie nicht raus. Ich durfte nur eine Kopie davon machen. Dann gab es noch eine beigefügte Aktennotiz, dass das Urteil am nächsten Morgen durch den Strang vollstreckt worden ist.«

Er schwieg. Dann schloss er kurz die Augen. Marie-Luise strich ihm sanft über den Arm. Er setzte die Tasse ab. »Was ist mit der Frau? Warum wollt ihr das alles wissen? Sie ist schon lange tot. Nichts macht das wieder gut.«

Ich stand auf.

»Danke. Das war hervorragende Arbeit. Du bist wieder drin.«

Kevin lächelte matt. »Ich habe das Original in der Hand gehabt. Mit Unterschrift und allem Pipapo. Das Papier hat auf einem Tisch gelegen. Und zwei Meter davor stand ein Mädchen, das sterben musste. Zersetzung. Volksschädling. Sie war vierzehn. So alt, wie meine Schwester jetzt ist. Ich musste immer an meine Schwester denken, wie sie ihre bekloppten Superstar-CD's hört und wie dämlich sie mit ihrer Zahnspange aussieht. Wenn das irgendjemand mit meiner Schwester gemacht hätte ...«

»Du hast uns sehr geholfen.« Ich nahm das Blatt an mich. »Die Frau ist nicht tot. Sie lebt. Es geht um eine Plausibilitätsüberprüfung. Sie kämpft um eine Entschädigung aus dem Stiftungsfonds der deutschen Wirtschaft.«

»Und warum kriegt sie die nicht? Nach allem, was sie durchgemacht hat?«

Marie-Luise sah mich an, schwieg aber.

»Sie muss doch nur beweisen, dass sie nicht tot ist. Wo ist das Problem?«

»Das Problem«, sagte Marie-Luise langsam, »das Problem ist, dass es immer noch Menschen in Deutschland gibt, die nicht zu ihrer Verantwortung stehen. Sie waren keine Industriellen und keine Bauern, aber sie haben bei sich zu Hause Zwangsarbeiter beschäftigt. Als Haushaltshilfen und Kindermädchen. Manche von ihnen haben sich ehrlich und aufrichtig um eine Wiedergutmachung bemüht. Die meisten haben es vergessen. Und einige von den wenigen, die von den letzten Überlebenden um eine Bestätigung gebeten werden, weigern sich einfach, sie zu geben.«

»Arbeitet ihr da gerade dran?«

Marie-Luise nickte.

»Er auch?«

Sie nickte wieder. Kevin atmete tief durch und lehnte sich zurück. »Ich will da mitmachen. Auch ohne Geld. Zahlt mir was, wenn ihr könnt. Lasst es bleiben, wenn ihr nicht könnt. Ich will, dass diese Frau ihr Recht bekommt.«

Ich reichte ihm die Hand, und er nahm sie. Es war ein kurzer Händedruck. Er sah mir nicht in die Augen dabei. Er hatte Angst, dass ich bemerken würde, wie sein Stirnansatz rot wurde.

»Okay, dann geht es jetzt los.« Marie-Luise stand auf. »Ich denke, Kevin kümmert sich mal um Wilhelm. Mal ist er weg, dann wieder da. Also ist es an der Zeit herauszufinden, was es mit dem tapferen Frontoffizier so auf sich hat. Und wir haben noch etwas versäumt. Etwas sehr Wichtiges.«

Kevin und ich sahen sie an.

»Warum sind wir eigentlich nicht auf die Idee gekommen, Natalja selbst zu fragen?«

Die ganze Fahrt über zum Hackeschen Markt stellte ich mir diese Frage. Es war die natürlichste, einfachste Sache der Welt. Wenn wir wirklich wissen wollten, was sich damals ereignet hatte, dann mussten wir mit ihr sprechen. In ihrer Erinnerung lag der Schlüssel zu den Ereignissen, die noch heute, über sechzig Jahre danach, Verrat und Mord hervorriefen.

Ich hatte Mühe, einen Parkplatz für Marie-Luises Schlachtschiff zu finden, aber ich war froh, durch die Suche abgelenkt zu werden. In wenigen Minuten würde ich diesem unsympathischen Fettkloß gegenübersitzen. Ich musste mir eine Strategie ausdenken, mit der ich ihm seine Informationen entlocken konnte und er mir außerdem mit Kusshand eine Vergrößerung seines Abzuges zur Verfügung stellen würde. Das alles ohne die geringste Gegenleistung. Einfach würde es nicht werden.

Wir hatten uns im *Cibo Matto* verabredet. Der Bürgersteig war schmal, so dass die Tische nur in einer Reihe draußen standen. Ich hatte Glück. Gerade als ich ankam, erhob sich ein verliebtes Pärchen. Ich nahm am Tisch Platz und setzte mir die Sonnenbrille auf. Kurz vor zwei. Ich war im Vorteil. Ich war Erster.

So viele schöne junge Menschen. Sie trugen die ausgefallenste Mode und strahlten eine ungeheure Lebenslust aus. Weder am Kurfürstendamm noch Unter den Linden würde es eine junge Frau wagen, mit einem Hut vom Durchmesser eines Wagenrades über die Straße zu gehen. Die Frau trug ein eng anliegendes Kostüm und aberwitzig hohe Schuhe. Kurz blieb sie in den Straßenbahnschienen hängen, doch es glückte ihr gerade rechtzeitig, noch die andere Seite zu erreichen. Sie drehte sich um. Connie.

Sie winkte jemandem zu. Er musste in einem der Autos sitzen, die im Schritttempo die Rosenthaler Straße hinunterfuhren, weil das Gedränge zu groß war und Fußgängerampeln weiträumig gemieden wurden. Ein Jaguar hielt. Der Wagen der Freifrau? Ich setzte die Sonnenbrille ab. Das Licht blendete mich, außerdem waren die Scheiben des Autos verdunkelt. Ich konnte nicht erkennen, wer hinter dem Steuer saß. Der Wagen fuhr an den Straßenrand, Connie öffnete die Tür und stieg ein. Ich stand auf und versuchte, einen Blick auf das Nummernschild zu werfen. Da stand Dressler vor mir und versperrte mir die Sicht.

»Sieht gut aus, Ihre Maskerade«, knurrte er. Ich versuchte, an ihm vorbeizusehen, doch der Wagen war bereits wieder in den Verkehr eingeschert und fuhr davon. Wieder ein dunkler Wagen. Wieder ein Mensch, der abgeholt wurde.

»Aber erkennen tu ich Sie trotzdem.«

Dressler fiel auf den Stuhl vor mir. Ich setzte mich.

»Wer hat denn mit Ihnen Tango getanzt?«

»Meine Sache.« Ich machte mir Sorgen. Connie war nicht freiwillig zu mir gekommen, jemand hatte sie geschickt. Vielleicht die Person, die jetzt am Steuer saß. Ich sollte Connie warnen. Aber es würde zwecklos sein. Sie würde mir bestimmt nicht glauben. Sie war verliebt.

»Profis«, brummte Dressler. »Seh ich auf den ersten Blick. Vermutlich Albaner. Die Russen gehen mehr auf die Nase. Einen Gin Fizz.«

Die Bedienung nickte und wandte sich mir zu. Wieder so eine bildschöne junge Frau. Das war ja besser als Kino hier.

»Ein Wasser.«

»Mit oder ohne … Aspirin?«, lächelte sie.

»Mit, bitte.«

Sie strahlte geradezu, drehte sich um und ging hinein. Dressler arrangierte zwischenzeitlich seine Körperfülle in eine bequemere Position.

»Da waren Sie jemandem aber viel wert. Pro Mann fünftausend Euro, unter Freunden. Vermutlich zwei, stimmt's?«

Ich nickte zögernd. Dressler schien sich wirklich auszukennen.

Er grinste. »Keine Sorge, ich war's nicht. Obwohl – wenn die Sache mit der Kamera nicht bald geklärt ist, könnte ich es mir überlegen.«

»Zumindest sparen Sie schon mal die zweitausend, die Sie einem völlig Unbeteiligten im Krankenhaus angeboten haben.«

»Unbeteiligt an was?«

Er holte einen kleinen Notizblock hervor, leckte sich den Zeigefinger an und suchte ein noch nicht vollgekritzeltes Blatt. Dressler war wirklich mit allen Wassern gewaschen. Soweit das mit meinen Augen möglich war, sah ich ihn so lange unschuldig an, bis er ungeduldig auf seinen Block klopfte. »Vor wenigen Wochen hatten die Zernikows Besuch von einer Ukrainerin. Name: Olga Warschenkowa. Richtig?«

»Reden Sie weiter. Ich antworte Ihnen, wenn Sie fertig sind.«

Er blinzelte. »Die Frau war am nächsten Tag tot.«

Ich versuchte, die Augenbrauen hochzuziehen. Die frische Wunde brachte sich unangenehm in Erinnerung.

»Dann zerstören Sie meine Kamera. Und nur zwei Tage später, was muss ich hören? Sie am Bett einer Frau. Intensivstation. Auch Ukrainerin. Also. Für mich gibt es da nur eine Verbindung. Russenmafia. Und das im Haus der Senatorin.«

Er sollte Sigrun da raushalten. Sigrun hatte mit all dem nichts zu tun. Sie hatte mich verraten und verkauft, aber sie hatte mit all dem nichts zu tun.

»Und?« Ich bemühte mich um einen enttäuschten Unterton. »Das ist alles?«

Dressler klappte den Block zu. »Das allein reicht schon für eine leckere Story. Natürlich immer mit dem Fragezeichen in der Schlagzeile. Ihre Freundin hat es nicht leicht im Moment.«

Er wies auf eines von Sigruns Plakaten, das an einem Laternenpfahl hing. Jemand hatte einen Farbbeutel auf sie geworfen.

Die linke Gesichtshälfte war getroffen. Blaue Spritzer waren vor dem Trocknen hinuntergelaufen.

»Ich erinnere mich da außerdem an einen unangenehmen Vorfall auf einer Gartenparty. Eine Russin, bewaffnet. Wird von den Sicherheitsleuten überwältigt. Verlobung geplatzt, Party vorbei. Und Sie treu am Tragebettchen. Das sah vertraut aus. Sehr vertraut.«

»Ich kann mich nicht erinnern«, erwiderte ich.

Der Engel kam wieder und brachte auf einem Silbertablett ein Glas Wasser und ein Aspirin plus C. »Ihr Gin Fizz kommt gleich.«

Ich warf die Tablette ins Wasser und wartete darauf, dass sie sich auflöste. Dressler musste Durst haben. Er schmatzte.

»Was heißt das, Sie können sich nicht erinnern? Ich hab es auf den Fotos. Ich habe Sie und die Frau. Also. Ich will jetzt was wissen. Sonst stehe ich auf und gehe. Und dann wird es unangenehm.«

Ich trank das Glas in einem Zug aus. »Was wäre, wenn die Frau auf der Party und die Frau im Krankenhaus ein und dieselbe sind?«

Dressler kritzelte etwas auf seinen Block. »Name?«

»Keine Russin, Ukrainerin. Dreiunddreißig Jahre alt. Von einem Unbekannten angefahren. Fahrerflucht.«

»Name.«

»Später.«

Dressler sah hoch. »Wie, später? Jetzt. Wir hatten eine Abmachung.«

»Ich muss noch einmal einen Blick auf die Fotos werfen, die Sie damals gemacht haben. Sie haben doch bestimmt mehr als die drei oder vier geschossen, die dann gedruckt worden sind.«

»Natürlich. Warum wollen Sie sich die ansehen?«

Ich zuckte mit den Schultern. »Ich habe ein schwaches Gedächtnis. Vor allem, was Namen angeht.«

»Hatten Sie was mit ihr?«

»Das kann ich erst sagen, wenn ich die Fotos sehe. Es war eine stressige Situation damals. Die vielen Leute, meine Verlobte, diese Frau …«

Dressler erhielt seinen Gin Fizz.

»Noch einen!«, brüllte er der jungen Frau hinterher. »Sie müssen doch wissen, mit wem Sie ins Bett gegangen sind!«

»Nicht immer. Sie etwa?«

Er trank sein Glas aus und steckte den Block ein. »Und dann? Fällt es Ihnen dann wieder ein, wenn Sie die Fotos sehen?«

»Bestimmt.«

Er kratzte sich mit dem Bleistift in seinem spärlichen Resthaarbestand. »Gut. Jetzt verraten Sie mir eins. Warum?«

»Warum was?«

»Ihr Motiv. Ihre Beweggründe. Sie haben mir für diese Frau …« – er deutete wieder auf Sigrun – »eins in die Fresse gegeben. Ich mag diese Frau nicht. Ich mag ihre Partei nicht. Und ihre Politik stinkt mir erst recht. Ich muss sie auch nicht mögen. Ich will sie ja nicht heiraten. Aber Sie. Sie wissen, was Sie ihr antun, wenn ich das veröffentliche. Warum wollen Sie es tun?«

Ich schwieg. Ich hätte sagen können, dass Sigrun mich betrogen hatte. Dass ihr die Familie wichtiger war als ich. Dass sie sich, vor die Wahl gestellt, für eine Lüge entschieden hatte. Und dass sie diese Wahl gehabt hatte.

»Ach so«, sagte Dressler und grinste. »Ach, so ist das. Die saubere Frau Senatorin. Hat auch was am Laufen?«

Die junge Frau brachte den zweiten Gin Fizz.

»Zeigen Sie mir die Fotos. Oder noch besser: Schicken Sie mir die Abzüge. Vielleicht entdecke ich ja etwas darauf, was Sie noch nicht gesehen haben.«

»Was denn? Ihren Liebhaber?«

Ich lächelte und fühlte mich wie ein Schwein.

»Wo soll ich sie hinschicken?«, brummte Dressler. Als er

hochsah, glitt sein Blick an mir vorbei, und seine Augen wurden groß.

Ich drehte mich um.

»Welch schöne Überraschung!«

Die Dame war nicht mehr ganz jung. Sie hatte ihre Augen hinter einer überdimensional großen, grau spiegelnden Sonnenbrille versteckt und sah umwerfend aus. Sie reichte mir die Hand. Dann wandte sie sich an Dressler. »Marietta Ducasse. Sehr erfreut.«

Dressler sprang schneller auf, als sein Übergewicht vermuten ließ. Er nahm die Hand der Dame und hauchte ihr einen Kuss darauf. Sie zog die Hand zurück und wischte sie unauffällig an ihrer Kostümjacke ab.

»Wie ich sehe, kaufen Sie Ihre Pretiosen nicht nur im Grunewald ein.« Sie nahm die Sonnenbrille ab und musterte mich mit diesem unglaublichen Selbstvertrauen, das nur Frauen haben, denen man selten widersteht. Hoffentlich war sie diskret. Es wäre meiner Sache nicht hilfreich, wenn sie ausgerechnet jetzt mit dem Ring anfangen würde. Dressler bot ihr einen Stuhl an.

»Wenn ich nicht störe?«

»Der Herr wollte sowieso gerade gehen«, antwortete ich schnell, bevor er sich wieder hinsetzen konnte.

»Die Adresse«, knurrte Dressler.

Ich diktierte sie ihm.

»Sie hören von mir«, verabschiedete er sich. Er stürzte seinen Gin Fizz hinunter und verschwand in der Menge.

»Möchten Sie etwas trinken?«, fragte ich sie.

»Nein danke, ich habe keine Zeit. Außerdem muss ich heraus aus dieser Gluthitze.«

Ich legte das Geld für die Rechnung auf den Tisch. Da wir beide in der gleichen Richtung geparkt hatten, liefen wir die wenigen Schritte gemeinsam.

»Was machen Sie hier?«, fragte sie mich.

»Ich arbeite in der Gegend. Und Sie?«

»Ich werde ab und zu als Gutachterin für das Pergamon-Museum bestellt.« Sie sah sich um. »Es ist unglaublich, was sich hier in zehn Jahren getan hat. Eine neue Stadt. Eine neue Mitte. Eine komplett ausgetauschte Gesellschaft.«

Wir hatten den Volvo erreicht. Falls der Wagen sie irgendwie amüsierte, ließ sie es sich nicht anmerken. Sie reichte mir ihre kühle, glatte Hand. »Vielleicht ein anderes Mal?«

»Gerne.«

Sie nahm eine Visitenkarte aus ihrer Handtasche, ich gab ihr eine von meinen.

»Oh, die Kanzlei von Zernikow. Eine gute Adresse.«

»Nicht mehr«, antwortete ich. Dann fiel mir die Zweideutigkeit meiner Antwort auf. »Ich arbeite nicht mehr dort. Ich bin selbstständig. Erst seit ein paar Tagen. Aber die Handynummer stimmt.«

Sie holte lächelnd einen Füller heraus und strich die anderen Nummern aus.

»Und wann sind Sie am besten erreichbar?«

Ich überlegte einen Moment. Nichts sprach dagegen, sie wiederzusehen. Sigrun lächelte von der Laterne auf mich herab, unerreichbar, fern von meinem Leben. Unter ihren Augen steckte ich Mariettas Karte ein.

»Morgen Abend«, sagte ich.

Es wurde Zeit, mit Sigrun abzuschließen.

35

Wir fanden das Haus in Grünau sofort. Es lag in einem Viertel, in dem die Straßen große Namen tragen: Königsseestraße, Schlierseestraße. Die Häuser waren größtenteils aufwändig saniert worden. Das Gebäude, das wir suchten, stach jedoch schon aus der Entfernung hervor: Es war groß, es war wunderschön, und es war eine Ruine. Drei Stockwerke, Holzgiebel, Türme. Ein Bauzaun sperrte das Gelände vollkommen ab. Die Türen waren mit grün gestrichenem Blech versperrt. Sämtliche Fensterscheiben eingeschlagen. Durch die zersplitterten Löcher sah man die hohen Decken: stuckverziert die linke, von schweren Eichenbalken durchzogen die rechte Seite. Wir saßen im Wagen und versuchten, einen weiteren Eingang auszumachen. Von der Landseite kam man nicht heran. Wir beschlossen, es von der Uferseite aus zu probieren.

Wir trugen beide Turnschuhe und dunkle Kleidung. In der Sporttasche, die ich aus dem Kofferraum holte, waren Kopien der Pläne, zwei Taschenlampen, ein Brecheisen, ein Hammer, ein Stechbeitel und eine Drahtschere. Unsere Handys hatten wir in wasserdichte Etuis gesteckt. Wir machten aus, dass wir uns bei Komplikationen am Auto oder, sollte das nicht möglich sein, in der Dunckerstraße treffen würden.

Dann schlenderten wir die Regattastraße hinunter und bogen in die Wassersportallee ein. Es waren nur wenige Meter bis zum Ufer. Ein Steg mit weißem Geländer führte zur Anlegestelle der Berliner Verkehrsbetriebe. Von hier aus ging die Fähre auf die andere Seite, zum Wendenschloss. Marie-Luise studierte den Fahrplan. Es war noch nicht ganz dunkel, und wir einigten uns, so zu tun, als warteten wir auf das Boot. Die Abstände betrugen zwanzig Minuten. Die letzte Fähre ging um dreiundzwanzig Uhr.

Die Fähre der BVG drüben legte ab und kam innerhalb weniger Minuten bei uns an. Letzte Ausflügler schoben ihre Fahrräder an Land, die Passagiere von unserer Seite bestiegen das Boot. Ein schwacher Duft nach Diesel hing in der Luft. Niemand beachtete uns. Ein nicht mehr ganz junges Paar, ganz in existenzialistischem Schwarz gekleidet, das schweigend nebeneinander auf einer Bank saß. Die Fähre legte ab.

»Ich glaube, wir können.«

Ich warf einen Blick auf die Uhr: halb zehn. Wir sahen uns vorsichtig um. Von der Marina rechts waren Stimmen und leise Musik zu hören. Zu sehen war niemand. Links von uns lag dunkel und still das Ufer.

»Okay.«

Die erste Absperrung reichte nur einen halben Meter an das Ufer heran. Wir hatten keine Schwierigkeiten, auf das Gelände zu kommen. Es war eine kleine Werft. Mehrere Segelboote lagen kieloben auf Stahlgerüsten. Wir schlichen an den Schiffsleibern vorbei und gelangten unbemerkt auf das nächste Grundstück. Es war ein Privatanwesen, eine sanft abfallende Wiese führte zum Ufer. Direkt vor uns stand ein weiß gestrichener Pavillon aus Schmiedeeisen. Als wir uns setzten, hörten wir Stimmen. Vorsichtig spähte ich aus einem der offenen Rundbogen zum Haus. Die Terrasse war beleuchtet. Mehrere Menschen standen auf ihr herum und unterhielten sich.

»Eine Grillparty«, flüsterte ich und setzte mich auf den Boden.

»Scheiße. Haben die Leute denn nichts anderes zu tun?« Sie band sich die triefnassen Schnürsenkel ihrer Turnschuhe fester. »Und nun?«

»Es sind noch vier Grundstücke. Immer eins nach dem anderen. Wir haben Zeit.«

Ich spähte wieder zu der Terrasse. Leise Musik wehte zu uns herüber. Dazu der Duft nach Holzkohle und großen, saftigen Steaks. Mir knurrte der Magen. Wir hätten vor unserem nächtlichen Ausflug etwas Ordentliches essen sollen. In diesem Moment ertönte aus meiner Jackentasche ein markerschütterndes Klingeln. Leise fluchend tastete ich nach meinem Handy. Mutter, stand auf dem Display.

»Was gibt's?«, herrschte ich sie flüsternd an. Ich behielt die Terrasse im Auge. Offensichtlich hatte niemand etwas gehört.

»Ich wollte nur wissen, ob du heute Abend noch nach Hause

kommst? Das Essen wird kalt. Hüthchen hat extra Königsberger Klopse gemacht.«

»Nein«, sagte ich leise. »Ich bin verhindert.«

»Wo bist du denn? Musst du schon wieder arbeiten? Wir machen uns Sorgen. Du solltest eigentlich im Bett liegen …«

Ich schaltete das Handy aus. Marie-Luise machte das Gleiche mit ihrem. Wir warteten zur Sicherheit noch einen Moment.

»Jetzt«, sagte ich.

Wir legten uns auf den Bauch und krochen, vor Blicken durch den Pavillon geschützt, zum Ufer. Dann ließen wir uns ins Wasser sinken und schwammen los. Nach zwei weiteren Wassergrundstücken und einem geschlossenen Ausflugslokal waren wir auf Höhe der Villa.

Sie war auch vom Wasser gut gesichert. Allerdings war der Zaun hier nur aus Maschendraht. Wir schwammen vorsichtig an Land, dann ließ ich das Wasser aus meiner Sporttasche laufen und holte die Drahtzange heraus. Ich schnitt den Zaun von unten etwa einen Meter hoch auf und bog die Enden auseinander. Ich stieg als Erster durch das Loch. Dann half ich Marie-Luise hindurch. Die Lücke verschloss ich, so gut es ging.

Das Haus lag dreißig Meter vom Ufer entfernt. Wir drangen durch das Allerheiligste ein, das geschützte Areal, das von der Straßenseite her nicht zu sehen war. Links und rechts wurden die Grenzen von dichtem Gebüsch und hohen Bäumen markiert. Auf der linken Seite erkannte ich einen Bagger. Geduckt liefen wir das Gelände hoch und gelangten auf eine Terrasse. Zwischen geborstenen Steinplatten wucherte Unkraut. Die Tür und die Erdgeschossfenster waren mit Holz vernagelt. Ich setzte das Brecheisen an und versuchte mehrmals, eines der Bretter zu lockern. Es gelang mir nicht.

Marie-Luise stand einige Schritte entfernt und machte immer wieder »Schschsch«.

»Ich muss es ja irgendwie versuchen!«, zischte ich ihr zu.

Sie sah sich die Tür sorgfältig an und warf dann einen Blick zu den Fenstern im ersten Stock. Auf dieser Seite hatten sie noch ihre Scheiben. Es war nichts zu machen. Wir versuchten es bei den Erdgeschossfenstern, aber wir scheiterten. Marie-Luise deutete mit einer Kopfbewegung an, nach links zu gehen.

An diese Ecke hatte man einen spitzgiebeligen Turm an die Villa gebaut. Eine schmale Treppe wand sich ein Stockwerk weit nach oben. Sie sah aus wie ein Dienstbotenaufgang. Wir schlichen die Stufen nach oben und standen vor einer Eisentür. Ich versuchte, die Zargen mit der Brechstange zu lockern. Es war laut und zeigte keine Wirkung.

»Warum hast du das Ding eigentlich mitgenommen, wenn du nicht damit umgehen kannst?« Marie-Luise trat einen Schritt zurück und schaute nach oben. Es knirschte unter ihren Füßen. Die Blechtür war mit einem Graffito verschmiert, eine wildexpressive Schrift, die ich nicht entziffern konnte.

»Vermutlich hat da oben jemand eine Party gefeiert«, flüsterte sie. »Und wenn die reingekommen sind, dann müssten wir es doch auch schaffen.«

Sie kletterte auf die Brüstung der Treppe und streckte die Arme hoch. Sie reichte nicht ganz bis ans Fensterbrett. »Hilf mir.«

Ich kletterte hoch zu ihr, stellte mich an die Wand und faltete die Hände so, dass sie ihren rechten Fuß hineinstellen konnte. Dann schwang sie sich nach oben.

»Pass auf die Scherben auf!«, rief ich ihr leise zu. Sie stieg aufs Fensterbrett und sprang hinunter. Ich hörte einen leisen Aufprall. Dann war es still.

»Marie-Luise?«

Keine Antwort.

»Marie-Luise!«

»Schrei doch nicht so!«

Sie erschien im Fenster. »Wirf mir die Taschenlampe hoch. Ich suche irgendetwas, an dem du hier hochsteigen kannst.«

Ich holte die Lampe aus der Sporttasche, zielte und warf. Marie-Luise fing sie auf und verschwand wieder. Ich wartete. Als ein Auto die Straße hinunterfuhr, ging ich hinter dem Treppenabsatz in Deckung. Scheinwerfer streiften über die Hauswand. Der Wagen entfernte sich. Im Haus hörte ich Schritte. Dann pfiff Marie-Luise leise. Ich kletterte wieder auf die Brüstung.

»Das war das Einzige, was ich finden konnte.«

Sie warf ein längliches Stück Stoff herunter, eine uralte Gardine. »Versuch es einfach.«

Sie band das Ende der Gardine an den leeren Fensterrahmen. Ich fasste das andere Ende und begann, die Fassade heraufzuklettern. Es fehlte nur ein Meter, aber der schaffte mich. Marie-Luise griff nach meinen Armen und half mir hinauf. Schwer atmend erklomm ich das Fensterbrett und stieg hinein.

»Wie ein nasser Sack«, sagte sie und zog die Gardine hoch. Ich nahm die Taschenlampe und leuchtete in den Raum. Es war ein quadratisches Zimmer mit zwei Türen. Die Rahmen waren aus dunklem Holz, so wie die Balken in der Decke. Die Tapeten hatten sich von den Wänden gelöst. In einer Ecke entdeckte ich ein dunkles Bündel. Es sah aus wie ein Mensch.

»Alte Kleider«, meinte Marie-Luise. »Jemand hat hier geschlafen.«

Sie ging durch die vordere Tür und verschwand. Ich folgte ihr. Der Strahl meiner Taschenlampe zitterte. Wir gelangten auf eine breite Galerie, von der wir in die Eingangshalle hinuntersehen konnten. Bei jedem Schritt knarrten die Dielen unter unseren Füßen. Über eine breite Treppe gelangten wir ins Erdgeschoss.

Es war ein Geisterhaus. Vor einigen verrammelten Fenstern hingen zerschlissene Gardinen herab. Das Parkett war überall blind und aufgequollen, und der Stuck an den hohen Decken war zum Teil abgefallen. Es roch muffig. Plötzlich griff Marie-Luise nach meinem Arm und drückte ihn fest. Ich knipste sofort die Taschenlampe aus. Ein Auto rollte an der Villa vorbei. Langsamer diesmal. Eine schreckliche Sekunde lang schien es, als würde es anhalten. Dann fuhr es weiter. Sie ließ meinen Arm los. Ich trat zur letzten Tür. Sie lag direkt neben dem Eingang und verbarg endlich das, was wir suchten: die Kellertreppe.

Sie war schmal und aus Stein, die Fortsetzung der Turmtreppe. Wir folgten der Biegung nach unten. Die Luft wurde feuchter, es war grabesdunkel. Der Lichtkegel tanzte vor unseren Füßen und warf die Schlagschatten unserer grotesk verlängerten Körper an die Wand. Am Fuß der Treppe leuchtete ich in einen Gang.

»Der Plan«, flüsterte Marie-Luise.

Ich griff in die Tasche und holte ein völlig durchweichtes Stück Papier heraus. Es war die Zeichnung von 1945, die Kevin netterweise im Copy-Shop um die Ecke noch kopiert hatte. Wir verglichen den Grundriss mit dem Gang vor uns.

»Die zweite Tür führt in den vergrößerten Raum.«

Ich lief voraus.

»Pst!«

Sofort löschte ich das Licht und blieb stehen. Marie-Luise tastete nach meiner Hand. Wir verharrten etwa eine Minute lang in absoluter Dunkelheit. Im Haus war es still.

»Entschuldige.« Sie ließ meine Hand los und atmete hörbar auf. »Ich dachte, ich hätte etwas gehört.«

»Willst du, dass ich einen Herzinfarkt bekomme?«, flüsterte ich ihr zu.

»Es war was. Über uns«, protestierte sie.

Wir tasteten uns im Dunkeln voran. Ohne Licht fühlte ich mich sicherer. Doch dann hatten wir die Tür erreicht. Ich drückte die Klinke hinunter – sie war nicht verschlossen. Marie-Luise presste sich von hinten an mich. Leise und vorsichtig öffnete ich die Tür einen Spaltbreit. In diesem Moment schoss etwas über unsere Köpfe hinweg, und Marie-Luise stieß einen hysterischen Schrei aus.

»Still!« Ich knipste das Licht an. »Das war nur eine Fledermaus.«

»O Hilfe. Ich kann nicht mehr. Lass uns gehen.« Ihre Stimme zitterte, und sie klammerte sich an mich.

Ich hielt sie einen Moment fest, bis sie sich beruhigt hatte. »Geht es wieder?«

»Okay. Lass uns weitermachen.«

Der Kellerraum entsprach in den Abmessungen genau dem Plan von 1945. Rechteckig, mit vier Oberlichtern, die zum Garten hinausführten. Er war leer. Bis auf einen Tisch. Darauf lag ein Akku-Schlagbohrer. Die linke Wand war die, die versetzt worden war. Jemand hatte ein Loch herausgeschlagen, das etwa die Größe eines Gullydeckels hatte.

»Eine Ziegelwand.«

Ich leuchtete die erste Wand ab und hielt die Lampe dann wieder auf das Loch. »Dahinter ist noch eine Wand.« Ich holte den Hammer heraus und klopfte die Ziegel ab. Es klang hohl.

»Gib mir den Beitel.«

Sie reichte ihn mir, und ich klopfte den Mörtel zwischen zwei Ziegeln heraus.

»Leiser!«, zischte sie mir zu.

»Hier hört uns keiner.«

»Dann kannst du ja gleich den Schlagbohrer nehmen.«

Ich hämmerte, so schnell es ging. Ein Ziegel lockerte sich. Ich klopfte dagegen und versuchte, ihn zu bewegen. Schließlich hatte ich genug von dem Mörtel entfernt. Ich schlug noch zwei Mal mit voller Kraft gegen den Stein, dann fiel er durch die Wand nach hinten. Ich nahm die Taschenlampe und leuchtete durch das Loch. Staub, so weit ich sehen konnte. Gegenüber eine Wand.

»Was ist da drin?«

»Nichts«, sagte ich. Ich leuchtete nach links. »Warte. Ich sehe Holz.«

»Holz?«

»Kisten. Links an der Wand. Und Holzstapel. Mehr ist nicht zu erkennen. Wir müssten noch ein paar Ziegel herausschlagen.«

Ein Geräusch ließ mich zusammenfahren. Fast hätte ich die Taschenlampe fallen gelassen.

»Licht aus! Sofort!«

Ich knipste die Lampe aus. Wir standen erstarrt wie die Salzsäulen. Draußen im Garten waren Schritte zu hören. Sie kamen langsam näher und schritten die Oberlichter ab. Eines nach dem anderen. Sie kamen in unsere Richtung.

»An die Wand!«

Ich riss Marie-Luise von dem Loch weg. Wir pressten uns an die Kellerwand unter den schmalen Fenstern. Die Schritte stoppten direkt über uns. Marie-Luises Atem ging schneller. Die Person hatte auch eine Taschenlampe dabei. Sie leuchtete durch die Ritzen. Wir drückten uns noch enger an die Wand. Der Lichtstrahl wanderte zitternd über die gegenüberliegende Mauer. Dann ging er aus. Einige Sekunden war es totenstill. Leise entfernten sich die Schritte. Marie-Luise atmete tief ein.

»Vielleicht ein Sicherheitsdienst«, flüsterte sie. »Wir warten ein paar Minuten und machen dann weiter.«

Ich rührte mich nicht. »Das Brecheisen. Ich habe es oben liegen lassen.«

Marie-Luise lief zur Kellertür. Ich sprintete ihr hinterher, doch da hörten wir schon Schritte über uns. Sie polterten die Treppe in die Halle hinunter.

»Gibt es noch einen zweiten Ausgang?«

Ich versuchte, mir den alten Plan wieder ins Gedächtnis zu rufen.

»Schnell!«

Die Schritte hatten die Kellertür erreicht, sie wurde aufgerissen.

»Nach rechts!«

Wir liefen den Gang hinunter bis ans Ende. In dem Moment, in dem die Schritte den Kellergang erreichten, hatte ich irgendeine Tür aufgerissen, schleuderte Marie-Luise herein und schloss die

Tür hinter uns. Die Verfolger rannten in den Raum mit der Doppelwand. Ich knipste die Taschenlampe an.

Wir waren in der Waschküche. Wenn sie ein ähnliches Modell war wie das in der Zernikow'schen Villa, musste sie einmal eine Feuerstelle und einen Kamin gehabt haben. Ich sah die Öffnung links von uns. Wir hörten Männerstimmen. Sie waren im Gang und begannen, eine Tür nach der anderen aufzutreten. Sie kamen rasch näher.

»Da rein«, sagte ich.

Ich leuchtete in die Öffnung. Steigeisen führten nach oben in das dunkelste Schwarz, das ich jemals gesehen hatte. Marie-Luise begann sofort, wie ein Eichhörnchen nach oben zu klettern. Ich stieg ihr nach und verschloss die Luke hinter uns. Im selben Moment sprang die Tür zur Waschküche auf.

Sie sprachen ein paar Worte miteinander. Ich verstand kein Wort. Klang so Albanisch? Anscheinend verständigten sie sich, was zu tun war. Dann öffnete einer die Luke. Der Strahl seiner Taschenlampe verfehlte knapp meinen Knöchel. Marie-Luise war zwei Meter über mir. Ich hielt den Atem an. Der Arm mit der Lampe reichte weiter, gleich würde der Mann hineinkriechen. Ich sprang. Unter meinen Füßen spürte ich Knochen brechen, dann hörte ich einen heiseren, irren Schmerzensschrei. Sofort kletterte ich mit Höchstgeschwindigkeit nach oben. Die Stimmen brüllten. Wenn sie eine Waffe hatten, würde sie der andere jetzt ziehen. Er würde seinen Kumpel herausholen, selbst in den Schornstein kriechen, sie nach oben halten und einfach nur abdrücken. Und er würde es jetzt tun.

»Hierher!«

Marie-Luise krallte mich in die Haare und zerrte mich aus dem Schacht. Etwas pfiff an mir vorbei, dann spürte ich einen brennenden Schmerz in der Wade, sprang nach vorne und fiel auf einen Steinboden.

»Steh auf!«

Ich ignorierte den Schmerz und folgte ihr humpelnd nach draußen. Wir waren wieder in der Eingangshalle. Wir rasten die Treppe hoch und erreichten das Turmzimmer, durch das wir gekommen waren.

»Spring!«, schrie ich Marie-Luise zu. Sie erklomm das Fensterbrett und reichte mir die Hand.

»Du nach rechts, ich nach links«, keuchte ich. »Versuch, zum Auto zu kommen. Ich melde mich.«

Wir sprangen gleichzeitig. Mein verletztes Bein schickte einen weiß glühenden Schmerz in mein Gehirn.

»Hau ab!«, rief ich ihr zu. Sie lief die Treppe hinunter nach vorne zum Bauzaun und kletterte an ihm hoch. Die Männer hatten das Turmzimmer erreicht. Ich rannte die Wiese zum Wasser hinunter. Etwas zischte an meinem Kopf vorbei wie eine irrsinnig gewordene Wespe. Ich hörte Rufe, aber ich schaute mich nicht um, rannte einfach ins Wasser. Noch eine Kugel pfiff an mir vorbei. Ich begann zu kraulen, wie ich noch nie in meinem Leben gekrault war. Es ging viel zu langsam. Ich sah zurück. Zwei dunkle Gestalten kamen zum Ufer gerannt. Ich holte tief Luft und tauchte unter.

Ich tauchte um mein Leben. Das Wasser erschlug mich fast mit seiner Kälte, es war stockfinster. Ich versuchte, die Fluchtrichtung beizubehalten. Als ich mit schmerzenden Lungen und keuchend wieder an die Oberfläche kam, hatte ich das erste Seegrundstück passiert. Ich schwamm, so schnell ich konnte, auf die Mitte des Sees zu. Als ich mich umdrehte, konnte ich niemanden mehr am Ufer entdecken.

An der anderen Seite machte die letzte Fähre los. Sie hielt direkt auf mich zu. Mein Bein krampfte. Ich schwamm auf die Fähre zu und rief um Hilfe. Erst als mich die Lichtkegel auf dem Wasser erfassten, bemerkte man mich. Die Fähre gab einen schrillen Hupton von sich und rasselte mit allem, was der Dieselmotor hergab, auf Stopp.

Ein älterer Mann mit einer zerknautschten Schiebermütze auf dem Kopf verließ die Kabine und trat an die Reling. Die wenigen Passagiere drängten sich neugierig hinter ihm zusammen. Ich schwamm auf ihn zu und hielt mich am Außenrand des Einstiegs fest. Er reichte mir eine Hand, und ich zog mich hoch. Die Passagiere traten ein paar Schritte zurück. Das Wasser, das aus meinen Hosenbeinen lief, färbte sich rot.

»Wohl zu viel gebechert, wat?« Der Bootsführer schüttelte den Kopf und setzte sich wieder in sein Fahrerhäuschen. Der Motor rumpelte wieder los, die Fähre bewegte sich Richtung Haltestelle. Da sah ich ihn. Erst war er nur ein grauer Schatten. Dann, als die Fähre näher kam, sah ich, dass er einen Hut und einen hellen Mantel trug. Reglos stand er an der Anlegestelle und wartete. Panik kroch in mir hoch. Ich riss die Tür zum Fahrerhäuschen auf.

»Nicht anlegen! Drehen Sie um!«

»Sind Sie übergeschnappt? Setzen Sie sich hin!«

Der Kapitän, oder wie immer man den Herrn dieser Nussschale nennen wollte, griff nach der Tür und wollte sie schließen.

Wir waren noch zehn Meter von der Anlegestelle entfernt. Der Mann löste sich aus dem Schatten und betrat den Steg. Der Kapitän drosselte den Motor, das Schiff glitt weiter.

»Sehen Sie den Mann dort?«, fragte ich den Kapitän so ruhig wie möglich. »Er hat eine Waffe. Er wird sie benutzen. Kehren Sie um!«

Der Kapitän sah zu der dunklen Gestalt auf dem Steg. »Der holt doch nur jemanden ab.«

Dem Mann entging nicht, dass es Diskussionen an Bord gab. Er hob die Hand, und im Lichtkegel der Fähre blitzte stahlblau eine Pistole.

»Zurück!«

»Das ist doch nicht die Möglichkeit …« Der Kapitän griff nach dem Mikrofon eines Funkgerätes. Der erste Schuss zersplitterte das Kabinenfenster. Das Mikrofon fiel auf den Boden.

»Deckung!«, schrie ich.

Auf der Fähre brach Panik aus. Das Ufer war noch fünf Meter entfernt. Der Mann stand am Ende des Steges und feuerte. Er zerschoss sorgfältig ein Fenster nach dem anderen. Die Passagiere schrien und klammerten sich aneinander. Der Kapitän lag auf dem Boden und blutete aus einer Kopfwunde.

Ich beugte mich über ihn. »Ist alles in Ordnung?«

»Ich … ich weiß nicht.« Er griff sich an die Stirn und betrachtete das Blut an seiner Hand. Erneut pfiff eine Kugel über uns hinweg. Drei Meter bis zum Landungssteg.

»Wir müssen weg«, flehte ich.

Der Mann hatte Zeugen. Dieser Irre zerschoss gerade eine kleine, unschuldige BVG-Fähre. Er würde uns alle töten. Der Kapitän rappelte sich auf. Geduckt erreichte er ein Pedal. Der Motor röhrte auf. Dann betätigte er eine Art Lenkrad. Es rasselte und rappelte. Das Schiffchen bäumte sich auf, Schaum spritzte durch das zerschossene Fenster, ich konnte den Mann sehen, er setzte an, um an Bord zu springen, da drehte das Boot im letzten Moment ab. Der Kerl fuchtelte mit der Pistole in der Luft herum und versuchte, das Gleichgewicht zu halten. Der Kapitän gab Gas, die Fähre drehte ab und rauschte davon. Die Passagiere hoben vorsichtig die Köpfe. Nach etwa zehn Sekunden wagte ich, aus dem zerborstenen Fenster zu sehen. Der Mann war verschwunden.

»Das war knapp«, sagte ich. »Danke.«

»Danke?«, brüllte der kleine Kapitän vor mir. Er war über fünfzig, hatte ein rundes, rotes Gesicht und wirkte im normalen Leben wohl so friedlich wie ein Postbote. Jetzt war er eine Zeitbombe unmittelbar vor der Explosion.

»Sehen Sie sich den Schaden an! Sie hätten uns alle umbringen können!«

Ich hatte keine Zeit zu antworten. Am Grünauer Ufer sprang ein Motorboot an. Es röhrte gegen das Tuckern der Fähre an und setzte sich in Bewegung.

»Schneller. Sie müssen schneller fahren! Sie sind schon wieder hinter uns her!«

»Hinter uns? Hör ich recht? Ich hab nichts verbrochen. Ich rufe die Wasserschutzpolizei.«

Das Motorboot fuhr eine schneidige Kurve und setzte zur Verfolgung an. Wir hatten gerade die Mitte des Sees erreicht.

»Die Polizei ist nicht schnell genug hier. Sehen Sie das Boot? Es hält genau auf uns zu.«

Der Kapitän drehte sich um. »Teufel«, murmelte er. Dann griff er zum Sprechfunkgerät. »Torsten, wach mal auf. Torsten!«

Es knatterte. Dann hörte ich eine verschlafene Stimme. »Jaaa?«

Der Kapitän warf mir einen feindseligen Blick zu. Dann hielt er sich das Mikrofon an den Mund. »Glaub es jetzt, oder glaub es nicht. Wir sind gerade beschossen worden und werden jetzt verfolgt. Siehst du das Motorboot?«

Knattern. »Ja.«

»Dann setz deinen Arsch in Bewegung.«

»Wer ist Torsten?«, fragte ich.

»Er fährt das Tankschiff«, knurrte der Kapitän.

Die Passagiere kauerten noch immer auf dem Boden. Zwei Fahrräder waren umgefallen. Ein etwa siebenjähriges Mädchen hockte daneben. Eine mütterlich wirkende ältere Dame hinter ihr hatte den Arm um das Kind gelegt und ließ den Kapitän und mich nicht aus den Augen. Das Mädchen schien eher neugierig.

»Ist das eine Verfolgungsjagd?«, fragte sie.

»So ähnlich«, antwortete ich.

»Sind sie hinter dir her?«

Ich nickte. Das Motorboot war schnell. Es lag nur noch fünfzig Meter hinter uns. Die Fähre gab ihr Bestes, doch der Dieselmotor reichte einfach nicht. Sie kamen immer näher. Wir hatten zwei Drittel des Sees hinter uns. Ich konnte die Anlegestelle auf der anderen Seite am Wendenschloss erkennen, aber nirgendwo einen Torsten.

»Drehst du einen Film?«

»Nein«, antwortete ich. »Das ist echt.«

»Warum sind sie hinter dir her?«

»Weil ich etwas weiß, das sie ins Gefängnis bringen wird.«

Die Frau verschloss den Mund des Kindes mit der Hand. »Sei still.«

Ich beobachtete nervös, wie langsam die Fähre vorankam und wie schnell unsere Verfolger aufschlossen.

»Leg dich hin«, sagte ich zu dem Mädchen, keine Sekunde zu früh. Wieder schlug Blei auf Eisen. Sie hatten auf gut Glück einen Schuss abgegeben. Alle duckten sich.

»Na endlich!«, rief der Kapitän. Ein längliches, orangeblaues Lastboot verließ unendlich langsam den Kai und hielt auf uns zu.

Das Motorboot hinter uns bäumte sich auf und raste auf die rechte Seite der Fähre.

»Runter!«, schrie ich. Wieder warfen sich alle auf den Boden. Der Kapitän ging in Deckung. Was jetzt auf uns niederprasselte, war stärkere Munition. Einige Kugeln durchschlugen die dünne Wand der Passagierkabine. Niemand kam zu Schaden, aber die ältere Frau hatte sich über das Kind geworfen und schrie: »Aufhören! Aufhören!«

Der Kapitän steuerte vom Boden aus auf gut Glück zum anderen Ufer. Das Motorboot schoss an uns vorbei und fuhr einen weiten Bogen.

»Sie kommen wieder«, brüllte ich gegen den Lärm der Motoren an. Der Lastkahn bewegte sich in Zeitlupe auf uns zu. Er war noch gut zwanzig Meter entfernt. Das Motorboot machte kehrt. Ich konnte mehrere Gestalten auf dem Deck erkennen. Zwei hatten Waffen im Anschlag. Ihr Boot hielt einen Moment auf der Stelle, als ob es seine PS sammeln wollte. Dann röhrte es auf und schoss auf uns zu.

In diesem Moment erreichte der Lastkahn die Fähre. Er schob sich vor uns. Ein junger Mann stand am Steuer. Er starrte zu dem für uns nicht mehr sichtbaren Motorboot hin und wendete sein Schiff. Das Motorboot schoss wie ein Pfeil an uns vorbei. Eine Feuergarbe ging auf uns nieder. Doch der Kahn drehte sich im Kreis, so dass wir wieder von seinem Windschatten geschützt wurden. Das Ufer lag in dreißig Meter Entfernung. Wir hörten den Motor ihres Bootes aufheulen – und absterben. Eine Sirene jaulte am oberen Ende des Sees.

»Hier spricht die Wasserschutzpolizei«, kam eine Lautsprecherstimme aus der Dunkelheit. »Stellen Sie sofort das Feuer ein!«

Das Motorboot schoss an uns vorbei in die entgegengesetzte Richtung und verschwand.

»Junge, Junge«, stöhnte der Kapitän. Er nahm die Mütze ab und wischte sich über die Stirn. »So was habe ich noch nicht erlebt.«

Das Boot der Wasserschutzpolizei kam näher. Für mich gab es jetzt nur eine Möglichkeit.

»Entschuldigen Sie bitte.«

Ich stieß den Kapitän aus der Kabine und verriegelte sie von innen. Dann drückte ich auf das Pedal und griff zum Lenkrad.

»He! Das können Sie nicht machen!«

Wir lagen immer noch im Schutz des Lastkahns. Ich gab Gas. Die Fähre tuckerte los, am Müggelheimer Ufer entlang. Ich suchte nach einer geeigneten Stelle, an der ich mich von meinen Lebensrettern verabschieden konnte. Torsten hatte offensichtlich gerade die veränderte Lage beschrieben, denn das Motorengeräusch der Wasserschutzpolizei wurde lauter. Sie waren jetzt hinter mir her.

Der Kapitän hämmerte an die Kabinentür. Ich konzentrierte mich aufs Lenken und Gasgeben. Endlich wurde es dunkel. Die Uferbebauung hörte auf. Wald kroch an den See, sumpfiges Schilf. Hier könnte es gehen.

Ich ließ das Pedal los, und augenblicklich verlor das Schiffchen an Fahrt.

»Jetzt ist aber endgültig Schluss!«, brüllte der kleine Mann mich an, als ich die Tür öffnete.

Die Passagiere kauerten immer noch verängstigt in der zerschossenen Innenausstattung.

»Es tut mir leid«, sagte ich. Dann wandte ich mich an den Kapitän. »Sorgen Sie bitte dafür, dass die Polizei das Motorboot findet. Ich bin nicht wichtig.«

»Ach ja?« Der Kapitän sah aus, als würde er mich am liebsten an seinem Schiffsmast aufknüpfen. Wenn er denn einen hätte.

»Ehrensache! Hauen Sie ruhig ab. Ich schicke sie in die andere Richtung.«

Das war das Mädchen. Sie grinste mich an und zeigte einige entzückende Zahnlücken.

»Danke«, sagte ich. Dann sprang ich ins Wasser.

Augenblicklich klapperten mir die Zähne. Ich schwamm, so schnell ich konnte. Nach wenigen Minuten hatte ich das Ufer erreicht. Ich drehte mich um. Das Boot der Wasserschutzpolizei lag neben der Fähre. Es gab Diskussionen. Dann drehte es ab und schoss hinunter Richtung Süden. Gut gemacht, kleines Mädchen.

Wald, wohin ich blickte. Hustend stand ich auf und schlug mich in die Büsche. Ich lief und lief. Die Bäume standen zu dicht, um den Himmel zu erkennen. Panik kroch in mir hoch. In der Ferne schlug ein Hund an. Endlich erreichte ich eine Art Waldpfad und folgte ihm. Er ging über in einen breiteren Weg, der nach einem Kilometer in eine stockfinstere Straße mündete. Ich entschloss mich, nach links zu laufen. Vermutlich würde ich über einen großen Bogen wieder zurück in die Zivilisation kommen. Die Straße machte einen Knick und führte dann schnurgeradeaus. Der Mond und die Sterne gaben genug Licht, um sie zu erkennen.

Ich tastete nach meinem Handy und holte es aus der wasserdichten Hülle. Es funktionierte noch. Marie-Luise meldete sich sofort. »Was ist los? Wo steckst du? Ich warte hier seit über einer Stunde!«

Ich erklärte ihr, was passiert war.

»Sag das noch mal. Du hast eine BVG-Fähre entführt?«

»Es ging nicht anders. Ich bin auf der anderen Seite des Sees in der absoluten Einöde. Kannst du mir vielleicht weiterhelfen?«

Sie ließ sich den Verlauf der Flucht genau beschreiben.

»Also, theoretisch bist du jetzt in der Nähe der Müggelberge.«

»Ich sehe nichts. Es ist stockdunkel.«

»Aber du bist auf einer Straße?«

Ich sah mich um. »Straße ist übertrieben. Aber ich komme voran.«

»Wenn du ihr folgst, stößt du irgendwann auf den Müggelheimer Damm. Geh dann links weiter. Ich komme dir entgegen. Versuche, nicht aufzufallen. Wir telefonieren uns zusammen.«

Das mit dem Nichtauffallen war wohl ein Scherz. Ich war nass und schlammverschmiert. Mein Gesicht sah bestimmt verboten aus. Die Wunde an der Wade schmerzte und puckerte schon jetzt derart, dass mir eine Entzündung sicher war. Ich hinkte weiter und hielt mich am Straßenrand.

Es dauerte eine halbe Stunde, bis ich tatsächlich eine breitere Straße erreichte. Nur ein paar Meter hinter der Kreuzung stand eine Bushaltestelle. Ich rief Marie-Luise an. »Ich stehe an der Oberförsterei Köpenick. Weißt du, wo das ist?«

»Direkt am Kuhwall. Du bist nur fünf Minuten vom Müggelsee entfernt. Ich bin gleich bei dir.«

Ich zog mich ein paar Meter vom Straßenrand zurück, setzte mich auf die Erde und rieb mir die Oberarme. Ich klapperte mit den Zähnen und fror erbärmlich. Dann begann ich zu schwitzen.

Zwanzig Minuten später rollte ein Wagen langsam die Straße hinunter. An der Bushaltestelle stoppte er. Mein Handy klingelte. Ich stand auf und humpelte zu Marie-Luise.

Sie griff mir unter die Arme und half mir in das Auto. Dann wendete sie und fuhr los.

»Du siehst schrecklich aus«, sagte sie. Sie griff nach hinten und holte eine Art Hundedecke nach vorne. »Da.«

Ich wickelte mich dankbar ein.

Sie stellte die Heizung an und musterte mich. »Deiner Mutter kannst du so nicht unter die Augen treten. Ich bringe dich besser zu mir.«

Ich nickte. Mir war abwechselnd zu kalt und zu heiß zum Reden. Dann schlief ich ein.

Marie-Luise weckte mich in der Mainzer Straße. Ich humpelte die Treppen zu ihr hoch, glühende Kreise tanzten vor meinen Augen. Ich warf mich aufs Sofa. Marie-Luise holte eine Schere und schnitt mein Hosenbein auf.

»Du musst ins Krankenhaus.«

»Es ist nur ein Durchschuss«, stöhnte ich. »Wenn ich in die Notaufnahme gehe, haben sie mich sofort.«

Sie nickte, ging ins Bad und kam mit Verbandsmaterial und einer Flasche Jod zurück.

»Es wird wehtun.«

»Das tut es jetzt auch schon.«

Sie kniete sich nieder und begann, die Wunde zu säubern. Ich biss die Zähne zusammen und fiel fast in Ohnmacht vor Schmerz. Endlich hatte sie ihr Werk vollendet und einen sauberen Verband angelegt.

»Kannst du dich ausziehen?«

Ich nickte.

»Alles, was ich hier habe, ist von ihm. Ich hoffe, das stört dich nicht.«

Ich schüttelte den Kopf. Sie holte einen Pyjama, der zwanzig Zentimeter zu kurz, in der Taille aber mindestens vier Nummern zu weit war. Wenigstens roch er frisch gewaschen. Ich legte mich wieder hin. Sie breitete eine Decke über mir aus. Dann holte sie für uns beide einen Stolichnaya.

»Oh Mann. Entführung und Geiselnahme. Das sind mindestens fünf Jahre.«

»Ich glaube nicht, dass mich jemand erkannt hat. Die Passagiere waren die meiste Zeit am Boden. Der einzige brauchbare Zeuge ist der Kapitän.«

Ich deutete auf mein lädiertes Gesicht. »Das ist die beste Verkleidung, die es gibt. Sollte ich eines Tages wieder normal aussehen, wird mich keiner mehr erkennen.«

Sie nickte mir zu. Dann schwiegen wir wieder eine Weile.

»Diese Männer. Wer waren sie?« Marie-Luise starrte in ihr Glas.

Ich verlagerte vorsichtig mein Gewicht auf eine Körperstelle, die nicht ganz so schmerzte. »Keine Ahnung«, sagte ich wahrheitsgemäß. Ich war in Sicherheit. Ich wollte nicht mehr nachdenken. Das war zu anstrengend.

»Wir haben sie unterschätzt«, meinte Marie-Luise. »Wir haben gewusst, dass sie skrupellos sind. Aber das war haarscharf. Sie hätten uns fast gekriegt. Warum? Was ist in diesem Keller? Wir waren so nah dran.«

»Wir sind nicht die Einzigen, die sich dafür interessiert haben. Hast du den Bagger auf der Wiese bemerkt? Und den Erdaushub? Das waren die Arbeiten, die unterbrochen werden mussten. An der Ostseite des Hauses. Aaron wollte bei seinen ungenehmigten Bauarbeiten von außen an den Keller kommen.«

»Warum nicht von innen? Das wäre doch einfacher.«

»Wir müssten an die Akten in der Kanzlei von Zernikow herankommen. Die eingerissene Wand und die plötzliche Vergrößerung des Kellers wäre vermutlich im Falle einer öffentlichen

Nutzung des Gebäudes erklärungsbedürftig. Also haben sie es von außen versucht. Graben, aufstemmen, raus mit dem Zeug, zumachen. Nach mir die Sintflut.«

»Wer?«, fragte Marie-Luise. »Hast du einen erkannt?«

Ich hob abwehrend die Hand. »Das waren Profis heute Abend. Vermutlich Albaner.«

»Du kannst Albanisch?«

»Nicht direkt«, schwächte ich ihre plötzlich aufflammende Bewunderung ab. »Auf jeden Fall waren es Auftragskiller.«

»In wessen Auftrag?«

Wir sahen uns an. »Aaron«, murmelte Marie-Luise. »Abel, Abraham, Aaron. Warum fangen die eigentlich alle mit A an?«

»A ist für den Erstgeborenen, B für den Zweiten und so weiter.«

Marie-Luise nickte. »Wie bei Pferden und Hunden.«

Sie beugte sich vor und zog mir sanft die Decke zurecht. »Aber die töten nur, wenn sie Hunger haben. Was ist so Wertvolles in diesem Keller, dass Menschen dafür töten würden?«

»Bretter und Kisten«, antwortete ich. »Und sechzig Jahre Staub.«

36

Ich schwamm, und jemand war hinter mir her. Ich kam immer langsamer vom Fleck, als ob ich in einen See voller Leim gefallen wäre, der mich langsam und unerbittlich nach unten zog. Der Grund des Sees leuchtete golden. Etwas Strahlendes reflektierte das Licht des Mondes. Ich bekam keine Luft mehr und wurde erbarmungslos nach unten gezogen, dem Flirren und Funkeln entgegen. In der Mitte des Lichts strahlte ein Smaragd ... schweißgebadet wachte ich auf.

Es war halb elf. Marie-Luise hatte die Wohnung bereits verlassen und mir einen Zettel auf den Küchentisch gelegt. *Melde dich, wenn du wieder fit bist.* Das konnte Monate dauern. Ich rief sie an, nachdem ich geduscht und die Wunde am Bein versorgt hatte.

»Wie geht es dir?«

»Gut. Gibt es was Neues?«

»Milla ist aufgewacht und auf eine normale Station verlegt worden. Horst ist bei ihr und hält ihr die Hand. Sie ist aber noch nicht vernehmungsfähig. Kevin hat über das Rote Kreuz die Vermisstenmeldung von Wilhelm von Zernikow angefordert. Ein widerlicher, schwitzender Mann hat dir einen Umschlag gebracht, in dem Fotos sein sollen. Und ich bin heute Abend mit Georg Schäffling verabredet. Ich habe ihn eingeladen, wahrscheinlich ist die kleine Griebe deshalb darauf angesprungen.«

Das klang gut.

Hose und Hemd waren schmutzig und rochen muffig. Ich musste nach Hause und mich umziehen. Statt den Bus zu nehmen, rief ich mir lieber gleich ein Taxi. Eine halbe Stunde später öffnete ich die Tür zur Wohnung meiner Mutter.

Sie war leer. Beide Damen waren nicht zu Hause. Ich war froh, keine Fragen beantworten zu müssen, und suchte im Kleiderschrank nach etwas Anziehbarem. Ich hatte nichts mehr. Aber den Anzug, mit dem ich den halben Konradshöher Friedhof umgegraben hatte, konnte ich ausbürsten. Ich zog ein T-Shirt unter die Jacke. Nicht gebügelt, aber wenigstens sauber. In diesem Aufzug fuhr ich nach Moabit ins Virchow-Klinikum.

Milla Tscherednitschenkowa lag nun zwei Häuser weiter in einem hübschen, hellen Zweibettzimmer, von denen aber nur ihres belegt war. Sie schlief. Horst saß an ihrem Bett und löste das Kreuzworträtsel in der BTZ. Als er mich eintreten sah, lächelte er mir erfreut entgegen.

»Es geht ihr besser«, flüsterte er. Ich holte mir den zweiten Stuhl. Milla trug noch immer einen dicken Verband um den Kopf. Die linke Gesichtshälfte war etwas geschwollen, aber sie sah wieder erkennbar aus. Auf dem Nachttisch prangte der Rosenstrauß.

»Keine neuen Blumen?«, fragte ich.

Horst schüttelte den Kopf und faltete vorsichtig seine Zeitung zusammen. Dennoch war das leise Papierknistern laut genug, dass Milla erwachte. Sie blinzelte und versuchte, sich mit der Hand ins Gesicht zu fassen. Dann erkannte sie die Kanüle und die Flasche mit der Kochsalzlösung. Schließlich sah sie mich.

»Jojo«, flüsterte sie. Ihre Lippen waren aufgesprungen. Sie versuchte sich aufzurichten, doch ich drückte sie sanft in das Kissen zurück.

»Nicht. Nicht so viel bewegen.«

Ihr Blick fiel auf Horst. Sie winkte mich näher heran.

»Wer ist der Mann da an meinem Bett? Er ist dauernd da und sagt, er verlässt mich nicht. Das macht mir Angst.«

»Horst ist harmlos«, flüsterte ich zurück. »Er ist dein Verlobter.«

Ich setzte mich wieder aufrecht hin. »Darf ich bekannt machen? Milla Tscherednitschenkowa – Horst Cahlow.«

Horst strahlte sie an.

Milla lächelte unsicher. »Die Rosen – sind von ihm?«

»Äh … ja«, sagte ich schnell.

Horst nickte unsicher.

»Milla«, sagte ich. »Erinnerst du dich an den Unfall?«

»Nein. Überhaupt nicht. Es ist wie ausgelöscht im Kopf.«

Sie griff sich an die Schläfe und betastete den Verband. »Meine Haare. Habe ich meine Haare noch?«

»Aber natürlich«, beruhigte ich sie. »Denk bitte noch einmal nach. Was ist davor passiert? In deinem Hotel haben sie mir gesagt, du hättest eine Verabredung gehabt. Jemand hat dich mit einem Wagen abgeholt. Ist das richtig?«

Sie sah mich an. Ihre Augen wurden feucht. »Ich weiß es nicht, Jojo. Ich denke darüber nach und weiß es nicht. Ich schließe die

Augen und wache in einem Krankenhaus auf, ich bin verlobt und kenne den Mann nicht. Ich habe Angst, Jojo.«

»Aber an mich erinnerst du dich.«

»Ja«, sagte sie mit einem schwachen Grinsen. »Du siehst schlimm aus. Hast du dich geprügelt?«

Horst räusperte sich. Vielleicht wollte er damit zu verstehen geben, dass er nichts dagegen hätte, auch in das Gespräch mit einbezogen zu werden. Ich deutete auf ihn.

»Horst hat Tag und Nacht bei dir Wache gehalten.«

Milla zog die Bettdecke ein Stückchen weiter hoch und musterte ihn.

»Er ist ein Freund. Er hat dich nach Deutschland geholt. Er hat auf dich gewartet und sich große Sorgen gemacht.«

»Ah ja?«, kam es ungläubig aus ihrem Mund. »Horst ... das Internet?«

»Ja!«, rief Horst. »Sie erinnert sich! Milla, jetzt wird alles gut!«

Milla verdrehte die Augen. »Schick ihn raus«, flüsterte sie.

Ich bat Horst, die Rosen ins Schwesternzimmer zu bringen.

Als er gegangen war, zupfte mich Milla am Ärmel und zog mich näher zu sich. »Es ist immer besser, nichts zu wissen. Man darf nie alles sagen, verstehst du? Ich habe einen Anruf bekommen.«

»Mann oder Frau?«

»Ein Mann. Er sagte, ich bekomme die Unterschrift. Ich soll anrufen, wenn ich Zeit habe, und er hat mir eine Nummer gegeben. Er wollte mich abholen lassen.«

»Hast du ihn erkannt?«

»Nein. Der Fahrer trug eine Sonnenbrille.«

»War er alt oder jung? Groß oder klein?«

Sie schloss die Augen. »Ich weiß es nicht. Es war so eine Freude. Ich habe ihn nicht beachtet. Wir fuhren los. Über den Kurfürstendamm. Ich war so aufgeregt. Dann hielt er an. Er sagte, ich solle auf die andere Straßenseite gehen, da wartet man auf mich. Ich stieg aus und lief los. Bumm.«

Eine dicke Träne kullerte herunter. »Es ist meine Schuld. Hätte ich besser aufgepasst, ich hätte die Unterschrift und wäre schon längst wieder in Kiew.«

Ich streichelte ihre Hand.

»Konntest du etwas an dem Auto erkennen, das dich angefahren hat?«

»Nein«, schluchzte sie.

»Es ist gut. Denk nicht mehr dran.«

»Ich bin so dumm. Ich habe nicht geschaut. Mutter macht sich Sorgen. Der Arzt sagt, ich bin schon fast eine Woche hier.«

»Das stimmt. Soll ich deine Mutter anrufen? Kannst du mir ihre Adresse geben?«

Horst kam wieder und rückte beim Hinsetzen den Stuhl näher ans Bett. Milla versuchte es mit einem nicht ganz so distanzierten Lächeln. »Hat der Arzt schon getan. Er war sehr nett. Alle sind sehr nett hier.«

Ich streichelte ihre Hand.

Horst nickte eifrig. »Das kann ich nur bestätigen. Und das Essen ist wirklich gut.« Sein Blick streifte die Kochsalzlösung. »Also, zumindest das Essen in der Cafeteria.«

»Milla«, sagte ich. »Darf ich dein Kreuz sehen?«

Sie griff sich an den Hals und erschrak.

»Es ist nicht weg.« Horst zog die Nachttischschublade auf. »Sie haben es hier reingetan.«

»Darf ich?«

Milla nickte unsicher. Ich zog die Schublade heraus. Das Kreuz war aus Gold, sehr klein und schlicht, definitiv nichts Wertvolles. Dennoch sah ich es mir genauer an.

»Ich habe es von meiner Mutter.«

Ich nickte und legte es wieder zurück. »Wie wichtig ist das Kreuz für dich?«

»Sehr wichtig«, flüsterte sie. »Herr, du bist unsere Zuflucht für und für. Ehe denn die Berge wurden und die Erde und die Welt geschaffen wurde, bist du, Gott, von Ewigkeit zu Ewigkeit.«

Sie bekreuzigte sich und sah mich an. Es lag eine Frage in ihrem Blick, die ich nicht beantworten konnte. Sie spürte das und biss sich auf die Lippen. Ich strich ihr sanft über die Wange, aber sie wandte sich ab.

»Kommst du wieder?«

»Natürlich.« Ich lächelte ihr aufmunternd zu. »Dieser Arzt, weißt du noch seinen Namen?«

»Nein.«

»Dr. Schulze oder so ähnlich. Meier oder Schulze«, antwortete Horst. »Ein Allerweltsname.«

»Wann war er denn hier?«

»Gegen elf, schätze ich. Wirklich ein netter Mann. Er will sich um alles kümmern. Und er sagt, wenn wir zusammenhalten, wird uns auch nichts trennen. Sie hat doch solche Angst, wieder zurückgeschickt zu werden, ohne Hochzeit.«

Milla zog die Augenbrauen zusammen, sagte aber nichts.

Ich verabredete mit Horst, dass er uns weiterhin auf dem Laufenden halten würde. Dann ging ich ins Schwesternzimmer. Die Rosen waren in diesen zwei Tagen voll aufgeblüht und sahen hinreißend aus.

»Eine Frage. Ist es möglich, mit Herrn Dr. Meier oder Dr. Schulze zu sprechen?«

Die Schwester runzelte die Stirn. »Kenne ich nicht. Wer soll das sein?«

»Der behandelnde Arzt von Frau Tscherednitschenkowa.«

»Moment.«

Sie sah auf die Stundenpläne an der Wand. »Das ist Frau Dr. Stubenrauch. Sie ist aber erst gegen vierzehn Uhr wieder da. Sie können gerne so lange auf sie warten.«

Ich bedankte mich sehr freundlich und verabschiedete mich.

Den ganzen Weg zurück in die Kanzlei ärgerte ich mich über den Vorsprung, den wir ihnen in die Hand gegeben hatten. Sie waren im Besitz von Nataljas Adresse. Ich ahnte, was sie damit vorhatten.

Als ich in der Dunckerstraße ankam, war es früher Nachmittag. Im Hof trugen mehrere Heranwachsende ein Fußballturnier aus. Kevin brütete in Marie-Luises Büro vor dem Computer und kaute auf einem Stift. Als er mich sah, warf er ihn mit einem Knall auf den Schreibtisch.

»Es dauert noch. Sie haben alles in einer Zentraldatei. Und an die komme ich so ohne weiteres nicht ran. Wir haben von Wilhelm von Zernikow weder das Geburtsdatum noch irgendeinen näheren Hinweis, seit wann genau er als vermisst galt. Kannst du die Lady nicht mal danach fragen? Es würde vieles vereinfachen.«

»Ich werde dran denken, wenn ich sie wiedersehe.«

Ich ging in mein Büro. Der Umschlag lag auf dem Schreibtisch. *Persönlich/Vertraulich* stand darauf. Ich öffnete ihn.

Die Gartenparty. Gäste, die fröhlich aus ihren Wagen stiegen. Der Regierende Bürgermeister mit Sigrun. Die Zelte, die Kapelle, das Büffet. Sigrun küsste die Botschaftergattin, oder besser gesagt, die Botschaftergattin küsste Sigrun. Sigrun und ich. Wir lächelten uns an.

Ich betrachtete das Foto genauer und suchte nach einem Anzeichen dafür, dass etwas zwischen uns nicht stimmte. Ich fand nichts. Wir standen Arm in Arm und sahen uns tief in die Augen. Unser Lächeln war echt, unsere Berührung vertraut. Zwei Stunden später war alles anders. Milla auf der Bahre des Notarztwagens. Ich über sie gebeugt, besorgt, Sigrun hinter mir, an die Seite gedrängt, eingefroren in diesem Moment der Ohnmacht und Angst.

Ich legte das Foto zur Seite. Verena von Lehnsfeld. Wunderbar. Der Ring glitzerte an ihrem Mittelfinger. In dieser Vergrößerung war er ohne Zweifel wiederzuerkennen. Ich faltete das Foto zusammen und steckte es in die Anzugtasche.

Dann rief ich Ekaterina an und fragte sie, wie schnell man in die Ukraine kommen könnte.

»Als Deutscher? Sie müssen zur Botschaft, aber die hat heute schon geschlossen. Sie werden es morgen Vormittag versuchen, dann verpassen Sie die Maschine der Ucrainian Airlines und der Czech. Das heißt, Sie können erst am Sonntag den Direktflug der Ucrainian nehmen und sind gegen sechzehn Uhr dreißig in Kiew.«

Ich bat sie um ihr Menschenmöglichstes, und sie versprach, sich zu melden.

Kevin kam ins Zimmer. Er setzte sich auf die Fensterbank und drehte sich eine Zigarette.

»Schon mal was von Eupen-Malmedy gehört?«, fragte er und leckte das Papierchen an.

»Gehört ja, aber ich kann dir nicht sagen, was es bedeutet.«

Kevin betrachtete liebevoll die Zigarette zwischen seinen Fingern, strich sie noch ein wenig lang und glatt und zündete sie sich dann an. »Das ist ein belgisch-deutsches Grenzgebiet, um das es im Zuge des Versailler Vertrages einigen Zoff gegeben hat. Es war mal eine deutsche Rheinprovinz und Teil des Herzogtums Limburg. 1920 hat man es Belgien zugeschlagen. Muss wehgetan haben, denn 1940 hat es sich das Deutsche Reich wieder einverleibt.«

Er inhalierte tief und pustete in meine Richtung. Um ihm die Freude zu machen, wedelte ich symbolisch etwas mit der Hand.

»Weiter.«

»Wilhelm von Zernikow war dort stationiert. Genauer gesagt, in St. Veith. Er war da so etwas wie ein Generalbevollmächtigter. Wie dem auch sei, eines ist seltsam.«

Er paffte wieder und bestaunte dann seine Selbstgedrehte, als hielte er eine Cohiba in den Händen.

»Klär mich auf«, seufzte ich.

»Wilhelm von Zernikow gilt seit dem 3. September 1944 als vermisst. Nun verstehe ich nicht viel vom Zweiten Weltkrieg. Irgendwann hatten wir das ja mal alles in der Schule. Aber Ardennen-Offensive, Dünkirchen und Arnheim kenn sogar ich. Und ich bin Pazifist. Tatsache ist also, dass Brüssel und Antwerpen genau zum Zeitpunkt, als Wilhelm der Rätselhafte verschwand, von britischen Panzerverbänden eingenommen wurden. Eupen-Malmedy aber erst eine Woche später. Findest du es nicht auch total unwahrscheinlich, dass jemand zu so einem Zeitpunkt einfach mal verschwinden und in Berlin auftauchen kann? Und dass er dann wieder zurück in die Höhle des Löwen gegangen ist? Wilhelm von Zernikow ist am 18. Dezember 1944 in der Ardennen-Offensive gefallen.«

»Bravo. Du hast ein neues Hobby entdeckt?«

Kevin grinste. »Internet. Wer suchet, der findet. Der Zweite Weltkrieg für Anfänger, sozusagen. Mann, dass ich mich damit mal rumschlagen muss.«

Ich schrieb ihm etwas auf einen Zettel. »Da du gerade so gut in Übung bist, hätte ich hier noch einen Rechercheauftrag. Abel von Lehnsfeld. Geboren irgendwann um 1923/24. Ich will wissen, wo er im Krieg war und was er gemacht hat.«

»Sonst noch was?«, fragte Kevin und sprang sofort auf.

Ich reichte ihm den Zettel. »Das hast du großartig gemacht. Ich danke dir.«

Das Telefon klingelte, kaum dass Kevin hinübergegangen war.

»Dressler. Na, haben Sie meine Fotos erhalten?«

»Ja«, sagte ich gedehnt.

»Und? Ist Ihnen was aufgefallen?«

»Ehrlich gesagt nicht.«

Er schnaufte in den Hörer wie ein Walross. »Ach ja. Ist ja interessant.« Dressler brauchte einen Moment, um zu verarbeiten, dass er dieses Mal den Kürzeren gezogen hatte. »Vielleicht sollte ich dem Gedächtnis mal auf die Sprünge helfen?«

»Ich bin nicht interessiert.«

Ich wollte auflegen.

»Köpenick«, kam es leise vom anderen Ende der Leitung.

Meine Hand, die schon über der Gabel schwebte, hielt inne. »Köpenick? Was meinen Sie damit?«

»Sie waren nicht zufälligerweise heute Nacht da draußen?«

»Wie kommen Sie auf die Idee?«

Dressler schmatzte wieder in den Hörer. Vermutlich war gerade kein Gin Fizz in der Nähe. »Ich war heute Vormittag auf einer Polizeipressekonferenz. Ein Irrer hat eine BVG-Fähre entführt, die daraufhin wild beschossen wurde.«

»Wirklich? Von wem?«

»Tja, das ist leider nicht bekannt. Die Täter konnten entkommen. Sitzen wohl in irgendeinem Spreewald-Kanal fest. Aber der Entführer, der hatte meiner Meinung nach ziemlich viel Ähnlichkeit mit Ihrer vermatschten Visage.«

In diesem Moment kam Marie-Luise herein. Ich legte den Finger an meine Lippen und drückte auf den Lautsprecherknopf, damit sie das Gespräch mitverfolgen konnte.

»Ich weiß, dass Sie bei der Sache mit der Fähre mit drinstecken. Ich rieche das. Und ich finde es raus. Dann ist Schluss mit Ihnen und Ihrer sauberen Verlobten.«

»Wir haben Ihren Anruf aufgezeichnet. Im Moment erfüllen Sie gerade den Straftatbestand der Nötigung. Falls Sie nicht vorbestraft sind, gibt das allein schon …«

Es klickte in der Leitung. Er hatte aufgelegt.

»Wer war das?«, fragte Marie-Luise.

»Ein Fotograf. Der, der den Umschlag gebracht hat. Er ist schon seit Monaten hinter Sigrun her. Er weiß, was mit Olga passiert ist und dass es eine Verbindung zu Milla gibt.«

»Und zu Köpenick. Hat er dich erkannt?«

Ich stand auf und ging in die Küche. Dort stand das einzige noch funktionierende Radio. Es war kurz vor zwei Uhr. Die Minuten bis zu den Nachrichten verbrachte ich damit, Kaffee zu kochen. Dann setzten wir uns alle an den Tisch. Marie-Luise, Kevin und ich. Die Nachrichten begannen mit den üblichen Krisenmeldungen aus aller Welt, fuhren fort mit den weiteren Sparmaßnahmen des Senats, vermeldeten dann ein Großfeuer in einer Reifenfabrik und – einen Überfall auf die Fähre der BVG zwischen Grünau und Wendenschloss.

»Das war nicht viel.« Marie-Luise klang erleichtert. »Kein Wort von einem Einbruch. Und geschossen haben die anderen. Wenn du Glück hast, kannst du alles als lebensrettende Maßnahme hinstellen und dich von den Passagieren auch noch als Held feiern lassen.«

»Eine Frage«, meldete sich Kevin. »Das wart ihr?«

Marie-Luise schaltete das Radio aus. »Du hast nichts gesehen und nichts gehört, du weißt von nichts.«

»Ach ja. Aber arbeiten darf ich für euch und im Dreck anderer Leute herumwühlen, was?«

»Wie alt bist du?«, fragte ich ihn.

»Zweiundzwanzig.«

»Das ist entschieden zu jung, um da mit reingezogen zu werden.«

»Ich bin schon drin.« Er verschränkte die Arme über der Brust. »Kleine Information über Abel von Lehnsfeld gefällig? War tätig als Kunsthändler und im höchstpersönlichen Auftrag im gesamten Gebiet des großkotzdeutschen Reiches für die Linzer Sammlung des allerwertesten Oberarschlochs unterwegs.«

»Bitte in Schriftdeutsch«, forderte Marie-Luise.

»Er hat Kunstschätze beschlagnahmt, bewertet und den diversesten Privatsammlungen der Obernazis zugeführt. Die guten ins Kröpfchen, die schlechten ...«

»... in den Keller«, riefen wir gleichzeitig.

Marie-Luise sprang auf. Wir lachten und umarmten uns. Ich klopfte Kevin auf die Schulter.

»Das war großartig. Eine super Recherche.«

»Wir haben sie!«, rief Marie-Luise. »Endlich haben wir sie!«

»Wen?«, fragte Kevin. »Wen haben wir?«

»Gute Frage«, sagte ich. Wir setzten uns wieder. »Eine verdammt gute Frage.«

37

Marie-Luise hatte sich mit Georg Schäffling um acht Uhr am Helmholtzplatz verabredet. In der Zwischenzeit rief ich Marietta an und überzeugte sie davon, dass der beste Ort für ein Rendezvous in ihrem Laden unmittelbar nach Geschäftsschluss sei. Marie-Luise lieh mir den Volvo, ich war pünktlich um halb sieben im Grunewald.

Der Wachmann stellte sich mir vorsichtshalber in den Weg. Doch da hatte mich Marietta bereits gesehen und kam mit einem dicken Schlüsselbund zur Tür. »Danke. Den Rest mache ich.«

»Einen schönen Feierabend«, brummte der Mann.

Marietta bat mich herein und schloss die Tür insgesamt vier Mal ab. Sie musste sich sehr tief zu dem unteren Schloss beugen, und sie trug einen sehr engen Rock.

»So«, sagte sie, als sie fertig war. »Jetzt sind wir unter uns. Champagner?«

»Gerne.«

Sie ging durch die Geschäftsräume voraus und verschwand hinter einem kostbaren Vorhang aus besticktem Gobelinstoff.

»Mach es dir gemütlich!«, rief sie mir zu. Ich setzte mich auf einen der cremefarbenen Ledersessel im hinteren Teil der Ausstellungsräume. An den Wänden hingen, sorgfältig ausgeleuchtet, große Gemälde mit eindeutig expressionistischem Einschlag.

Sie kam mit einem silbernen Tablett zurück, auf dem sie zwei Champagnerflöten balancierte.

»Wir lösen gerade eine Sammlung auf«, erklärte sie. »Es ist unglaublich, was im Moment auf den Markt kommt. Hervorragende Qualität. Alles über Jahrzehnte zusammengetragen. Und dann kommt die Endlichkeit ins Spiel, und keiner will es haben. Die Museen werden überschwemmt mit Anfragen, die Kinder wollen Geld sehen, ein Lebenswerk wird auseinandergerissen und verschwindet.«

Sie hob das Glas. »Auf uns. Auf unser Wiedersehen.«

Wir stießen an. Der Champagner war hervorragend und genau richtig temperiert. Marietta setzte sich auf die Ledercouch mir gegenüber.

»Das heißt, du kennst dich aus mit solchen Sachen.«

»Sachen? Welchen Sachen?«

»Sammlungen, die im zwanzigsten Jahrhundert entstanden sind.«

Sie stellte das Glas ab. »Es ist sozusagen mein Spezialgebiet. Man muss nicht nur hervorragende kunsthistorische Kenntnisse besitzen, sondern auch viel Fingerspitzengefühl. Manchen zerreißt es das Herz. Aber wo sollen sie hin mit all den angehäuften Schätzen? Nur die wenigsten können sich ein eigenes Museum bauen. Und mehr als zwei Stadthäuser, drei Landvillen und ein paar Apartments in den wichtigsten Metropolen haben die wenigsten. Die Zahl der Wände ist begrenzt. Also ist vieles deponiert.«

»Warum nehmen die staatlichen Museen die ganzen Sachen nicht mit Kusshand? Alle klagen, dass sie kein Geld haben.«

Marietta lächelte. »Nicht jeder Sammler ist ein Kenner. Außerdem bedeutet Besitz Verantwortung. Auch für ein Museum. Die Kuratoren und Direktoren haben eigene Vorstellungen davon, was sie der Nachwelt erhalten wollen. Das deckt sich nicht immer mit dem, was ein Sammler zusammengetragen hat. Nicht jeder ist ein Berggrün, Marx, Ludwig oder Flick. Diese Leute sind Glücksfälle für die Stadt, der sie ihre Kollektion zur Verfügung stellen. Die meisten halten sich für große Sammler, aber sie besitzen oft viel Spreu und wenig Weizen. Das kann man ihnen schlecht ins Gesicht sagen. Deshalb sind Sammlungsauflösungen immer wieder eine heikle Sache. Doch es gibt auch Trouvaillen. Hier zum Beispiel.«

Sie wies auf ein Gemälde hinter mir. Es war die Ansicht eines stürmischen Meeres, in dem sich gerade ein unglückliches Mädchen ertränken wollte.

»Skandinavische Expressionisten. Ein leer gefischtes Sammlergebiet. Und doch findet man immer wieder kleine Schätze.«

»Kommt es oft vor, dass gestohlene Sachen angeboten werden?«

Ihre eben noch entspannte Haltung verschwand. Sie setzte sich aufrecht. »Selten. Aber wir kriegen das schnell heraus. Außerdem gibt es noch die Flüsterpropaganda. Wenn es irgendwo einen spektakulären Kunstraub gegeben hat, wissen wir das und sind entsprechend aufmerksam. Wir arbeiten hervorragend mit den entsprechenden Stellen zusammen. Zufrieden?«

Ich stand auf und setzte mich neben sie. »Die Sammlungen, die du angeboten bekommst ... war schon mal eine dabei, die auf nicht ganz korrektem Wege entstanden ist?«

»Etwas präziser, bitte.« Sie goss Champagner nach und nutzte die Gelegenheit, ein Stückchen von mir wegzurücken.

»Im Zweiten Weltkrieg zum Beispiel wurde doch viel beschlagnahmt. Ich gehe davon aus, dass einige Privatsammlungen davon außerordentlich profitiert haben.«

Marietta reichte mir mein Glas. »Du willst eine Nachhilfestunde in Kunstgeschichte?«

»Sozusagen.« Ich trank und sah sie über den Rand meines Glases hinweg an.

Sie seufzte und lehnte sich zurück in die Polster. »Du rührst da an ein ganz heikles Thema. Mit Beutekunst habe ich nichts zu tun. Ich kann dir einige Telefonnummern von Fachleuten …«

»Keine Beutekunst«, sagte ich. »Schmuck, Gemälde, Handschriften, die von den Nazis beschlagnahmt wurden. Sind die Sachen immer archiviert worden?«

»Nein.« Sie strich mit beiden Händen ihre Haare nach hinten. Ich hatte diese Geste erst ein Mal bei ihr gesehen, und doch kam sie mir schon unendlich vertraut vor.

»Die größten Räuber waren Hitler und Goebbels. Und es gab Zigtausende, die ihnen in nichts nachstanden. Ich will nicht wissen, was auf manchen Dachböden noch so verstaubt. Allein bei der Bergung von Kulturgütern vor Bombenangriffen gingen wertvollste Bibliotheken, ganze Schlosseinrichtungen gleich waggonweise verloren. Die Legende vom Gold im Königssee. Die Züge im Tauerntunnel. Oder das Bernsteinzimmer. Das sind die größten der verschwundenen Schätze. Die kleinen hat niemand mehr gezählt.«

Ich zog das Foto von Verena und Aaron hervor und reichte es Marietta.

Sie sah es sich an und gab es mir wieder zurück. »Ist das der Ring, den du mir vor kurzem gezeigt hast? Was ist damit?«

»Ich möchte wissen, wo er herkommt.«

Sie lachte. »Woher soll ich das wissen?«

»Ich dachte, du hättest Kontakte. Gibt es nicht eine Möglichkeit herauszufinden, ob dieser Ring gestohlen wurde? Vielleicht im Zweiten Weltkrieg?«

»Ach so.« Sie stand auf, holte die Champagnerflasche und schenkte noch einmal ein. »Das ist also der Grund für unser Wiedersehen.«

»Nein. Nicht nur.« Ich nahm ihr das Glas aus der Hand und stellte es ab. Dann zog ich sie zu mir und küsste sie. Es war ein schöner Kuss. Zart, dann intensiver, zum Schluss schon fast etwas leidenschaftlich. Sie war ein Profi, was gutes Küssen anging. Ich öffnete die Augen.

»Nicht nur, aber auch«, sagte sie. »Hast du ihn dabei?«

Ich nickte und holte das Etui hervor, das sie mir gegeben hatte. Sie begutachtete den Ring und leckte sich gedankenverloren mit der Zungenspitze über die Lippen. Die Smaragde spiegelten sich in ihren Augen.

»Hast du es schon einmal über Lost Art versucht?«

»Was ist das?«

Sie führte mich durch den Vorhang in die Büroräume. Die Wände standen voller Regale mit Katalogen und Aktenordnern. Die Schreibtische waren picobello aufgeräumt. Im größeren der beiden Räume stand ein runder Tisch, um den vier Armlehnsessel gruppiert waren. Astreiner Jugendstil, sie mussten ein Vermögen gekostet haben.

Marietta zog eine Schublade des Schreibtisches auf und holte ein kleines, mit Samt ausgeschlagenes Tablett und eine Lupe hervor. Darauf legte sie den Ring und schaltete dann ihren Computer ein.

»Lost Art«, erklärte sie, während der Computer hochfuhr, »ist eine Website von Bund und Ländern, über die man verschollene Kulturgüter suchen kann, in die aber auch Kunst mit fragwürdiger Herkunft eingestellt wird, um die rechtmäßigen Eigentümer zu finden. Es handelt sich vor allen Dingen um Kunstschätze, die infolge des Zweiten Weltkrieges und der nationalsozialistischen Gewaltherrschaft verbracht, verlagert oder verfolgungsbedingt entzogen wurden.«

Sie tippte ein Passwort ein. Auf dem Bildschirm erschien ein Suchfenster. Dann griff sie zu dem Tablett und klemmte sich die Lupe vor das rechte Auge.

»So, mein Kleiner, dann zeig mal, was du draufhast. Gold, Smaragd und Brillanten. Circa sechs Gramm, achtzehn Karat. Okay.« Sie tippte die Suchbegriffe ein. Sofort öffnete sich ein Fenster. Marietta drehte sich zu mir. »Hier ist tatsächlich ein ähnliches Stück als vermisst aufgeführt. Hundertprozentig kann ich es aber nicht identifizieren. Du musst dich an das Referat Kunstobjekte der Oberfinanzdirektion wenden.« Sie fuhr den Computer herunter. »Alle Fragen geklärt?«

Der zweite Kuss begann dort, wo der erste aufgehört hatte.

»Hast du Schmerzen?« Sie berührte vorsichtig die Wunden und hauchte zarte Küsse über die blauen Flecken in meinem Gesicht. Ich griff ihren Kopf sanft mit beiden Händen und streichelte ihr Gesicht. Sie war kühl und warm, zart und fordernd, sie war genau das, was ich jetzt brauchte. Sie war wie ein Sprung in einen klaren Bergsee nach einem heißen, staubigen Tag in der Stadt. Ich setzte mich auf den Schreibtisch und zog sie zu mir.

»Hier?«, fragte sie heiser.

»Ich wohne noch bei meiner Mutter«, flüsterte ich ihr ins Haar.

Sie lachte leise auf. »Das ist nicht dein Ernst.«

»Doch. Und lass uns bitte nicht über meine Mutter reden.«

Ich hatte jahrelang keine andere Frau außer Sigrun berührt. Marietta roch anders und bewegte sich anders, sie war wie die Neuentdeckung eines Buches, das man vor langer Zeit aus der Hand gelegt hatte. Ihr Körper war zarter als der Sigruns, er war ihr ein vertrautes Instrument, mit dem sie umgehen konnte. Ich fühlte mich hölzern und unbeholfen. Meine Hände griffen falsch zu, und sie fanden die Wege nicht, die ich bei Sigrun, ohne nachzudenken, hinabgeglitten war. Ich wollte nicht an Sigrun denken, doch ihr Bild schob sich immer wieder zwischen uns.

»Dir geht es nicht besonders«, flüsterte Marietta. Sie hatte die blauen Flecken auf meinem Körper gesehen und deutete auf den Verband an der Wade.

Ich nickte. »Es tut mir leid.«

»Das muss es nicht. Wirklich nicht.« Sie nahm mich zärtlich in die Arme, doch ihr Kuss hatte nichts Leidenschaftliches mehr. »Bei guter Pflege bist du in einer Woche wie neugeboren. Vielleicht versuchen wir es dann noch einmal.«

»Marietta, ich …«

Sie legte mir den Zeigefinger auf die Lippen. »Sag nichts. Es ist in Ordnung.«

Wir zogen uns wieder an. Marietta lächelte mir zu. Ich wusste, dass es mir nicht peinlich sein sollte. Trotzdem ärgerte ich mich. Ich konnte mich nicht erinnern, wann mir das zum letzten Mal passiert war. Bei Sigrun konnte ich immer. Sigrun. Vermutlich hatte sie mich seelisch kastriert, und das hier war die physische Folge.

Marietta schloss die Tür wieder auf und ließ mich hinaus. »Ich habe noch zu tun«, sagte sie. Ich nickte.

»Joachim, hast du irgendetwas mit Kunstraub zu tun?«

»Nein«, sagte ich ernst. Ich strich ihr mit den Fingerspitzen das Haar aus dem Gesicht. »Aber wenn ich etwas finde, sage ich dir Bescheid.«

»Da ist noch etwas.« Sie zupfte ein unsichtbares Stäubchen von ihrem Ärmel. »Das ist ein kleines Viertel hier. Man weiß einiges voneinander. Bist du noch mit ihr zusammen oder nicht?«

»Ich weiß es nicht«, sagte ich.

»Ach, es ist auch nicht so wichtig«, erwiderte sie schnell.

»Doch. Das ist es. Ich werde es herausfinden.«

Ich küsste sie zum Abschied. »Ich rufe dich an. Ich muss dieses Wochenende vielleicht verreisen. Ich melde mich, wenn ich wieder da bin.«

Sie nickte. »Das wäre schön.«

Wir nahmen uns noch einmal in den Arm. Unsere Hüften berührten sich, und mit einem Mal kam das Verlangen wieder. Sie spürte es durch ihren engen Rock hindurch und küsste mich. Zu jedem anderen Zeitpunkt wäre ich geblieben. Doch ich ging zum Wagen und fuhr zurück nach Mitte. Zu einem Rendezvous, dem ich bei aller Freundschaft noch weniger Erfolg wünschte als meinem.

38

Es war kurz nach acht, als ich endlich einen Parkplatz gefunden und einen halben Kilometer zum Helmholtzplatz gelaufen war. Hier hatte sich ein Sammelsurium unterschiedlichster Lokalitäten angesiedelt. Einige ausgesprochen phantasievoll, andere in ausgeklügeltem Retro-Chic, und in einem von ihnen fand ich Marie-Luise und Georg. Ich schlich mich hinter seinem Rücken an, so dass er mich nicht sehen konnte. Marie-Luise entdeckte mich sofort und nickte mir kaum wahrnehmbar zu. Da alle Tische bereits besetzt waren, setzte ich mich an die Bar, direkt unter einer psychedelischen Deckenlampe, und hoffte, nicht farbenblind zu werden. Ich bestellte ein kleines Bier und holte mir aus dem Wandständer eine Tageszeitung. Hinter ihr verschanzte ich mich und wartete ab.

Georg trank Wein und aß mit gutem Appetit. Marie-Luise hatte ihr Mineralwasser kaum angerührt, stocherte auf ihrem Teller herum, ließ schließlich die Gabel sinken und wandte sich äußerst liebenswürdig an ihr Gegenüber. Georg tupfte sich den Mund mit der Serviette ab und erhob sich halb. Marie-Luise stand auf und ging in meine Richtung.

»Komm ins Damenklo«, zischte sie mir zu.

Ich faltete vorsichtig die Zeitung zusammen und warf noch einen Blick auf Georg. Er aß seelenruhig weiter. Zu den Toiletten führte ein langer, schmaler Gang. Ich klopfte an die Tür mit dem sitzenden Mädchen. Marie-Luise öffnete und spähte kurz an mir vorbei.

»Meine Güte, was für ein Langweiler. Er muss noch nicht mal pinkeln.«

»Was machen wir jetzt?«

»Du fährst, ich bleibe. Mein Leben und Leib für die Ehre des Vaterlandes.«

Sie nahm meine Hand und legte mir einen Schlüsselbund hinein.

»Wie hast du denn das geschafft?«

»Frag mich nicht. Nicht jetzt. Aber tu mir einen Gefallen: Beeil dich. Ich weiß nicht, wie lange ich ihn aufhalten kann.«

Ich verstaute die Schlüssel in meiner Jackentasche. Dann schlüpfte Marie-Luise wieder an mir vorbei in den Gastraum. Ich wartete noch eine Minute, ging zurück zur Bar, zahlte in aller Ruhe mein Bier, verließ langsam das Lokal und begann erst an der nächsten Ecke zu rennen.

Es war kurz nach neun, als ich im Grunewald war. Noch immer nicht dunkel. Die Straße lag ruhig und verlassen unter den hohen Buchen. Ich passierte die Villa zwei Mal und beschloss, den Einstieg zu wagen.

Ich ließ die schwere Eingangstür so leise wie möglich ins Schloss gleiten. Dann stieg ich die Stufen zur Kanzlei hoch. In den langen Flur fiel kaum ein Lichtstrahl. Alles war ruhig. Ich schloss Georgs Büro auf, durchquerte es und hoffte, dass Harry die Verbindungstür zu seinem Zimmer nicht abgeschlossen hatte. Ich drückte die Klinke, und die schwere Tür ließ sich aufschieben.

Mit einem Blick erkannte ich, in welcher Registratur Harry die aktuellen Fälle aufbewahrte. Ich suchte unter »L«. Nichts. Ich warf einen Blick in die Wandschränke. Ich zog einige Aktenordner heraus. Nichts. Es war halb zehn.

Ich geriet wieder ins Schwitzen. Die Fenster waren geschlossen, und die Hitze des Tages staute sich in den alten, dicken Mauern. Ich gab mir noch genau fünf Minuten.

Der Schreibtisch. Ich öffnete die oberste Schublade und fand eine Handakte, »v. Lehnsfeld, Grünau«. Heureka.

Bis der Kopierer warm gelaufen war, würde ich kostbare Zeit verlieren. Außerdem war es zu gefährlich. Also setzte ich mich in den Schreibtischsessel und schlug die Akte auf.

Aaron von Lehnsfeld hatte versucht, ohne Baugenehmigung einen Erdaushub an der Ostseite des Gebäudes am Langen See vorzunehmen. Angeblich sollte dort eine Garage gebaut werden. Die erste Garage mit Fundament.

Das war auch einem Kontaktbereichsbeamten aufgefallen, den die plötzliche Bautätigkeit nach jahrelanger Ruhe irritierte. Er informierte das Liegenschaftsamt, das sich ebenfalls verwundert die Augen rieb, da der Rückübertragungsfall seit dem Tod des alten Abel auf Eis lag. Von den Lehnsfelds war bisher kein konstruktiver Vorschlag zur weiteren Nutzung des Gebäudes gekommen. Es sah nicht gut aus. Im Grunde genommen gehörte die Villa ihnen nur noch auf dem Papier.

Aaron wollte in den Keller.

Nicht die Freifrau. Keine albanische Kunstmafia.

Aaron von Lehnsfeld. Der einsame, verrückte Scherbentaucher.

Die Kellermaße. Ich musste sie mir einprägen. Aber es war fast vollständig dunkel in dem Raum. Das Fenster wurde zusätzlich durch die Baumkronen beschattet. Dennoch durfte ich kein Licht anmachen. Aber Harry hatte das Rauchen erst vor zwei Jahren aufgegeben. Ich durchsuchte die mittlere Schreibtischschublade und fand tatsächlich, ganz ans Ende gerutscht, ein Streichholzbriefchen. Ich faltete die Pläne auseinander und zündete ein Streichholz an.

»Brauchst du Licht?«

Das Deckenlicht flammte auf und blendete mich so, dass ich die Augen zusammenkneifen musste. Die Flamme des Streichholzes erreichte meine Finger, und ich warf es vor Schreck auf den Perserteppich.

»Was machst du hier? In Harrys Büro?« Sigrun stand im Türrahmen.

Ich starrte sie an und versuchte zu lächeln. »Ich habe dich gar nicht kommen hören.«

Es war offensichtlich nicht das, was Sigrun hören wollte. »Wird das ein Einbruch?«

»Nein. Nicht ganz.«

Sie machte einen Schritt vor und dann einen zurück. »Was soll das? Muss ich die Polizei rufen?«

»Komm doch erst mal rein«, erwiderte ich.

Sie sah unschlüssig in den Flur. Das nächste Telefon stand direkt in meiner Nähe.

»Du kannst auch schreien«, schlug ich ihr vor. »Vielleicht kommt Walter und bringt dir deine Sig Sauer.«

»Die habe ich bei mir.« Sie hob die Aktentasche, die sie in der linken Hand trug, leicht an.

»Seit wann trägst du eine Waffe?«

»Seit wann brichst du bei Menschen ein, die deine Familie waren?« Sie trat ein und schloss die Tür.

Ich atmete auf. Verstohlen warf ich einen Blick auf die Pläne. Es waren die Originale. 1922 – Keller groß, 1945 – Keller klein.

»Was ist das?« Sigrun löste sich von der Tür und trat näher an den Schreibtisch heran. Dabei hielt sie die Aktentasche vor ihre Brust.

»Baupläne«, erwiderte ich. »Sieh dir das mal an. Hier. Dieser Keller ist größer als der andere. Was hältst du davon?«

Sie ging um den Tisch herum, hob den Aktendeckel und warf einen Blick darauf. »Ach, Lehnsfeld. Nach der Familie kommen die Freunde an die Reihe. Meines Erachtens sagt die Größe des Kellers nichts über die Rechtschaffenheit eines Menschen aus. Oder vermutest du auch dort wieder geheimnisvolle Zusammenhänge?«

»In der Tat.«

Sie hatte dunkle Ringe unter den Augen, war schmaler geworden. Die gerade Nase hob sich noch schärfer von ihrem Gesicht ab. Die Frau auf den Wahlkampfplakaten gab es nicht mehr. Harte Linien hatten sich neben ihrem Mund eingegraben. Dieses Gesicht hatte kein fröhliches, offenes Lächeln mehr.

»Wie geht es dir?«, fragte ich leise.

Sie hob den Kopf. »Meinst du das im Ernst?«

Ich nickte. Sie ging langsam auf einen Sessel zu, der neben dem Fenster stand. Die Aktentasche stellte sie sorgfältig neben sich ab, dann setzte sie sich.

»Ganz gut«, sagte sie. »Wir haben einen halben Prozentpunkt zugelegt. Die Wähler sind der Meinung, dass wir unsere Sache ganz ordentlich machen. In fünf Wochen wissen wir mehr. Und dir, wie geht es dir?«

»Hervorragend.«

Ich setzte mich wieder an den Schreibtisch. »Ich bin in meinem Büro überfallen und zusammengeschlagen worden. Dabei hat man die Kopien dieser Pläne ausgetauscht. Dann wurde ich verfolgt und angeschossen. Milla Tscherednitschenkowa hat die Intensivstation verlassen und erinnert sich daran, dass sie von einem Mann mit einem dunklen Wagen abgeholt wurde. Er hatte ihr gesagt, dass Utz die Bestätigung unterschrieben habe.«

Sigrun legte die Hand vor die Augen.

»Dein Vater. Er ist nicht im Januar '45 aus Leba geflohen, sondern bereits im Oktober 1944. Er hat gelogen, was die Zeit betraf, und er hat gelogen, als es um den Grund ging, warum er nach Berlin zurückwollte. Er kam genau richtig zu Nataljas Verhaftung und Verurteilung.«

Ich strich die Papiere vor mir auf dem Schreibtisch glatt. »Diese Pläne beweisen, dass der alte Lehnsfeld in seinem Keller einen Geheimraum angelegt hatte. Jahrzehntelang konnte man sich nicht darum kümmern, was in diesem Keller war. Dann gab es das Gerangel um die Rückübertragung. Die Lehnsfelds haben das Grundstück erhalten, allerdings unter strengen Auflagen. Aaron hält sich nicht daran und beginnt zu graben. Wo? Hier. An der Außenmauer des verborgenen Raumes.«

»Was soll das?«, unterbrach sie mich müde. »Warum erzählst du mir das alles?«

Ich stand auf, ging zu ihr hinüber und setzte mich vor sie auf den Boden.

»Das bedeutet, dass möglicherweise in diesem Keller Kunstschätze von sehr großem Wert lagern. Dass durch Zufall Natalja davon erfahren hat und dass sie deshalb sterben sollte. Es war ein abgekartetes Spiel zwischen deiner Großmutter, Wilhelm und Abel. Und mittendrin zwei Kinder, dein Vater und Natalja.«

Sigrun beugte sich mit geschlossenen Augen vor und schob mich weg. Ich nahm ihre Hand.

»Zwei Unschuldige. Ein fast verloren gegangenes Vermögen. Und eine Zeugin, von der man sicher war, dass sie nicht mehr lebte. Die zum ungünstigsten Zeitpunkt wieder auftauchte.«

Sie stieg über mich hinweg und trat an den Schreibtisch. Vorsichtig berührte sie die Pläne. »Wer sagt dir, dass in diesem Kellerraum überhaupt etwas ist? Der Krieg, die Bomben. Vielleicht ist er voller Schutt.«

»Nein«, sagte ich und stand auf. »Es sind Kisten darin. Kisten und Bretter. Ich habe sie gesehen.«

Sigrun schüttelte den Kopf. Mit drei schnellen Schritten war sie bei ihrer Aktentasche und packte sie.

»Ich weiß noch nicht, ob ich meinem Vater von deinem Einbruch erzähle. Eines aber ist sicher: Mit deinen Fieberphantasien werde ich ihn verschonen.«

»Sie haben auf mich geschossen, Sigrun.«

»Das hätte ich auch um ein Haar. Vielleicht gehört es zum Berufsrisiko, wenn man ständig in anderer Leute Häuser eindringt.«

Sie drehte sich um und ging zur Tür.

»Sie haben Nataljas Adresse. Sie werden nach Kiew fliegen und sie umbringen.«

Sie fuhr herum. »Beweise! Zeig mir einen einzigen richtigen Beweis! Das sind doch alles bloß Vermutungen.«

Ich griff in die Tasche und holte Verenas Ring hervor. »Hier. Kennst du ihn?«

Sie betrachtete den Ring, und als ich ihn ihr noch einmal auffordernd entgegenhielt, nahm sie ihn in die Hand.

Ich erzählte ihr, wie ich in seinen Besitz gelangt war. Sigrun war nichts anzusehen. Keine Enttäuschung, kein Schmerz. Sie presste die Lippen zusammen und hörte mir zu. Als ich geendet hatte, gab sie ihn mir zurück.

»Dieses Stück ist im Register der verschollenen Kunstschätze des Zweiten Weltkrieges verzeichnet. Abel von Lehnsfeld war im Dritten Reich eine Art staatlicher Kunsträuber. Das hat ihm die Gelegenheit verschafft, sich auch noch privat zu bereichern. Seinem Enkel Aaron vererbte er das Haus mitsamt den Instruktionen, was wo zu finden ist. Und er vermachte ihm noch zwei weitere bedauerliche Untugenden: Ungeduld und Gier. Hätte Aaron nicht versucht, von mir zusätzlich zu der Rückgabe des Ringes Geld zu erpressen, mir wären die Zusammenhänge nie aufgefallen.«

Sigrun ging zum Fenster. Lange schaute sie schweigend in den dunklen Garten.

»Warum hast du ihr den Schlüssel gegeben?«

Sie antwortete nicht. Da sah ich ihre Schultern. Sie zuckten. Noch immer hörte ich keinen Laut von ihr.

»Sigrun! Sag mir, warum du das getan hast.«

Sie klappte einfach zusammen. Ich stürzte zu ihr und richtete sie auf, so dass sie halb in der Hocke saß und halb auf mir lag. Sie schluchzte so sehr, dass sie am ganzen Körper bebte. Ich drückte ihren Kopf an meine Brust und hielt sie fest. Es dauerte eine Ewigkeit, bis das Schluchzen nachließ. Ich strich ihr immer wieder über den Kopf und konnte es nicht fassen, dass sie in meinen Armen lag und ich den Duft ihrer Haare riechen konnte.

»Seit wann benutzt du Issey Miyake?« Sie schob mich zurück. Ihr Gesicht war tränenverschmiert. »Das ist das Frauenparfum. Also, wer ist es? Deine Anwältin?«

Sie kam wieder auf die Beine. Ich hob mein T-Shirt und

schnupperte daran. Ein hauchzarter Duft nach Marietta. Nie wäre er mir aufgefallen. Aber sie hatte es sofort gerochen.

»Sigrun«, begann ich, doch sie schnitt mir das Wort mit einer Handbewegung ab.

»Wir gehen zu ihm. Jetzt gleich.«

»Zu Utz?«

Sie nickte. »Ich hätte ihn schon viel früher fragen müssen. Aber tief in uns drin bleiben wir das Leben lang Kinder. Kleine Jungen, kleine Mädchen. Und was wäre für diese kleinen Kinder schlimmer, als an ihren Eltern zu zweifeln? Wir stellen ihnen keine Fragen, weil wir die Antworten fürchten.«

Sie ging ans Fenster und schaute hinunter in den fast dunklen Garten. Wir schwiegen. Sie hatte Recht: Es gab Fragen, die man seinen Eltern nicht stellte. Hast du meine Mutter jemals geliebt? Hast du schon einmal getötet? Würdest du sterben für mich?

»Deinen Vater trifft keine Schuld.«

»Dann müssen wir erst recht mit ihm reden. Er kennt seine Mutter länger als ich.« Sie ging zur Tür.

Ich lief hinter ihr her und hielt sie am Arm fest. Ich wollte ihr sagen, dass es schon für mich allein reichlich gefährlich war und sie vorsichtig sein sollte. Dass ich ihren Verrat nie vergessen würde, aber dass ich verzeihen könnte. Dass ich mir wünschte, wir könnten die Zeit zurückdrehen und noch einmal dort weitermachen, wo wir uns verloren hatten. Ich sah ihr in die Augen und erkannte, dass sie alles in mir las und dass es zu spät war.

Sigrun löschte das Licht. Durch Georgs Büro gingen wir hinaus auf den Flur, und ich schloss ab. Dann stiegen wir die Treppe hinauf, ein Stockwerk höher. In den Zernikow'schen Privatflügel der Villa.

39

Das Zimmer war anders eingerichtet als die anderen im Haus. Die Fenster waren mit dunklen, schweren Samtgardinen verhängt. Moosgrüne Tapeten, dunkelrote Teppiche. Schwere Eichenmöbel gaben dem Raum eine gravitätische Strenge. Das einzige Licht kam von einer kleinen Messinglampe, die auf dem Lesetisch neben einem Sessel stand. Sie malte einen scharf umrissenen Lichtkreis und tauchte den Rest des Zimmers in das Halbdunkel verschwimmender Schatten.

In dem Sessel saß Utz. Auf seinen Knien lag ein aufgeschlagenes Buch. Er schlief.

»Willst du ihn wecken?«, flüsterte ich. Sigrun nickte.

Wir traten leise auf den alten Mann zu. Er trug zwar Hemd und Hose, darüber aber einen karierten Kaschmirhausmantel. Die Brille hielt er noch in seinen Händen. Sigrun nahm sie ihm vorsichtig ab, ebenso das Buch, und legte beides auf den Lampentisch neben ihm.

»Papa?«

Utz blinzelte. Er lächelte müde. Doch dann sah er die Tränenspuren in ihrem Gesicht. Im nächsten Moment erkannte er mich. Noch halb vom Schlaf benommen, nahm er sofort eine kerzengerade Haltung an.

»Guten Abend«, sagte ich. »Entschuldige die späte Störung.«

Utz räusperte sich und fuhr sich mehrmals durch die Haare. Es tat mir leid, den alten Mann so zu sehen. Doch er fasste sich erstaunlich schnell. »Es muss ein wichtiger Grund sein, wenn Sigrun dich noch einmal in unser Haus gelassen hat.«

Wir setzten uns in zwei niedrige Ledersessel ihm gegenüber.

Utz schloss den oberen Knopf seines Hemdes. »Ich höre.«

Sigrun sah mich an. Ihre Hand tastete herüber zu mir, ich griff nach ihr und hielt sie fest.

»Ich will wissen … Wir wollen wissen, was sich damals im November 1944 zugetragen hat.«

»Ach so.« Utz lehnte sich wieder zurück und schloss die Augen. »Das also.«

Sigrun beugte sich vor und berührte ihn sanft am Knie. Er zog es unwillig weg.

»Warum?«, fragte er und blinzelte sie an.

Ich drückte ihre Hand.

»Weil es wichtig ist. Ich möchte wissen, was sich in unserer Familie zugetragen hat. Nicht nur die Heldensagen. Auch das andere. Das Böse. Das, was schwer zu ertragen ist und deshalb so lange verschwiegen wurde. Ich bin ein Teil dieser Familie, ich habe ein Recht auf die Wahrheit.«

Utz schnaubte unwillig. Sigrun wurde unwillkürlich ein Stückchen kleiner. Vor meinen Augen verwandelte sich eine erwachsene Frau, Stellvertretende Bürgermeisterin der Hauptstadt dieses Landes und Senatorin für Jugend und Familie, in eine folgsame, schüchterne Tochter.

»Es sind Menschen umgekommen«, sagte ich leise. »Und weitere schweben in höchster Gefahr. Jetzt, zu dieser Stunde. Was ist damals passiert?«

Utz winkte ab. Seine Augen waren müde, er wirkte ungehalten. Vielleicht aber waren auch nur die Erinnerungen zu anstrengend. Die echten Erinnerungen, nicht die, die er jahrzehntelang abgespult hatte. So lange, bis er sie selbst glaubte.

»Es war Krieg. Ich war ein Kind. Ich habe gejubelt, als marschiert wurde, und ich habe geweint, als die Bomben fielen. Ich habe dumme Lieder gegrölt und eine Menge Schund geglaubt. So lange, bis alles in Schutt und Asche war. Das war es. Das sind meine Erfahrungen. Denkst du wirklich, Sigrun, du könntest sie mit mir teilen?«

»Ich könnte es versuchen.«

»Nichts! Nichts verstehst du! Das kann man nicht verstehen,

wenn man es nicht mitgemacht hat.« Er nestelte in seiner Manteltasche herum und holte sich ein Taschentuch heraus, mit dem er sich die Stirn abwischte. »Noch Fragen?«

Sigrun biss sich auf die Lippen und senkte den Kopf. Utz hatte es geschafft, dass seine Tochter sich schämte. Das machte mich wütend. »Warum bist du von Leba nach Berlin zurückgelaufen?«

Utz' Blick wendete sich von Sigrun auf mich. Seine dunklen, buschigen Augenbrauen hatten sich zusammengezogen und verfinsterten sein Gesicht. Er funkelte mich böse an. »Habt ihr die Bilder nicht gesehen? Die langen Trecks, die Bombardements auf die Häfen und Schiffe? Die Panzer, die die Pferdekarren niedermähten? Die brennenden Häuser? Die schreienden Frauen und erfrorenen Kinder?«

Ich nickte. »Ich habe die Bilder gesehen. Aber du warst nicht dabei.«

Sigrun entzog mir mit einem Ruck ihre Hand.

»Utz war nicht dabei«, wiederholte ich. »Sag es ihr.«

Ich war mit ihm nicht verwandt. Ich musste kein Mitleid haben. Respekt schon gar nicht. Als Utz schwieg, gab ich die Antwort. »Dein Vater machte sich Ende September, Anfang Oktober 1944 auf den Weg. Es war sicher kein leichter Weg. Du hast Schlimmes erlebt und gesehen. Aber du warst nicht bei den Trecks dabei. Du bist im November in Berlin angekommen, freiwillig, in einer Stadt, die alle verließen. Warum?«

Utz rieb sich mit beiden Händen über das Gesicht. Seine Augen hatten sich gerötet. Er antwortete nicht.

»Hatte es etwas mit deinem Vater zu tun?«, fragte ich. »Hat Natalja ihn hier gesehen?«

»Natalja?«, flüsterte Sigrun. »Natalja Tscherednitschenkowa?«

»Alias Paula«, erwiderte ich. »So habt ihr sie doch genannt. Weil es einfacher war und nicht so fremd klang. Wie nennst du sie, wenn du heute an sie denkst?«

Utz sah hinab auf seine Hände und seufzte.

»Gut«, sagte er mit fester Stimme. »Ihr wollt die Wahrheit hören? Die ganze Wahrheit? Ihr werdet sie dann auch aushalten müssen. Bist du wirklich dazu bereit, Sigrun?«

Sie sah so blass aus. So dünn und müde. Aber sie nickte. Ich nahm wieder ihre Hand. Dieses Mal zog sie sie nicht weg.

»Dein Großvater, Sigrun, war ein Fahnenflüchtiger und ein Dieb. Deine Großmutter war eine Hure, die es mit jedem getrieben hat, der eine Uniform trug. Und ich war ein verblendeter, überzeugter Hitler-Junge, der voll hinter Führer und Vaterland gestanden hat. Das ist deine Familie. Ein Haufen egoistischer, gieriger Barbaren. Du bist das erste Gute nach langer Zeit, das wir Zernikows hervorgebracht haben. Willst du das alles wirklich wissen?«

Er stand mühsam auf und ging zu der dunklen Anrichte hinüber. Von einem gedrechselten Aufsatz holte er eine Flasche herunter und goss sich etwas in ein bereitstehendes Glas ein. Er leerte es in einem Zug.

»Lass uns gehen«, flüsterte Sigrun. »Ich halte es nicht aus, ihn so zu sehen.«

Ich schüttelte den Kopf. »Warum bist du zurückgekommen?«

Utz knallte das Glas auf das Tablett. Mit einem Klirren brach der Stiel ab.

»Weil ich Sehnsucht nach zu Hause hatte?«, rief er. »Weil ich mich langweilte? Weil ich meine Mutter vermisste, die froh war, mich nicht mehr zu sehen, damit sie ihre Liebhaber ungestörter empfangen konnte?«

Er riss wütend die Seitentür der Anrichte auf und holte ein neues Glas heraus. Ich stand auf und ging zu ihm. Seine Hand zitterte zu stark, er konnte sich nicht einschenken. Ich nahm ihm die Flasche ab, ein guter alter Cognac, und goss ihm zwei Fingerbreit ein. Er nahm das Glas, ohne mich anzusehen, und stürzte den Inhalt hinunter. Als er wieder nach der Flasche greifen wollte, zog ich sie weg.

»Es nutzt nichts, wenn du dich jetzt betrinkst. Aber jede Einzelheit, an die du dich erinnerst, könnte wichtig sein.« Ich beugte mich zu ihm. »Du hast Natalja schon einmal in Lebensgefahr gebracht. Ich denke, du schuldest ihr etwas.«

»Ich schulde ihr etwas?«, fragte Utz. Dann drehte er sich um zu Sigrun. »*Ich schulde ihr etwas?*«

Er schleppte sich zu seinem Sessel und ließ sich hineinfallen. Er holte tief Luft und fixierte Sigrun. »Ich schulde ihr mein Leben. Ich schulde ihr, dass ich überhaupt noch einmal lieben konnte. Deine Mutter, Sigrun. Und dich. Ich schulde ihr, dass sie für mich gesorgt hat, als ich krank war. Ich schulde ihr, dass sie mir Lieder vorgesungen hat, um die Geräusche zu übertönen, die aus dem Schlafzimmer meiner Mutter kamen. Ich schulde ihr so viel. Ich werde es niemals abtragen können.«

»Warum hast du dann nicht reagiert, als sie deine Hilfe brauchte?«

Utz schwieg. Seine Hände zitterten immer noch. Er faltete sie. Sigrun stand auf und setzte sich zu ihm auf die Lehne. Sie legte vorsichtig den Arm um seine Schulter, als ob sie befürchten müsste, dass er sie gleich wegschieben würde. Utz sah sie nicht an. Aber er ließ sich die Berührung gefallen.

»Sechzig Jahre«, sagte er heiser. »Sechzig Jahre habe ich geglaubt, sie wäre tot. Ich hatte es schriftlich. Du hast das Schreiben gesehen, Joachim. Dieser Staat hatte das Töten perfektioniert. Warum hätte ich daran zweifeln sollen?«

Sigrun nickte fast unmerklich. Ich sollte ihm glauben.

»Ich war neun, als ich sie zum ersten Mal gesehen habe. Meine Mutter hatte sie vom Arbeitsamt mitgebracht und in die Küche geschoben. Natalja Tscherednitschenkowa. Aus Prowery in der Ukraine. Sagt euch Prowery etwas?« Er sah auf seine gefalteten Hände. »Prowery wurde von den Deutschen zerstört. Die

Bewohner des Dorfes sind in die umliegenden Wälder geflohen. Die jungen Leute wurden in Züge gepfercht und ins Altreich geschickt. Das damalige so genannte Deutsche Reich, wenn ich es politisch korrekt ausdrücken soll. Bestehst du darauf?« Er sah zu Sigrun hoch.

Sie lächelte und schüttelte leicht den Kopf.

»Danke. Für manches gibt es keine neuen Begriffe mehr. Ich wüsste nicht, wie ich es anders ausdrücken sollte. Also verzeiht mir, wenn ich eine andere Sprache spreche. Es war ein anderes Land, und manchmal kommt es mir vor, als wären es komplett andere Menschen gewesen. – Einen Cognac?« Utz sah uns aufmunternd an.

Wir gaben unsere Zustimmung. Während er zum Schrank ging und die Gläser holte, machte ich zu Sigrun eine Handbewegung: Lass ihn reden, hieß das. Ich würde auf der Hut sein. Denn immer noch erzählte er das, was er erzählen wollte, und nicht das, was wir wissen wollten.

Utz schenkte sorgfältig ein und brachte uns die Gläser.

»Auf uns. Darauf, dass wir miteinander reden.«

Er setzte sich wieder. Bald würden wir wissen, was das hier werden sollte: eine Märchenstunde oder die Wahrheit.

»Mit Natalja war eine volkspolitische Herausforderung ins Haus geschneit. Sie stand da, in ihrer grauen Steppjacke und den Stiefeln, zwei Zöpfe baumelten links und rechts herunter, riesengroße Augen in einem schmalen Gesichtchen. Ich dachte noch, wie soll sie hier arbeiten, sie muss erst einmal essen, und wir hatten selbst nicht gerade viel. In ihrer Tasche hatte sie noch ein paar Zwiebäcke und ihre Arbeitspapiere. Sie hatte Angst vor allem: dem Radioapparat, der Toilette, der Elektrizität. Und vor uns. Sie hat kein Wort Deutsch gesprochen. Auf dem Küchenboden hat sie geschlafen.«

Der Küchenboden. Er lag direkt über der Speisekammer. Einen Meter fünfzig hoch, eins zwanzig breit, zwei Meter lang. Ein winziges, rundes Fenster am Kopfende. Unbeheizt. Ich war einmal hinaufgeklettert, weil die Freifrau eines Abends auf einen ganz bestimmten Tafelaufsatz bestand, und hatte mir fluchend den Kopf angeschlagen. Das also war damals Nataljas Reich gewesen.

»Wir hatten zu dieser Zeit noch eine Köchin. Es gab zwar kaum noch etwas zu kochen, aber sie war in der Zubereitung des Wenigen ausgesprochen phantasievoll. Sie hieß … Emma. Alle unsere Köchinnen hießen Emma. Sie kam aus Lemberg. Meine Mutter achtete sehr darauf, dass die Ordnungsmaßnahmen in Bezug auf Fremdarbeiter bei uns strikt eingehalten wurden. Das hieß, Natalja musste ihr Ost-Abzeichen tragen, wenn sie das Haus verließ, sie durfte nicht in die Kirche und nicht ins Kino, sie arbeitete von morgens fünf bis abends zweiundzwanzig Uhr, sie hat in der Küche gegessen, wo es warm war im Winter, und wir im Speisezimmer, wo mir vor Kälte die Gabel aus der Hand fiel. Unangenehm für uns, aber volkspolitisch völlig korrekt. Paula war als Mensch für uns nicht existent. Ja. So war das in deinem Elternhaus.«

»Du warst ein Kind«, sagte Sigrun leise.

Utz lachte kurz auf. »Das hättest du mir damals nicht laut sagen dürfen. Ich war einer der Ersten im Jungvolk. Und ich hatte einen Vater, der in Belgien wieder für Zucht und Ordnung sorgte, auch wenn man sich zu Hause nur noch an ihn erinnerte, wenn ein Paket mit Schokolade ankam. Er war ein großer Mann mit kräftiger Stimme. Ich hing an ihm, habe zu ihm aufgesehen. Vermutlich, weil er so selten da war. Meine Mutter nutzte seine Anwesenheit auf ihre ganz private Weise. Ich bin dann notgedrungen mit Paula und Emma in die Küche. Emma machte aus Mehl und Wasser Pfannkuchen mit Rübensirup und sang polnische Lieder. Natalja sang wunderschöne ukrainische Lieder. Und ich sang ›die Fahne hoch, die Reihen fest geschlossen‹.«

Er sah Sigrun in die Augen. Sie reagierte genau so, wie er es erwartet – und provoziert – hatte.

»Du hast das Horst-Wessel-Lied gesungen?«

»Einer muss es ja schließlich getan haben«, sagte Utz bitter. »Wir waren Nazis. Nazis! Verstehst du das jetzt endlich? Was hast du erwartet? Heimlichen Widerstand? Oppositionelle Gruppen in der Speisekammer? Du bist naiv, Sigrun. Millionen haben das gesungen. Natürlich, nach dem Krieg wollte keiner es mehr gewesen sein. Aber die Tausende im Sportpalast, wo kamen die denn her? Die Hunderttausende auf den Reichsparteitagen, wer waren sie denn? Die Fahnen, die aus jedem Fenster hingen, irgendjemand muss sie ja da hingehängt haben. Das waren wir. Ich war einer von ihnen.«

Sigrun war anzusehen, dass sie schwer daran zu knabbern hatte. »Du warst elf Jahre alt«, sagte sie noch einmal leise.

»Ich habe das Horst-Wessel-Lied gesungen«, bekräftigte Utz. »Ich habe an all den Unsinn geglaubt. An die Rassengesetze und die Judenhetze, an all das Untermenschengerede und das Volk-ohne-Raum-Geschwätz. Der totale Krieg – das war nicht nur eine geschriene, ausgespuckte Goebbels-Rede. Das war eine Geisteshaltung, ein Zustand, eine einzige große Gemeinsamkeit. Mein Vater hat schon im Ersten Weltkrieg gekämpft. Der Versailler Vertrag war eine Schande. Also habe ich auch diese Lieder gesungen. Was hätte ich sonst singen sollen? Kirchenlieder? Wir gingen nicht in die Kirche. Religionsunterricht hatte ich nicht. Und für Zarah Leander war ich zu jung.«

Sigrun nippte an ihrem Cognac. Utz berührte kurz ihre Hand.

»Es ist bitter für dich, das zu hören. Aber du wolltest sie ja haben, die ganze Wahrheit. Willst du noch mehr?«

Sigrun nickte. »Ja. Sprich weiter.«

»Ich wurde krank. Typhus oder Fleckfieber vielleicht. Ich habe gestunken, mich übergeben, das ganze Bett vollgeschissen habe ich. Wir hatten Verbindungen, also bekam ich auch Medikamente. Keine Ahnung, was mit ihnen los war. Gepanscht vielleicht. Es wurde nicht besser, sondern schlimmer. Ich hatte entsetzliche Schmerzen. Ich rief nach meiner Mutter, aber sie kam nicht. Sie war zwar zu Hause, aber sie hatte Besuch. Sie schämte sich für meine Krankheit und schickte schließlich Paula zu mir. Paula, Natalja, blieb bei mir. Die ganze Nacht. Ich bekam Schüttelfrost. Es wollte nicht mehr aufhören. Ich habe gefroren wie noch nie in meinem Leben. Ich war mir sicher, dass ich sterben musste. Natalja kletterte in mein Bett und nahm mich in den Arm. Sie hat mich die ganze Nacht gewärmt. Und als das Fieber wieder kam, rieb sie mich mit feuchten Tüchern ab. Sie kam zwei Tage lang keine einzige Stunde zum Schlafen. Meine Mutter war in dieser Zeit nicht ein Mal an meinem Bett.«

Utz verstummte. Wir schwiegen. Er hatte das eigentliche Thema in großem Abstand umkreist, aber er kam ihm näher.

»So sind wir Freunde geworden«, sagte er schließlich.

Er machte eine Pause, um nachzudenken, bevor er weitersprach. »Die Freude war nicht von langer Dauer, denn 1943 hatten schon so gut wie alle Schulen geschlossen, und im Sommer darauf entschied Mutter, mich zur KLV zu geben. Kinderlandverschickung.«

»Nach Leba«, ergänzte Sigrun erleichtert. »Auf das Landgut.«

»Nein«, antwortete Utz, »in ein Heim. Schlafsäle, Morgenappelle, kilometerlange Märsche in die Sanddünen, Bann- und Gebietssportwettkämpfe, Wehrertüchtigungslager, Sonnwendfeier ...«

»Aber«, sie ihn sah an. »Deine Großeltern? Das Gut?«

Utz lächelte. »Das hat's nie gegeben. Die ganze wohlhabende Familie der Freifrau von Hollwitz war ein versprengter Haufen armer Kirchenmäuse. Das durfte natürlich niemand wissen. Und deshalb hieß es immer, der Junge ist auf unserem Gut in Pommern. Da war ich zwar auch, aber etwas spartanischer, als dich die verklärten Schilderungen deiner Großmutter vermuten ließen.«

Arme Sigrun. Noch ein Punkt ihrer Biographie war soeben mit einem Satz ausgelöscht worden. Das hübsche kleine Schlösschen an der polnischen Ostseeküste hatte sich in Luft aufgelöst.

»Bist du deshalb zurückgekommen? Hast du es dort nicht mehr ausgehalten?«

»Ja und nein«, antwortete Utz.

Jetzt spannte er uns auf die Folter. Er war wieder der Herr im Ring. Er drehte das Glas in seiner Hand und starrte auf die goldbraune Flüssigkeit.

»Ich hatte einen Brief von Natalja bekommen. Ich weiß nicht, wie sie das geschafft hat, denn es war den Ostarbeitern verboten worden, Briefe und Pakete zu senden. Aber ich habe das Schreiben auf einigen Umwegen bekommen. Darin stand, dass sie meinen Vater gesehen hatte. In Berlin. Im Haus der Lehnsfelds.«

Er stellte das Glas auf dem Tischchen ab. »Mein Vater galt als vermisst. Und vermisst, das konnte alles bedeuten. Den Tod oder ein Wunder. Plötzlich sollte er wieder da sein. Oktober 1944. Als ich endlich meine Mutter ans Telefon bekam, stritt sie alles ab. Sie war so wütend, wie ich sie noch nie erlebt hatte.«

Er schwieg wieder einen Moment und schien sich zu sammeln. Schließlich sagte er: »Aus diesem Grund habe ich ihr auch nicht mehr geglaubt.«

»Und dann bist du losgelaufen«, sagte Sigrun.

Utz nickte. »Vierhundertsechzig Kilometer. Das Land gab es nicht mehr, es löste sich auf. Und trotzdem wurde auf alles geschossen, was sich von hinten zeigte. Ich sah älter aus als elf. Ich hatte ständig Angst, in irgendwelche letzten Aufgebote geschickt zu werden. Überall schwarze, rauchende Trümmer. Je länger es dauerte, desto erschreckender wurden die Meldungen von der Front. Zwei Monate nach der Invasion war alles zusammengebrochen. Die Sowjetunion eroberte die Krim zurück und stand vor Kiew. Ich wusste, dass Natalja Angst vor den Russen hatte, Angst vor der Rache, dass sie Deutsch sprach und bei Deutschen gearbeitet hatte. Ich wollte meinen Vater sehen. Und ich wollte sie beschützen. Vielleicht war das sogar das Wichtigste.«

»Wie ist Natalja nach Grünau zu den Lehnsfelds gekommen?«

Utz sah überrascht auf. »Sie wurde verliehen. Nicht offiziell natürlich, aber unter der Hand. Wir hatten nicht viel Geld. Das Haus hier war ein feuchter, kalter Kasten, viele Möbel waren bereits auf dem Schwarzmarkt verkauft. Natürlich besaß meine Mutter noch einige Wertsachen. Kleider, Pelze, Schmuck, alles, was man gut tragen konnte, falls es ernst wurde. Und sie besaß etwas Kostbares, das sie ergattert hatte: eine Arbeitskraft, die sie verleihen konnte und Geld oder Lebensmittel dafür erhielt.«

Ich verschränkte skeptisch die Arme. »Für so viel bedauernswerte Armut seid ihr aber nach dem Krieg ziemlich schnell wieder auf die Beine gekommen.«

»Meine Mutter hatte die Gabe, sich jeder Situation anzupassen. Auch Amerikaner trugen Uniformen.«

»Was genau hat Natalja bei den Lehnsfelds gesehen?«

»Nichts«, sagte Utz kurz. »Ich war selbst mit ihr draußen. In dieser Nacht wurde Berlin wieder bombardiert. Wir haben die Nacht im Keller verbracht. Die Lehnsfelds waren sehr nett zu uns. Das Haus wurde getroffen, aber es gab einen zweiten Ausgang, so dass wir uns alle retten konnten.«

»Was war in dem Keller?«, fragte ich.

»Bitte?«

»Was in dem Keller war? Kannst du dich an irgendetwas erinnern?«

»Ich weiß nicht mehr. Wasser, Lebensmittel … Kisten natürlich. Lehnsfeld hatte einen großen Teil seiner Einrichtung in den Keller gebracht. Bilder, Möbel … Ist das so wichtig?«

»Hat Natalja ein Kreuz getragen?«

Utz dachte nach. »Ja«, sagte er schließlich. »Sie trug ein Kreuz. Ein kleines goldenes. Sehr hübsch. Später hieß es, sie hätte es

Lehnsfeld gestohlen. Ich weiß es nicht. Ich war enttäuscht, weil mein Vater nicht da war. Meine Mutter hat verboten, nach ihm zu fragen. Und dann diese fürchterlichen Luftangriffe. Die Lehnsfelds trösteten Natalja, dass sie ja bald wieder zu Hause sein würde. Wenigstens für sie würde der Krieg ein gutes Ende haben. Das verstörte mich noch mehr. Sie sollte nicht weggehen und mich alleine lassen. Am nächsten Tag stand die Gestapo in der Tür und nahm sie mit. Ein Mann verhörte mich in der Küche. Er war sehr nett. Ich hatte Angst vor seiner Uniform, aber meine Mutter hat gesagt, ich solle alles erzählen, was ich wüsste. Es würde Natalja helfen, und am Abend wäre sie wieder da. Ich habe am Fenster gesessen und auf sie gewartet. Die ganze Nacht, bis zum nächsten Mittag. Da kam der Bote und brachte das Schreiben vom Gericht.«

Er faltete wieder die Hände. Sie zitterten zu stark. »Es ging so schnell. – Es ging so schnell! Jemand war mit dem Saum in die Zahnräder dieser Maschine geraten, und sie hat den ganzen Menschen verschluckt. Am Morgen waren wir noch gemeinsam aus dem Keller gekrochen, vierundzwanzig Stunden später war sie tot.«

Er senkte den Kopf. »Ich wurde wieder krank. Nervenfieber, hat der Arzt gesagt. Mutter sagte mir immer wieder, ich müsste sie vergessen. Ich müsste einfach so tun, als sei sie nie da gewesen. Vorbei ist vorbei. Ja. So ging man damals damit um.«

Diese drei Worte kannte ich von meiner Mutter. Vorbei ist vorbei. Nichts konnte mehr helfen, man müsste sich damit abfinden. Ich konnte Utz gut verstehen. Die Sehnsucht hatte ihn nach Berlin getrieben, und dann wurde er gleich mehrfach enttäuscht. Sein Vater blieb ein Phantom, und Natalja würde ihn verlassen.

»Ich habe oft gezweifelt. Ob es richtig war, was ich getan habe«, sagte er. »Wenn ich nicht nach Berlin gekommen wäre, wäre vielleicht gar nichts passiert. Das war das Bitterste. Ich wollte sie beschützen und habe sie ins Unglück gestürzt.«

»Natalja war verloren in dem Moment, in dem sie den Brief schrieb«, sagte ich. »Du hättest sie nicht retten können. Ist dir niemals der Gedanke gekommen, dass sie deinen Vater tatsächlich gesehen hat?«

»Nein. Nie. Zwei Wochen später kam die Nachricht, dass er gefallen war. In den Ardennen. Wie hätte er da kurz vorher noch in Berlin sein können?«

Etwas an Utz' Erzählung war wichtig. Ein Nebensatz vielleicht, eine kurze Bemerkung. »Die Luftschutzmaßnahmen haben verboten, dass man Keller als Abstellräume benutzte. Ich wundere mich, warum die Lehnsfelds ihren ganzen Hausrat da unten abstellten. Vielleicht war es etwas ganz anderes als Möbel? Kann es sein, dass ihr ganz aus Versehen Zeugen eines groß angelegten Kunstraubes geworden seid?«

Utz sah überrascht zu Sigrun, die immer noch ihren Arm um seine Schultern gelegt hatte. »Kunstraub?«

»Und kann es sein«, fuhr ich fort, »dass die Lehnsfelds, um das zu vertuschen, Natalja am nächsten Tag angezeigt haben?«

Sigrun blickte mich mit starren Augen an. Ich merkte, dass sie bleich geworden war. »Jetzt gehst du eindeutig zu weit«, sagte sie leise.

Ich sah sie mir an, den Vater und die Tochter. »Ich gehe sogar noch weiter. Was wäre, wenn Wilhelm von Zernikow, der offiziell als vermisst galt, in dieser Rette-sich-wer-kann-Zeit im Auftrag des obersten Kunsträubers Lehnsfeld unterwegs gewesen war, um aus Kellern und Salzbergwerken ein paar Wagenladungen kostbares Strandgut auf die sichere Seite zu bringen? Natalja sieht ihn durch Zufall. Wilhelm schenkt ihr das Kreuz und verpflichtet sie zu strengstem Stillschweigen. Doch Natalja weiß, wie sehr Utz an seinem Vater hängt, und schreibt, dass er in Berlin ist. Als Utz erscheint, geht den Lehnsfelds der Arsch auf Grundeis. Sie wissen, woher das Kreuz kommt, das Natalja trägt. Sie hat sich bei Utz verplappert. Sie hat vielleicht unwis-

380

sentlich noch mehr gesehen als in diesen paar Stunden im Keller. Sie müssen sie mundtot machen und erstatten Anzeige. Abel von Lehnsfeld gegen eine Ostarbeiterin. Jedes Kind weiß, wie das ausgehen wird. Utz macht man klar, dass er einer Lüge auf den Leim gegangen ist. Sein Vater ist nicht heimgekommen, Natalja hat gelogen oder sich selbst getäuscht. Und weil alles andere undenkbar ist, verdrängt Utz die Zweifel und glaubt schließlich selbst, was man ihm erzählt hat. Perfekt.«

Es passte wunderbar zusammen. Utz hörte mir zu, ohne eine Miene zu verziehen. Nur als ich das Kreuz erwähnte, zuckten seine Mundwinkel. Doch er unterbrach mich nicht. Sigrun schüttelte immer wieder den Kopf.

»Und nun passiert Folgendes. Die Russen kommen. Abel kann gerade noch eine Mauer im Keller hochziehen und den neuen Grundriss als Bombenschaden ausgeben, dann muss er gehen. Keine Chance, jemals wieder an den Schatz heranzukommen. Die ganzen langen, bitteren Jahre der DDR-Zeit.« Marie-Luise, verzeih mir. »Dann kommt die Wende. Abel verlangt die Rückübertragung, vergisst aber, dass das Haus schon längst der Allgemeinheit gehört. Auch elitäre Ruderclubs sind Sportvereine, die besonderen Schutz genießen. Er streitet sich einige Jahre und stellt dabei fest, dass sein eigener Sohn ein Weichei ist. Dem kann er nicht mit Kriegsbeute kommen. Der würde sofort alles dem nächsten Museum schenken. Aber der Enkel. Aaron ist aus dem gleichen Holz geschnitzt wie der Alte. Die beiden verstehen sich. In seinem Testament schreibt er, wo Abel graben muss.«

Utz und Sigrun hörten mir zu. Sie schrien nicht auf, sie nahmen mich nicht auseinander, sie hörten zu.

»Aber«, fuhr ich fort, »Aaron ist nicht so schlau wie sein Großvater. Er kann nicht warten. Er holt sich einen Bagger und fängt einfach an. Natürlich wird er erwischt, und der Liegenschaftsfonds erzwingt den Baustopp. Aaron ist außer sich. Es geht um Millionen. Er ist so nah dran. Er ist der Einzige, der weiß, was im Keller verborgen ist. Er versucht es sogar heimlich mit dem Schlagbohrer. Doch da passiert das Unfassbare. Die totgeglaubte Natalja taucht auf. Die Zeugin.«

Ich holte tief Luft. Es passte. Alle Indizien ergaben ein Ganzes, jedes Mosaiksteinchen fand seinen Platz. Ich hätte das alles notieren sollen. Es war bereits die perfekte Anklageschrift. Der Staat gegen Aaron von Lehnsfeld.

Aber etwas hing noch in der Luft. Ein nicht zu Ende gedachter Gedanke, ein wichtiger Hinweis. Ich wusste, dass noch etwas fehlte, und ich bekam es nicht zu fassen. Ich sah den Kachelofen in der Ecke. Er erinnerte mich an etwas, doch ich wusste nicht, an was.

»Die einzige Zeugin«, sagte Sigrun.

Ich nickte. »Und die Einzige, die etwas über die wahre Herkunft des Kreuzes weiß. Und vielleicht hat sie sogar gesehen, was damals in diesem Keller geschafft wurde.«

Utz schwieg. Ich hoffte, dass er eines Tages Mitleid empfinden konnte mit dem verführten und manipulierten Kind, das er gewesen war. Dass er Frieden mit sich schließen und sich selbst verzeihen würde. So vieles war verborgen worden unter dicken Schichten des Schweigens. Er hatte gelebt und geliebt, aber immer nur mit halber Kraft, gebremst von etwas Unausgesprochenem, das ihn ungewollt zum Täter gemacht hatte. Die bitterste Erkenntnis aber kam erst jetzt hinzu: das Gefühl, auch eines der Opfer zu sein.

»Aaron hat Olga ermordet«, fuhr ich fort. »Wahrscheinlich hat er gehofft, dass nach diesem vermeintlichen Unfall erst einmal Ruhe einkehren würde. Aber dann ist Milla aufgetaucht. Sie wusste nicht, was geschehen war. Sie wollte einfach nur die Unterschrift. Ihre Methoden waren etwas unkonventionell, und deshalb hatte Aaron das nächste Problem am Hals. Er versuchte es mit ihr auf die gleiche Weise wie mit Olga. Das Attentat ist misslungen, aber er hatte zumindest etwas Zeit gewonnen. Zwei

Mal der gleiche Tathergang. Zwei Mal die gleiche Verbindung: zu euch und zu den Lehnsfelds.«

Sigrun klopfte ungeduldig mit den Fingerspitzen auf die Sessellehne. »Und du hast deine Anwaltsfreundin eingeweiht, die sich daraufhin mit Freuden in den Klassenkampf gestürzt hat. Warum hast du nicht erst mit uns darüber geredet?«

»Wie bitte?« Die Zernikows waren einfach unglaublich. »Das habe ich versucht. Wenn du deine Eifersucht ein bisschen besser im Griff gehabt hättest, müsste ich jetzt nicht herumlaufen wie eine Mischung aus Frankenstein und Halloween-Kürbis.«

»Eifersucht?«, fragte Sigrun. »Du bist nächtelang nicht nach Hause gekommen. Und wenn ich dich morgens einmal zufälligerweise unter der Dusche getroffen habe, hast du dir irgendein billiges Drogerie-Parfum abgespült. Erzähl mir doch nicht, dass zwischen euch nichts gelaufen ist.«

»Bitte«, sagte Utz.

»Lass mich ausreden!« Sie sprach jetzt mit mir in dem gleichen Ton, den sie auf Landesparteitagen für die Opposition reserviert hatte: schneidend und kalt. »Und weißt du, was das Beste ist? Du redest hinter meinem Rücken mit diesem fetten Fotografen. Du erzählst ihm Lügen über mich. Du lässt dir Fotos bringen, um irgendeine miese Kampagne gegen mich zu starten. Du bist genau auf dem gleichen Niveau wie dieser Unmensch, der mich jeden Tag anruft und fertigmacht.«

»Bitte!« Utz hob jetzt beide Hände, um Frieden zu stiften.

Vergeblich. Ich war auch noch nicht fertig. »Diese Fotos sind nur als Beweismaterial wichtig, aber das kannst du ja nicht mehr auseinanderhalten. Verena hat einen Ring getragen, der eindeutig aus einem Kunstraub stammt. Und wenn du endlich mal zuhören würdest, dann wüsstest du das. Aber bei dir geht's ja gleich um Sippenhaft.«

»Schluss!« Utz stand auf. »Ich kann das nicht mehr hören. Geht bitte. Ich will schlafen.«

Sigrun strich sich die Haare zurück. »Du hast Recht. Es ist nicht der passende Zeitpunkt.«

Ich sah auf die Uhr. Nach elf. Marie-Luise würde mich umbringen. »Es tut mir leid«, murmelte ich.

Ich konnte noch nicht gehen. Irgendetwas wollte ich noch fragen. Alles war klar, aber kein Staatsanwalt der Welt würde Anklage erheben. Wir würden noch nicht einmal einen Hausdurchsuchungsbefehl bekommen. Wir hatten nur Indizien. Die Beweise fehlten. Ich starrte auf den Kachelofen, eine wunderschöne Jugendstilarbeit aus Velten. Auf Pferdewagen nach Berlin gebracht, als der Bauboom Anfang des zwanzigsten Jahrhunderts dem kleinen Ort hinter der nördlichen Stadtgrenze eine kurze Blütezeit bescherte. Die Ofenklappen waren aus poliertem Messing, und auf der Spitze des Ofens saß ein kleiner Engel, der jubilierend in eine Tröte blies.

»Ich muss noch einmal in den Keller.«

Sigrun, die gerade ihre Aktentasche hochgehoben hatte, erstarrte. »Was? Jetzt?«

»Wir müssen wissen, was da drin ist. Sonst ist alles umsonst. Wenn es Aaron gelingt, den Keller leer zu räumen, werden wir ihm nichts mehr nachweisen können. Ich fahre noch mal raus nach Grünau.«

Sigrun ließ die Tasche sinken und sah zu ihrem Vater hinüber. »Glaubst du eigentlich, was er sagt?«

Das war ein Schlag in die Magengrube. Ich hatte erwartet, dass sie meine Beweisführung überzeugen würde. Aber hier stand mir wieder eine Zernikow gegenüber, die den Kopf in den Sand steckte. Utz wartete an der Tür und sah so aus, als ob ihn an diesem Abend nur noch das Bett interessieren würde. »Ich weiß es nicht«, sagte er schließlich.

Ich wandte mich ab. Dieser Familie war nicht mehr zu helfen. Sie hatten sich alles angehört und würden einfach zur Tagesordnung übergehen.

»Ich weiß es wirklich nicht«, wiederholte Utz entschuldigend. Sigrun nahm ihre Aktentasche und ging triumphierend hinaus.

»Warte«, sagte er zu ihr. Sigrun blieb stehen.

»Vielleicht hat er Recht, vielleicht auch nicht.«

»Na wunderbar!«, rief ich. »Werft doch eine Münze.«

»Aber wenn auch nur die geringste Wahrscheinlichkeit besteht, dass er Recht hat, dann dürfen wir nichts unversucht lassen, um den Mördern das Handwerk zu legen.«

»Und das heißt?«, fragte Sigrun.

Utz wandte sich an mich. »Ich komme mit.«

40

Sigrun fand unseren Plan gar nicht lustig. Sie erinnerte an die nächtliche Uhrzeit, an Utz' Herz-Kreislauf-Schwäche, an Hausfriedensbruch, Skandal und schließlich an die Wahlen. All das hielt ihren Vater nicht davon ab, den Hausmantel gegen eine leichte Wetterjacke zu tauschen und sich feste Schuhe anzuziehen.

»Wir kommen nur über den Langen See an das Haus heran«, sagte ich. »Zieh dir was Wasserdichtes an.«

»Ihr seid komplett wahnsinnig.« Sigrun ließ sich in den Sessel fallen. »Was erwartet ihr da unten eigentlich? Albrecht Dürers Handschriften? Den letzten Van Gogh? Einen Altar von Tilman Riemenschneider?«

»Sigrun«, keuchte Utz, der sich gerade die Schnürsenkel band, »ich will die Wahrheit wissen.«

»Das fällt dir aber früh ein.«

Utz sah hoch. »Ich habe Fehler begangen. Ich habe dafür gelitten. Wenn ich jetzt nicht gehe, werde ich mir immer Vorwürfe machen.« Er stand mühsam auf. »Du hättest nicht in die Politik gehen sollen.«

Sigrun biss sich auf die Lippen. »Okay«, sagte sie schließlich. »Wartet auf mich. Ich ziehe mir nur was anderes an.«

»Nein.«

Ich stellte mich ihr in den Weg. »Das ist zu gefährlich. Utz ist der Einzige von uns, der wirklich ein Recht darauf hat, in den Keller zu gehen. Bleib hier.«

»Er ist zweiundsiebzig. Hast du das vergessen?« Sie marschierte vorbei.

Ich hörte, wie sie im Treppenhaus die Stufen hinabrannte. Dann wandte ich mich an Utz. »Aaron ist nicht allein. Er hat mindestens zwei Helfershelfer, die wissen, wie man zuschlägt.«

Utz nickte bedächtig. Offensichtlich war mein Gesicht Beweis genug, denn er ging zu der Anrichte und zog eine Schublade auf. Er suchte und brummte einen Fluch, als er nicht gleich fündig wurde. Schließlich sagte er »Ach ja«, schloss die Schublade und drehte sich zu mir um. Eine schwarze Taurus PT 2. Offensichtlich war jeder hier im Haus bewaffnet. Er steckte sich die Waffe in den Hosenbund, als sei es das Normalste der Welt.

»Fertig«, sagte er. »Wollen wir?«

»Einen Moment noch.«

Ich schaltete mein Handy wieder ein. Auf meiner Mailbox waren dreizehn nicht angenommene Anrufe. Alle von Marie-Luise.

»Du gottloses Schwein!«, zischte sie mich an, als ich sie anrief. »Bist du wahnsinnig geworden, mich einfach so sitzen zu lassen?«

»Wo ist er? In deinem Bett?«

Utz hob erstaunt die Augenbrauen. Ich drehte mich um, so dass er mich nicht sehen konnte, was natürlich völlig sinnlos war. Er konnte mich ja immer noch hören.

»Zu Hause«, sagte sie wütend. »Irgendwann hat er mir endlich geglaubt, dass er seine Schlüssel verloren hat. Und was macht er? Er ruft doch tatsächlich einen Abschleppdienst an, der ihm den

Wagen bis vor die Haustür bringt. Damit er nicht irgendwelchen unseriösen Findern in die Hände fällt.«

»Dann ist ja alles in Ordnung«, meinte ich.

»Oho. Der drohende Verlust meiner Tugend scheint dich ja nicht sehr zu beunruhigen. Vielleicht schreckt dich dann wenigstens das hoch: Milla ist verschwunden. Auf eigenen Wunsch entlassen, heißt es im Virchow. Und dreimal darfst du raten, wer sie mitgenommen hat. Na? Unser lieber, vertrauenswürdiger Horst.«

Das waren schlechte Nachrichten. Uns blieb nicht mehr viel Zeit. »Fahr in die Kaiserin-Augusta-Allee und versuche herauszufinden, wo er wohnt.«

»Aber gerne«, sagte Marie-Luise. »Die U-Bahn fährt ja noch, damit komme ich von hier aus bequem in zwei Stunden dort an. Du hast meinen Wagen, falls du das vergessen hast.«

»Einen Moment.« Ich hielt die Hand vor das Handy und drehte mich zu Utz. »Ich muss noch in Friedrichshain vorbeifahren. Milla ist verschwunden. Marie-Luise versucht herauszufinden, wo sie steckt. Sie braucht meinen Wagen.«

»Marie-Luise, ist das die Dame, von der Sigrun gesprochen hat?«

»Ja.«

Utz nickte. »Wir fahren zusammen. Das liegt auf dem Weg. Du kannst ihr das Auto geben und dann bei uns mitfahren.«

»Gut.«

»Ich habe alles mitgehört«, knurrte Marie-Luise am anderen Ende der Leitung. »Der Volvo gehört immer noch mir, falls du das schon vergessen hast. Setz jetzt endlich deinen Arsch in Bewegung. Mit wem redest du da eigentlich? Wer kommt mit? Und wohin?«

Ich holte tief Luft. »Sigrun und ihr Vater. Wir fahren noch mal nach Grünau.«

Marie-Luise fluchte etwas, das ich als kultivierter Mitteleuropäer nicht verstehen wollte, dann legte sie auf. Gerade als Utz die Haustür abgeschlossen hatte, kam Sigrun mit dem Jaguar aus der Tiefgarage. Sie trug einen Jogginganzug und Gummistiefel. Utz stieg hinten ein.

»Wir machen einen kurzen Zwischenstopp«, erklärte ich Sigrun. »Ich fahre vor.«

Es war kurz vor halb zwölf. Die Stadt war ruhig geworden nach diesem heißen Tag. In den Gartenlokalen und auf den Straßen vor den Restaurants wurden die Stühle hochgestellt. Auf der Lietzenburger waren wie immer um diese Uhrzeit nur die Verrückten unterwegs, hochgetunte Mittelklassewagen mit getönten Scheiben und kofferraumgroßen Subwoofern. Wir erreichten trotzdem ziemlich schnell den Potsdamer Platz. Die Hochhäuser waren beleuchtet, und durch die Straßen flanierten immer noch Menschen. Wir rasten die Leipziger Straße entlang bis zum Alex, bogen endlich auf die Karl-Marx-Allee ein.

Marie-Luise erwartete uns vor der Haustür. Ich stoppte in zweiter Reihe und holte aus dem Kofferraum unsere Ausrüstung, die wir nach dem ersten Ausflug dort verstaut hatten. Marie-Luise bemerkte den Jaguar und schlenderte langsam auf ihn zu. Sie strich mit der Hand über den vorderen Kotflügel und blieb neben dem Fahrerfenster stehen. Sigrun hatte die Klimaanlage benutzt, deshalb war das Fenster geschlossen. Jetzt ließ sie es langsam herunterfahren. Sie sah hoch zu Marie-Luise. Ihr Gesicht verriet nichts, noch nicht einmal Desinteresse. Ich schloss den Kofferraum des Volvo und kam mit den Sachen herüber.

»Marie-Luise Hoffmann«, stellte sie sich vor. »Und Sie müssen Sigrun Zernikow sein, die Frau ohne von.«

»Stimmt«, antwortete Sigrun.

Marie-Luise beugte sich hinunter, um besser in den Fond sehen zu können. »Und das da ist der werte Herr Papa.«

»*Das* da«, wiederholte Sigrun mit vollkommen ruhiger Stimme, »ist mein Vater. Utz von Zernikow. Die Fütterung ist leider schon vorbei. Der Zoo ist geschlossen.« Das Fenster fuhr hoch.

»Das Vergnügen ist ganz meinerseits.« Marie-Luises scharfe Ironie war unüberhörbar. Zickenkrieg auf der Mainzer Straße. Ich öffnete die Hintertür des Jaguar.

»Bist du komplett verrückt geworden?«, sagte Marie-Luise. »Du kannst sie nicht mitnehmen. Sie stecken doch mit drin.«

»Nicht mehr als wir«, entgegnete ich.

Marie-Luise hielt mich am Arm fest und hinderte mich am Einsteigen. »Was ist, wenn der Scheißer mit dem biblischen Namen und sie unter einer Decke stecken?«

»Dann habe ich immer noch dich als Zeugin. Mach dir keine Sorgen.«

Ich drückte ihr die Autoschlüssel in die Hand.

Je weiter wir den Stadtkern verließen, umso ruhiger wurden die Straßen. Schließlich leuchteten einzig noch die Reklametafeln der Tankstellen und die S-Bahn-Stationen auf dem Weg nach Adlershof.

Utz sah aus dem Fenster und sagte kein Wort. Vielleicht dachte er an Natalja, vielleicht aber auch an Sigrun. Ich wusste, dass sie ein einziger Satz ihres Vaters mehr getroffen hatte als alle Geständnisse zuvor. *Du hättest nicht in die Politik gehen sollen.* Es war ihr Versagen, ihr schwarzer Fleck, dass sie in diesem Punkt die Erwartungen ihres Vaters enttäuscht hatte. Während des Jurastudiums war eine Weile davon die Rede gewesen, dass sie eines Tages die Kanzlei übernehmen würde. Utz war nie einverstanden gewesen, dass sie einen anderen Weg eingeschlagen hatte.

»Milla«, sagte Utz in unser Schweigen, »ihre Tochter, was ist mit ihr?«

»Sie hatte einen Unfall. Ich bin überzeugt, dass Aaron sie absichtlich angefahren hat. Gott sei Dank befindet sie sich auf dem Weg der Besserung. Sie haben sie aus der Intensivstation entlassen und auf die normale verlegt. Von dort ist sie heute Abend verschwunden.«

Hoffentlich hatte sie niemand mit einem dunklen Wagen abgeholt. »Ist sie in Gefahr?« Sein Gesicht lag im Schatten. Nur wenn wir an einer Laterne vorbeifuhren, geisterte ein Streifen Licht durch den Wagen.

»Ich fürchte, ja.«

Utz schloss die Augen und schwieg. Im Radio lief leise klassische Musik. Ab und zu blickte Sigrun in den Rückspiegel. Sie vermied es dabei, mich anzusehen. Ich bezweifelte, dass dieser Abend sie zu einer besseren Politikerin machen würde. Sie hatte nur ihre taktischen Fähigkeiten verbessert.

»Ich glaube, wir werden verfolgt«, sagte sie nach einer Weile.

Utz und ich drehten uns um. Weit hinter uns fuhr ein Wagen. Die Scheinwerfer blendeten, so dass man nicht erkennen konnte, um welches Fabrikat es sich handelte oder wer am Steuer saß. Sigrun fuhr in die nächste Tankstelle. In diesem Moment preschten zwei Autos von der anderen Seite an die Zapfsäulen und versperrten uns die Sicht auf die Straße. Junge Leute stiegen aus und lachten. Laute Musik drang aus den geöffneten Wagentüren. Sigrun fädelte sich an ihnen vorbei und trat dann so heftig aufs Gas, dass der schwere Wagen schaukelnd über die Bordsteinkante direkt auf die Straße schoss. Niemand war hinter uns. Er hätte es nicht überlebt.

Nach einer Viertelstunde erreichten wir Grünau und fuhren langsam die Regattastraße hinunter.

»Jetzt nach links«, sagte Utz. »Ich erkenne hier alles wieder.«

Wir stellten den Jaguar ein Stück entfernt an einem Spielplatz ab, direkt hinter einem großen Lkw, so dass ihn von der Hauptstraße aus niemand erkennen konnte. Utz ging hinunter ans Seeufer und betrachtete das Wasser. Alles war ruhig. Auf der anderen Seite des Sees lagen die Fähre und das Lastschiff angedockt am Kai. Dieses Mal musste es ohne die Hilfe der BVG gehen.

»Wollen wir?«, fragte ich. Utz nickte.

Ich stieg zuerst ins Wasser. Dann half ich Sigrun, schließlich stützten wir beide Utz. Dieses Mal war keine Grillparty in der Nähe. Wir hielten uns nahe am Ufer und wateten so leise wie möglich auf das Grundstück zu. Das Loch im Zaun war noch genauso laienhaft geschlossen, wie Marie-Luise und ich es zurückgelassen hatten. Wir zwängten uns hindurch und schlichen ans trockene Ufer.

Utz blieb mitten auf dem wild wuchernden Rasen stehen und betrachtete die Bäume.

»Hierher«, sagte er leise. Er ging auf eine Gruppe Eichen zu, die am rechten Rand des Grundstückes standen. Es waren alte, hohe Bäume. Fünf oder sechs an der Zahl. Utz trat auf dem Boden herum und ging schließlich in die Hocke.

»Kannst du mal leuchten?«, bat er mich.

Ich holte die Taschenlampe heraus und richtete den Strahl auf den Boden.

Utz grub, aber schon nach einer dünnen Schicht Erde stieß er auf Metall.

»Wenn ihr mir helft, geht es schneller.«

Ich legte die Taschenlampe ins Gras. Sigrun und ich buddelten.

»Was ist das?«, fragte ich.

»Eine Tür«, antwortete Utz. »Der zweite Eingang zum Keller. Das hatten viele der großen Häuser damals. Hoffentlich ist der Gang noch in Ordnung.«

»Still«, flüsterte Sigrun. »Ich höre was.«

Ich knipste sofort die Lampe aus. Wir verharrten in völliger Reglosigkeit.

Das Geräusch kam vom Ufer. Eine leise Bewegung im Wasser durchschnitt das träge Plätschern der Wellen. Ein Mensch stieg aus dem Wasser. Utz tastete nach der Taurus, aber ich legte die Hand auf seinen Arm. Dann holte ich das übrig gebliebene Stemmeisen aus der Tasche. Die Gestalt schlich geduckt ans Ufer und richtete sich halb auf. Sie kam direkt auf uns zu. Ich bedeutete Utz und Sigrun, sich hinter den Bäumen zu verstecken. Ich selbst schmiegte mich an den vordersten Stamm. Als die Gestalt kurz vor mir stehen blieb, sprang ich vor und warf sie auf den Boden. Sie stieß einen kurzen, erstickten Schrei aus.

»Marie-Luise!«

Sie hustete und spuckte. »Du musst mich nicht gleich umbringen!«

»Wie kommst du hierher?«

»Mit dem Auto natürlich.«

Utz und Sigrun traten aus ihren Verstecken hervor. »Was sollen denn diese Spielchen?«, fragte Sigrun. »Spionieren Sie uns nach?«

»Das ist nicht ihr Ernst, oder?«, fragte mich Marie-Luise.

»Waren Sie das Auto, das uns verfolgt hat?«

Marie-Luise klopfte sich die Hose ab. »Ich verfolge niemanden. Ich bin euch nachgefahren, damit hier keine Schäfchen ins Trockene gebracht werden.«

»Das ist ja ungeheuerlich!«

»Schluss!«, zischte ich. »Es reicht. Reißt euch zusammen. Marie-Luise, was ist mit Milla?«

»Darum kümmert sich Kevin. Ich habe ihn angerufen. Er checkt jetzt gerade Horsts Wohnung ab.«

»Schön, wenn man Freunde hat.« Sigrun drehte sich auf dem Absatz um und ging zurück zu Utz, der die Zeit nicht mit sinnlosem Geplänkel vertan hatte, sondern weitergrub.

»Das ist ja ein Schätzchen«, flüsterte Marie-Luise. »Herzlichen Glückwunsch. Ihr passt zueinander.«

»Hier.«

Ich drückte ihr das Stemmeisen in die Hand. »Hilf mit, und halt den Mund.«

Utz hatte die Platte freigelegt. Sie bestand aus verrostetem Eisenblech, auf das eine Art geraffeltes Hahnentrittmuster geprägt war. Er richtete die Taschenlampe auf sie. »Seht ihr das hier?«

Er deutete auf mehrere blanke Rillen, die den Lichtstrahl reflektierten.

»Jemand war hier. Vor nicht allzu langer Zeit. Das ist mir auch alles zu flott mit dem Ausgraben gegangen.«

»Lass uns gehen«, bat Sigrun. »Es ist unheimlich hier. Und außerdem machen wir uns strafbar.«

»Bitte sehr«, brummte Marie-Luise. »Da hinten geht's raus. Und schöne Grüße an Ihr Gewissen. Das haben Sie wohl zu Hause gelassen.«

Ich setzte das Brecheisen an, gemeinsam wuchteten wir die Platte nach oben. Auf einem schmalen Absatz lag ein Stab, mit dem man sie sichern konnte. Ich leuchtete hinein. Mehrere Stufen führten hinunter in einen Schacht.

»Ich gehe zuerst.« Vorsichtig stieg ich die Stufen hinunter und erreichte einen feuchten, mit Beton ausgekleideten Gang. Die Wände waren rissig und feucht, die Decke niedrig, vielleicht einen Meter hoch. Vertrauen erweckend sah das alles nicht aus. Ich ging auf die Knie. Nach mir kam Utz.

»Ist der Gang sicher?«, fragte ich ihn.

Utz sah sich um. »Er sollte einiges aushalten. Ich weiß natürlich nicht, was er im Krieg so alles mitbekommen hat.«

Ich kroch vor und sah, dass Sigrun Utz folgte. Ich rief Marie-Luise zu, dass sie die Platte hinter uns wieder herunterlassen sollte. Feuchte, erdige Luft schlug mir entgegen.

»Es sind nur zwanzig Meter«, sagte Utz hinter mir. Seine Stimme beruhigte mich. Ich kroch weiter, bis ich an eine halbrunde Eisentür kam. Sie hatte ein altmodisches Bartschloss unter einer einfachen Klinke.

»Das Brecheisen«, flüsterte ich.

Utz gab meinen Befehl nach hinten durch, und die Stange wurde nach vorne gereicht. Ich setzte sie an, aber die Tür rührte sich nicht. Hinter mir drängelten sich die drei anderen.

»Lass mich mal.« Marie-Luise schob sich vor Sigrun.

»Moment.«

Utz drückte die Klinke nieder und zog. Die Tür öffnete sich mit einem schleifenden Knarren nach außen. Rost regnete auf uns herab. Ich leuchtete durch den Spalt. »Könnt ihr bitte einen halben Meter zurückgehen?«

Jetzt konnte ich die Tür öffnen. Sie führte direkt in den geheimen Kellerraum.

»Und?«, fragte Marie-Luise. »Was siehst du?«

Ich leuchtete die Wände ab. Den Boden. Schließlich die Decke. Dann begriff ich, dass das hier keine Halluzination war. »Nichts«, sagte ich. »Der Keller ist leer.«

Ich kletterte in den Raum, die anderen folgten mir vorsichtig. Mit der Taschenlampe suchte ich den ganzen Raum ab. Er war komplett leer geräumt. Auf dem Boden konnte man noch die Abdrücke der Kisten erkennen.

»Herzlichen Glückwunsch«, sagte Sigrun und verschränkte die Arme über ihrer ehemals weißen Joggingjacke. »Dafür gibt's ein Sternchen. Wäre das Thema hiermit erledigt?«

»Schaut euch doch die Spuren hier an.« Ich beleuchtete die Abdrücke auf dem Boden. »Hier standen Kisten. Da drüben lagen Bretter. Ich spinne doch nicht. Gestern waren sie noch da, und heute sind sie weg. Jemand hat sie abgeholt.«

Die anderen schwiegen.

»Utz, du hast doch auch gesagt, jemand wäre vor kurzem hier gewesen.«

Utz kratzte sich am Kinn. »Jaja. Aber ob heute oder vor Wochen, das kann man nicht sagen.«

Marie-Luise kickte ein Steinchen vom Boden weg. Sigrun ging zu der rostigen Schachttür. »Ich würde vorschlagen, wir verschwinden von hier.«

Ich warf das Brecheisen in die Ecke, wo es nach einem infernalischen Scheppern liegen blieb. »Aaron war hier. Er und der zweite Mann.«

»Ach ja, der große Unbekannte.« Sigrun kostete ihren Triumph so richtig aus. »Und unterwegs nach Kiew ist er wohl auch schon.«

»Ja«, sagte ich langsam, »das ist er.«

Marie-Luise sah mich abwartend an. Sigrun stieg mit einem Schulterzucken in den Gang zurück. Schweren Herzens sah ich zu, wie erst Utz und dann Marie-Luise ihr folgten. Ich kroch als Letzter in den Gang und schloss die Tür hinter mir.

Dann hörten wir es, kein Brummen, eher ein Zittern der Erde über uns. Marie-Luise blieb in der Hocke und sah erschreckt nach oben. »Was ist das?«

Das Zittern und Beben wurde stärker, dann hörte ich Sigruns Schrei. »Der Gang stürzt ein! Schnell!«

Schnell ging in dem Durcheinander gar nichts. Wir setzten Beine und Hände voreinander, stießen und drückten vorwärts, quetschten uns gegen die feuchten Betonwände.

»Sigrun!«, rief Utz. »Vorsicht!«

Doch es war zu spät. Erdmassen stürzten auf Sigrun herab. Utz packte sie an den Beinen und zog sie zurück. Sie hustete und spuckte. Ich leuchtete in den Gang. Durch die geöffnete Luke war Erde gerutscht. Sehr viel Erde. Das Geräusch über uns wurde leiser und schwoll wieder an, donnerte über unsere Köpfe hinweg und schob die Erde weiter in den Gang hinein.

»Was ist das?«, schrie Marie-Luise noch einmal.

Ich drückte ihr die Lampe in die Hand, kletterte rücksichtslos über alles, was mir im Weg war, und fing wie ein Verrückter an, mit bloßen Händen zu graben. Utz half mir. Die beiden Frauen hinter uns konnten nicht viel tun, dafür war der Gang zu eng. Immer wieder rutschte die Erde nach. Das Brummen kam gefährlich nahe.

»Vorsicht!«, rief Utz und riss mich nach hinten. Ein weiterer Schwall Erde rutschte nach und bedeckte mich bis zu den Hüften.

»O mein Gott!«, schrie Sigrun. »Was machen sie, was machen sie denn? Aufhören!«

Es hatte keinen Zweck. Das Erdreich bedeckte mittlerweile die Stufen, den Eingang und einen Teil des Ganges. Der Wahnsinnige über uns hörte einfach nicht auf. Gesteinsbröckchen regneten auf uns nieder. Aus den Rissen in der Decke staubte es.

»Zurück«, rief Utz. »Geht in den Keller zurück. Tut, was ich euch sage!«

Zögernd machten Sigrun und Marie-Luise Platz. Utz half mir, mich aus der Erde zu befreien. Wir krochen zurück. Als wir ungefähr die Hälfte des Weges geschafft hatten, kam die Decke herunter. Betonstücke schlugen neben mir ein. Ich schob und drückte Utz, so gut es ging. Mittlerweile hatten Sigrun und Marie-Luise den Keller erreicht und zogen uns aus dem Gang. In letzter Sekunde konnten wir die Tür schließen, um uns wenigstens etwas vor dem Geröll zu schützen. Ich leuchtete die Wände ab. Es gab keine Fenster hier.

Ich holte mein Handy heraus. Kein Empfang. Marie-Luises Handy zeigte dasselbe an. Wir setzten uns an die Wand, erdverschmiert und schweigend. Ich löschte die Lampe. Nun war es schwarz um uns. Die tiefste Dunkelheit, wie nur Blinde sie sehen.

»Der Bagger«, sagte ich schließlich. Wir hörten gedämpft durch die dicken Wände, dass der Irre immer noch weiterarbeitete und wohl vorhatte, eine Pyramide über dem Einstieg zu errichten.

»Was für eine Scheiße, Scheiße, Scheiße.« Marie-Luise schlug mit den Fäusten auf den Boden.

»Hätten Sie getan, was Joachim Ihnen gesagt hat, wäre unsere Lage jetzt nicht so kompliziert.« Das war Sigrun.

»Kompliziert?«, äffte Marie-Luise sie nach. »Die Lage ist beschissen, meine Teuerste ohne von. Außerdem gehöre ich nicht zu den Frauen, die tun, was Joachim sagt.«

»Reiß dich zusammen, Sigrun.« Utz merkte, dass seine Tochter kurz davor war, die Nerven zu verlieren. »Nutze den Sauerstoff für dein Gehirn. Wir müssen überlegen, wie wir hier wieder herauskommen.«

»Die Steine.« Marie-Luise tastete nach der Taschenlampe und schaltete sie ein. Wir waren alle einige Sekunden geblendet, dann richtete Marie-Luise den Lichtstrahl auf die ungefähre Stelle der Ziegelwand, an der ich den Stein herausgebrochen hatte. Der Stein war wieder drinnen, ordentlich mit Mörtel verputzt, der schon längst abgebunden hatte. Er war von hier drinnen aus eingesetzt worden. Man konnte den frischen Putz deutlich von dem älteren unterscheiden.

»Okay«, sagte sie, »eingemauert sind wir also auch noch. Vermutlich werden wir ersticken. Hier kommt ja nirgendwo Luft rein.«

Ich holte das Brecheisen aus der Ecke und versuchte, den Stein zu lockern. Er bewegte sich nicht, keinen Millimeter. Marie-Luise stand neben mir und hielt die Taschenlampe.

»Dieses Schwein«, knurrte sie. »Diese Drecksau. Wenn ich den erwische.« Ihre Augen glänzten, und dann rollte eine Träne über die Wange hinunter.

»Wir schaffen das«, sagte ich. »Wir kommen hier raus.«

Marie-Luise wischte die Träne weg. Aus den Augenwinkeln sah ich eine Bewegung. Sigrun hatte die Arme vor sich verschränkt und starrte auf den Boden. Dabei wippte sie immer vor und zurück, wie in Trance.

»Mach du weiter«, sagte ich leise zu Marie-Luise.

Ich ging hinüber zu Sigrun und fasste sie unters Kinn. Reflexartig schlug sie meine Hand zurück.

»Du bist schuld. Wie konnte ich nur auf dich hören? Du hast uns hierhergelockt. Wir werden alle sterben, hört ihr? Wir werden hier sterben!« Ich schüttelte sie. Ihr Hinterkopf schlug an die Mauer. Sie stöhnte auf vor Schmerz und kauerte sich noch enger zusammen.

»Sigrun«, sagte ich. »Atme tief und langsam. Ein und aus. Konzentriere dich auf deinen Atem. Damit hältst du die Panik in Schach.«

»Lass mich in Ruhe! Hätte ich dich doch bloß nie kennen gelernt!«

Utz setzte sich neben seine Tochter. Er klopfte ihr wohlwollend auf die Schulter, wie man das unter Männern so macht. Sigrun richtete das nicht eben auf. Sie rückte weg von ihm. Sie zitterte und hyperventilierte. Plötzlich sprang sie auf, raste auf Marie-Luise zu und schlug ihr die Lampe aus der Hand.

»Ich will hier raus!«, brüllte sie. »Ich will nicht hierbleiben! Ich will hier nicht sterben …«

Sie hieb mit der Hand auf die Ziegelmauer, dann rutschte sie an der Wand entlang auf den Boden und blieb dort schluchzend liegen.

Marie-Luise bückte sich wortlos und hob die Lampe wieder auf.

»Ruhe«, sagte ich und hob die Hand.

Von dem Motorengeräusch des Baggers über uns war nichts mehr zu hören, alles war still. Offensichtlich hatte unser Mörder das Weite gesucht.

»Vielleicht war alles ein Versehen«, flüsterte Sigrun. Dann rappelte sie sich auf und schrie: »Hallo! Hier sind wir! Hilfe!«

Es blieb still.

»Hilfe!«, schrie Sigrun. »Geht nicht weg! Holt uns hier raus, holt uns hier raus …«

Ich nahm sie in den Arm. Sie schluchzte, und ich wiegte sie hin und her und sprach auf sie ein wie auf ein Baby. »Es wird ja gut. Es wird alles wieder gut. Glaub mir.«

Schließlich legte sie sich neben Utz und kringelte sich zusammen. Sie sagte kein Wort mehr. Marie-Luise kratzte weiter an der Mauer herum. »Was glaubst du, wann werden sie checken, dass etwas nicht stimmt?«

»Kevin und Ekaterina?«, fragte ich.

Sie nickte.

»Frühestens um zehn, elf Uhr morgen Vormittag. Ekaterina wird versuchen, uns wegen der Flugtickets zu erreichen. Sie wird sich bei Kevin melden. Irgendwann wird den beiden auffallen, dass etwas nicht stimmt.«

Marie-Luise sah auf ihre Armbanduhr. »Es ist jetzt kurz nach Mitternacht.«

Sigrun stöhnte auf. »Ich halte das keine zehn Stunden mehr hier aus. Ich werde verrückt hier, wenn nicht bald was passiert. Ich brauche eine Zigarette. Rauchen Sie wenigstens?«

Marie-Luise hielt kurz inne, ohne sich nach ihr umzusehen. »Bedaure. Meine sind nass.«

Die Taschenlampe wurde trüber. Wir hatten sie hochkant an die Wand gelegt, so dass jeder etwas von dem letzten Licht hatte, das uns verblieben war.

»Wir werden das hier jetzt mit Würde hinter uns bringen«, sagte Utz. Seine Stimme klang merkwürdig hoch. Ich erinnerte mich daran, dass er als Kind in diesem Keller schon einmal verschüttet gewesen war.

»Wie hat man das im Krieg eigentlich ausgehalten?«, fragte ich ihn.

Er setzte sich mühsam auf. »Wir haben Mensch-ärgere-dichnicht gespielt.«

Seine Tochter lachte auf. Er sah sie kurz ernst an. »Oder wir haben uns Geschichten erzählt. Und irgendwann auch Dinge, die man sich sonst nie gesagt hätte. Ich würde mich gerne bei dir entschuldigen, Sigrun. Für das, was ich vorhin gesagt habe. Das war nicht richtig. Ich bin stolz auf dich. Ich will, dass du das weißt.«

Sigrun verschränkte die Arme vor der Brust. »Die Stunde der Wahrheit. Sollen wir jetzt alle unsere Lebenslügen auspacken? Ihr beiden da, fangt doch schon mal damit an. Was läuft zwischen euch? Was habt ihr miteinander, gegen das ich nicht an-gekommen bin?«

Marie-Luise warf das Brecheisen weg. Sie lief ein paar nervöse Schritte, ließ sich wieder fallen und arbeitete weiter. Es war sinnlos. Mehr als ein paar Kratzer auf den Ziegeln kam nicht dabei heraus. Aber immerhin war sie beschäftigt.

»Hallo! Ich rede mit euch!«

Sigruns Stimme war scharf und schneidend. »Wollt ihr beide mir weismachen, da ist nichts? Sagt es mir doch einfach. Das kommt doch in den besten Familien vor.«

Utz schloss müde die Augen.

Ich holte tief Luft. »Lass es gut sein.«

»Ich will wissen, warum du mich betrogen hast!«

»Er hat Sie nicht betrogen.«

Marie-Luise ließ den Kopf sinken. »Er hat bis zuletzt versucht, den größten Schaden von Ihnen abzuwenden. Aber gegen Borniertheit ist leider kein Kraut gewachsen.«

»Wir sind Freunde«, sagte ich langsam. »Nicht mehr, aber auch nicht weniger.«

Sigruns Augen verengten sich zu kleinen Schlitzen. Sie sah uns an, einen nach dem anderen.

»Wunderbar. Was soll man dazu sagen? Ein Herz und eine Seele. Und du, Papa? Womit hast du mich hinters Licht geführt?«

»Was meinst du damit?«

Sigrun trat mit dem Fuß an die Wand. »All das ganze Gerede von unserer hochdemokratischen, ehrenwerten Familie. Von dem Landgut in Pommern. Wollten wir da nicht immer mal hinfahren? Wir beide?« Sie hörte auf, die Wand zu traktieren, und blickte ihrem Vater direkt ins Gesicht. »Natalja. Natalja Tscherednitschenkowa. Die größte Lüge von allen. Du hast mir bis heute Abend nie ein Wort von ihr erzählt.«

»Es ist so lange her. Es ist nicht mehr wichtig.«

Sigrun schüttelte langsam den Kopf. »Sie ist dir wichtiger als alles andere zusammen. Sogar mehr als ich. Seit du weißt, dass sie lebt.«

Sie rieb sich über die Augen, aber es half nichts. Die Tränen liefen ihr die Wangen herunter, und ihre Hände verschmierten sie mit Staub und Erde. »Jetzt will *ich* es wissen. Was ist damals passiert?«

Utz wandte das Gesicht ab von ihr. Ich konnte sein Profil kaum noch erkennen. Mit Schrecken merkte ich, dass die Lampe immer schwächer wurde.

»Wie wäre es, wenn du die nie erzählte Geschichte jetzt endlich mal zum Besten gibst? Was ist passiert damals?«

Marie-Luise ließ das Brecheisen auf den Boden fallen und gab endgültig auf. Sie rutschte ein Stück näher in meine Richtung und lehnte sich an die Wand. Wir saßen jetzt fast in einer Art Halbkreis. Zum ersten Mal, seit wir hier unten gefangen waren, nicht mehr in verschiedenen Lagern getrennt. Alle schauten wir auf Utz.

»Ich war es«, antwortete Utz leise. »Ich habe sie verraten.«

Stille. Nach einiger Zeit fuhr er fort.

»Es hatte einen schweren Luftangriff gegeben. Meine Mutter hatte den Keller verschlossen, wie so oft, wenn nachts ein Auto vorgefahren kam, und etwas ausgeladen wurde. Wir waren wohl so etwas wie die angesehensten Hehler vom Grunewald. Der Keller blieb so lange zu, bis ein anderes Auto kam, um abzuholen, was dort gelagert war. Aber die Angriffe kamen immer häufiger, und meine Mutter war immer seltener zu Hause. An diesem Abend war das Bombardement so heftig, dass Natalja entgegen jeder Anweisung die Kellertür aufbrach, um uns in Sicherheit zu bringen. Wir hatten riesiges Glück. Es war die Nacht, in der der Blindgänger in die Kartoffeln fiel.«

Im trüben Licht der Lampe konnte ich erkennen, dass Sigrun ein bisschen lächelte. Wenigstens diese Familienlegende erwies sich als wahr.

»Wir verließen den Keller unversehrt. Aber ich war neugierig. In der Nacht bin ich noch einmal hinuntergeschlichen. Es waren Bilder da unten versteckt. Die waren uninteressant. Aber das Schatzkästchen …«

Er schwieg einen Moment und legte sich in einer bequemeren Lage halb auf den Boden.

»Ein richtiges, kleines Schatzkästchen. Mit Ringen, Ketten, Münzen, Goldschmuck und einem kleinen goldenen Kreuz. Ich wusste sofort, dass Natalja dieses Geschenk annehmen würde. Sonst nichts. Ich wollte nicht, dass sie wegging, wenn dieser Krieg vorbei war. Also habe ich das Kreuz genommen und ihr geschenkt. Als sie nach Grünau kam, haben die Lehnsfelds es entdeckt. Heute weiß ich, dass alle deshalb dachten, Natalja wüsste Bescheid über das einträgliche Geschäft, das sie in ihren Kellern betrieben. Sie haben Angst bekommen. Natalja wurde angezeigt. Und sie tat etwas, das ich bis heute nicht begreife: Sie schwieg. Sie hat niemandem verraten, von wem sie das Kreuz hatte. Damit hat sie ihr Todesurteil unterschrieben. Die Gestapo kam ins Haus. Ich wurde verhört. Das allein hat schon gereicht, um vor Zähneklappern den Mund nicht mehr aufzukriegen. Natalja hatten sie schon abgeholt. Also habe ich nichts gesagt. Ich wusste damals nicht, dass auch das Stillsein Konsequenzen hat. Für mich gab es lebenslänglich. Die Schuld ist der finsterste Kerker, den man sich selber graben kann.«

Niemand sagte etwas. Eine lähmende Müdigkeit breitete sich aus über uns, die Luft wurde immer dicker, und irgendwann würde sie uns sanft ersticken, wenn nicht bald Hilfe kam.

Schließlich war der Schein der Lampe nur noch ein winziger glühender Faden in der Birne. Ich sah ihm zu, wie er langsam erlosch, und mir kam der Gedanke, dass dieses Verlöschen das Letzte war, was ich sehen würde. Marie-Luise hieb ab und an mit dem Brecheisen auf die Mauer ein, bis ich ihr sagte, sie solle sich und unsere Atemluft schonen. Sie setzte sich neben mich.

Dann, als wir müder wurden, legte ich meinen Arm um sie und zog sie an mich.

Irgendwann gaben wir auf.

Sigrun lag rechts von mir. Sie hatte sich an ihren Vater geschmiegt wie ein kleines Kind. Ab und zu schluchzte sie. Ich streichelte ihr den Rücken. Utz atmete tief und gleichmäßig. Bald würden wir einschlafen und nie mehr aufwachen. Kommende Generationen würden vier rätselhafte Skelette entdecken, ineinander verknäuelt wie der Glöckner von Notre-Dame und Esmeralda. Ich überlegte noch, ob wir etwas in die Wand ritzen sollten. Einen Abschiedsgruß an meine Mutter vielleicht oder den Namen des Mörders. Es gab niemanden da draußen, dem ich noch etwas zu sagen hätte. Fast alle wichtigen Menschen in meinem Leben waren bei mir, und Mutter würde auch ohne mich den Weg nach Reinickendorf finden. Ich beugte mich zu Sigrun. Ich streichelte ihr Haar, mehr traute ich mich nicht. Dann tastete ich nach Marie-Luise. Sie lag neben mir, auf dem Fußboden ausgestreckt, und griff nach meiner Hand. Ich drückte sie fest. Dann schlief ich ein.

Marie-Luise boxte mich in die Seite.

»Hörst du das?«

Ich wollte nicht mehr aufwachen. Es war warm und dunkel hier. Ich wollte schlafen. Ich hatte so wenig geschlafen in letzter Zeit.

»He, wach auf! Hör doch mal!«

Sie rüttelte mich unsanft, aber ich rührte mich nicht. Sogar beim Sterben ging mir diese Frau auf den Geist. Es war absolut still. Nur Utz atmete schwer. Sie hatte sich geirrt, da war nichts.

Bumm, bumm, bumm.

Marie-Luise kroch über mich hinweg und rüttelte Sigrun am Arm. »Wacht auf! Jemand klopft an die Wand! Hört doch mal. Wacht auf!«

Sie kroch wieder zurück und setzte dabei ihr Knie unsanft in meine Eier. Der Schmerz riss mich zurück aus einem sanften Traum aus weichgespült duftender Bettwäsche.

Bumm, bumm, bumm.

»Von woher kommt das?«, flüsterte sie und boxte mich gleich noch mal an die Schulter. »He, werd endlich wach!«

Sie richtete mich halb auf. Ich drehte mich auf alle viere und begann mühsam, die Wand entlangzukriechen. Sie war so lang wie die Chinesische Mauer. Bumm, bumm, bumm. Ich tastete über den Boden und bekam die Taschenlampe in die Finger. Damit klopfte ich zurück. Drei Mal lang, drei Mal kurz. Nichts. Falsche Wand.

»Es kann nur die Ziegelwand sein«, krächzte Marie-Luise. Ihre Stimme kam von sehr weit her. Ich schleppte mich circa fünfundzwanzig Kilometer auf die andere Seite. Marie-Luise gab mit dem Brecheisen das Klopfzeichen. Drei Mal kurz, drei Mal lang.

Stille. Nur ein klirrender Laut, als sie kraftlos das Brecheisen sinken ließ. »O bitte, bitte«, flüsterte sie.

»Sie hören uns nicht«, sagte ich. Ich nahm ihr die Stange ab und versuchte es erneut. SOS. *Save our souls.*

Stille. Und dann, endlich, antworteten sie. Drei Mal kurz, drei Mal lang. Drei Mal kurz.

Marie-Luises Hand krampfte sich um meine. »Er hat es gehört«, schluchzte sie. Dann schlugen wir gemeinsam mit voller Kraft an die Mauer. Bumm bumm bumm. Der Unbekannte antwortete. Bumm bumm bumm.

Ich machte mich auf den Rückweg zur anderen Wand. Ich rüttelte Utz und Sigrun mit aller Kraft. Sigrun wurde wach, bei Utz gelang es mir nicht.

»Da draußen ist jemand. Wir geben Klopfzeichen.«

Marie-Luise klopfte wieder, doch dieses Mal antwortete niemand.

»Was ist los?«, fragte sie. »Warum hört er auf?«

Sie klopfte wieder. Und wieder. Niemand klopfte zurück. Sigrun wollte aufstehen. Sie stolperte und bewegte sich dann wie ich auf allen vieren. Schwer atmend erreichten wir die andere Wand.

»Was ist los?«, flüsterte Sigrun.

»Wir haben Klopfzeichen gehört.«

Wir lauschten, das Ohr an die Wand gepresst. Es surrte. Es dröhnte. Es klang weit entfernt wie beim Zahnarzt. »Er hat den Bohrer gefunden«, sagte ich.

Wir konnten nicht viel tun als auf dem Boden liegen, flach atmen und lauschen, wie der Retter näher kam. Und beten, vielleicht.

Dann setzte das Bohren aus, wurde durch Hämmern ersetzt, und schließlich löste sich ein Ziegelstein. Er landete nur zwei Zentimeter von meinem Kopf entfernt auf dem Boden.

»Hallo, ist da jemand?«

Kevin. Ich hätte ihn umarmen können, wenn ich noch die Kraft dazu gehabt hätte.

Er holte den Schlagbohrer und stemmte weitere Steine weg. Das Loch wurde größer. Licht drang herein. Ich kroch zu Utz und versuchte, ihn hochzuheben. Dann kam die Luft. Nicht viel, aber ich spürte, wie sie belebte. Marie-Luise und Sigrun halfen mir. Gemeinsam zerrten und zogen wir Utz an die Öffnung. Er gab einen gewaltigen Schnarchlaut von sich und erwachte.

»Haltet ihr es noch ein bisschen aus?«, fragte Kevin. »Ich hol euch da raus. Nur keine Panik.«

Niemand geriet in Panik, dazu waren wir zu erschöpft. Endlich konnten wir seinen Kopf sehen.

»He«, sagte ich, »danke.«

»Keine Ursache.«

Kevin war blass und sah nervös aus. Er setzte den Bohrer an und arbeitete weitere Ziegel heraus. Schließlich war das Loch groß genug, dass Sigrun hindurchschlüpfen konnte. Wir schoben. Kevin zog, sie landete sicher, wenn auch ein wenig wackelig, auf dem Boden. Dann halfen wir Marie-Luise hinaus. Sie taumelte, und Kevin stützte sie so lange, bis sie sicher stehen konnte.

»Utz, wird es gehen?«

Utz nickte. Kevin löste noch zwei weitere Steine, dann kletterte Utz hinüber, zum Schluss kam ich. Als wir alle auf der anderen Seite waren, sahen wir uns an. Bleiche, hohläugige, staubbedeckte Gespenster.

Es war taghell. Die Sonne schien durch die Oberlichter und blendete uns so stark, dass wir uns nur blinzelnd ansehen konnten. Wir hatten zwölf Stunden in dem Keller gesessen.

Wir verließen das Haus und setzten uns erschöpft auf die Wiese. Im Rücken türmten sich die angehäuften Hügel über unserem Beinahe-Grab.

»Ich habe mir Sorgen gemacht«, sagte Kevin. »Wenn ich euch so anschaue, zu Recht.«

Utz klopfte ihm auf die Schulter. »Das hast du gut gemacht, mein Junge.«

»Marie-Luise hat mir erzählt, dass ihr noch mal hier rauswollt. Ich konnte die ganze Nacht niemanden erreichen. Ich habe es sogar heute Morgen im Abgeordnetenhaus versucht, bei Ihrem Fraktionssekretariat. Sie haben einen Wahlkampfauftritt heute Vormittag in Marienfelde verpasst.«

Er sah unsicher zu Sigrun. Sie klaubte sich gerade kleine Zementkrümel aus den Haaren und sah nur kurz hoch.

»Dann habe ich Ekaterina so lange bekniet, bis sie mir die Geschichte von dem Haus hier und den Plänen erzählt hat. Auch von dem Keller. Also bin ich hierhergefahren. Ich habe nebenan geklingelt und gefragt, ob irgendjemand was bemerkt hat. Sie hätten beinahe den Hund auf mich gehetzt. Erst der Krach mit dem Umzugswagen und dann die nächtliche Ruhestörung, da hätte man ja taub sein müssen, haben sie gesagt. Jemand ist nachts hier im Garten mit dem Bagger spazieren gefahren. Als ich dann das da gesehen habe, habe ich mir richtig Sorgen gemacht.«

Er wies auf den nicht mehr vorhandenen Rasen. Der Baggerfahrer hatte wie ein Berserker gewütet. Überall klafften Löcher und tiefe Fahrspuren. Dort, wo der Gang ins Haus geführt hatte, hatte sich das Erdreich sanft abgesenkt.

»Und alles wurde fein säuberlich auf einen Haufen gekippt. Erst dachte ich, vielleicht ist es ja Marie-Luise gewesen. Der traue ich alles zu.«

Marie-Luise holte symbolisch zu einer Ohrfeige aus, unterließ die Strafe dann aber, weil wir alle lachen mussten. Nur Sigrun stimmte nicht mit ein.

»Aber dann kam mir alles so merkwürdig vor. Ich bin durch das Turmfenster eingestiegen und in den Keller. Da, wo ihr auch hinwolltet. Ich habe ja die Pläne gesehen. Also wusste ich, dass es noch eine Gruft gab.«

Sigrun zuckte zusammen.

Marie-Luise drehte sich zu ihr um. »Es ist vorbei«, sagte sie freundlich. »Es wird nie wieder passieren. Das ist nur der Schock.«

Sigrun nickte still und reinigte ihre Gummistiefel. Es war eine vergebliche Mühe, aber sie rieb und rieb immer weiter. Sie musste zu einem Arzt. Doch zunächst hatte Kevin seine große Stunde.

»Und dann dachte ich, klopf doch einfach mal.« Er sah stolz in die Runde.

»Meine Güte, was für eine Geschichte!« Marie-Luise ließ sich nach hinten fallen und streckte die Arme aus. »Beim ersten Klopfen hab ich gedacht, jetzt kommen die Wahnvorstellungen. Am schlimmsten war der Moment, als du aufgehört hast.«

»Da habe ich Ekaterina angerufen. Sie müsste gleich hier sein. Sie ist verrückt geworden vor Sorge um euch.«

Er sah auf Utz und Sigrun. »Um Sie selbstverständlich auch. Unbekannterweise sozusagen.«

Er hatte den Satz noch nicht beendet, da rief jemand Marie-Luises Namen. Ekaterina lief auf den Bauzaun zu und winkte. Dann stieg sie ins Wasser, kletterte herum und kam auf uns zugerannt. Wir sprangen auf, und in diesem Moment löste sich alle Spannung. Wir lagen uns in den Armen, klopften uns auf die Schultern und beglückwünschten uns gegenseitig. Als Utz und ich uns in die Arme nahmen, hielten wir uns ein wenig länger fest. Wie zum Abschied.

Nur Sigrun stand etwas verloren daneben. Ekaterina hatte heißen, süßen Tee mitgebracht, den wir reihum aus einem Alubecher tranken. Als ich an der Reihe war, ging ich zu Sigrun und hielt ihn ihr entgegen. Sie schaute auf den Boden. »Ich war nicht gerade großartig heute Nacht.«

Ich atmete tief ein. Frische, warme Sommerluft. Sigrun hatte eine Gänsehaut. Ich streckte meine Hand aus, um ihr über den Arm zu streichen, doch sie wich zurück.

»Ich schäme mich. Ich hatte solche Angst.«

»Die hatten wir alle.«

Ekaterina trat auf uns zu. »Wollt ihr die Polizei rufen?«

Sigrun sah auf. »Natürlich. Irgendwie müssen wir ja erklären, wie wir hier hereingekommen sind. Wir müssen uns bei den Lehnsfelds entschuldigen.«

Alle schwiegen. Sigrun wies auf die überdimensionalen Maulwurfshügel.

»Ich glaube nicht, dass das Absicht war. Schließlich waren ja auch mein Vater und ich da drin. Es war ein Versehen.«

Marie-Luise schleuderte die letzten Teetropfen aus dem Becher. »Auf uns beide wäre es nach dieser Logik wohl nicht angekommen. Könntest du auch mal was dazu sagen?«

Ich hatte für Sigrun keine Erklärung mehr. Utz ging einen Schritt auf seine Tochter zu.

»Moment«, sagte Kevin. Alle sahen ihn an. »Ich habe nicht viel von der Sache mitbekommen, aber alles, was zum jetzigen Zeitpunkt dabei herauskommt, ist eine Selbstanzeige wegen Hausfriedensbruch. Gegen Sie alle hier.«

»Er hat Recht«, sagte Ekaterina. »Wir haben nichts in der Hand.«

»Das sage ich doch die ganze Zeit!«, rief Sigrun. »Nichts.«

»Und Milla?«, fragte Marie-Luise. »Ist sie auch ein Nichts?«

»Sie wurde auf eigenen Wunsch entlassen«, erwiderte Kevin, der sich sichtlich in der Rolle des Advocatus Diaboli gefiel.

»Aber sie ist nicht bei Horst Cahlow.« Ekaterina trat in die Mitte. »In der Wohnung ist niemand. Schon seit Tagen nicht, sagen die Nachbarn. Ich war gestern Abend dort.«

Kevin runzelte die Stirn. Er drehte Zigaretten im Akkord, die er an Sigrun und Marie-Luise weiterreichte. Sogar Utz nahm ihm eine ab.

»Also, lasst uns mal eins und eins zusammenzählen. Der Keller ist leer, und Milla ist weg. Wer euch das heute Nacht angetan hat, ist skrupellos. Gehen wir mal wirklich davon aus, dass er nicht wusste, wen er alles auf einen Streich erledigt. Dann hatte er es trotzdem auf euch beide abgesehen. Wer das getan hat, ist sehr weit gegangen, und er wird sein Werk beenden. Das heißt: Kunst weg, Zeugen weg. Am besten beides auf einmal.«

»Der Umzugswagen«, sagte ich. »Hinter unserem Auto.«

Marie-Luise sprintete los, ich hinterher. Wir rannten quer über den Spielplatz, doch es war schon von weitem zu erkennen, dass der Lkw weg war. Trotzdem suchten wir den leeren Parkplatz ab in der Hoffnung, noch eine Spur zu erkennen.

»Er ist über alle Berge.« Wütend trat Marie-Luise gegen unseren Hinterreifen. Sigrun beobachtete sie. Dann holte sie die Autoschlüssel aus ihrer Hosentasche und schloss die Tür des Jaguars auf. Utz ließ sich auf den Sitz fallen und lehnte sich schwer atmend zurück.

»Er muss nach Hause. Wir können hier nicht länger bleiben.«

»Okay«, sagte ich. »Bring ihn zurück. Wir lassen uns inzwischen etwas einfallen.«

Sigrun wollte gerade die Tür zuschlagen, da richtete sich Utz auf. »Warte.«

Er hielt mir seine Waffe entgegen. »Sie ist unbenutzt. Es wäre mir lieb, wenn es so bliebe.«

Ich steckte sie ein. »Danke.«

Sigrun schlug die Tür zu, aber sie ließ den Motor nicht sofort an. Es sah aus, als ob sie noch etwas sagen wollte. Doch offenbar überlegte sie es sich anders, startete und fuhr fort. Marie-Luise warf eine Kusshand hinterher. »Vielen Dank für meine Rettung. Das war sehr freundlich von Ihnen. Gott vergelt's. Und wenn ich mich beeile, schaffe ich auch noch das Rosenverteilen heute Nachmittag im Rudower Seniorenheim.«

»Lass sie«, sagte ich. »Sie hat heute Nacht eine Menge erfahren müssen. Am meisten wohl über sich selbst. Ich bin mir nicht sicher, ob sie das überhaupt alles wegstecken kann.«

»Na, Hauptsache, wir können das. Du hättest mich ruhig auch mal so nett trösten können. Sie ist ja fast durchgedreht da unten.«

Ich seufzte. »Eben. Sei froh, dass du anders bist.«

»Wie geht es jetzt weiter?«, fragte Kevin dazwischen. »Fahrt ihr beide zusammen, oder muss man damit rechnen, dass ihr unterwegs noch das Ring-Center in die Luft jagt?«

Ich lächelte Marie-Luise an und legte den Arm um sie. Widerwillig ließ sie es geschehen. »Sag deiner Sigrun bei Gelegenheit, dass sie ihren Jaguar nicht direkt hinter dem Auto ihres Mörders parken soll. Aaron wusste genau, dass sie auch da unten war.«

»Es gibt noch etwas.« Ekaterina trat zu uns. »Ich habe noch kein Visum für euch bekommen. Ihr könnt erst am Montag fliegen.«

»Scheiße.« Marie-Luise löste sich aus meiner Umarmung und suchte ihre Autoschlüssel. Wir wussten, was das hieß.

»Es pressiert«, sagte ich. »Wir müssen herausfinden, wohin Aaron den Lkw gebracht hat. Wenn er wirklich nach Kiew will, welche Maschine kann er nehmen?«

»Ich vermute, die Ucrainian«, antwortete Ekaterina. »Sechzehn Uhr zwanzig.«

In knapp vier Stunden. »Wir müssen uns beeilen.«

»Und ich?«, fragte Kevin.

Ich konnte ihn nicht nach Hause schicken. Nicht nach allem, was er heute für uns getan hatte. Aber ich wollte ihn auch aus der Schusslinie haben.

»Du fährst in die Kanzlei. Lass das Telefon nicht aus den Augen. Du bist unser Kontaktmann. Ruf uns jede halbe Stunde an. Wenn wir uns nicht melden, dann informiere die Polizei.«

Ich machte ein ausgesprochen ernstes Gesicht. Kevin nickte. Ich klopfte ihm von Mann zu Mann auf die Schulter.

»Nimm Ekaterina mit, und zeig ihr die Fotos von Aaron. Ekaterina, du fährst weiter zum Flughafen. Wenn du ihn siehst, und wir sind noch nicht zurück, tu irgendetwas. Aber hindere ihn daran zu fliegen.«

Ekaterina und Marie-Luise umarmten sich. Dann rannten wir zu ihrem Wagen und fuhren los.

41

Connie hatte mir einmal erzählt, dass in ihrem Haus in der Akazienstraße vor kurzem ein Wollgeschäft eröffnet hatte. Sie hatte sich darüber gewundert, dass die Menschen trotz der exorbitanten Preise für ein Fünfzig-Gramm-Knäuel wieder anfingen zu stricken.

»Schau nach einem Handarbeitsladen«, bat ich Marie-Luise, während ich die belebte Straße so langsam wie möglich hinunterfuhr.

»Da!«, rief sie.

Ich hielt in der zweiten Reihe, was ein Hupkonzert und die unflätige Beschimpfung eines Rennradfahrers hinter mir nach sich zog. Marie-Luise rutschte fluchend hinter das Steuer und machte sich auf die Suche nach einem Parkplatz. Ich klingelte. Es war Sonnabend, früher Nachmittag. Ein Teil der Geschäfte hatte noch geöffnet, die meisten Leute ohne echte Sorgen machten jetzt die letzten Wochenendbesorgungen.

»Das wurde aber auch Zeit!«

Ich zuckte zusammen, als ich Connies Stimme aus der Gegensprechanlage hörte. Sie war da. Der Türsummer brummte, und ich trat ein. Connie wohnte im vierten Stock. Ohne Fahrstuhl. Sie stand mit hochgebundenen Haaren und blütenweißen Turnschuhen in der Tür. Als sie mich sah, verschwand das Lächeln aus ihrem Gesicht.

»Du?«, fragte sie. »Wie siehst du denn aus? Ich bin zum Tennis verabredet. Ich habe also nicht viel Zeit.«

Ich blieb schwer atmend vor ihr stehen.

Sie sah mich unsicher an. »Ein bisschen Sport würde dir auch ganz guttun.«

»Er wird nicht kommen«, keuchte ich.

Connie griff zur Tür, vermutlich, um sie mir gleich vor der Nase zuzuschlagen. Deshalb trat ich rasch einen Schritt auf sie zu.

»Ist etwas passiert?«

Ich drängte mich an ihr vorbei in den Flur einer kleinen Zweizimmer-Altbauwohnung. Sie war orange und gelb gestrichen, mit orientalischen Türvorhängen und einem idiotischen Federgekröse, das in New-Age-Läden für teures Geld als Traumfänger verkauft wurde. Es duftete nach Aromatherapie. Pink Grapefruit oder Nirvanas Delight, irgendetwas Beruhigendes. Es war eine Wohnung des Friedens, in die ich wie ein Krieger von einem barbarischen Wüstenplaneten eine Schneise von Enttäuschung und Leid schlagen würde.

412

»Er hat heute Nacht versucht, uns umzubringen. Sigrun, Utz, meine Kollegin und mich.«

Connie schloss langsam die Tür. »Wer?«

»Dein neuer Freund.«

Sie lehnte sich mit dem Rücken zur Wohnungstür und klimperte ein bisschen mit ihrem goldenen Armband. »Dafür wirkst du sehr lebendig. Aber das wundert mich nicht. Ich weiß, dass du lügst. Er hat mich vor dir gewarnt. Aber dass du so weit gehst …«

»Wo ist er?«

Sie lächelte mich an. »Er wird jeden Moment hier sein. Dann kannst du ihm alles selbst erzählen.«

Wie auf Kommando klingelte es. Connie drückte auf den Türöffner. Wir warteten, bis die Schritte auf der Treppe nahe genug waren. Connie riss die Tür auf und erstarrte.

»Hoffmann«, hörte ich Marie-Luises Stimme. »Er und ich gehören zusammen. Rein beruflich, natürlich.«

Ich zog sie in die Wohnung. »Sie glaubt uns nicht.«

Marie-Luise stellte mit einem Blick fest, dass Connie keine Gegnerin war. Das machte sie sanftmütiger. »Aaron ist Ihr Lover, stimmt's?«

Connie sah verstohlen auf ihre Armbanduhr. »Könnt ihr die Schuhe ausziehen? Ihr macht hier alles dreckig.«

Marie-Luise stöhnte auf. »Du hast es ihr doch erzählt?«

Ich nickte.

»Und da helfen Sie uns nicht? Was soll denn noch alles passieren?«

Ich zog Connie von der Wohnungstür weg und schob sie in die Küche. »Wann wart ihr verabredet?«

Connie sah zu Boden. »Um zehn.«

»Ich habe noch nie fünf Stunden auf einen Mann gewartet«, sagte Marie-Luise von der Küchentür aus. »Alles über fünfzehn Minuten ist pure Zeitverschwendung.«

Connie schaute sie an. »Vielleicht ist ihm was passiert?«

»Vielleicht ist *uns* was passiert«, sagte ich etwas lauter. »Vielleicht will er, statt Tennis zu spielen, erst mal seine Schäfchen ins Trockene bringen und ganz nebenbei noch zwei Morde begehen?«

»So ist er nicht«, flüsterte sie.

Ich holte tief Luft. »Du hast deine Aufgabe erfüllt, Connie. Du hast mich ausspioniert und ihm erzählt, was er wissen wollte. Damit ist das Spiel aus. Satz und Sieg an Aaron von Lehnsfeld.«

»Nein.« Connie stiegen Tränen in die Augen. Sie ließ sich auf einen hellblau gestrichenen Stuhl sinken. »Das stimmt nicht.«

Marie-Luise griff sich ein weiß lackiertes Metallstühlchen. »Er hat Sie benutzt und lässt Sie gerade fallen wie eine heiße Kartoffel. Helfen Sie uns. Wir müssen ihn finden.«

»Nein«, sagte Connie noch einmal. Eine riesige Träne löste sich von ihren Wimpern und kullerte die Nase herunter. Sie wischte sie mit dem Handrücken ab. »Das stimmt nicht, dass ich dich ausspioniert habe. Ich würde so etwas niemals tun. Das weißt du doch. Ich kann das doch gar nicht.« Sie flüsterte. »Harry hat mich doch zu dir geschickt.«

»Und Aaron hast du anschließend alles erzählt. Ganz nebenbei wahrscheinlich. Bei Hummer, Lachs und Kaviar. Hat er dich im *Felix* nach den Plänen von Grünau gefragt?«

Sie senkte den Blick, und eine zweite Träne rollte.

Ich wurde ungeduldig. »Wir müssen wissen, wo er jetzt sein könnte. Gibt es irgendeinen Ort, den wir nicht kennen? Einen Platz, wo er etwas verstecken kann? Menschen? Eine Lkw-Ladung Kisten vielleicht?«

Connie hörte nicht zu. Sie malte mit dem Zeigefinger kleine Phantasiemuster auf den Küchentisch.

»Connie!«

Sie antwortete nicht. Schließlich legte Marie-Luise ihre Hand auf Connies Hand.

»Warum tut er das?«, fragte Connie mit erstickter Stimme. »Warum sagt er, dass er mich liebt und dass er mich klasse findet, auch wenn ich keinen Hummer essen kann? Ich wollte es ja lernen, aber er hat gesagt, darauf käme es doch gar nicht an. Ich wäre auch so etwas ganz Besonderes, hat er gesagt. Ein Rohdiamant, den man nur noch schleifen muss. Ein …« Sie stockte und hob die Schultern.

»Ein Dornröschen, das man wachküssen muss?« Marie-Luise nickte ihr zu.

Vielleicht hatte Connie Spott erwartet. Aber Marie-Luise drückte nur ihre Hand. »Ich weiß, was Sie meinen«, sagte sie. »Ich kenne die ganzen Geschichten von den unentdeckten Geheimnissen in uns. Und ich hasse mich dafür, dass ich sie wirklich geglaubt habe. Weil ich mir nicht vorstellen konnte, dass der Mann, den ich liebte, mich so anlügen würde.«

Connie zog langsam ihre Hand zurück. Dann sah sie ein letztes Mal auf die Uhr. »Er ist nicht zu erreichen. Und seine Mutter will mich nicht sprechen. Sie kann mich nicht leiden.«

»Sagen Sie uns, was Sie wissen. Es ist kein Verrat, Connie. Sie sind selbst verraten worden.«

Connie lächelte schwach. »Ich dachte eigentlich, das wäre vorbei.« Sie stand auf. »Es gibt ein Wochenendhaus an einem See. Ich weiß nicht mehr, wie er heißt. Ich war nur ein Mal da. Es gibt da einen großen Parkplatz, und direkt dahinter führt rechts ein Waldweg an den See. Hundert Meter vor dem Ufer ist links ein Schlagbaum. Der Abzweig führt direkt zum Haus.« Sie schluckte. »Es ist ziemlich groß. Ein paar Schritte dahinter im Wald steht ein Schuppen. Für Holz und Geräte. Den hat er letzte Woche leer geräumt. Er wollte Platz für seinen Wagen haben.«

»Welcher See, Connie?«

Sie griff sich an die Schläfen. »Ich weiß es nicht. Irgendwo hinter Wandlitz. Ich habe es mir nicht gemerkt.«

»Hast du eine Karte von Brandenburg?«

Sie nickte und lief hinaus.

»Heureka«, flüsterte Marie-Luise. »Jetzt kriegen wir ihn.«

Sie kannte Connie nicht.

»Ich hab sie.«

Die Karte auf dem Küchentisch ausgebreitet, suchten wir nördlich von Berlin. »Wandlitzer See? Werbellinsee? Grimnitzsee?«, fragte ich.

Connie schüttelte den Kopf. »Kleiner.«

Wir suchten kleinere Seen. Briesensee, Lübelowsee, Templiner See.

»Nicht bei Templin. Noch kleiner.«

»Wie klein?«, knurrte Marie-Luise. »Ist er nur auf der Karte, wenn man auf sie spuckt?«

Connie war völlig durcheinander. Sie versuchte, sich zu konzentrieren. Mit zitternden Händen fuhr sie über die Karte.

»Denk nach«, ermunterte ich sie. »Der Parkplatz. War etwas in der Nähe, zu dem man von dort aus hinlaufen konnte? Ein Restaurant, ein Forsthaus?«

»Karin«, flüsterte sie. »Es hatte was mit Karin zu tun.«

Marie-Luise verdrehte die Augen. »Wer ist denn das schon wieder?«

Connie suchte weiter die Karte ab. »Der Karinsee vielleicht? Er war Tauchen da in der Nähe. Er hat sogar was gefunden. Alte Scherben und so.«

»In der Uckermark?«, fragte ich.

Ich erinnerte mich an die Scherben in Aarons Büro. Selbstverständlich hatte ich angenommen, er hätte sie dort gefunden, wo sie herkamen: im Mittelmeer, in der Ägäis, vor Alexandria. Aber mit Sicherheit nicht in einem Tümpel in der Schorfheide. Mein Handy klingelte.

Es war Kevin, der sich erkundigte, ob alles in Ordnung war. Ich bat ihn, sich für uns an den Computer zu setzen. »Stichwort: Tauchen, Karinsee – Schorfheide.«

Kevin rannte mit dem Telefon nach nebenan. Wir warteten.

»Nichts«, meldete er eine Minute später. »Geht es etwas genauer? Was sucht ihr eigentlich?«

»Genauer«, sagte ich zu Connie.

»Jagd?«, fragte sie zögerlich.

»Jagd«, gab ich gottergeben an Kevin weiter. »Tauchen, See, Karin, Uckermark.«

Dreißig Sekunden später kam die Antwort. »Bingo. Großer Döllnsee. Circa fünfzig Kilometer von der nördlichen Stadtgrenze entfernt.«

Ich beendete die Verbindung. Jetzt musste es schnell gehen.

»Du hast uns sehr geholfen«, sagte ich.

Connie schüttelte den Kopf. »Er hat mich zum Spitzel gemacht. Das hätte er nicht tun dürfen.«

Marie-Luise öffnete die Tür. »Wenn das alles vorbei ist, schaue ich noch mal bei Ihnen vorbei, ja?«

»Nicht nötig.« Connie lächelte schon wieder. »Sagen Sie ihm einen schönen Gruß von mir. Im Bett ist er noch nicht einmal ein Rohdiamant. Da nutzt alles Schleifen nicht.«

Es war nicht einfach, an einem Sommerwochenende aus der Stadt zu kommen, und dann auch noch Richtung Prenzlau. Kaum hatten wir die Autobahn verlassen, ging es nur noch im Schneckentempo vorwärts über die märkischen Alleenstraßen.

»Sie kommt aus dem Osten«, sagte Marie-Luise. »Ich merke das immer noch. Irgendwie sind wir alle treue, naive Häschen gewesen. Ich mache mir Sorgen um sie.«

»Um Connie?«, fragte ich. »Sie ist wie Huflattich. Sie kommt immer wieder hoch.«

Marie-Luise schüttelte den Kopf und schaltete einen Gang herunter, als wir das nächste Dörfchen erreichten. Die Bewohner hatten kleine Klapptische mit Obstwein, Blumensträußen und Eingemachtem vor die Häuser gestellt. In einer Biegung entgingen wir nur knapp einem Zusammenstoß mit einigen Steigen Kartoffeln und Äpfeln.

»Sie weiß, was es heißt, wenn andere einen manipulieren. Weil sie selbst benutzt wurde. Sie ist ein zartes Pflänzchen. Kein Huflattich. Man kann nicht ewig auf ihr herumtrampeln.«

Vielleicht hatte Marie-Luise Recht. Connie versuchte so verzweifelt, aus sich etwas ganz Besonderes zu machen. Ihre wahllose Adaption von Lebensstilen, mit denen sie ihre Harmlosigkeit verbergen wollte; ihre Verweigerung von Erfahrungen, die sie dem Risiko aussetzten, dass sie sich auch einmal irren konnte. Sie bemühte sich so sehr und scheiterte doch, weil sie mit aller Kraft vermied, sie selbst zu sein.

»Döllnsee«, murmelte Marie-Luise. »Und Karin. Noch eine Unbekannte.«

Eine Unbekannte. Eine Fremde. Jetzt fiel es mir ein. Das, was mir die ganze Zeit im Kopf herumspukte. Die verlorene Erinnerung an etwas sehr, sehr Wichtiges. Der Kamin mit der Klappe. Ein gebrochener Arm.

Marie-Luise fuhr, so schnell es ging, über die einzige Straße, die durch das Naturschutzgebiet Schorfheide führte. Dichte Wälder. Lärchen und Birken. Sanddünen.

Ich rief Ekaterina an. »Ist er schon aufgetaucht?«

»Nein«, antwortete sie. Im Hintergrund wurde ein Flug nach London aufgerufen. »Der Eincheckschalter bei Ucrainian ist noch nicht geöffnet. Ihr habt noch zwei Stunden Zeit.«

»Der Albaner«, sagte ich.

Marie-Luise sah kurz zu mir, dann richtete sie ihre Aufmerksamkeit wieder auf die märkischen Alleen.

»Der zweite Mann, der bei dem Überfall bei uns dabei war. Ich habe ihm den Arm gebrochen.«

»Den linken oder den rechten?«, fragte Ekaterina so gelassen, als wäre sie Krankenschwester in einer Notaufnahme.

»Keine Ahnung, das weiß ich nicht. Aber sollte jemand die

Maschine nach Kiew nehmen, der einen geschienten Arm hat, dann ist er es.«

»Ich halte die Augen offen. Wo seid ihr?«

Ich erklärte ihr, was wir vorhatten.

»Seid vorsichtig«, bat sie. »Soll ich nicht doch die Polizei benachrichtigen?«

»Noch nicht. Erst wenn wir ihn haben.«

Ich steckte das Handy in die Jackentasche. Wir passierten gerade die Zufahrt zu einem Wildtiergehege. Wenig später drosselte Marie-Luise die Geschwindigkeit, weil ein größerer Parkplatz auf einer Waldlichtung auftauchte.

»Links geht es zu einer Tauchbasis«, entzifferte Marie-Luise ein Schild. »Rechts zu einem Hotel. Der Waldweg muss hier irgendwo sein.«

Es gab mehrere Waldwege. Genauer gesagt, Dutzende. Unserer aber musste für einen Lkw geeignet sein. Wir unternahmen mehrere Versuche, bis wir den richtigen gefunden hatten. Wenig später hielten wir vor einem rot-weiß gestrichenen Schlagbaum. Marie-Luise stellte den Volvo so tief wie möglich ins Unterholz, dann stiegen wir aus.

Bis auf das Rauschen des Windes in den Baumkronen und das unermüdliche Zwitschern der Vögel war es ganz still. Von weit her konnte man nur ab und zu ein vorbeifahrendes Auto auf der Hauptstraße hören.

Ich überprüfte, ob die Taurus sicher in meinem Hosenbund steckte und ich, wenn nötig, schnell genug an sie herankam. Dann machten wir uns auf den Weg.

Der Waldboden war ausgedörrt von Hitze und Sonne. Lärchennadeln übersäten ihn wie einen hellbraunen Teppich. Trotz aller Vorsicht traten wir immer wieder auf kleine Äste, die laut knackten. Schließlich verließen wir den Weg und schlichen uns durch die Baumstämme an. Nach hundert Metern endete das Di-

ckicht, und wir spähten aus dem Gestrüpp auf eine große Waldlichtung.

Dort stand eine kleine Jagdhütte ganz aus dunklem Holz, mit
einem niedriggiebeligen Dach und rot-weißen Gardinen hinter
den Fenstern. Über der Tür prangte das Geweih eines kapitalen
Zwölfenders. Einen Schuppen sahen wir nicht. Dafür hörten wir
ein brummendes Geräusch.

»Er muss hinter dem Haus sein«, flüsterte ich.

Marie-Luise nickte. Wir beobachteten das Haus und die Lichtung, doch wir sahen und hörten niemanden. Schließlich liefen
wir geduckt auf den Eingang der Hütte zu. Unter einem Fenster
drückten wir uns an die Holzwand und warteten. Nichts rührte
sich. Marie-Luise spähte vorsichtig hinein.

»Nichts«, flüsterte sie. »Komm weiter.«

Wir schlichen um die Ecke des Hauses, dann sahen wir den
Lkw. Er war direkt hinter der Hütte geparkt und versperrte die
Sicht auf einen Schuppen. Die Tür zur Ladefläche war geschlossen. Der Motor lief, ruhig und gleichmäßig. Doch es saß niemand
hinter dem Steuer.

Ich bedeutete Marie-Luise zu warten und lief so leise ich konnte auf den Lkw zu. Dann versuchte ich, die Tür zur Ladefläche
zu öffnen.

»Aber nicht doch.«

Ich fuhr herum und starrte erst in die Mündung einer Waffe
und dann in ein vor Freude und Eifer gerötetes Kindergesicht.
Aaron von Lehnsfeld.

»Darf ich fragen, was Sie und Ihre reizende Begleitung ohne
Erlaubnis auf meinem Grund und Boden zu suchen haben?« Er
winkte mit der Pistole in Richtung Hütte. »Junge Frau, würden
Sie uns bitte Gesellschaft leisten?«

Marie-Luise kam zögernd aus der Deckung.

»Ein bisschen schneller. Ich habe nicht ewig Zeit. Und hätten
Sie die Güte, Ihre Hände zu heben?«

Wir taten, wie uns geheißen wurde.

»So. Schön nebeneinander. Und jetzt bitte langsam umdrehen. Die Hände an die Tür.«

Meinen Revolver fand er sofort. Er steckte ihn ein. Unsere Handys schaltete er aus und warf sie ins Gebüsch. Dann tastete er Marie-Luise ab. Das tat er sehr gründlich. Als er ihr zum zweiten Mal zwischen die Beine griff, stieß sie ihm den Ellenbogen in den Magen. Aaron taumelte. Es war unsere einzige Chance: Ich stürzte mich auf ihn, aber er trat schnell einen Schritt zurück. Dabei riss er Marie-Luise an den Haaren zu sich heran und hielt ihr den Lauf seiner Waffe an die Halsgrube.

»Eine falsche Bewegung«, zischte er, »und sie ist tot. Gönnen Sie ihr doch noch ein paar Minuten.«

Ich trat zurück an den Lkw, und Aaron stieß Marie-Luise in meine Richtung.

»Das wäre dann«, sagte ich, »der vierte Mord. Komme ich mit dem Zählen noch mit?« Ich musste ihn zum Sprechen bringen. Jeder Verbrecher war doch stolz auf sein Werk und wollte die Befriedigung erleben, dass sein Plan geglückt war. Er würde reden und reden, und in der Zwischenzeit würde Ekaterina den zweiten Mann am Flughafen schnappen, und Kevin würde misstrauisch werden. Kevin würde anrufen. Jede halbe Stunde. Wie lange war der letzte Anruf her?

Aaron lachte. »So schnell bin ich nicht. Die beiden anderen erfreuen sich bester Gesundheit. Noch. Allerdings kann ich nicht sagen, wie lange dieser Zustand währen wird. Eine Stunde vielleicht? Zwei?«

»Wo sind sie?«

»Ganz in Ihrer Nähe, falls Sie das beruhigt. Sie werden nicht alleine sterben.«

»Vorsicht«, sagte ich. »Bei Ihrem Dilettantismus wäre ich mir da nicht so sicher.«

»Ah ja.« Aaron entsicherte seine Waffe. Eine Sig Sauer, wie Sigrun. Vermutlich hatten sie den gleichen Grossisten. »Die Generalprobe war heute Nacht, nicht wahr? Wie sind Sie da eigentlich herausgekommen?«

»Durch kompetente Planung und intelligente Ausführung«, sagte Marie-Luise knapp. »Sie sind zu dumm für so ein Verbrechen.«

Aarons Augen verengten sich zu Schlitzen. Mich ließ er ziemlich links liegen, aber Marie-Luise hatte es ihm angetan. »So, du kleine rothaarige Fotze, dann sag mal, wie ihr hierhergefunden habt? Weil ihr ein Navigationssystem bedienen könnt? Oder hat euch noch jemand geholfen?« Er trat an sie heran und strich mit dem Pistolenlauf langsam von ihrem Kinn bis zur Brust.

»Man muss nur eins und eins zusammenzählen«, sagte ich.

»So? Da bin ich aber gespannt.«

»Sie wollten in den Keller. Und an das, was drin ist. Hat es sich wenigstens gelohnt?«

Aaron lächelte und bedeutete uns mit der Pistole, auf den Schuppen zuzugehen. »Schön die Hände oben lassen. So ist es gut. Ich will Ihnen doch noch einen Blick gönnen auf das, was mein Leben versüßen und Sie Ihres kosten wird.«

Auf seine Geste hin öffnete Marie-Luise die Tür.

»Sie können eintreten. Bitte sehr. Bestaunen Sie das letzte Geheimnis von Carinhall.«

Der Schuppen hatte keine Fenster, doch durch die Ritzen der Bretter drang etwas Licht hinein. Ich stolperte über eine der Kisten, die ich in Grünau durch das Mauerloch gesehen hatte. Aaron nahm eine altertümliche Petroleumlampe vom Boden auf und reichte sie mir.

»Anzünden.«

Marie-Luise holte ihr Feuerzeug heraus. Ich hob den Glaszylinder hoch, und sie hielt die Flamme mit zitternden Händen an den Docht. Das Licht war nicht hell, und unsere Augen gewöhnten sich schnell daran. Ich hob die Lampe hoch und beleuchtete ein Szenario, das an den Umzug einer Zehn-Personen-Familie erinnerte.

»Carinhall?«, fragte ich. »Was ist denn das?«

Aaron wies uns an, in die Mitte des Raumes zu gehen. Er selbst nahm auf einem Stapel aus Brettern Platz, die sich bei genauerem Hinsehen als Bilderrahmen entpuppten.

Eine der Kisten war geöffnet. Holzwolle quoll heraus. »Darf ich?«

Aaron nickte mir zu. Gut, er wollte, dass wir seinen Coup bewunderten. Ich holte eine Bronzestatue hervor. Ein kleiner Amor, pummelig auf einer Zehenspitze tanzend, der gerade einen Pfeil abschießen wollte.

»Netter Kitsch«, sagte ich. »Ist der Rest auch so?«

»Kitsch?« Aaron sprang auf. Dann zerrte er das erste Bild von dem Stapel. »Hier. Flämisches Meisterwerk, Mitte 18. Jahrhundert. Niederländische, französische, italienische Klassik. Gemälde, Tapisserien, und hier ...« Er stieß mit dem Fuß an die Kiste, über die ich gestolpert war. »Rotwein.«

»Rotwein?«, fragte ich. Ich drehte mich zu Marie-Luise um. »Gibt es Rotwein, für den man töten würde?«

»Keine Ahnung«, antwortete sie. »Ich nehme immer den im Tetrapak.«

»Es ist kein gewöhnlicher Rotwein«, spuckte Aaron. »Es ist der Tischwein des Generalfeldmarschalls Göring.«

»Ach du braune Scheiße.« Marie-Luise stieß mit der Fußspitze an die Kiste neben ihr. »Jetzt verstehe ich. Carinhall.«

»Ich sehe, der Groschen fällt. Kann es sein, dass Ihre mathematischen Fähigkeiten doch über das Grundschulniveau hinausgehen?«

»Carinhall wurde platt gemacht«, erklärte Marie-Luise. »Die NVA hat das Gebiet geschliffen und aufgeforstet. Es gibt nichts mehr. Wer glaubt, dass irgendetwas übrig geblieben wäre, dem ist nicht zu helfen.«

»Kann mich mal einer aufklären?«, fragte ich.

Aaron sah zu mir. »Ihre reizende Begleitung ist in puncto Heimatkunde eindeutig besser beschlagen als Sie, Vernau. Carinhall war Görings Jagdsitz, benannt nach seiner Frau, Baronin Karin von Fock. Er beherbergte die größte private Kunstsammlung des Deutschen Reiches. Göring interessierte sich vor allem für frühnordische Meister.«

Marie-Luise räusperte sich. Aaron zielte spielerisch auf sie.

»Ich bin kein Nazi. Ein bisschen mehr Stolz und Vaterlandsliebe, ein bisschen weniger Anarchie und Pseudoliberalität, ja. Weniger Ausländer, mehr deutsche Kinder, eine Rechtsprechung, die die Gesetze achtet – das reicht mir schon.«

»Mir auch«, sagte Marie-Luise. »Ich kotze gleich.«

»Ich teile auch nicht seinen Kunstgeschmack. Zu viele nackte, dicke Frauen. Ich mag es lieber schlank und durchtrainiert. So wie Sie. Frauen, die reiten können. Verstehen Sie, was ich meine?«

»Es reicht«, sagte ich und trat einen Schritt auf ihn zu. Die Kugel pfiff direkt vor meinen Füßen in die Erde, und ich zuckte zusammen.

Dann zielte Aaron etwas höher. »Den Gesprächsverlauf bestimme ich«, sagte er. »Der letzte Renaissancemensch, wie Göring sich zu nennen pflegte, liebte es, seine Gäste persönlich durch die Sammlung zu führen. Im Anschluss gab es für Mussolini, Hoover oder die Windsors noch einen edlen Tropfen aus dem Weinkeller. Wollen wir mal probieren?«

»Klar«, sagte ich. Mir war alles recht, was ihn ablenkte.

»Nein danke«, sagte Marie-Luise.

Sie kapierte es nicht. Wieder Zeit verloren. Ich konnte nur hoffen, dass Ekaterina den Albaner auf dem Flughafen erwischte.

Aaron zuckte nur mit den Schultern. »Sie wissen nicht, was Ihnen entgeht. Ich werde später ein Glas auf Ihr Wohl trinken. Auf dass es Ihnen, wo immer Sie dann sein mögen, gut ergeht.«

»Was wurde aus Carinhall?«, fragte ich.

»Die Russen marschierten über die Oder. Göring wollte Carinhall nicht in die Hände des Feindes fallen lassen. Also hat er das Bombardement befohlen.«

»Womit er der Welt unzweifelhaft einen großen Gefallen getan hat.« Marie-Luise konnte sich einfach nicht zurückhalten.

»Ausgeführt wurde der Befehl aber erst, nachdem er seine Kunstsammlung im Wert von sechshundert Millionen Reichsmark nach Berchtesgaden geschickt hatte. Zwei der Waggons kamen niemals dort an. Sie wurden umgeleitet. Nach Belgien.«

Aaron verschränkte die Arme. Leider hielt er die Waffe weiterhin auf mich gerichtet. »Wilhelm von Zernikow hat sie in Empfang genommen. Als die Alliierten Belgien besetzten, hat er mit einem befreundeten Reichsbahner die Waggons zurück nach Berlin dirigiert. Der Inhalt ist in den Keller meines Großvaters gewandert und gilt seitdem als verschollen. Ein perfekter Raub.«

»Mit einem kleinen Schönheitsfehler«, sagte ich. »Natalja hat Wilhelm gesehen.«

Aaron runzelte die Stirn. »Natalja. Das Kindermädchen. Ja.« Er hob mit der freien Hand den nächstbesten Rahmen hoch. »Was ist das? Tintoretto? Rembrandt? Van Dyck?«

Er warf uns das Bild zu. Marie-Luise fing es auf. »Lucas Cranach, der Ältere«, flüsterte sie.

Das Gemälde war nicht groß. Es zeigte die Jungfrau Maria, die lächelnd auf das Jesuskind in ihrem Schoß herabsah.

»Und das?«

Marie-Luise musste den Cranach fallen lassen, um das nächste Bild zu fangen. »Tizian«, hauchte sie. »Das ist ein Tizian! Die siebte Venus!«

Aaron nickte. »Schauen Sie sich um. Vermeer, Courbier, Tischbein. Dürers Kupferstiche, Caspar David Friedrichs Loreleyfelsen. Meisterwerke verlorener Kunst. Unbezahlbar. Ein Vermögen.«

Er lief lachend von Kiste zu Kiste. »Goldmünzen. Tafelsilber.

Der Familienschmuck diverser Großherzöge. Vielleicht sogar noch eine der Gutenberg-Bibeln? Es ist ein bisschen wie Weihnachten und Kindergeburtstag. Ich kann es gar nicht erwarten, alles auszupacken.«

Ich kippte einen großen Rahmen neben mir von der Wand und schaute mir das Bild auf der anderen Seite an. Es war eine sprühende Komposition leuchtender Spektralfarben.

»Ach, das da«, sagte Aaron. »Das ist die Tauschware, vermutlich noch für Luzern gedacht oder die Dienststelle Mühlmann. Reste der Ausstellung Entartete Kunst.«

Er trat einen Schritt näher zu uns. Ich drehte das Bild um und leuchtete es an.

»Franz Marc, *Der Turm der blauen Pferde*. Ein Meisterwerk, nicht wahr? Gut und gerne zwanzig Millionen wert. Da hinten sind noch einige Expressionisten und ein paar Pissarros und Cézannes. Und jetzt verraten Sie mir, meine werte links denkende und guten Rotwein verachtende Dame: Warum redet die ganze Welt von der Bücherverbrennung, aber kein Mensch davon, was am 20. März 1939 der Kunst angetan wurde?«

Marie-Luise hörte kaum zu, sie konnte den Blick nicht von dem Bild abwenden.

Aaron setzte sich auf eine Kiste und beobachtete sie. »Siebzehntausend beschlagnahmte Bilder. Tausend von ihnen auf dem Hof der Berliner Hauptfeuerwache im Rahmen einer Übung verbrannt. Und der Rest gehortet, um sie im Ausland wieder für ein paar dicke, altflämische Frauen einzutauschen. Finden Sie nicht, es ist ein Akt der Gnade und Gerechtigkeit, diese Werke aus ihrem Kellerdasein zu erlösen?«

»Nur, wenn Sie sie den rechtmäßigen Eigentümern zurückgeben.«

»Es ist herrenloses Strandgut der Geschichte. Warum fragen Sie nicht die Amerikaner, die in Berchtesgaden geplündert haben? Warum verlangt niemand von den Russen, ihre Kriegsbeute zurückzugeben? Warum bietet unsere Regierung den wahren Dieben immer noch Entschädigungen an und ist zu feige, sie Lösegeld zu nennen? Da haben wir den wahren Skandal. Ich habe nichts gestohlen. Ich habe nur gefunden.«

»Mit wem teilen Sie die Beute?«, fragte ich.

Aaron ließ endlich von Marie-Luise ab und wandte sich mir zu. »Teilen? Wieso?«

»Sie haben den Coup nicht alleine durchgeführt. Jemand hat Ihnen geholfen. Wer war das?«

»Knechte«, lächelte Aaron. »Leider wollen sie Bares sehen. Mit einer Dürer-Zeichnung ist es da nicht getan.« Er ging einen Schritt Richtung Ausgang.

»Das Kreuz, Nataljas Kreuz«, sagte ich, »stammt es auch aus dem Raub?«

»Welches Kreuz?«, fragte Aaron. Er hob die Waffe und trieb uns langsam zur Tür. »Ich weiß nichts von einem Kreuz.«

»Utz hat Natalja ein goldenes Kreuz geschenkt, das er im Keller gefunden hat. Später hat Ihr Großvater sie des Diebstahls bezichtigt und angezeigt. Sie wurde verurteilt.«

Aaron klappte im Vorübergehen einen offenen Kistendeckel zu. »Ach ja, ich erinnere mich. Das war bedauerlich. Mein Großvater hat mir davon erzählt. Meine ganze Kindheit war überschattet von seinen Schauergeschichten aus zwei Weltkriegen. Das Mädchen war einfach zur falschen Zeit am falschen Ort. Ich bin mir sicher, dass sie noch nicht einmal wusste, was sie damals gesehen hatte. Aber es blieb ihnen wohl nichts anderes übrig.« Er streichelte dem Bronzeputto den Popo. »Auch ich hatte keine Wahl. Diese alte Frau, diese Russin, die zu den Zernikows gekommen ist wegen dieser dämlichen Bescheinigung … Als sie bei dem Alten aufgetaucht ist, habe ich doch tatsächlich gedacht, das Kindermädchen wäre zurückgekommen. Glauben Sie mir, ich hasse es, alten Frauen wehzutun.«

Marie-Luise drehte sich zu ihm um. »Mir bricht das Herz.«

Aaron holte aus und schlug ihr ins Gesicht. Sie taumelte. Blut quoll aus ihrer Nase. Noch ehe ich ihr zu Hilfe kommen konnte, zielte er auf meine Brust.

»Vorsicht«, sagte er leise, »Vorsicht. Ich kann es nicht leiden, wenn sich jemand zwischen mich und mein Erbe stellt.«

»Es ist gestohlen«, sagte ich, »und mit Blut bezahlt.«

Aaron reichte Marie-Luise ein Taschentuch. Blütenweißer Baumwollbatist, gebügelt. »Niemanden wird es interessieren. Der Markt ist nicht groß, aber verschwiegen. Und ich denke, Sie haben jetzt genug gesehen.«

»Lassen Sie wenigstens Natalja und Milla in Frieden«, sagte ich. »Die beiden haben nichts getan und nichts gewusst.«

Aaron schüttelte den Kopf. »Dieses Risiko kann ich nicht eingehen. Utz wird sie suchen. Seit er weiß, dass sie lebt, will er sie sehen. Ich kapier das nicht. Eine alte Ukrainerin. Ich kenne niemanden, der sich gerne an sein Kindermädchen erinnert. Aber Utz will zu ihr. Das kann ich nicht zulassen. Sie wird einen Unfall haben. Sie …« Er drehte sich einmal um die Achse. Leider zu schnell. Er stand da wie Lucky Luke und grinste. »Sie wird aus dem Fenster fallen. Wussten Sie, dass in Moskau mehr Menschen durch Fensterstürze als durch Selbstmord sterben? Es geht um ihre Wohnungen. Sie sind kostbar, aber die Alten geben sie nicht her. Wenn alle Mittel versagt haben, kommt der Fensterstürzer. Mittlerweile ein anerkannter Ausbildungsberuf in gewissen Kreisen. Keine Fragen, keine Zeugen. Ein kurzer Schwindel beim Fensterputzen, ein wenig zu weit hinausgelehnt, und schon ist das Problem aus der Welt.«

Marie-Luise hielt sich das blutrote Taschentuch unter die Nase. »Sie sind ekelhaft.«

»Ich weiß.« Aaron grinste. »Meine Herrschaften, da geht es hinaus.«

Ich stellte die Lampe direkt neben die Holzwolle. Sie war alt und bröselig. Wenn sie Feuer fing, würde hier im Nu alles lichterloh brennen. Wir mussten Zeit gewinnen, irgendwie. Ich hoffte inständig, dass die Hitze der Lampe ausreiche.

Aaron bemerkte nichts. Wir verließen den Schuppen.

Da hörte ich es. Motorengeräusch. Ein Wagen preschte mit ziemlicher Geschwindigkeit den Waldweg entlang.

Aaron hörte es auch. Er blähte die Nasenflügel, als ob er Witterung aufnehmen wolle. Dann trat er an die Tür des Lkws und öffnete sie mit zwei Handgriffen. »Rein. Dalli.«

Auf der Ladefläche lagen zwei eng verschnürte Bündel. Abgasschwaden drangen heraus.

»Du Schwein«, brüllte Marie-Luise, »du elendes, dreckiges …«

Er schlug ihr mit dem Pistolenknauf gegen die Schläfe. Marie-Luise brach zusammen.

»Los, heb sie rein.«

Ich sah zu der Jagdhütte.

»Los jetzt.« Er bohrte mir den Pistolenlauf in den Nacken.

Ich ging in die Knie, beugte mich zu Marie-Luise.

»Nein!«

Der Schrei kam von der Hütte. Connie rannte auf uns zu.

Aaron stolperte zwei Schritte zurück und ließ die Waffe sinken. »Du? Was machst du denn hier?«

Noch nie in meinem Leben war ich so erleichtert gewesen, Connie zu sehen. »Geben Sie auf, Lehnsfeld. Fünf Morde, das ist einfach zu viel. Da kann selbst ich nichts mehr für Sie tun.«

Connie blieb stehen und schlug die Hand vor den Mund.

Ich beugte mich über Marie-Luise. Sie atmete flach. Aus der Wunde an ihrem Kopf sickerte ein kleines Rinnsal Blut in ihre Haare. Ich drehte sie in die Seitenlage und wollte in den Lkw, um den anderen zu helfen.

»Heben Sie sie hoch, und legen Sie sie da rein.« Aaron zielte wieder auf mich. Dann streckte er den freien Arm nach Connie aus. »Komm her.«

Ich traute meinen Augen nicht, aber Connie stakste tatsächlich zu ihm hin. Sie trug ein weißes Sommerkleid aus Seide. Es fehlten nur noch Hut und Handschuhe, dann hätte sie Aaron zum Polo mitnehmen können. Er legte den Arm um ihre Schulter und drückte sie an sich.

»Ich habe unser Tennisspiel vergessen«, sagte er. »Ich lade dich dafür zum Essen ein. In Ordnung?«

Ich konnte es nicht glauben, aber Connie nickte.

»Was ist hier los?«, fragte sie mit einer Stimme, die jeden Moment brechen konnte. »Ich habe mir Sorgen gemacht. Warum läuft der Motor? Und die Leute da drin, was soll das?«

Aaron drückte ihr einen Kuss auf den Scheitel. »Davon verstehst du nichts. Sei ein braves Kind, und geh rein. Ich erledige das hier.«

»Connie«, sagte ich langsam, »er will uns alle umbringen. Du kannst da nicht einfach zusehen.«

»Soll sie auch nicht«, erwiderte Aaron. »Geh jetzt. Es dauert nicht lange.«

Connie löste sich unsicher von ihm. »Aaron, liebst du mich?«

Mir blieb der Mund offen stehen. Aaron ging es genauso.

»Nein, nein!«, schrie ich. »Er liebt dich nicht! Er macht dich zu seiner Komplizin, kapierst du das denn nicht?«

»Liebst du mich?«

Aaron dauerte das alles offensichtlich zu lange. »Geh rein!«, befahl er.

Connie stand mit zitternden Lippen da. Leider nicht in der Schusslinie. Ich wusste nicht, was ich in dieser Situation noch tun konnte. Connie war unsere einzige Chance.

»Er wird dich auch töten«, sagte ich. Etwas Besseres fiel mir nicht ein.

Aaron zielte auf mich. »Halt's Maul, Arschloch. Schaff endlich deine Freundin da rein. Und du verpisst dich jetzt. Auf der Stelle, sonst kannst du ihm gleich Gesellschaft leisten.«

»Wenn man sich liebt, gibt es immer einen Weg. Sag es mir. Nur ein einziges Mal.«

Aaron zielte auf Connie, dann wieder auf mich. Er konnte sich nicht mehr entscheiden. »Du blöde, beschissene Kuh! Mein Gott, gehst du mir auf den Geist.«

»Das … das meinst du doch nicht so?«, stotterte sie.

»Verpiss dich! Verstehst du kein Deutsch? Verpiss dich!«

In diesem Moment hatte die Petroleumlampe ihren Job erfüllt. Aus dem Schuppen drang Rauch. Die Holzwolle hatte Feuer gefangen. Ich sah es an Aarons Augen, die sich vor Schreck weiteten. »Gottverdammte Scheiße! Was soll das?«

Er lief auf den Schuppen zu. Die Flammen züngelten hinüber zu den Stoffballen und leckten an den Holzkisten hoch.

»Tu was!«, brüllte er Connie an. »Beweg endlich deinen dämlichen Arsch! Hol Wasser!«

Aber Connie blieb wie angewurzelt stehen. Aaron lief in den Schuppen. Er trampelte auf den Flammen herum und versuchte dabei, mich weiter mit der Sig in Schach zu halten. Das war meine Chance. Mit drei Schritten war ich bei der Schuppentür und wollte sie zuschlagen.

Da spürte ich einen gewaltigen Schlag auf den Brustkorb, der mich mitten in der Bewegung stoppte. Ich kippte vornüber und fiel mit dem Gesicht ins Gras.

Noch ein Schuss. Aaron wankte. Mit offenem Mund starrte er zu Connie. Wie durch einen Schleier sah ich sie vor ihm stehen. Connie hielt Utz' Waffe in der Hand. Sie musste sie Aaron abgenommen haben, als er sie an sich gezogen hatte.

Ein dunkelroter Fleck breitete sich auf seiner Brust aus. Er schleppte sich zur Tür und hielt sich am Rahmen fest. Er lachte und hustete gleichzeitig. »Du … du … blöde …«

Connie feuerte das gesamte Magazin leer. Aaron fiel einen halben Meter vor mir zu Boden. Seine Augen waren schon tot, bevor sein Kopf aufschlug.

Ich konnte nichts weiter tun als daliegen und versuchen, nicht zu sterben. In meinem Brustkorb wurde es kalt. Meine Beine spürte ich nicht mehr.

Connie ging neben Aaron in die Knie. Sie hob seinen Kopf in ihren Schoß und drückte ihn an sich. Dabei wiegte sie ihren Oberkörper sacht hin und her und starrte an mir vorbei in den Schuppen. Ich konnte den Kopf nicht drehen, aber ich hörte, wie das Feuer sich durch das Holz und die Leinwand und die Ölfarben fraß. Ich roch den sengenden Geruch von verbranntem Tuch. In Connies Augen spiegelten sich die Flammen. Dann wurde es Nacht um mich.

42

Jemand schlug mir ins Gesicht.

»Können Sie mich hören?«

Stimmen. Viele Stimmen. Schreie. Blaues Warnblinklicht. Zwei Männer in weißen Kitteln. Einer beugte sich über mich und leuchtete mir in die Augen. Ich musste blinzeln.

»Ah ja. Na also.« Befriedigt griff der Mann zu einem Infusionsständer, der mit mir verbunden sein musste. Stöhnend wollte ich mich aufrichten, aber der Mann drückte mich wieder herunter.

»Nicht rühren. Sie haben viel Blut verloren. Wir warten auf den Rettungshubschrauber. Es dauert nicht mehr lange.«

Ich hustete. Brandgeruch steckte in meinen Kleidern und Haaren, aber ich konnte nicht erkennen, wie weit das Feuer entfernt war.

»Jojo.« Milla beugte sich über mich. Sie war so blass, dass die Ringe unter ihren Augen fast schwarz wirkten. »Es geht uns gut. Es war, wie sagt man? Rettung in letzter Sekunde.«

»Wo ist Marie-Luise? Und Horst? Hilf mir.«

Sie half mir hoch, endlich konnte ich die Lage überblicken.

Wir befanden uns links neben der Jagdhütte. Weiß gekleidete Beamte der Spurensicherung untersuchten das Führerhaus des Lastwagens. Dahinter schwelten die Überreste des Schuppens. Feuerwehrleute löschten immer noch. Aarons Leiche wurde gerade in einen Zinksarg gehoben. Connie und Marie-Luise saßen, in Decken gehüllt, nebeneinander auf einem Baumstamm. Zwei Polizeibeamte und eine Frau sprachen mit ihnen. Eine Krankenschwester gab Connie eine Spritze. Connie weinte. Neben dem Haus standen zwei Streifenwagen. Die Frau half Connie beim Aufstehen und führte sie zu dem Wagen. Auf halbem Weg hielt sie an und ging zu mir. Dunkle Blutflecken trockneten auf ihrem weißen Kleid. Ihre Augen leuchteten in einem unnatürlichen Glanz. Vermutlich begann gerade das Beruhigungsmittel zu wirken. Sie trat unsicher von einem Fuß auf den anderen und rieb sich fröstelnd die Arme.

»Das ist alles so dumm gelaufen«, sagte sie schließlich. »Wie geht es dir?«

Ich konnte mich nicht recht entscheiden. Immerhin hatte ich es ihr zu verdanken, dass ich hier halb tot auf einer Bahre lag. Aber sie war auch irgendwie dafür verantwortlich, dass ich nicht ganz tot war.

»Gut«, krächzte ich. »Und dir?«

Connie senkte den Kopf. In diesem Moment wurde der Sarg an uns vorübergetragen und in einen Wagen der Gerichtsmedizin geschoben.

Sie sah ihm hinterher. »Keine Angst. Ich wäre nicht übergelaufen. Ich wollte ihn überzeugen. Ich dachte, er hört auf mich.«

Der Wagen wendete unter einigen Schwierigkeiten und fuhr langsam davon. Die Frau trat zu uns.

»Wir müssen gehen«, sagte sie leise.

Connie nickte. »Er hat mich geliebt. Das weiß ich. Trotz der ganzen gemeinen Sachen, die er gesagt hat. Jetzt weiß ich es. Er hätte mich doch sonst auch erschossen, oder?«

Sie sah mich verzweifelt an. »Irgendwo hat er mich geliebt, nicht?«

Ich nickte. »Irgendwo, ja.« Was hätte ich sonst sagen sollen?

Die Frau nahm Connie sanft am Arm und führte sie zu dem Streifenwagen. Ein Geräusch am Himmel kam langsam näher. Mir wurde schlecht.

»Jojo?«, fragte Milla. »Jojo?«

Ich öffnete wieder die Augen. Es fiel mir sehr schwer. Aber was ich dann sah, ließ mich die Übelkeit einen Moment vergessen. Marie-Luise und Horst kamen auf mich zu. Beide, ich traute meinen Augen nicht, Arm in Arm.

Milla lächelte. »Er war immer bei mir. Er hat mich nicht im Stich gelassen. Er ist ein guter Mann.«

Horst nahm seine Decke von den Schultern und legte sie um Milla.

»Wird schon wieder«, sagte er. »Wir haben vier Mal gekotzt, bis das Kohlenmonoxyd draußen war. Kinder, ist mir schlecht. Gibt es hier irgendwo einen Schnaps?«

Milla nickte mir zum Abschied zu, und die beiden wurden im zweiten Streifenwagen in Empfang genommen. Marie-Luise hatte eine dicke Nase und trug einen Kopfverband.

»Horst also nicht«, sagte ich zu ihr.

Marie-Luise sah den beiden nach. »Ich hatte ihn auch einen Moment unter Verdacht.«

»Wer war es?«

Sie zog ihre Decke ein wenig enger um sich. »Walter. Ekaterina hat ihn gerade noch entdeckt. Er war schon hinter der Passkontrolle.«

»Walter ist ein Albaner?«

»Natürlich nicht. Wer hat dir denn diesen Floh ins Ohr gesetzt? Walter ist Sorbe. Und manchmal spricht er halt auch wie einer.« Marie-Luise inspizierte mich. »Bedank dich lieber bei Kevin. Er hat die Polizei alarmiert. Es hat nur etwas gedauert, bis die Bullen ihm geglaubt haben. Ich bin auch erst aufgewacht, als der erste Streifenwagen hier war. Da hat alles schon lichterloh gebrannt, es war nichts mehr zu retten. Na ja. Eine Leiche, eine Durchgedrehte, zwei ohnmächtige Verletzte auf der Wiese und zwei halb erstickte Gefesselte im Lkw, das waren dann wohl doch überzeugende Argumente. O Mann. Franz Marcs *Turm der blauen Pferde*. Ich darf gar nicht darüber nachdenken.«

Das Geräusch wurde ohrenbetäubend. Ich konnte den Hubschrauber nicht sehen, das Haus verdeckte ihn. Aber die Wipfel der Bäume neigten sich gefährlich. Die Sanitäter kamen auf uns zu. Marie-Luise wurde zur Seite geschoben. Man schnallte mich fest und hob die Bahre hoch. Marie-Luise lief nebenher.

»Sag meiner Mutter …«

»Was?«, schrie Marie-Luise.

Vor der Jagdhütte, auf der Lichtung, stand der Hubschrauber. Einige Schaulustige hatten sich irgendwie durchs Unterholz gekämpft und standen hinter einer Absperrung. Polizisten durchsuchten das Gelände. Im Dämmerlicht des Waldes hatten sie riesige Scheinwerfer aufgestellt. Alles wirkte wie eine Filmszene.

»Was soll ich ihr sagen?«

Ein Polizist hielt sie fest, aber Marie-Luise kämpfte sich noch einmal an mich heran.

»Sag ihr, sie soll nicht mit dem Essen auf mich warten.« Ich versuchte ein schwaches Lächeln. Der Rest waren zwei Wochen Schmerzen.

43

Im Krankenhaus gab man sich größte Mühe, die Tageszeitungen zu zensieren und mir nur unverfängliche Exemplare mitzubringen. Einem Patienten aus dem Nebenzimmer handelte ich schließlich die beliebteste Berliner Boulevardzeitung ab. Endlich konnte ich mir, nicht zuletzt dank des hervorragenden Fotomaterials eines gewissen Alexander Dressler, ein Bild von dem machen, was passiert war.

Was bei Sigrun passiert war.

Sie hatten die gesamte Villa auf den Kopf gestellt. So gut wie kein altes Bild, kein kostbares Möbelstück gehörte mehr den Zernikows. Stücke, deren Herkunft nicht eindeutig geklärt war, wurden konfisziert. Dressler erwischte die polizeieigene Spedition gerade beim Abtransport des Wörlitzer Parks aus Utz' Büro.

Die Freifrau hatte natürlich von nichts gewusst. Utz zog ins *Kempinski* und setzte tagsüber seine Geschäfte in der etwas kahler gewordenen Kanzlei fort.

Auch bei den Lehnsfelds wurde beschlagnahmt, allerdings nicht so viel. Es sah ganz danach aus, als hätte der alte Abel von Lehnsfeld einen großen Teil des Schatzes tatsächlich im Keller gebunkert. Das meiste davon war in Carinhall verbrannt.

Die Freifrau hingegen hatte bald nach dem Krieg einiges von Wilhelms Anteil verkauft und sich damit ein gutes Auskommen gesichert. Selbstverständlich, so gab sie an, hätte sie geglaubt, dass die Kunstschätze alle rechtmäßig erworben seien. Der plötzliche Reichtum der Zernikows nach der Währungsreform war also keinesfalls nur auf das Wohlwollen uniformierter Amerikaner zurückzuführen. Es wurde aber vermutet, dass über diese Kanäle einiges in die USA verschwunden war. Mit dem Rest hatte sich die Freifrau die Villa dekoriert. Und das war ihr nun zum Verhängnis geworden.

Der Döllnsee – Schicksal deutscher Kunst?, titelte zwei Tage später die Berliner Tageszeitung. Dressler war ins Unterholz gekrochen und hatte Waldboden mit Lärchen und einige Ziegelsteine abgelichtet. Kollege Brettschneider entrang sich einen pathetischen Artikel, in dem er Carinhall wie einst Göring mit dem Palast des Nero verglich. Er hatte einen Taucher ausfindig gemacht, der tatsächlich vor einigen Jahren in dem See zwei Bronzestatuen gefunden hatte. Immer wieder, so klagte der Bürgermeister des nächsten Kirchspiels, würden Glücksritter den Wald durchpflügen auf der Suche nach den letzten verlorenen Geheimnissen …

Dressler hatte Marie-Luise beim Verlassen der Mordkommission erwischt. Sie habe den Schatz mit eigenen Augen gesehen, fabulierte Brettschneider in seinem Text, als Letzte habe sie die unersetzbaren Gemälde in der Hand gehalten. »*Es war unglaublich! Franz Marc! Tizian! Ich hielt sie in meinen Händen, die größten Werke abendländischer Malerei …*«

Damit war es vorbei. Für Tizian und Cranach war die Feuerwehr zu spät gekommen, mit größter Mühe hatte man einen Waldbrand verhindert. Das Silber war geschmolzen, nur einige Putten und bronzene Kerzenständer hatte man in der Asche gefunden. Sonst war nichts übrig geblieben. Vielleicht konnte jetzt endlich Gras über die letzten Ziegelsteine von Carinhall wachsen.

Die Lehnsfelds hingegen würden es einige Zeit schwer haben. Den Mord an Olga versuchte man gerade Walter in die Schuhe zu schieben, ebenso wie das Attentat mit dem Bagger in Grünau. Walter stritt alles ab. Dann bekam er den angeblich besten Anwalt der Stadt und schwieg erst einmal wie ein Grab. Milla und Horst machten ihre Zeugenaussage, konnten aber keine zuverlässige Täterbeschreibung geben. Ein maskierter Blumenbote hatte die beiden gezwungen, das Krankenhaus mit ihm zu verlassen. Dann hatte er sie betäubt. An mehr konnten sie sich nicht erinnern.

Verena gramgebeugt und ganz in Schwarz. Abraham stützte sie. Das erste Foto, das beide zusammen zeigte. Zwei Wochen später schickte ich den Ring anonym an das Referat Kunstraub des Berliner Senats und schrieb Verena einige Zeilen, wo sie ihn abholen könnte. Sie wird auf ihn verzichtet haben.

Mit Marie-Luise diskutierte ich lange, ob die beiden gewusst hatten, welches unheilvolle Vermächtnis der Großvater dem Enkel vererbte. Marie-Luise verneinte vehement. Es gäbe, so argumentierte sie, nirgendwo auf der Welt eine Mutter oder einen Vater, die wirklich wüssten, wozu ihr Kind fähig war. Ich war der Meinung, dass sie es nicht wissen wollten. Zuletzt einigten wir uns darauf, dass beides wohl auf dasselbe hinauslief.

Es klopfte.

Marie-Luise steckte den Kopf durch den Türspalt. Mit drei Schritten war sie bei mir. »Das ist schädlich!«, rief sie und riss mir die Zeitung weg.

»Zeig mal her«, sagte ich und ergriff ihre Hände. »Die Pfoten, die Tizian berührten.«

Sie wand sich los. »Die schlechte oder die schlechte Nachricht zuerst? Dein Porsche ist weg.«

Das tat weh. Im Vergleich zu meinem Porsche war mir Tizian schnurzegal. »Wieso weg? Geklaut?«

Sie zog sich den Stuhl heran. »Nee, er war nur geleast. Sigrun hat ihn abholen lassen.«

Zum ersten Mal seit unserer Nacht im Keller erwähnte Marie-Luise Sigruns Namen. Ich wusste, dass ich die Frage nicht zu stellen brauchte. Ich tat es trotzdem. »Hat sie sich gemeldet?«

»Nein. Die Wahlprognosen sind katastrophal. Sie liegen zwei Prozentpunkte zurück. Kein Wunder, wenn das Haus der Spitzenkandidatin auf den Kopf gestellt und lastwagenweise geraubte Kunst abtransportiert wird. Dazu ein Schwerverbrecher als Hausfaktotum, der den ganzen Dreck erledigt hat. Und dann will sie von allem nichts gewusst haben?«

»Sie hat zu spät gefragt«, sagte ich leise.

»Sie hat die Antwort nicht wissen wollen, so war es.«

Marie-Luise tauschte meine Zeitung gegen ein hochintellektuelles, linksliberales Literaturblatt aus. »Aber sie fällt ja weich. Klugerweise ist sie sofort von allen Ämtern und der Kandidatur zurückgetreten. Zur Belohnung bekommt sie ein Bundestagsmandat. Da kann sie so lange auf der Hinterbank schlafen, bis Gras über die Sache gewachsen ist.«

Sie gab mir einen flüchtigen Kuss auf die Wange. »Lies nicht so viel von dem Zeug. Das macht nur Kopfschmerzen. Kannst du schon aufstehen?«

»Nur mit Hilfe einer bezaubernden Schwester.«

»Apropos bezaubernd«, sagte Marie-Luise. »Die Freifrau hat Klage eingereicht. Sie will einen Teil der Bilder zurück. Ihr Anwalt sagt, es sieht gar nicht so aussichtslos aus. Flüstert der Flurfunk.«

»Wer vertritt sie?«

Marie-Luise sah aus dem Fenster. »Schmiedgen.« Dann zuckte sie mit den Schultern. »Er sagt, er braucht das Geld, weil die Galerie nicht so gut läuft.«

»Ihr redet wieder miteinander?«

Marie-Luise sah interessiert auf ihre Schuhspitzen.

»Ihr habt doch nicht etwa wieder …«

»Nein. Ich bin ihm im Gericht begegnet. Er hat mich nach dem Weinert-Fall gefragt und mir seine Hilfe angeboten.«

»Und? Hast du sie angenommen?«

Marie-Luise sah mich an und lächelte verschmitzt. »Ich habe ihm gesagt, dass ich nur mit dem besten Anwalt zusammenarbeite, den ich kenne. Und dass das definitiv nicht er ist.«

Sie öffnete ihre Aktentasche und legte mir einige Papiere auf die Bettdecke. »Das sind Angebote für dich. Zwanzigtausend Euro für die Exklusiv-Geschichte bei diversen Illustrierten, mehrere Einladungen zu Talkshows, und ein Privatsender will alles verfilmen und möchte dich als Augenzeugen.«

Ich reichte ihr die Seiten zurück. »Sag alles ab.«

Nachdem sie gegangen war, schaltete ich den Fernseher ein. Der RBB brachte eine Zusammenfassung der letzten Tage und kündigte Neuigkeiten an. Ein Reporter stand vor der Villa der Zernikows und berichtete, dass Walter Herzog nun auch noch mit der Entführung einer BVG-Fähre und dem Schusswechsel auf dem Langen See in Verbindung gebracht würde.

Dann der Bahnhof Lichtenberg. Milla stand vor einem Zug, Horst half ihr, das Gepäck hineinzutragen.

»Wir werden heiraten«, sagte er glücklich in die Kamera. »Und dann soll sie alles so schnell wie möglich vergessen.«

Milla lächelte und küsste Horst. Dann hielt sie einen Zettel in die Kamera. Die Bescheinigung, dass ihre Mutter als Zwangsarbeiterin bei den Zernikows gearbeitet hatte. Der Reporter vermutete nicht zu Unrecht einen Zusammenhang mit den jüngsten Ereignissen.

»Es wird Tage dauern, bis die Beamten der Spurensicherung die Asche am Döllnsee vollständig durchsucht haben. Die zweite Tatverdächtige, die sechsundzwanzigjährige Cornelia Schumacher, ist noch immer nicht vernehmungsfähig. Sie wurde in das Gefängniskrankenhaus Moabit verlegt. Ihr wird vorgeworfen, den vermutlichen Drahtzieher des Kunstraubs, Aaron von Lehnsfeld, mit mehreren Schüssen getötet zu haben. Die Staatsanwaltschaft geht von Notwehr aus.«

Mich traf fast der Schlag, als jetzt ein Foto von mir eingeblendet wurde. Es war ein Ausschnitt aus einem der Dressler-Gartenparty-Fotos.

»Die beiden Anwälte, die sich zur Tatzeit ebenfalls am Döllnsee aufhielten, haben womöglich als Erste die Spur des größten Kunstraubs der Nachkriegsgeschichte aufgenommen.«

Marie-Luise beim Verlassen des Krankenhauses vor drei Tagen. Dann ein Schwenk über die Villa in Grünau.

»Das Anwesen der Lehnsfelds, in dessen Keller die Kunstgegenstände sechzig Jahre lang gelagert wurden, fällt vermutlich an die Jewish Claims Conference. Der Ruderclub Eintracht Grünau hat bereits angekündigt, dagegen Widerspruch einzulegen.«

Der Reporter gab zurück ins Studio. Im Grunde waren es beruhigende Nachrichten. Den Anwälten würde die Arbeit nicht so schnell ausgehen.

In den nächsten Tagen bekam ich viel Besuch. Hauptsächlich von Kriminalbeamten. Ich gestand die Fährenentführung, nachdem man mir mehr oder minder Straffreiheit zugestanden hatte. Ich hoffte, dass meine Aussage dazu beitrug, dass Walter nicht als der allein Schuldige hingestellt wurde.

Auch Mutter und Hüthchen kamen zwischen drei und vier Mal am Tag vorbei. Sie ließen sich immer neue Details der ganzen Geschichte erzählen. Laut lasen sie mir aus einem ausführlichen Bericht über den »Mann, der die Kunst verbrannte«, vor. Der mittlerweile beste Feind der Familie, Brettschneider, hatte das Interview geführt und unterrichtete die interessierte Öffentlichkeit darüber, dass ich gerne Kim Wilde hörte und schon im zarten Alter von sechs Jahren einen Adventskranz angezündet hatte.

Es war halb neun Uhr abends, als Utz an meinem letzten Abend im Krankenhaus mit einer edlen Flasche Cognac in meinem Zimmer auftauchte.

»Kann ich dich kurz sprechen?«

Ich bot ihm einen Stuhl an. Ich konnte mittlerweile schon sitzen und nahm ihm gegenüber an dem quadratischen Krankenhaustisch Platz.

»Hast du noch Schmerzen?«

»Nicht sehr«, sagte ich.

Utz holte einen Packen Briefe aus der Innentasche seines Jacketts und legte sie neben die Cognacflasche auf den Tisch. »Das haben sie bei der Hausdurchsuchung gefunden.«

Es waren alte Briefe auf dünnem bräunlichem Papier, mit russischen Briefmarken beklebt. Sie trugen keinen Absender. Auf ihnen stand in ungelenken, altdeutschen Buchstaben: *Utz von Zernikow, Guntherstraße, Berlin-Grunewald.*

»Sie sind von Natalja«, sagte Utz. »Ich kann sie nicht lesen. Sie sind auf Russisch.«

»Ich kann leider auch kein Russisch.« Ich reichte ihm die Briefe.

Er steckte sie sorgfältig ein. »Ich fliege morgen nach Kiew. Ich habe ihr über die Ukrainische Nationalstiftung eine Nachricht zukommen lassen. Sie will mich sehen.«

»Und, freust du dich?«

Utz trat ans Fenster. »Ich weiß es nicht. Es ist so eine lange Zeit vergangen. Was soll ich ihr sagen? In welcher Sprache? Ich fühle mich schuldig für etwas, das ich nie gewollt habe. Wie soll ich ihr das erklären?« Seine Silhouette spiegelte sich in der Fensterscheibe.

Ohne sich zu mir umzudrehen, sprach er weiter: »Ich denke immer noch an sie. An das Mädchen Paula. Ich hoffe, dass dieses Mädchen Paula dem Jungen Utz eines Tages verzeiht.«

Ich sah auf die Cognacflasche und dachte daran, dass wir nie wieder zusammen trinken würden.

»Ich bin zu alt für Freunde. Aber du wärst ein guter Partner geworden«, sagte Utz leise. »Und es trifft mich, dass ich dich als Sohn verloren habe.«

»Dann sieh zu, dass dir das nicht auch mit deiner Tochter passiert.«

Utz drehte sich um und lächelte. »Eben spielt sie noch auf deinen Knien, und dann geht sie fort und ist ein fremder Mensch. Es sind nicht die Eltern, die diese Entscheidung fällen. Es sind die Kinder.«

Wenig später verabschiedete er sich und ging.

Ich habe viel darüber nachgedacht, ob etwas dran war an dem, was Utz zum Schluss gesagt hatte, bevor er eine alte Frau in Kiew besuchte, die ihm mehr bedeutete als seine eigene Mutter. Mein ganzes Leben lang war ich überzeugt gewesen, dass letzten Endes die Eltern die Schuldigen sind und uns dazu verdammen, bis zu ihrem Tod Kinder zu bleiben. Und dass man aufstehen und weggehen muss, um erwachsen zu werden.

Aber das stimmt nicht. Man ist erst erwachsen, wenn man seine Eltern wirklich lieben kann. Und dann haben sie, trotz allem, einen guten Job gemacht.

Ob Utz' Besuch Erfolg hatte, habe ich nie erfahren. Für Ekaterina war es schon ein Erfolg, dass so ein Treffen überhaupt zustande kam.

Die Plausibilitätsprüfung von Nataljas Fall war sehr schnell abgeschlossen. Aus dem Deutschen Stiftungsfonds erhielt sie eine einmalige Zahlung von zweitausenddreihundertachtzig Euro und fünf Euro mehr Rente im Monat.

Sigrun traf ich erst viele Wochen später. Sie überquerte die Linden Richtung Reichstag und war in Eile. Wir liefen aneinander vorbei, und noch ehe ich überlegen konnte, ob ich sie wohl ansprechen sollte, war sie schon vorüber. Es dauerte lange, bis ich dahinterkam, dass nicht sie der größte Verlust war, sondern die Illusion, die ich mir über uns beide gemacht hatte.

Kevin kehrte nach den Semesterferien an die Humboldt-Universität zurück und begann mit erstaunlichem Fleiß sein Hauptstudium. Er entschied sich für Rechtsgeschichte.

Walter Herzog wurde zu mehreren Jahren Gefängnis verurteilt. Den Mord an Olga konnte man ihm nicht nachweisen. Allerdings fand man seine Fingerabdrücke in dem Lkw. Er kam mit Raub und Mittäterschaft davon. Über Aaron schwieg er beharrlich, was das Strafmaß erhöhte. Da es ihm aber weder in der U-Haft noch im Gefängnis an irgendetwas fehlte, rechneten Marie-Luise und ich damit, dass es ihm auch nach seiner Entlassung gut ergehen würde. Nicht mehr bei den Zernikows, dafür bei den Lehnsfelds. Der Zug fuhr also immer noch auf den Schienen und verließ sie nicht.

Zwei Monate nach meiner Entlassung aus dem Krankenhaus fand ich eine kleine Wohnung in Wilmersdorf. Marie-Luise rümpfte zwar die Nase, aber ich wollte nicht in den Osten. Ich arbeitete ja schon da, das war genug.

Wir arbeiteten die Verkehrsdelikte ab und konzentrierten uns dann voll auf das Strafprozessrecht. Es hinderte Marie-Luise nicht daran, nach wie vor die Sensibilität notorischer Heroindealer und die tiefe Poesie im Handeln kleptomanischer Mädchenbanden zu suchen. Sie würde sie nie finden. Aber sie gab die Hoffnung nicht auf. Ich blieb Realist und achtete darauf, dass die Anwaltskosten bezahlt wurden. Notfalls nachts um drei vor einer Neuköllner Disco.

Im Übrigen arbeiteten wir hart daran, nicht allzu dicke Freunde zu werden.

Mit meiner Mutter und Hüthchen fuhr ich öfter nach Reinickendorf. Manchmal spielten wir auch Bridge miteinander. Ich blieb dann gerne noch etwas länger. Und wenn wir die zweite Flasche Eierlikör köpften, fingen sie an zu erzählen. Dann leuchteten ihre Augen, und sie kicherten wie junge Mädchen. Ich merkte, dass Zuhören das beste Aufputschmittel ist. Nicht bei einem selbst. Aber bei denen, die erzählen.

Danksagung

Am 17. Dezember 1999 erschien im Berliner Tagesspiegel ein Artikel mit der Überschrift »Ein Zeichen setzen gegen den schäbigen Kleinmut«.

Empört über das Verhalten mancher Großunternehmen mit braun befleckter Firmengeschichte zur Stiftungsinitiative der deutschen Wirtschaft, riefen Leser der Zeitung zu privater Hilfe für Zwangsarbeiter auf und schilderten ihre Erlebnisse mit polnischen und ukrainischen Kindermädchen in Familienhaushalten.

Bis dahin hatte ich geglaubt, Zwangsarbeiter hätten ausschließlich in Fabriken, öffentlichen Institutionen oder der Landwirtschaft gearbeitet. Hier aber las ich von zumeist sehr jungen Frauen, die aus den überfallenen Gebieten nach Nazi-Deutschland verschleppt worden waren und deutsche Kinder liebevoll ge- und behütet hatten. Eine Leserin, eines dieser Kinder, schrieb, dass ihr polnisches Kindermädchen sich ihrer »auch dann liebevoll angenommen hatte, als sich die eigene Mutter vor einer Krankheit des Kindes ekelte«. Andere berichteten von diesen »Sklavinnen in deutschen Haushalten«, dass sie diejenigen gewesen waren, die »uns in den Schlaf gesungen, und gefüttert, gestreichelt, geliebt haben«.

Ich wollte diese Frauen finden.

Dass ich im Januar 2003 in Kiew mit fünf von ihnen reden konnte, verdanke ich Marina Schubert und dem Berliner Verein Kontakte e. V. Es ist die einzige mir bekannte Institution, die sich um das Schicksal dieser Frauen kümmert, von denen viele aufgrund der oft verworrenen Rechtsverhältnisse bis heute auf eine Entschädigung warten.

Marina Schubert ist eine Frau, die ich für ihren grenzenlosen Idealismus und ihre Stärke bewundere, mit der sie jeden einzelnen Fall zu ihrem ganz persönlichen Anliegen macht und immer wieder aufs Neue den Kampf gegen die Windmühlenflügel der Bürokratie aufnimmt.

Mit tiefer Zuneigung und großem Respekt danke ich:

Anastasia Sidorenko, 80,

Valentina Sergejewna, 77,

Maria Jimilianowa, 78,

Hana Bondar, 76,

Pelageia Iwanowna, 76.

Ohne ihre Offenheit und den Mut, mit dem sie sich in langen Gesprächen an ihre Zeit in Deutschland und ihre höchst unterschiedlichen Erfahrungen erinnerten, wäre dieses Buch nicht entstanden.

Erstaunlich oft wurde mir auf die Frage, was diesen Frauen über die Zeit in Nazi-Deutschland hinweghalf, der 90. Psalm genannt, den ich an einigen Stellen zitiert habe.

Dank an Nadieshda von der Ukrainischen Nationalstiftung und unsere Fahrerin Nelli, die selbst die unwahrscheinlichsten Adressen an den seltsamsten Orten Kiews aufspürte.

Es wäre wünschenswert, nicht zuletzt dank des hohen Lebensalters dieser Frauen, wenn sich Historiker dieses fast völlig vergessenen Kapitels deutscher Geschichte endlich annähmen.

Ich danke Anke Veil, die – wie auch bei meinem ersten Buch – oft ziemlich lange auf die Fortsetzung der Geschichte warten musste und mich mit ihrem Interesse, ihrer Neugier, ihrem Lob und ihrer Kritik angespornt hat weiterzuschreiben.

Für ihr liebevolles und aufmerksames Gegenlesen, für die Unterstützung und den juristischen Rat bei den in diesem Buch aufgeführten Rechtsfällen danke ich ganz besonders den Anwälten Nicole Poppe-Rosin und Udo Rosin.

Martin Weinhold hat mich vor dreizehn Jahren nach Rauchfangswerder, Sassnitz und zum Plänterwald geführt. Dem Knirschen der Scherben unter unseren Füßen habe ich das Grünauer BVG-Kapitel gewidmet. Dank auch an Barbara Weinhold. Ohne sie sähe dieses Buch anders aus.

Ohne Renate und Gerd Balke wäre ich wohl bis heute noch nicht fertig. Nur mit ihrer Hilfe habe ich dieses Buch in »nur« zwei Jahren geschafft.

Erwin Zernikow hat mir großzügigerweise seinen Namen für diesen Roman überlassen. Ich möchte an dieser Stelle allen anderen Zernikows und dem Rest der Welt versichern: Alle Personen in diesem Buch sind frei erfunden.

Nicht erfunden sind die historischen Fakten. Mein Dank für sein Interesse und seine hilfreichen Anregungen geht auch an Professor Jörg Friedrich.

Andreas Jöhrens hat mich mit unendlich vielen Ideen, Hinweisen und Hintergrundinformationen über das Dickicht der Berliner Landespolitik inspiriert.

Meinen Eltern Loni und Friedrich Herrmann verdanke ich viele Gespräche, Erinnerungen und Antworten. Sie sind ein Born unerschöpflicher Lebenserfahrung, aus dem ich immer wieder gerne schöpfe. Oder, um es mit meiner Hauptfigur zu sagen: Ihr habt einen verdammt guten Job gemacht!

Zum Schluss, weil sie mir das Wichtigste im Leben ist, danke ich meiner Tochter Shirin. Dafür, dass es sie gibt.

Berlin, den 15. Mai 2005

Elisabeth Herrmann
Die siebte Stunde

Kriminalroman.
416 Seiten. Gebunden mit Schutzumschlag.
ISBN 978-3-471-79553-8

Ein mörderisches Spiel, ein rätselhafter Selbstmord und ein quälendes Geheimnis: Als Anwalt Joachim Vernau an einer Privatschule die Jura AG übernimmt, sind die Schüler abweisend und verschlossen. Sie leben in ihrer eigenen Welt und sind fasziniert von geheimnisvollen Ritualen. Rollenspiele sind doch harmlos, denkt Vernau. Doch als er herausfindet, was hinter ihrem Schweigen steckt, ist es fast zu spät.

»Elisabeth Herrmann ist ein großer Wurf gelungen ... Ein politischer Roman mit hohem Unterhaltungswert. Wunderbar!«
Andrea Fischer im Tagesspiegel

List